De Zwarte Lord

Rihana Jamaludin

De Zwarte Lord

KIT Publishers - Amsterdam

De Zwarte Lord, Rihana Jamaludin

KIT Publishers
Mauritskade 63
Postbus 95001
1090 HA Amsterdam
E-mail: publishers@kit.nl
www.kit.nl/publishers

Tweede druk januari 2010

Redactie: Adriaan Krabbendam, bellettrie.nl

Foto omslag: Irene de Groot, Amsterdam
Fotocompositie naar een idee van Rihana Jamaludin met medewerking van Taraq Hok-Ahin. De wandelstok *(koelé-paw)* op de foto is een door marrons in Suriname uit hout gesneden stok (Tropenmuseum-collectienummer 2345-137)
Portretfoto auteur: Theo Andriessen, Art Related
Omslagontwerp: Ad van Helmond, Amsterdam
Boekverzorging: Ad van Helmond, Amsterdam
Productie: Vestagraphics, Vosselaar, België

www.dezwartelord.nl

ISBN 978 94 6022 034 0
NUR 301

Proloog

Ik weet het, er gebeurde veel. Zo veel in één jaar, dat het haast niet te geloven is. Maar hoe kon het ook anders.

Het jaar was 1848. Een roerig jaar voor de wereld. Europa brandde - het vuur van de revolutie laaide op in Zuid-Italië, spoedig daarna volgde Frankrijk, en ook de Duitse vorstendommen ontkwamen niet aan hervormingen. Vervolgens kreeg het Oostenrijkse rijk te maken met opstanden onder de Hongaren, Milanezen, Venetiërs, Bohemen en Roemenen. De Duitser Karl Marx presenteerde zijn *Communistisch Manifest*. Burgers streden tegen het gezag, de roep om vrijheid en rechten, om zeggenschap over het eigen lot, klonk overal.

Nederland bleef niet gespaard, al kwam het gelukkig niet tot een oorlog. En wat Suriname betreft, doordat de slavernij in dat jaar door de Franse revolutionairen werd afgeschaft in het buurland Frans Guyana, en de Engelsen dat al bijna vijftien jaar eerder hadden gedaan in het westelijke buurland Brits Guyana, zat de Nederlandse kolonie ingeklemd tussen twee vuren en de hitte was duidelijk voelbaar. Halverwege dit onzalige en gezegende jaar waren immers vele slaven van Sint Maarten op de Antillen overgelopen naar de Franse zijde van het eiland, waar zij vrije mensen werden. De achtergebleven slaven dwongen hun emancipatie af en de Nederlandse regering kon niet anders dan toestemmen. Toussaint l'Ouverture en de opstanden van Haïti en Santo Domingo waren nog niet vergeten, al hadden die vijftig jaar eerder plaatsgevonden.

In Suriname liep men op eieren. Roep niet te hard, was het motto van de autoriteiten, want als je gehoord wordt zal alle opschudding je berouwen. Daarom was het beter te fluisteren, je onzichtbaar te houden en te doen alsof er niets aan de hand was, om niet het zwarte gevaar te wekken - de overmacht aan negerslaven in de kolonie.

En ikzelf? Wat kon een onbeduidende gouvernante als ik bijdragen aan de gebeurtenissen die ondertussen de wereld veranderden? Een wees uit Den

Bosch, die in Nederland geen toekomst meer zag en haar biezen pakte om het overzee te proberen?

Nog steeds kijk ik met verwondering terug naar dat meisje, die jonge vrouw die ik toen was - nooit buiten Holland geweest en door omstandigheden in armoede geraakt. Niet dat ik mij destijds daardoor terneer liet slaan, overmoed is een deugd van de jeugd en dat is maar goed ook. Hoe zou ik anders bereid zijn geweest te vertrekken naar het verre, onbekende Suriname, naar een vreemde Zwarte Lord, die educatie verlangde?

Een brave Brabantse was ik, maar met een goede opleiding en ervan overtuigd dat ik mijn steentje kon bijdragen aan de maatschappij als ik mijn kennis aan kinderen zou overdragen. Ik had geen idee dat de wereld aan de overzijde van de oceaan er zo anders uit zou zien, met normen en waarden die soms wel tegengesteld leken aan wat mij in mijn opvoeding was bijgebracht en waar het ooit vertrouwde vormen kon aannemen die ik nauwelijks herkende.

Toch kon ik mezelf moeilijk een pionier noemen. Immers, al bijna tweehonderd jaar was Suriname een Nederlandse kolonie en zodoende was er een blanke bevolking, hoewel klein in aantal - de meeste plantage-eigenaren waren na de economische crisis naar Holland teruggegaan en lieten zich ter plekke door een administrateur waarnemen.

In Holland kende men ternauwernood de naam van Suriname, of het moest zijn dat men zeelui in de familie had, of zo fortuinlijk was aandelen overzee te bezitten. In Suriname echter, was Nederland steeds aanwezig, onzichtbaar maar onvermijdelijk. Elk gesprek met een kolonist of Surinamer leidde onherroepelijk naar het verre maar niettemin bemoeizuchtige moederland, dat haar onderdanen uit de West nauwelijks kende, maar er geen been in zag belastingen en winsten te innen.

Ook ik zou dit land nooit hebben leren kennen als de Zwarte Lord er niet was geweest. Mijn roeping als gouvernante volgend, kwam ik terecht in dit land waar mijn leven meer zou veranderen dan ik voor mogelijk had gehouden.

Deel een

Een

Amsterdam 1846

Amsterdam, 12 oktober 1846

Lieve Soeur Agnes Innocentia,

Vergeef me dat ik u moet lastigvallen en u op zo korte termijn op de hoogte breng van mijn komst.
Ik verzoek u dringend mij onderdak te verlenen, daar ik niet langer welkom ben bij mijn werkgevers, de familie Aerdenhout. Mevrouw heeft mij verzocht het huis te verlaten, zonder dat reeds een passende werkkring voorhanden is, en daar ik zo vlug niet over een kostadres kan beschikken, rest mij niets anders dan u om deze gunst te vragen.
Ik verzeker u dat ik mij verdienstelijk wil maken waar het maar kan.
Woensdagavond hoop ik in 's Hertogenbosch te arriveren.

Met dank verblijf ik,

Uw toegenegen
Regina Winter

Het scherpe geratel van de reiswagen begeleidde de in mijn hoofd door elkaar tuimelende gedachten. Flarden van gesprekken, fragmenten van gebeurtenissen stormden langs mijn geestesoog. Het koele, schijnbaar onaangedane gezicht van mevrouw doemde op, zachte kinderhandjes volgden de herinnering. Haakwerk in de salon, de bel voor de thee, de langer wordende gevelschaduwen over de straatkeien, alles trok met grote snelheid aan mij voorbij, een indruk van onontkoombaarheid achterlatend.

Mijn leven zoals ik het kende was van het ene op het andere moment afgesneden, abrupt en zonder de verlichting van kennis over wat komen ging. De toekomst gaapte angstwekkend leeg vóór mij. Een geleidelijke overgang, de opzegtermijn van een maand, had mevrouw Aerdenhout mij niet gegund.

Sedert afgelopen zondag had mijn vrij geregelde bestaan een plotselinge wending genomen. Was ik niet zo jong en naïef geweest, en verkeerde ik in een minder kwetsbare positie, dan hadden de voortekenen mij meer voortvarend doen zijn, en minder hoopvol op een goede afloop. Maar ik had de leeftijd van volwassenheid net bereikt en te weinig van de wereld gezien om de gebeurtenissen goed te kunnen inschatten.

Misschien ook, gaf ik mijn jeugd en mijzelf onnodig de schuld en had niets, geen zorgvuldig gedrag of welgekozen woorden, de situatie ten gunste kunnen keren. Want alle moeite en zorg zijn tevergeefs als de andere partij toont schaamteloos te zijn.

Een diepe kuil in de weg deed de koets plots vooroverhellen en ik gleed van mijn zitplaats, kon me nog net vastgrijpen aan het vensterkozijn. Teruggegooid in het heden ging ik weer zitten en wierp een blik uit het raam. Buiten was het nog donker. Mist dreef boven het water, verre huizen en boten verbergend. Zwarte silhouetten van takken en struikgewas schoten voorbij. Me terug in de kussens van de reiswagen schikkend, voelde ik me wat kalmer worden. Hoopvol bedacht ik dat elke afgelegde mijl mij dichter bij 's Hertogenbosch bracht en verder van woelig Amsterdam. Over bijna twee dagen zou ik mij in de rust van het Moederhuis kunnen koesteren en me beraden over hoe verder te gaan.

De diligence minderde vaart en reed naar de kant om te stoppen. Licht van de straatlantaarn viel naar binnen. Reizigers stapten in, turend in het duister van het interieur, om dan stommelend een plek te vinden. Schrapend werd de bagage op de wagen gehesen. Boven onze hoofden schoven kisten en koffers bonkend tegen het dak.

Even vroeg ik me af of de breekbare spulletjes in mijn valies wel goed waren ingepakt. Had ik eraan gedacht het porseleinen doosje – cadeau van Alexandra – en de vaas en het wandbord, op te rollen in kleedjes of kleren? Ik wist het niet meer, alles was zo overhaast gebeurd dat ik me de details van de vorige ochtend niet meer kon herinneren. Het zou me spijten als de weinige bezittingen die ik had, door onzorgvuldigheid verloren zouden gaan.

Waar anderen zich konden verheugen op het vertrouwde van hun eigen bed en linnengoed of op het geliefde uitzicht vanuit hun kamerraam, moest ik het doen met mijn verplaatsbare substituut voor huiselijkheid: de kleine, maar dierbare decoraties die mijn kamer opfleurden, waar die dan ook mocht zijn.

De ochtendkou drong op terwijl iedereen inschikte om de nieuwe passagiers plaats te verschaffen. Ik trok mijn reisdeken wat vaster om me heen. De deuren klapten weer dicht, de voerman schreeuwde zijn bevelen en de paarden zetten zich weer in beweging.

In de koets was het voller geworden en al snel werd het warmer, op het benauwde af. Door het geratel en gehots van de reiswagen was het onmogelijk een gesprek te voeren, iets wat me overigens goed uitkwam. Liever werd ik alleen gelaten met mijn gedachten, maar zelfs met mijn ogen dicht kon ik de aanwezigheid van de andere passagiers niet geheel negeren.

De magere kuchende man die pas was ingestapt en naast mij had plaatsgenomen, verspreidde een donkere tabakslucht, terwijl de vriendelijke vrouw die aan de overzijde zat en al een paar keer gepoogd had een gesprek met mij aan te knopen, in haar heldere, ritselende kleding een lavendelzakje moest hebben geborgen, of anders een met reukwater besprenkelde zakdoek. Meegekomen geuren van de diverse personen vermengden zich in de kleine ruimte en vertelden hun eigen verhalen. Van de reuk van bergamothaarolie tot die van gebakken spek werd duidelijk hoe men toilet had gemaakt of had ontbeten. De afleiding dit alles te determineren was me niet onwelkom.

De gedachten die de afgelopen dagen als losgeschoten wieken door mijn hoofd waren blijven malen leken eindelijk aan een voorzichtige ordening toe te zijn. Nu de eerste schok voorbij was moest ik constateren er niet rouwig om te zijn de woning van de Aerdenhouts te hebben verlaten.

Wat mij achteraf nog het meest gekwetst had was de houding van mevrouw Aerdenhout. Had ze zich als oudere vrouw niet over mij moeten ontfermen of althans enige bescherming bieden? Gezien haar karakter en positie echter, was de ijzige reactie die mij te beurt was gevallen misschien wel te verwachten. Ik veronderstel dat medeleven te veel gevraagd was voor een vrouw die net ontdekt had dat haar echtgenoot avances maakte naar een ondergeschikte.

Zo abrupt als mijn betrekking op de Heerengracht was beëindigd, zo traag begon het tot me door te dringen wat er in mijn leven ging veranderen. Mijn bezorgde gedachten dwaalden af naar de kinderen en de dingen die ik gewend was dagelijks met hen te doen. Zouden ze naar me vragen? Het moest onbegrijpelijk zijn voor de kleinen dat hun verzorgster zo plotseling verdwenen was.

Ik miste hen en het stak me dat hun mama waarschijnlijk niets goeds meer over mij aan hen vertellen zou. De moeite die ik me de afgelopen maanden had getroost om hun vertrouwen te winnen, was in één klap tenietgedaan. De kleine jongen en de beide meisjes – Constant, Anna en Maria, ach, ik was me reeds aan hen gaan hechten, misschien juist doordat zij de enige vreugde vormden in mijn ongemakkelijke bestaan.

Het is bekend hoezeer een klein kind vertroosten kan, met de simpele gift van een aanhankelijk kopje tegen de schouder, of een handje dat vol vertrouwen reikt, of door een klaterende schaterlach. Zeker, het was zwaar om zo jong als ik was, de zorg voor drie kinderen op me te nemen, maar toen wij eenmaal aan elkaar gewend waren, wist ik me door hen gewaardeerd, meer dan door hun ouders.

En had ik niet de vreselijke verhalen gehoord van andere gouvernantes (onder wie tante Cornelie en haar zuster), over gezinnen waarin onhandelbare kinderen door hun ouders de hand boven het hoofd werd gehouden, terwijl de arme juffie door geldnood gedwongen, geen andere keus had dan zich door de lange dagen met het veeleisende kroost heen te worstelen, of met een aan apathie grenzende gelatenheid de beschimpingen en tirannie te verdragen.

Vanzelfsprekend kon ik niet verwachten als lid van de familie te worden behandeld, ik bleef tenslotte een ondergeschikte. Maar voor wie geen eigen thuis heeft om naar terug te keren, is het des te meer van belang zich op haar gemak te kunnen voelen in het huis van haar werkgevers.

Dit was echter waar de schoen wrong. Niet de kleine kamer die mij ter beschikking was gesteld vormde een probleem, niet de verplichting mij terug te trekken bij de komst van bezoekers, niet de wetenschap dat het dienstpersoneel het in de keuken gezellig had onder elkaar, terwijl ik om de vereiste afstand te bewaren, boven alleen in mijn kamer zat te handwerken. Nee, het was de persoon van de werkgever zelf, die mijn verblijf tot een beproeving maakte. Vanaf het moment dat ik mijnheer Aerdenhouts slinks verhulde pogingen tot toenadering bemerkt had, was ik me zeer bewust geworden van mijn gedrag en mijn doen en laten in huis.

Het begon ermee dat hij mij kort na het aanvaarden van de betrekking, in de studeerkamer ontbood voor een persoonlijk onderhoud. Onwennig nog met mijn nieuwe werkgever en me bewust van mijn onervarenheid als gouvernante zat ik in de stoel tegenover zijn schrijfbureau en hoorde de regels van het huis aan, de omschrijving van mijn plichten en de verwachtingen die hij en zijn vrouw koesterden omtrent de vorming van hun kroost.

Alles verliep op redelijke en aanvaardbare wijze, toen hij plots opstond en al pratende door de kamer begon te lopen, om uiteindelijk voor mijn zitplaats halt te houden. Ik twijfelde even maar vond het niet gepast te blijven zitten terwijl hij met zekere verwachting voor me stond. Hoewel het onderhoud nog niet beëindigd leek te zijn, stond ik toch ook maar op. Maar hij staakte het spreken en voor ik erop beducht was, vatte hij me bij de kin en keek me diep in de ogen. Ik wendde mijn blik af.

'Zo jong nog,' mompelde hij, 'en zonder familie. U moet wel een heel ondernemende jongedame zijn.' Ik voelde zijn adem op me, de geur van tabak overheerst door cognac, maar durfde met de man zo nabij mijn blik niet op te slaan. Zonder hem aan te zien kon ik echter voelen hoe zijn kleine oogjes mijn gezicht bestudeerden. Ofschoon hij aan zijn woorden een vaderlijke toon wist te geven, voelde ik me uiterst ongemakkelijk en met grote moeite bedwong ik de aandrang mijn gezicht met een ruk uit zijn bedrieglijk welwillende handen te bevrijden. In verwarring vroeg ik me af hoelang een dergelijk gebaar mocht duren zonder onbehoorlijk te worden. Gelukkig moet hij mijn weerstand hebben opgemerkt, want hij liet me los en zond me spoedig daarna naar de kinderen. De teerling was echter geworpen.

Nu ik er afstand van kon nemen, begon langzamerhand tot me door te dringen hoezeer ik me in de huiselijke omgeving had moeten schikken naar de stappen van mijnheer. Bevond hij zich in de buurt, of dreigde zijn aanwezigheid zich voor te doen, dan was uiterste oplettendheid geraden om onaangename situaties te vermijden. Het was een geluk dat de Aerdenhouts over een uitgebreide staf van huishoudelijk personeel beschikten. Menigmaal wist ik een confrontatie met mijnheer te voorkomen door me naar de dichtstbijzijnde plek in het huis te begeven, waarvan ik wist dat daar een poetsmeisje bezig was met een of ander karwei.

Overdag was ik zodoende tamelijk veilig. Maar 's avonds en in de vrije tijd moest ik goede excuses bedenken om niet te dicht in zijn gezelschap te hoeven verkeren; het getuigde niet van fijne manieren om alle avonden de salon te mijden.

's Zondags werd er met het hele gezin gewandeld. Aan mevrouws arm kon ik niet blijven hangen, gelukkig stuurde zij de kinderen maar al te graag mijn kant op, maar menig landelijk uitstapje werd door zijn toedoen voor mij bedorven.

Het was een van mijn kleine genoegens langs de weilanden te dwalen, mijn gedachten de vrije loop te laten. Wanneer men in andermans huis woont, is men te allen tijde gast. Men weegt zijn woorden op een gouden schaaltje, past ervoor een al te duidelijke mening klaar te hebben, draagt er zorg voor altijd een beleefd antwoord te geven dat niemand voor het hoofd kan stoten. Hoe welkom zijn dan de momenten waarin je, alleen met de natuur, bevrijd bent van nietszeggende vormelijkheid en plichtplegingen. Doch die schaarse momenten van vrijheid waren mij nu ontnomen.

Mijnheer Aerdenhout leek door mijn pogingen hem te ontlopen juist aangemoedigd, als een jachthond die de schichtige prooi heeft geroken. De man scheen niet te begrijpen dat wat voor hem een luchtig spelletje was, voor mij een bron van zorgen vormde.

Wilde ik op mijn vrije middag het benauwende grachtenhuis voor enige uren achter me laten door de stad in te gaan, dan kwam hij me achterna en stond erop mij met de koets te escorteren. Terstond begreep ik dat ik me niet met hem in de intimiteit van de coupé kon begeven. Om zijn aanbod en aandringen met goed fatsoen te kunnen weigeren, zat er niets anders op dan maar rechtsomkeert te maken, plotselinge hoofdpijn voorwendend, waardoor ik wederom in huis opgesloten zat.

Handelde Aerdenhout misschien uit verveling, het was beslist kwalijk dat hij een onschuldig meisje slachtoffer maakte van zijn spel. Hoe moest de listige vos ervan genoten hebben een afhankelijke en kwetsbare jonge vrouw onder zijn dak en in zijn macht te hebben. De meer dan toevallige ontmoetingen in de hal of elders in huis, vooral op momenten dat er niemand in de buurt was... hoe ik dan trachtte hem te passeren zonder dat onze lichamen in contact met elkaar zouden komen, een opgave die door hem opzettelijk bemoeilijkt werd door mij zo weinig mogelijk ruimte toe te staan. Haren, adem, alles scheen op zo'n moment te veel, te dichtbij, alleen de wijde crinolinerokken kwamen van pas, een deinende, stoffen barrière.

Het kon niet anders of het moest zijn dat de man mij voortdurend bespiedde, volgde en er schik in had me te zien stamelen en blozen, uitvluchten bedenken om hem te ontlopen. Zo dikwijls liet hij zijn spottende blik op mij rusten dat ik me erover verwonderde dat mevrouw niets bemerkte. Elk klein verzoek van zijn kant behelsde al het vooruitzicht van een dilemma. Zou ik aan zijn attenties kunnen ontkomen of zou hij het winnen?

Het huis aan de Heerengracht kreeg voor mij twee gezichten: de dag met haar lichte zijde, gevuld met lessen, spel en kindergelach. Maar bij het vallen van de avond trad de donkere kant naar voren, waarin ik een eenzame strijd streed, altijd op mijn hoede voor de schaduw die loerde, en die vanachter elke hoek tevoorschijn kon komen.

Achteraf bezien lijkt het vreemd dat ik zo lang vol bleef houden. Waarom liet ik de sluwaard begaan, had ik geen hoop op een andere betrekking?

Waarschijnlijk ligt de verklaring in het feit dat ik nog steeds treurde om het vertrek van mijn vorige familie. Bij de Helminks had ik een thuis gevonden, was het me gegund op te groeien van jong meisje tot juffrouw, werd ik een deel van het gezin. Het besef dat een dergelijke innige band uitzonderlijk was, drong destijds onvoldoende tot mij door, al wist ik wel dat ik dit geluk vooral te danken had aan de connectie van soeur Agnes met Alexandra Helmink.

Verdriet echter was iets dat ik niet geacht werd te hebben, vervulling van plicht domineerde het bestaan. Bij de Aerdenhouts, in mijn nieuwe functie met het drukke leven van alledag, was er geen tijd voor rouw. Ik stond vroeg op, verzorgde eerst mezelf en wekte daarna de kinderen, kleedde hen, bad en at met hen. Gaf de lessen in de leskamer, wandelde met mijn pupillen, speelde, troostte of berispte.

Mijn heimwee naar de Helminks bleef diep weggestopt, maar zodoende stond ik met één been bij mijn vorige gezin, en met het andere wat wankel bij de Aerdenhouts. Het gevolg was dat ik mijn werk vaak deed met het gevoel een slaapwandelaarster te zijn. Mechanisch deed ik wat er van me verlangd werd en dacht maar niet al te veel na. Alles was best zolang ik niet hoefde te denken over mijn situatie, die weinig vooruitzichten bood. Zo leidde mijn neerslachtigheid langzaam maar zeker naar het onvermijdelijke.

Gevangen als ik was, kreeg het leven een zekere routine. Ik leerde omgaan met het ritme van mijn kweller. Leefde op als hij afwezig was, trok me terug bij zijn thuiskomst. Mijn kamerdeur ging altijd op de grendel, ook al was de kans gering dat hij zich er zou wagen - de kamers van de kinderen waren immers vlakbij. Ondanks de steeds vereiste waakzaamheid, waren de dagen en handelingen van een voorspelbare orde.

Natuurlijk miste ik het om eens uit te gaan, ontspanning te zoeken in de schouwburg of het theater, of gewoon maar langs de grachten te wandelen. Maar sinds Alexandra Helmink naar de Oost was vertrokken, had ik toch geen gezelschap meer en een dame alleen die vertier ging zoeken, dat gaf geen pas. Ik troostte mezelf met de gedachte dat het geld dat thans uitgespaard werd door van vermaak af te zien, in ieder geval later altijd van nut kon zijn.

Intussen was mijn tijd beter besteed met het vergaren van kennis, voor mij en de kinderen. Tot mijn vreugde wist ik van mevrouw gedaan te krijgen dat ik op donderdag met de dienstbode mee mocht naar de stad. Marie ging dan naar de markt, terwijl ik me naar de Stadsbibliotheek begaf om het nuttige met het aangename te verenigen. Dit waren de momenten geworden waarvoor ik leefde, alsof ik ontwaakte uit een diepe slaap keek ik om me heen en dronk alles in. Te lang had ik de buitenwereld gemist.

De levendigheid van Amsterdam vormde al een attractie op zich. Natuurlijk kende ik ook de drukke marktdagen van Den Bosch. En daar waren eveneens de vertrouwde straatfiguren die mijn dag kleurden: scharenslijpers met de snerpend ronddraaiende slijpsteen, marskramers met allerhande waar, rumoerige visvrouwen en de in walm gehulde oliebollenverkoopsters. Maar het straatbeeld had hier een minder ruraal karakter; minder veestapels en meer verkeer van schommelende en ratelende paardenkarren, koetsen en handkarren.

Marie en ik troffen elkaar naderhand weer aan de rand van het Damplein. Beladen met boeken en boodschappen begaven we ons dan huiswaarts. Vaak passeerden we op de stoep handwerkslieden die buiten hun werkplaats aan de arbeid waren, gebruikmakend van het daglicht. De smid konden we van verre horen kloppen als hij een geduldig paard opnieuw besloeg; de zwijgzame bezembinder, immer bezig met zijn opgebonden staken, bromde een groet. Marie kende menig persoon bij voornaam en nu en dan hadden we een kort oponthoud als er een praatje gemaakt moest worden.

Opgewekt stapten we de keuken weer binnen. De afgelopen uren waren voor mij van onschatbare waarde geweest. Onbekommerd neuzen in boeken, wandelen door de stad en babbelen met Marie; voldoende bewegingsvrijheid om weer kleur op mijn wangen te krijgen.

Al vroeg had ik geleerd met weinig tevreden te zijn en deze dagen koesterde ik dan ook, hopend dat mijn rust zou weerkeren met het verlies van de interesse van Aerdenhout.

En inderdaad leek aan de beproeving een eind te komen. Na mij maandenlang te hebben achtervolgd, scheen mijnheer Aerdenhout eindelijk genoeg te krijgen van zijn stiekeme en vergeefse avances. Zijn houding tegenover mij veranderde. Hij deed zich niet langer voor als de meer dan vriendelijke, schijnbaar vaderlijke figuur. In plaats daarvan begon hij me te negeren, bejegende mij als hij er niet onderuit kon, op koude, norse wijze.

'U bent laat, juffrouw. Duurt het zo lang de kinderen gereed te maken?'

'Juffrouw Winter, u begraaft uzelf in boeken. Heeft u niets zinnigs aan de conversatie bij te dragen?'

'Verspilt u uw tijd in de kinderkamer, juffrouw, of kunnen we nog vorderingen verwachten van de kinderen?'

Ofschoon ik niet vond dat ik een dergelijke behandeling had verdiend – zijn gemelijke opmerkingen naderden vaak de grens van het redelijke en deden zelfs mevrouw de wenkbrauwen fronsen – was het tegelijk een verademing zijn manipulaties niet meer te hoeven vrezen. Ik kon slechts gelaten afwachten tot hij over de teleurstelling van zijn mislukte pogingen heen was, en moest ondertussen mijn plaats kennen.

Daar ik echter niet tot het lagere personeel behoorde, vreesde ik de momenten dat hij in het bijzijn van de bedienden kritiek op mij leverde. Bovendien was er kans dat de kinderen hun respect voor mij zouden verliezen en zonder overwicht zouden de lessen ondoenlijk kunnen worden. Mevrouw moet zich wel bewust zijn geweest van het ongunstige effect op mijn positie door haar mans houding, maar gaf geen blijk van enige steun.

Toen, op een zondagmiddag tijdens de thee in de grote salon, werd ik door mevrouw Aerdenhout naar de verlaten kleine huiskamer gestuurd om een borduurwerk op te halen. Net had ik het lapje gevonden bij het tafeltje waar het afgegleden was, of ik hoorde achter mij de deur opengaan. Mijnheer Aerdenhout trad binnen. Ik verwachtte als gewoonlijk langs hem heen te kunnen vertrekken, hopelijk zonder een van zijn onaangenaamheden, erop vertrouwend dat hij zich in de situatie van zijn huishouden had geschikt.

Tegelijk zetten we ons in beweging, ieder in tegengestelde richting; ik naar de deur, hij naar het midden van de kamer. Halverwege kwamen we elkaar in de kleine ruimte tegen, maar toen ik hem voorbij wilde glippen versperde hij mij ineens de weg.

Ik deed een stap opzij om erlangs te kunnen, maar opnieuw trad hij voor mij. Geschrokken gaf ik te kennen dat dit geen grap was die ik kon waarderen, maar onverhoeds greep hij me beet en trok me naar zich toe. Tegenstribbelend dacht ik er nog aan geen opschudding te veroorzaken en siste hem toe zich te hernemen. Angst voor een schandaal maakte dat ik mijn stem niet durfde verheffen. Zelfs al worden de in de achterkant van onze gedachten verborgen verdenkingen bewaarheid, het lijkt of het verstand er slechts schoorvoetend van wil weten, weigert het kwaad te erkennen. Nog steeds vertrouwend op redelijkheid protesteerde ik: 'Mijnheer! Laat me los! Wat zal men denken!'

Mijnheer Aerdenhout was groter en sterker dan ik en zonder acht te slaan op mijn geworstel en protest probeerde hij zijn lippen op de mijne te drukken. Vol afschuw voelde ik zijn mond langs mijn wang vegen terwijl ik instinctief mijn gezicht wegdraaide.

'Regina, lieve kind, wees eens rustig... Kom, meisje, bedaar toch...'

Ik besefte dat gebeurde wat ik steeds gevreesd had. Het moment was uiteindelijk toch onverwachts gekomen, de snoodaard had listig gebruikgemaakt van mijn verslapte waakzaamheid. Iedereen, ook de bedienden, zat nu aan de thee. Er was niemand in de buurt om mij te ontzetten - dit beseffend raakte ik in paniek.

Ondertussen trachtte Aerdenhout mij te sussen en fluisterde dat ik hem bij zijn voornaam moest noemen, Hendrik. Wat dacht de kerel wel van mij?

Woede verminderde mijn angst deels, maar schaamte om de penibele situatie weerhield me ervan het op een schreeuwen te zetten. O, hoe fatsoenlijk worden we toch opgebracht, aangeleerd nooit onze stem te verheffen en tevreden te zijn met een bescheiden plaats, dat we zelfs in nood liever onze deugd riskeren dan om hulp te roepen.

Gevangen in zijn greep probeerde ik de aanrander met schoppen af te weren, maar het crinolinepantser hinderde nu zowel mij als hem. Toch wist hij op een of andere manier zijn handen te gebruiken. Dicht tegen de man aangeklemd voelde ik tot mijn verschrikking dat hij mij uiterst onbetamelijk trachtte te betasten.

Alle beleefdheid vergetend begon ik me heftig te verzetten. Er moest onmiddellijk een eind worden gemaakt aan de handtastelijkheden of ik zou nooit meer veilig zijn. Een moment lang was er niets anders te horen dan het wilde geritsel van onze kleding in het gevecht, mijn verbeten gepiep en meneers hijgende ademhaling.

Toen moet tot Aerdenhout zijn doorgedrongen dat de situatie ernstig uit de hand was gelopen en dat mijn reactie niet was wat hij zich ervan had voorgesteld. Ik voelde dat hij het opgaf, maar de vertwijfeling in zijn blik verraadde dat hij zich afvroeg hoe zich hieruit te redden. In het nauw gedreven wist de dwaas niets beters te bedenken dan door te zetten en proberen mij in zijn macht te houden. Met een bons kwamen we op de sofa neer, waarheen hij me had weten te drijven.

'Stil!' beet hij me toe. 'Wil je dat men ons hoort? Wie zal je dan geloven? Verbeeld je maar niets–'

Maar ik wist een arm los te wrikken en gaf hem meteen een rake klap.

Exact op dat moment kwam mevrouw Aerdenhout binnen.

Om den brode had ik me in de voorgaande maanden in de omstandigheden geschikt, in de waan dat mijn belager op den duur van zijn vergeefse pogingen vervelen zou en mij met rust zou laten. De situatie was nu in ieder geval duidelijk, dat meende ik althans. Mijn aanvankelijke opluchting over het feit dat mevrouw Aerdenhout nog juist getuige was geweest van de klap, was gefundeerd op het idee dat zij hierdoor van mijn onschuld overtuigd, mij zou steunen.

Dit bleek ijdele hoop. Zo ze mijn verhaal al geloofde, de versie van haar man was haar liever. Achteraf moet de gewetenloze vent haar hebben overtuigd dat ik de woede over mijn niet beantwoorde affectie, op hem had gekoeld. De gemene leugenaar!

In gedachten beleefde ik opnieuw het moment dat mevrouw Aerdenhout mij de beschuldigingen voor de voeten wierp, ongegronde verdachtmakingen, net zo absurd als het idee dat ik een liaison met mijn werkgever had willen uitlokken.

'Juffrouw Winter,' sprak ze kil, stijf in haar volumineuze japon en nog eens zo strak in haar blikken, 'het is ronduit verwerpelijk dat u zich in een huis, bij een familie die u zo gastvrij heeft ontvangen...' – ze leek elk woord te benadrukken – '...zo schandelijk heeft gedragen, en dat terwijl de jongsten juist in alle vertrouwen onder uw hoede waren geplaatst.'

Tevoren had ik me met een gevoel van verlichting naar de grote salon begeven waar mevrouw Aerdenhout me had ontboden, ik koesterde nog de hoop dat de zaken nu tot een oplossing zouden komen. Dat daar geen sprake van was bleek vlug genoeg.

Met stijgende verontwaardiging hoorde ik de beschuldigingen aan, machteloos omdat aan mijn woord geen waarde werd gehecht. Had ik niet, sinds ik de ongewenste belangstelling van mijnheer Aerdenhout had opgemerkt, getracht zijn gezelschap te mijden? Steeds had ik gezorgd de kinderen in de buurt te hebben, dan wel een lid van het personeel en dit alles zo onopvallend mogelijk, ervoor beducht geen stof te geven tot geruchten.

Ik wist dat de bedienden zouden kunnen getuigen van mijn onberispelijke gedrag, maar het sprak vanzelf dat het laatste wat mevrouw Aerdenhout wilde, was dat er praatjes over de familie de ronde zouden doen onder het lagere personeel en daarmee hun weg naar buiten zouden vinden.

Mijn klacht dat ik ondertussen in mijn bewegingen en werk als gouvernante sterk beperkt was geworden, kon bij haar geen oor vinden. Liever meende mevrouw opeens zeker te weten dat er in mijn houding en voorkomen veel was dat te wensen overliet. Als gouvernante zou ik mij niet voldoende nederig hebben opgesteld en mij niet naar mijn positie hebben gedragen. Dat mijnheer zijn oog op mij had laten vallen was geheel aan mijn al te opdringerige wijze van kleden en de onbezonnenheid van mijn jeugd te wijten.

Aarzelde ik reeds mij tegenover mijn meerdere al te vermetel op te stellen, de valse aantijgingen maakten me helemaal sprakeloos. Zo kwam het dat ik mij nauwelijks kon verdedigen, een zwakte die ik thans danig betreurde. Stotterend van woede en onmacht kon ik de beheerste, imposante gestalte van mevrouw Aerdenhout – mijnheer had zich sedert het incident niet meer laten zien – onmogelijk van passende repliek dienen.

En juist nu ik van mijn drukkende dienstverband bevrijd was, kondigden de argumenten zich aan, het weerwoord dat van geen nut meer was zonder de aanwezigheid van de vileine aanklagers. Zou mevrouw de donkere, strenge kleding die ik bij de zusters had leren dragen, als die van een wufte verleidster zien? Of moest het stijf ingesnoerde korset daartoe worden gerekend (inderdaad vormde dat een contrast met mevrouws gezette figuur). En wat betreft mijn jeugdige roekeloosheid - doelde mevrouw misschien op de keren dat ik me met de kinderen in de tuin aan het balspel had overgegeven? Als er dan misschien iets te veel van mijn onderrokken te zien was geweest, wie kon daar aanstoot aan nemen, in een goed beschutte en ommuurde tuin? Lag de schuld dan niet veel meer bij de ongeziene, stiekeme toeschouwer? Och, hoe nutteloos ook, de verbeten verdediging die thans in mij opwelde, verlichtte enigszins de last die me terneerdrukte.

Het duurde niet lang voor het besluit was gevallen. Reeds de morgen na de confrontatie kreeg ik te horen dat ik mijn koffers kon pakken, een oordeel dat geveld werd ongeacht mijn verweer. Ik had nog het geluk dat het loon waar ik recht op had werd uitbetaald, maar een getuigschrift kon ik vergeten. Overtuiging van de eigen onschuld is een luxe die jammer genoeg niet gemakkelijk met anderen gedeeld wordt. Dat ik nooit meer een onbevlekt blazoen zou hebben, kwam op dat moment niet in me op.

De maandag verliep in vliegende haast - koffer pakken, naar Van Gend & Loos om een reisplaats te reserveren, zuster Agnes schrijven. Er was geen gelegenheid om afscheid te nemen van de kinderen of van Marie. Mevrouw Aerdenhout moet hen zorgvuldig uit mijn nabijheid hebben gehouden om geen kans op tranen en roddels te krijgen.

Voor ik het wist was het dinsdag en stond ik in het ochtenddonker bij de afspanning van de postwagendienst te wachten op de koets.

Dat alle kommernis tijdens mijn verblijf bij de Aerdenhouts grote druk op mij had gelegd, werd ik mij eerst nu gewaar. Want naast alle zorgen die ik op het moment had, kwam eindelijk ook een gevoel van bevrijding op. Voor het eerst sinds lange tijd kon ik me enigszins ontspannen.

Regelmatig herhaalden de onderbrekingen van de reis zich, waarbij sommige passagiers, op hun bestemming aangekomen, uitstapten, en weer nieuwe binnentraden. De terugkerende handelingen, het deinen van de kar en de ritmische hoefslag van de paarden begonnen ten langen leste kalmerend te werken. De afgelopen nachten had ik maar weinig geslapen, bezig als ik was met het schokkende voorval en de akelige gesprekken daarna.

Door het venster werden de weiden, waar de mist net begon op te trekken, zichtbaar en de opkomende zon spreidde voorzichtig kleur over de velden. Een boerderij met beroete schoorsteen werd gepasseerd. Een rookpluim trok vage zwarte sporen in de lucht. De wegen waarover we reden werden breder en beter. De paarden gingen over in een gelijkmatige draf en niettegenstaande het geschommel van de koets, begon ik moeite te krijgen niet in te dommelen. Maar het idee dat ik in mijn slaap naar de passagier naast mij zou kunnen overhellen weerhield me ervan me aan de slaap over te geven. Meer dan ooit moest ik over mijn reputatie waken. Het ging niet aan dat ik als eerbare gouvernante tegen een manspersoon geleund zou slapen.

Per trekschuit zou de reis waarschijnlijk comfortabeler zijn geweest en in ieder geval meer ruimte en afzondering hebben geboden. Bovendien zou daar de mogelijkheid zijn eens de benen te strekken en af en toe een wandelingetje te maken aan dek. Maar ik vond het de kosten niet waard, vooral nu ik nog zuiniger dan anders zou moeten leven tot ik een nieuwe betrekking had gevonden.

Wat een geluk dat ik bij soeur Agnes terechtkon voor onderdak! Ik nam althans aan dat het mogelijk was, want er was mij geen tijd meer gegund om op een antwoord te wachten. Maar ik kon me niet voorstellen dat de goede zuster, die ik vanaf mijn kindertijd kende en die mij zo veel van haar kennis had bijgebracht, mij in nood de deur zou wijzen. Bovendien, logies bij de Dochters van Maria en Joseph zou van tijdelijke aard zijn. Ik was er immers op voorbereid mijn eigen brood te verdienen.

Twee

Den Bosch 1825 - 1840

Tante Cornelie, die mij als wees liefdevol had opgenomen en opgevoed, had het me al op het hart gedrukt: *Lieve Regina, leer zo veel mogelijk, want je kennis is de schat die je nooit afgenomen kan worden en die ervoor zorgen zal dat je altijd brood zult hebben, zelfs op je oude dag.*

De goede tante Cornelie was als onderwijzersdochter zelf in haar jonge jaren gouvernante geweest, maar had door een zwakke gezondheid haar werk later moeten opgeven. Gelukkig had ze voldoende weggelegd om zichzelf te kunnen onderhouden, zij het zeer sober. Als ik mijn ogen sluit zie ik haar nog voor me, broos van gestalte en eenvoudig gekleed, maar met haar zachte, wat verlegen lach en aandachtige blik, de beste pleegmoeder die ik me had kunnen wensen.

Het huisje in 's Hertogenbosch hadden zij en haar zuster geërfd van hun ouders, daar de twee jongere broers naar exotischer oorden vertrokken waren, waarna men jarenlang weinig meer van hen had vernomen.

Tante Cornelie en tante Johanna hadden de zorg voor hun bejaarde ouders op zich genomen na beiden met tussenpozen als gouvernante bij verschillende families te hebben gediend. Tussen de ene betrekking en de volgende konden ze bij hun ouders terecht om even tot rust te komen, tot tante Cornelie ziek werd en naar huis terugkeerde, voorgoed, zoals zou blijken.

Na haar herstel besloot ze te blijven om voor haar steeds zwakker wordende ouders te zorgen. Spoedig daarna kwam ook tante Johanna weer thuis om haar zuster bij te staan, een keuze die de ouders gelukkig maakte - nu hadden ze hun beide dochters bij zich in wat later hun laatste levensjaar bleek. Die keuze werd Johanna echter fataal.

Die natte winter stroomde zoals zo vaak de rivier de Dieze over en zette de lager gelegen delen van de stad blank. Straten en kelders liepen onder en buiten moest men zich per schuit verplaatsen. Maar deze keer raakte het vervuilde slib van de Binnendieze aan de putvoorraad en besmette het drinkwater van Den Bosch. Bij de daaropvolgende cholera-epidemie verloor tante Cornelie eerst haar ouders en ten slotte ook haar zuster - bijna haar hele familie. Zij bleek achteraf toch de taaiste en op haar rustte nu de verdrietige taak haar broers over hun verlies in te lichten.

Het slot van de Franse Tijd had Hendrik en Adriaan verbitterd achtergelaten. Ternauwernood waren ze aan Napoleons conscriptie ontsnapt – het algemene verzet tegen de oproep tot dienst in het Franse leger was hevig – maar dat geluk gold niet hun twee oudere broers, noch hun vrienden en de andere gestorvenen op het slagveld, ver van huis en familie.

Als de jongsten in het gezin had het verlies van Jozef en Eduard, de broers tegen wie zij opkeken, hen zwaar getroffen. Daarbij had de Franse bezetting, met haar vele oorlogen, Holland met een grote staatsschuld achtergelaten en een dreigende werkeloosheid. Voor vele jongemannen had Nederland geen toekomst meer en de stoutmoedigsten vertrokken naar de koloniën om fortuin te zoeken.

Hadden niet de rijke eigenaars van landgoederen aan de Vecht hun winst aan de vruchtbare koloniën te danken? Zelfs wie niet tot de adel of de rijke burgerij behoorde had ginder kans om als bemiddeld man te leven. Met Gods wil keerde men dan terug in het bezit van aandelen van de West-Indische Compagnie of haar Oosterse equivalent, zich voor de rest van het leven van een onbezorgd bestaan verzekerd wetend.

Alzo besloten in 1817 ook de gebroeders Winter. Hendrik was naar Oost-Indië getrokken om in zaken te gaan, terwijl Adriaan de West had verkozen en in Suriname bij een plantersfamilie betrekking had gevonden als huisleraar.

Het scheen dat de broers geheel door hun nieuwe bestaan in beslag werden genomen, want in de volgende acht jaren kwamen er nauwelijks nog berichten naar Nederland, tot verdriet van hun familie. Tante Cornelie verstuurde de rouwbrief dan ook met een bezwaard hart, onzeker over de ontvangst van een levensteken van de van haar vervreemde verwanten.

De zeepost leverde echter zowel uit Oost als uit West nieuws. De eerste brief bracht een schok, de tweede een raadsel. Oom Hendrik bleek enige jaren eerder aan malaria te zijn gestorven. De kennisgeving was verzonden vanaf de missiepost waar hij was verpleegd en waar men niet had geweten wie over zijn dood in te lichten, tot de rouwbrief was opgedoken.

De tweede brief kwam uit Suriname. Kennelijk had het overlijdensbericht Adriaan niet bereikt, want blijkens de brief werd hij reeds langere tijd vermist. Na enige jaren bij zijn werkgever te hebben gediend, had hij zijn betrekking eraan gegeven om als goudzoeker in de binnenlanden zijn geluk te beproeven. Sedertdien had men niets meer van hem vernomen.

Met droefenis over deze nieuwe feiten bereidde Cornelie zich voor op een leven alleen, maar het Lot besliste anders. Wanneer ze me later over de volgende gebeurtenissen vertelde, moest ik altijd denken aan storm en regen, hagel en wind.

De dag dat hij op haar drempel verscheen, vermagerd en verwilderd, was misschien wel een doodgewone dag, koud, maar met een waterig zonnetje. Doch in mijn verbeelding zag ik een doorweekte man midden in de nacht op de deur bonzen, zijn lange haar door de regen vastgeplakt aan zijn hoge voorhoofd, het hemelwater druipend van zijn reizigersplunje, plassen vormend op de stoepstenen en bij zijn binnenkomst op de vloer van de overloop.

Maar uit het bundeltje in zijn armen komt een zacht geschrei. Mijn tante steekt haar armen uit en hij legt mij erin. Zo werden mijn bestaan - moederloze zuigeling - en dat van mijn liefhebbende maar overgeschoten tante samengevoegd.

Mijn vader had in de kolonie een jonge vrouw ontmoet. Om te kunnen trouwen met de plantersdochter wilde hij sneller voldoende bij elkaar verdienen dan als huisleraar mogelijk was en ging daarom de goudvelden in. De door de Spaanse conquistadores meegebrachte legenden over de Heer van Parima, die diep in het oerwoud in onvoorstelbare rijkdom leefde en kon baden in goudstof, het koninkrijk El Dorado, spraken nog altijd tot de verbeelding.

Het vergaren van fortuin vergde echter vele moeizame jaren en leverde een teleurstellende opbrengst op. Na zijn huwelijk met Jozina van Halm besloot Adriaan Winter daarom naar Nederland terug te keren.

Tijdens de overtocht kondigde de bevalling zich aan. Wederom stelde ik me de weersomstandigheden voor van dusdanige aard dat ze bijdroegen aan de romantische en dramatische voorstelling die ik ervan had. Volgens mijn kinderlijke fantasie vond de bevalling plaats tijdens een heftige storm, met woeste golven die het schip hoog optilden en de arme vrouw in barensnood nog eens zo teisterden. En mijn vader, die zich gekweld maar beschermend over het bed boog om mijn moeder te helpen. Maar het mocht niet baten. Enige dagen nadat ze mij ter wereld had gebracht, stierf mijn moeder. Aan de zee liet men haar dode lichaam en mij werd zodoende de vertroosting van haar graf te bezoeken onthouden.

Het was aan mijn vader te danken dat ik overleefde. Met alle hoop die hem nog restte, klampte hij zich vast aan het streven mij heelhuids naar Holland te brengen. Geen moeite was hem te veel, en dankzij de aanwezigheid van wat kleinvee aan boord, wist hij mij met behulp van geitenmelk en veel zorg in leven te houden. Tante Cornelie noemde het altijd een wonder, dat zo'n klein wurm zonder moeder of min had kunnen overleven. Voor mijn vader was ik het tastbare bewijs van zijn kortstondige geluk.

Suriname had niet de rijkdom opgeleverd waarop mijn ouders hadden gehoopt. De kolonie had evenals Holland geleden onder de wisselingen van bestuur tijdens de Europese oorlogen en de economische crisis. Noch de met schulden belaste plantage van mijn moeder, noch de goudzoekersjaren hadden voldoende opgeleverd om onbezorgd van te kunnen leven.

Mijn vader plaatste de verzorging van zijn dochter in handen van zijn zuster. Zelf ging hij weer werken om voor ons de kost te verdienen. Als huisleraar zou hij niet genoeg verdienen tenzij hij naar het noorden trok om in Amsterdam of Utrecht werk te zoeken, maar hij wilde zijn kind niet missen – misschien voorvoelde hij dat ons niet veel tijd samen gegund was. Hij probeerde een betrekking in de buurt te vinden, wat door de nog immer heersende werkeloosheid niet gemakkelijk was.

De ervaringen in de kolonie hadden hem echter geschikt gemaakt voor meer dan in salon of bibliotheek gebruikelijk was. Tot ons geluk kon hij boekhouder worden bij de Sint Jacobskazerne van het Bossche garnizoen. Maar het leven in de tropen had zijn gezondheid sterk ondermijnd. Toen ik bijna drie jaar oud was, stierf hij.

Al wat nu nog aan mijn ouders herinnert zijn hun portretten, door mijn vader getekend. In een medaillon gevat vormen ze mijn kostbaarste erfenis. Vaak heb ik hun gezichten bestudeerd en daar ik hen niet heb mogen kennen, naar de mooie eigenschappen gespeurd die ik hen toedichtte. Natuurlijk zijn het de wensen van een kind, maar ik meen oprecht dat mijn moeder over een edel en zachtmoedig gelaat beschikte, met de vriendelijke glimlach om haar mond en langs haar ronde wangen de speelse krulletjes die aan de strakke knot waren ontsnapt. Jozina Winter was net vierentwintig toen ze stierf. Van mijn moeders kant was er niemand bekend – toen mijn tante destijds aan mijn vader vroeg of hij het overlijden van zijn vrouw niet aan haar familie moest berichten, had hij geantwoord dat zij geen familie meer bezat. Het leven in de kolonie was nu eenmaal hard, en de dood lag altijd op de loer, of ze nu door koortsen, kroep of slangenbeten werd veroorzaakt.

Mijn vaders magere gezicht laat meer van zijn lijden zien. De droeve rimpels die zorg en ziekte al te vroeg veroorzaakt hadden, konden echter niet maskeren dat hij ooit een ondernemende jongeman was geweest, op zoek naar fortuin, kennis en avontuur. Voor de zoon van een brave en huiselijke schoolmeester had hij een ongewone durf getoond, door zijn geboorteland te verlaten en alles te riskeren in den vreemde. Dat hij daarbij liefde had opgevat voor een arm weesmeisje was een bewijs van zijn eerbaar karakter.

Toch, het was niet alles fantasie, want ik had van mijn tante genoeg verhalen gehoord over de goedheid van haar broer en ze was er dan ook zeker van dat mijn moeder, hoewel ze haar niet gekend had, over een vrome natuur moet hebben beschikt.

Toegegeven, tante Cornelie was zelf zeer vroom en beschouwde dit vanzelfsprekend als een grote deugd bij anderen. Menige avond zaten we samen voor de kachel, ik op haar schoot, en ontleedden we de gelaatstrekken van onze gestorven dierbaren. Zo verkreeg ik toch een band met de mij in feite onbekende ouders. De dood, zo nijver in het klieven van schakels in de levensketen, kon niet voorkomen dat de nagelaten einden zich aan elkaar hechtten. Door de liefde die tante Cornelie mij schonk werd vergoed wat het Lot mij had ontnomen.

Naast de kleine erfenis van onze overleden familie, hadden we de pianolessen die tante Cornelie bij gegoede families aan huis gaf. Deze vormden een respectabele bron van inkomsten.

Voor vrouwen was liefdadig werk of religieuze arbeid acceptabel en prijzenswaardig als bezigheid, maar in onze situatie een luxe die we ons niet konden veroorloven. Behorend tot de burgerij konden we niet uit werken gaan als de arbeidsters en dienstmeiden. Niet dat lange uren in een fabriek of huishouding een aantrekkelijk idee waren, maar onze mogelijkheden waren zeer beperkt. Bijna elk ander werk, van hoog tot laag, was immers aan mannen voorbehouden en wat zou een fijne dame ook in die mannenwereld moeten beginnen? Nee, eigenlijk bleef werken uit nood, hoe eerbaar ook, een schande of op z'n minst iets dat door de betrokkene en haar omgeving verdragen moest worden.

Toch zag ik er niet tegen op om te zijner tijd uit werken te gaan. Tante Cornelie en wijlen tante Johanna waren mij immers voorgegaan? Het was profijtelijk dat wij onze kennis ten dienste konden stellen van de kinderen en huwbare jongedochters uit gegoede families, en tegelijk onszelf konden onderhouden.

Gelukkig was ik gezegend met een goed verstand. Tante had de lesboeken nog uit haar tijd als gouvernante en gaf mij daarmee onderricht. Vooral aan de Franse taal besteedde ze veel tijd, omdat die in de kringen van mijn toekomstige werkgevers gebruikelijk was.

Tijdens het tafeldekken dat ik van tante Cornelie moest leren – ze was zeer stipt in de juiste plaatsing van borden en bestek – spraken wij Frans en werd mij zo de lichte tafelconversatie bijgebracht.

Oui, Madame, les roses sont magnifiques et le beau temps nous a donné une très bonne recolte d'asperges. Voulez-vous peut-être un peu plus de purée? Elle est très bonne. Jeanne, servez encore une fois Madame, s'il vous plaît?
Regina, servez Madame encore. Pas: encore une fois. Madame pourrait penser que vous la trouvez trop goulue. Et nous ne voulons pas la vixer, n'est-ce-pas? Encore une fois, Regina.

Denkbeeldige gerechten, diensters en gasten veranderden onze kleine, kale kamer in een chique eetsalon en de oude poppen van mijn tantes pronkten in hun vergeelde broderie-jurkjes rond de dis. Het verschoten tafellinnen, het lege porseleinen servies, het oude zilveren bestek en de gepoetste wijnglazen etaleerden de verfijnde maaltijd welke in onze fantasie ter tafel kwam. Zou een buitenstaander getuige zijn geweest van deze lessen, dan zou die zich zeker vermaakt hebben - een eenvoudig huishouden als het onze, waarin de tafel werd gedekt en Frans werd gesproken alsof tante Cornelie en ik, en de geduldige poppenschaar, de koning zelf te gast kregen! Ik genoot van dit spel en raakte op den duur bedreven in het verzinnen van luchthartige conversatie, zodat tante het tijd vond worden de zwaardere onderwerpen als literatuur en filosofie ter hand te nemen.

Ik moet zeggen dat tante Cornelie zich werkelijk een bevlogen gouvernante toonde. Geschiedenis, aardrijkskunde en bijbelstudie kwamen aan bod, maar ook etiquette en conversatie. Al was er dan geen geld voor een gouvernante-opleiding aan een instituut in Yverdon of Genève, het zou mij niet aan kennis ontbreken.

We werden geregelde bezoekers van de Stadsbibliotheek en lazen alles wat van nut kon zijn, zij het dat de keuze sterk beperkt was, aangezien de collectie voornamelijk bestond uit boeken afkomstig uit naburige opgeheven kloosters. Hiervan bevielen mij de plaatwerken het meest, met mysterieuze gravures van bijbelse taferelen, of de dramatische litho's die historische gebeurtenissen verbeeldden. Of de meer poëtische fijnzinnige afbeeldingen van bloemen en huisdieren.

Praktisch als ze was, deelde tante Cornelie de lessen in naar seizoen of naar het tijdstip van de dag. De zomer was uitermate geschikt voor het beoefenen van botanie en voor schilderlessen. Met mooi weer trokken wij eropuit naar de drogere gedeelten van de Meierij, met ons trommeltje voor veldonderzoek en al gauw struinde ik rond om monsters te verzamelen, plukte bloemetjes van struikhei of gele hengel. Minutieus bestudeerden we dan met het vergrootglas de fijn vertakte nerven en tere meeldraden, kleine wonderen van de natuur.

Als we zo een poos in de landelijke omgeving gewandeld en gezocht hadden, pauzeerden we in de schaduw van een boom om het meegebrachte brood te nuttigen. De tekeningen en verzamelde zaden en blaren even terzijde gelegd, genoten we van de zacht koerende houtduiven en de rust.

Soms overweldigde het ons omringende natuurschoon me zo dat ik opsprong en van pure levensvreugde met uitgespreide armen rond en rond draaide, roepende: 'We zijn het middelpunt van de heide, we zijn het middelpunt van de wereld, tante!'

Zij moest natuurlijk lachen en ik was blij, blij om haar, dat haar gestel 's zomers zo veel beter was. Dan werden we afgeleid doordat vanuit de verte de kerkklokken beierden voor het gebed, en tante en ik vouwden de handen.

Na ons sobere middagmaal was het tijd voor de tekenles. De eerder geplukte bloemen, of soms de restanten van de maaltijd, werden door tante tot een rustiek stilleven gerangschikt.

Tante Cornelie voelde veel voor het naturalistisch tekenonderricht van Rousseau: 'Regina, door de dingen na te tekenen zie je de schoonheid van de natuur écht. Nee, je mag niet uit het hoofd tekenen, ook niet natekenen uit het boek! Anders wordt het maar gekunsteld. Hier liggen de voorwerpen, ga je gang maar.'

Pruilend zette ik me aan de taak. De grote meester mocht dan wel onbedorvenheid nastreven, liever had ik de spannende gravures over de strijd van Troje om te bestuderen en proberen na te tekenen, dan de saaie stillevens. Heimelijk beloofde ik mezelf dat ik later, als gouvernante, alle begrip zou hebben voor de weerzin van mijn leerlingen tegenover sommige onderwerpen. Een belofte die ik later, in mijn rol als lerares, niet geheel kon waarmaken. Maar de liefde voor de schilderkunst was gewekt en ik ontwikkelde een vaardigheid met het penseel die te zijner tijd van pas zou komen.

Wanneer het najaar aanbrak en de laatste zomerwarmte verdreef, werden de lessen binnen gegeven. Kou rukte op, werd buitengesloten maar trok langzaam in de muren. Kou kroop van de vloeren in onze voeten, sloeg van de wanden tegen ons lijf. Tante, bescheiden en nederig, bleek ook trots, te trots om onze armoede toe te geven. Met onze kleine kachel en beperkte middelen kwamen we echter elke winter weer door, al betekende dit jaargetijde telkens een aanslag op tantes gezondheid. Zolang ze kon, zette tante Cornelie desondanks mijn opvoeding voort.

's Winters leerde ik dansen; de beweging hield ons tamelijk warm en zo bespaarden we meteen wat brandstof. De gebruikelijke salondansen als de wals en de colonne, oefende ik op tantes pianomuziek. Bij deze gelegenheden kon ik soms onze hulp overhalen met me mee te dansen. Het meisje dat ons met het huishouden kwam helpen, was wel te vinden voor een verzetje. Toch liet Geertje dit nooit al te lang duren. Al gauw trok ze zich weer terug in de keuken, zeggende dat ze anders achter zou raken met haar werk en dat deze fijne dansen toch niets voor haar waren.

Met veel pijn en moeite leerde ik zelf ook wat pianospelen, ik bleek namelijk niet muzikaal, zoals tante Cornelie spijtig constateerde. *'Voor een meisje is het kunnen bespelen van de piano noodzakelijk, daar het immers de taak van de vrouw is, in huis de stemming te leiden met bloemen, muziek en fleurige handwerken.'*

Maar hoe vaak tante de bewegingen ook voordeed, verder dan spelen op tien toetsen kwam ik niet - ofwel mijn vingers raakten in de knoop bij pogingen de tien te overschrijden, of mijn gedachten dwaalden van het muziekschrift af en ik staarde in het niets in plaats van ijverig te studeren. Geen noot wilde dan nog tot mijn hoofd doordringen.

Eenzelfde struikelblok doemde op bij het onvermijdelijke handwerken. Eerst kon ik de ene steek niet van de andere onderscheiden en hoe ik ook met de haaknaald in de weer was, de halen en lussen weigerden zich eenvoudigweg tot een samenhangend werkje te voegen. Elke keer als mijn geduldige lerares de mand met garens en wol tevoorschijn haalde, ontsnapte mij een diepe zucht. Maar door pure noodzaak gedreven, raakte ik ten slotte toch aardig bedreven in het verstellen, vermaken en stoppen van onze kleding. Ik zag echter niet in waarom ik allerhande nutteloze versierselen moest leren maken. Sokken, kraagjes en ondergoed, akkoord, maar kantjes, bellenkoorden, kleedjes! Zelfs van babykleertjes moest ik leren welke steken en toeren nodig waren om een goed resultaat te krijgen.

Toen ik op een dag voor de zoveelste keer bezig was een zoom netjes af te werken, kwam mijn verzuchting: 'Ik wou dat ik een rijke man trouwde. Als ik een rijke man trouw, tante, láát ik al mijn kleren maken!'

Tante glimlachte en legde nadenkend haar breipennen neer. Het was op deze dag dat mij de ogen geopend werden, een gebeurtenis die ik mij met een zeker leedwezen herinner. Voorzichtig bracht tante te berde dat ik weliswaar jongedames zou voorbereiden op hun taken als moeder en gastvrouw, maar zelf geen aanspraak kon maken op een eigen huishouding en gezin.

Er was door opeenvolgende oorlogen een tekort aan huwbare mannen ontstaan, en de kans dat ik een jongeman zou vinden van mijn stand en mijn geloof, die zich niet zou laten weerhouden door een gebrek aan fortuin of aan schoonheid, was uiterst klein. Ze zei het heel tactvol, tante Cornelie, en ik wist wat ze bedoelde. Wat voor haar en tante Johanna had gegolden, gold ook voor mij. Uiterlijk schoon, troostte mijn pleegmoeder mij, stond maar in de weg van een loopbaan als gouvernante. De lerares mocht geen concurrente zijn van haar pupillen of meesteres.

Het waren verstandige woorden en met de bedoeling mij valse hoop en ontgoocheling te besparen, te leiden naar een nuttig en zelfstandig bestaan. Maar voor een opgroeiend meisje werden haar dromen, ook al waren die nog vaag en onbeduidend, wreed weggeslagen.

Die avond kon ik moeilijk in slaap komen. Aan tantes regelmatige en enigszins raspende ademhaling hoorde ik dat ze al sliep. Ik kroop uit bed en in het koude donker tastend naar de vaste plekken van blaker en omslagdoek, had ik weldra een kaars ontstoken en liep ermee naar de spiegel. Bij het iele walmende vlammetje ontwaarde ik in de schaduwen de bleke vlek van mijn gezicht. Intens bestudeerde ik mijn gelaatstrekken. Het flakkerende kaarslicht onthulde niets bijzonders - geen opvallende, betoverende of frivole oogopslag, geen sproeten, tenminste geen ontsieringen op mijn blanke huid. Maar het was niet een gezicht dat de aandacht zou trekken. Hoogstens boden mijn samengevlochten krullen een wat interessanter aanblik, al was de vaalblonde kleur niet echt hoopgevend.

Even probeerde ik een kokette gelaatsuitdrukking: de krullen langs mijn wangen schikkend, mijn lippen getuit tot een pruilmondje en het hoofd een tikje scheef om verleidelijk van onder mijn wimpers te kunnen lonken. Het resultaat beviel me niet. Ik probeerde nu de hooghartige houding van de deftige dames die ik weleens tegenkwam. Met een hand de omslagdoek om mijn schouders vasthoudend, de rug recht, streek ik het haar uit mijn gezicht naar achteren. De kin geheven, het voorhoofd hoog, trachtte ik een voorname uitstraling te bereiken. Maar nee, ook dat was niets gedaan.

Hoe zouden anderen mijn uiterlijk beoordelen? Ik staarde naar de lichtplekken in het door donker omfloerste spiegelbeeld. Somber keken mijn ogen terug. Het kille glas besloeg door mijn adem en ik veegde de wasem met mijn vingers weg. Meedogenloos velde ik mijn oordeel. Het was een gezicht waarover men gemakkelijk heen zou kijken, een kalm, zij het op dit moment ietwat droevig, voorkomen, met trekken van berusting. Een gouvernante waardig. Er ontsnapte me een trillende zucht.

Volgens tante zou schoonheid een hindernis vormen bij het vinden van een betrekking en was een verstandig uiterlijk een betere aanbeveling. In ieder geval was het een schrale troost dat ik er niet dom uitzag.

Toch weigerde mijn ijdele meisjeshart deze teleurstellende uitkomst onmiddellijk te accepteren. Zo simpel kon de wereld toch niet in elkaar zitten? Kinderlijke fantasieën waarvan ik nooit eerder had beseft hoezeer ze mijn wensen voor de toekomst weergaven, kwamen weerspannig op. Huisje spelen, diners geven aan de poppentafel, daar zou het bij blijven, nooit met een eigen gezin. De kou in mijn borst brandde erger dan die van de stenen vloer aan mijn blote voetzolen. Ik blies de kaars uit en stapte weer in bed. De ontgoocheling was groot. Me vasthoudend aan mijn ongeloof en het beetje hoop dat ik vruchteloos koesterde, bleef ik nog lang in het donker staren.

Ons dagelijkse rooster omvatte alle lessen die tante Cornelie noodzakelijk voor mij achtte. Doordat het onderwijs het grootste gedeelte van de dag in beslag nam, brachten wij de meeste tijd in elkaars gezelschap door. Andere kinderen zag ik nauwelijks. Als de discipline die tante mij hierbij oplegde voor een buitenstaander bezwaarlijk kon lijken voor een kind, dan kan ik dit vergoelijken door de onzelfzuchtige motieven die eraan ten grondslag lagen. Tante Cornelie had reden om haast achter mijn opvoeding en opleiding te zetten. Met haar zwakke gezondheid vreesde ze te zullen overlijden alvorens ik op eigen benen kon staan. Reeds had ik haar enkele malen midden op de dag naar bed moeten helpen, als haar ziekte haar te machtig werd. Terwijl ze lag te rusten sloop ik dan onthand door het huis, trachtte wat karweitjes te doen zodat het haar aangenamer zou zijn en schoof ten slotte plichtsgetrouw aan tafel om in mijn eentje mijn lessen te leren. Zo zwak als ze was deed tante toch altijd haar best om zo spoedig mogelijk te herstellen.

Bezorgd om haar flauwtes had ik er een gewoonte van gemaakt om tante Cornelie op haar werkdagen naar de huizen te begeleiden waar ze haar pianolessen gaf. Meestal kwam ik haar na afloop weer ophalen, maar soms mocht ik gedurende de les in de salon of de hal wachten. Stil zat ik dan met mijn rug tegen de stoelleuning gedrukt en probeerde ongemerkt rond te kijken terwijl tantes leerlinge achter mij op de piano oefende.

De woningen verschilden in inrichting danig met ons sobere huisje. Grote schilderijen hingen aan de wanden en onder mijn onwennig opgetrokken schoenpunten strekte zich een dik tapijt uit. Tegen de muur stond gewoonlijk een kast waarin glanzend zilverwerk en porselein waren uitgestald, een beetje als bij ons thuis, maar dan kostbaarder. Een dienstmeisje met helder schort deed me uit mijn gedachten opschrikken. Beleefd nam ik de thee aan die mij op een blaadje werd gepresenteerd, knabbelde aan een boterkoekje.

De weinige woorden die ik bij zulke gelegenheden met de vrouw des huizes wisselde en alles in ogenschouw nemend, kon ik me niet aan de indruk onttrekken dat wij in kennis en manieren niet tekortschoten. Slechts onze financiële situatie verhinderde ons om op voet van gelijkheid met de gastvrouw om te gaan. Ik kon het niet laten om te mijmeren over hoe ik met het meisje dat in haar mooie jurk achter de piano gebogen zat, vriendinnen had kunnen zijn als het fortuin mij gunstiger gezind was geweest.

Zoals de zaken nu lagen, hoorde ik noch bij de rijken, noch bij de armen. Voor een arbeidster was ik te geschoold, voor een directeursdochter echter te weinig verfijnd. Maar het belangrijkst was waarschijnlijk dat onze vooruitzichten voor de toekomst zo verschilden. Het meisje met de pijpenkrullen en de zijden rok zou haar best doen een goed huwelijk te sluiten en zou in hoge kringen verkeren. Daar paste ik niet bij en het bespaarde ons beiden pijnlijke confrontaties, als we dat nu al beseften en ons naar onze eigen stand gedroegen. Dan hoefde er niet met bedekt medelijden over de onfortuinlijke Regina gesproken te worden, noch zou ik beledigd zijn over de dienstbare positie die zich met het klimmen der jaren duidelijker zou aftekenen.

In Den Bosch namen de economische misère en armoede nog altijd toe. Dagelijks groeide het aantal bedelaars op straat en in de wijken waar het gewone volk leefde, heerste diepe ellende. Ofschoon tante en ik met ons tweeën onder veel betere omstandigheden leefden dan de armen die met z'n zessen een kelder of eenkamerwoning moesten delen, ontkwamen ook wij er niet aan steun van buitenaf te zoeken.

Tante Cornelie had nog een verre nicht in Nijmegen wonen en na lang twijfelen besloot ze haar te schrijven. Of nicht Agatha bereid zou zijn zich over haar nichtje Regina te ontfermen, een braaf en behulpzaam meisje, indien Cornelie onverhoopt vroegtijdig kwam te overlijden? Het antwoord liet lange tijd op zich wachten.

Met alle familie die wij al verloren hadden was het niet denkbeeldig dat ik alleen op de wereld zou komen te staan. En wezen zonder behoorlijke erfenis werden gewoonlijk door het armbestuur uitbesteed bij boerengezinnen of ambachtslieden zodat ze een vak konden leren. Voor meisjes betekende dat meestal dat ze later een betrekking als dienstmeid konden vinden.

Deze verlaging van stand was voor ons onaanvaardbaar, maar vormde niettemin een werkelijke dreiging. Vooral daar we elk jaar armer werden. Toen de lessen tafelschikking eenmaal voorbij waren, verkocht tante langzamerhand het serviesgoed, glaswerk en zilveren bestek aan de Bank van Lening, soms om ons nieuwe leerboeken aan te kunnen schaffen, maar meestal ten behoeve van ons levensonderhoud. Hoe goed kan ik me de gang naar de Schilderstraat nog herinneren, vergezeld door de trouwe Geertje, omdat tante ons geen van beiden alleen naar het harteloze oord van het pandhuis wilde sturen en we zodoende elkaar hadden om te steunen. Het gewicht van de zware kandelaars in mijn armen, de voorwerpen zorgvuldig gewikkeld in doeken, ter bescherming van zowel het goed als onze trots.

En ons gemoed enerzijds hoopvol om wat we uitbetaald zouden krijgen en anderzijds treurig, om het verlies. De schaamte om ons eenmaal bij de bank, tussen de miserabele armelui in het wachtlokaal te begeven, wantrouwige en nieuwsgierige blikken trotserend, de opluchting als we, het keuren en wegen achter de rug, weer buiten stonden. Voortaan bestond de aankleding van onze dis uit niet meer dan wat eenvoudig aardewerk en behoorden de vrolijke schijndiners tot het verleden, een dierbare herinnering.

Toen tante ten tweeden male een bede om hulp schreef, kwam er eindelijk antwoord, een epistel met klaagzang van nicht Agatha. Als het echt niet anders kon wilde nicht Agatha zich niet aan haar plichten onttrekken, maar ze had weinig te bieden en hoopte dan ook dat een andere oplossing te vinden zou zijn. Met een dergelijk ontmoedigend antwoord waren tantes zorgen verre van voorbij.

Die avond werd ik wakker uit een onrustige slaap. Een gerucht deed me uit de bedstee overeind komen. In het halfduister zag ik het silhouet van tante, geknield voor het mariabeeld in onze kamer. Stilletjes hoorde ik haar gebeden prevelen.

Voor het eerst drong het tot me door dat mijn komst niet alleen zorgen om de toekomst had gebracht voor tante Cornelie, maar wellicht ook armoede. Zij had nu immers niet alleen zichzelf te verzorgen, maar ook een opgroeiend kind.

Deze ontdekking bracht mij zodanig van mijn stuk dat ik begon te schreien. Opgeschrikt door mijn gesnik voegde tante zich bij me en haar zachte vertroosting vertelde mij genoeg, meer nog dan haar woorden, dat ik haar kind was, een geschenk dat ze had gedacht nimmer te zullen krijgen. Zij, de kinderloze, bezat de tederheid van een moeder en op dat moment was zij mijn wereld, mijn alles.

Ik nam me voor harder te zullen werken opdat ik haar op mijn beurt de zorgen uit handen zou kunnen nemen. Maar aan het verloop van de tijd kon ik niets doen. Het zou nog jaren duren eer ik oud genoeg was om zelf les te geven.

Vroom als tante Cornelie was, ging ze dikwijls ter kerke. Hulp voor mij, daarvan was ze overtuigd, zou uit deze hoek komen. Hoewel ik haar zorgen deelde, was ik door mijn jeugd nog optimistisch gestemd. Er zou tante echt niets overkomen, want wat zou ik zonder haar moeten beginnen? Vol vertrouwen meende ik dat tante, hoewel ziek, er toch altijd voor me zou zijn. Mijn ongeduld gold slechts het feit dat ik nog niet kon bijdragen aan ons inkomen.

Toen tante me op een dag voorstelde aan de vrouwen met hun witte Brabantse mutsen en paarse wollen omslagdoeken, wist ik nog niet dat deze zusters van de Choorstraat een grote rol zouden gaan spelen in mijn leven. De zusters, meest afkomstig uit gegoede families, hadden hun leven gewijd aan de behoeftigen, bejaarden en wezen. Met hulp van het armbestuur deden ze hun goede werken.

Dankzij de ontmoeting met zuster Agnes Innocentia, toen nog juffrouw Agnes geheten, werd een belangrijk deel van tantes zorgen weggenomen. Juffrouw Agnes werd een vertrouwde verschijning voor ons. Zij had een goede opvoeding genoten en veel geleerd, maar de Kerk boven het wereldlijke verkozen.

Aanvankelijk bedrukte de geschiedenis van haar achtergrond mij. Als er voor een vrouw als juffrouw Agnes - ontwikkeld, met een prettig gezicht en een familie met geld - al geen mogelijkheid was voor een huwelijk en een plek in de elite, hoe kon ik dan hopen op iets beters voor de toekomst? Later leerde ik dat de keuze van juffrouw Agnes echter niets te maken had met door onfortuinlijke maatschappelijke omstandigheden afgedwongen noodzaak.

De zusters waren met hun paarse kledij een bekende verschijning in het Bossche leven en werden om hun goede werken zeer gewaardeerd. In tegenstelling tot de nonnen die in het slotklooster woonden, leefden de zusters te midden van het volk. Ze wisten een religieus leven te verbinden aan een druk bestaan met hulp voor degenen die dat nodig hadden. En dat waren er velen. Dagelijks waren de zusters op pad om wezen te bezoeken op diens kostadressen en hun gezondheid en welzijn te controleren, of de armen bij te staan. In hun Liefdehuis verzorgden ze hulpbehoevende bejaarde vrouwen.

Wat dreef hen bij dit zware en vaak ook vuile en zeker nederige werk? Hadden zij niet voor de comfortabele salon kunnen kiezen, met bedienden om te doen wat ze nu eigenhandig deden? Ofschoon ik hen evenals iedereen waardeerde, kon ik het niet begrijpen. Ik was dan ook niet zo vroom als tante Cornelie.

Maar als ik er verder over nadacht, kon ik mij tante wel voorstellen in dezelfde dienstbare taak. Had ze mij niet gehad en was haar gezondheid beter geweest, zou tante Cornelie zich dan ook niet bij de zusters hebben aangesloten? Door het voorbeeld van haar geliefde Herder zou ze de kracht hebben gevonden om te doen wat haar roeping met zich meebracht.

Tante Cornelie en juffrouw Agnes waren bijna even oud, daarom leek het voor mij alsof ik twee moeders of twee tantes had gekregen, zoals ik schertsend zei. Elk droeg op haar eigen wijze bij tot mijn vorming en probeerde haar kennis op mij over te brengen. Zuster Agnes leende mij van tijd tot tijd boeken uit haar ouderlijk huis en behalve stichtelijke werken, waren daar dankzij de smaak van haar jongere zusters ook romans en gedichtenbundels bij. De prettigste momenten vond ik wanneer ze mij vroeg wat ik van een bepaald werk had gevonden en wij in discussie gingen, ik soms heftig, zij wat gemoedelijker. Zuster Agnes was echter minder meegaand dan tante en pittiger van karakter. Het was wel de dromerige tante Cornelie die er soms sussend tussenkwam als ik in discussies al te fel dreigde te worden.

Het maakte de zuster niet uit dat mijn geloof niet zo omvattend was als dat van haar en tante Cornelie. Wel vond zij, anders dan tante, dat ik over veel dingen een mening moest hebben en niet een stille muurbloem moest blijven in de salon. Hoofdschuddend zei tante Cornelie dan dat ik problemen zou krijgen als ik mijn plaats in dienstverband niet leerde kennen.

'Maar nee, Cornelia,' placht juffrouw Agnes te zeggen, 'jij bent veel te bedeesd. Je weet toch wat het kind te wachten staat, als ze daar komt in een omgeving waar men gewend is bedienden te commanderen, waar verwacht wordt dat ze dag en nacht voor haar werkgevers klaar zal staan en men zich zelden af zal vragen hoe het eigenlijk met haar gesteld is? Nee, Cornelia, jij hebt het zelf meegemaakt en kijk wat het voor je gezondheid heeft opgeleverd! De goeden niet te na gesproken, moet ik toch echt zeggen dat de mensen uit mijn vroegere stand en daarboven, heel weinig geneigd zijn zich in een ander te verplaatsen. Dat hebben ze nooit geleerd, ze zien niet anders dan hun eigen kring, komen nooit daarbuiten. Van jongs af zijn ze gewend dat anderen plaats voor hen maken, hen bedienen en met egards behandelen.'

'En zo hoort het ook!' riep tante, haar wangen door een blos gekleurd bij het onfatsoenlijke idee dat er van de geijkte manieren afgeweken zou worden. Juffrouw Agnes schudde beslist het hoofd. 'Echt, doordat de kring waarin ze verkeren maar beperkt is – al vindt de aanzienlijke stand dat zelf niet – zijn ze maar weinig gewend en snel op hun tenen getrapt.'

'Des te meer reden om in te binden!' vond tante Cornelie. 'Werkelijk, Agnes, breng het kind het hoofd niet op hol. Het is veel beter als ze zich naar haar lot schikt. Ik begrijp niet hoe je als religieuze zo eigengereid kunt zijn.'

'En ik, beste Cornelia, begrijp niet hoe je als vrome gelovige de theorieën van Rousseau serieus kunt nemen. De man betwijfelt de wonderen van ons katholicisme, met het argument dat men ze slechts *beweert* waargenomen te hebben, maar neemt tegelijk wel de lieve Jezus aan. Heeft Jezus dan niet ook wonderen verricht? Hoe verklaart hij zichzelf dat?'

'Maar Agnes, dat Rousseau de natuur al als wonder ziet, en geen andere bewijzen verlangt, geeft toch juist zijn oprechtheid aan!'

Ik zat tussen beide vrouwen in, keek nu eens naar de een en dan naar de ander en genoot van de discussie. Zuster Agnes zag mij naar haar kijken en lachte.

'Ja, ik zie wat je denkt, Regina. Je wilt weten waarom ik uit mijn stand gestapt ben. Wel, vormt het voorgaande geen afdoend antwoord?'

Ze hield op met lachen en werd ernstiger. 'Nee, natuurlijk is dat niet voldoende. Ik zal je een eerlijk antwoord geven. De reden waarom ik mijn leven aan de Kerk en aan anderen heb gewijd, is liefde. Je zou het misschien niet zeggen nadat je mij zo liefdeloos hebt horen praten over je toekomstige werkkring, maar als ik in mijn leven alles maar goed had gevonden, was ik nu geen religieuze.' Juffrouw Agnes pauzeerde even om na te denken over wat ze ging zeggen.

'Het is zo gegaan toen ik jonger was, dat ik merkte dat er niets was wat mij voldoende kon boeien om mijn hele leven mee te vullen. Ik had geen belangstelling voor partijtjes, bals of kaartavonden. Zinloze gesprekken en ijdele tijdsbesteding vervulden mij met afkeer. Alleen het lezen in stichtelijke boeken, het gebed en naar ik later ontdekte, ook het volgen van het voorbeeld van onze Herder, gaven mij het gevoel echt te leven. Al het andere was slechts tijdpassering. Als de wet het niet verboden had, zou ik in het klooster zijn ingetreden. Maar zoals de zaken thans liggen, moet ik zeggen dat het me zo veel meer bevalt, het resultaat van mijn werk is buiten kloostermuren veel directer. En misschien heb je gelijk, Cornelia. Ik ben nog niet nederig genoeg om me naar het regime van de abdij te schikken.'

Er volgde weer een korte stilte waarin tante Cornelie zich hoofdschuddend over haar naaiwerk boog en ik bij mijn boek zat, de ellebogen op tafel, en afwachtend naar juffrouw Agnes keek. Even later hervatte deze haar uitleg.

'Het was zo dat ik alles aan God zou willen geven, maar ik heb niets dat Hij nodig zou hebben. Niets te geven dan mijzelf, en dat is dus wat ik doe. Omwille van Hem ontzeg ik mij pleziertjes en andere vluchtige dingen. En het feit dat ik mij dat kan ontzeggen, sterkt mij. Dat geeft me weer de moed om voor anderen iets te kunnen doen.'

Ik had aandachtig geluisterd en de kracht waarmee juffrouw Agnes sprak maakte indruk, al begreep ik haar nog steeds niet helemaal. Zelf wuifde ze al gauw alle ernst weer weg en stond op om haar spullen te pakken. Ze moest verder naar haar volgende adres.

Nadat ik haar had uitgelaten ging ik weer naar binnen en zag tante met haar verstelwerk bij het venster zitten. Het viel me op hoe erg vermagerd ze was. Het binnenvallend licht maakte haar nog witter en smaller. Ze keek op en glimlachte naar me. Om haar silhouet bewogen minieme stofjes in de zonnestralen, tooiden haar gestalte met een bleke krans.

Alles bedekt zij, alles gelooft zij, alles hoopt zij, alles verdraagt zij.

Het was tante Cornelie die mij grootbracht, maar zuster Agnes die me behoedde voor een bestaan als dienstmeid. Want hoe hard we ook werkten om aan de armoede te ontkomen, het Lot haalde ons bijna in. Toen tante Cornelie na haar laatste ziekbed stierf, was ik nog altijd te jong om op eigen benen te staan.

Drie

Den Bosch 1840 - 1842

Wees gegroet, Maria
Vol van genade

Ik huilde tot ik geen tranen meer had. Tante Cornelie was mijn laatste echte familielid en nu ze mij ontvallen was voelde ik me geheel verlaten. Juffrouw Agnes trachtte me te troosten en raadde mij aan tot de Heilige Maria te bidden, de Moeder die over haar kindekes waakte.

Ik wist dat ik dankbaar moest zijn dat tante met een vredig gelaat had kunnen vertrekken, niet langer gepijnigd door angsten over mijn toekomst. Het had het College van Regenten behaagd de zusters toestemming te verlenen om naast hun verzorgingstehuis voor oude vrouwen, een weeshuis te beginnen voor meisjes. Tante Cornelie had haar krachten weten te rekken tot ze mij geborgen wist. Zo kwam ik onder de hoede van de liefdezusters.

Met mijn vijftien jaar was ik wel jong, maar ik bezat genoeg kennis om als hulp-onderwijzeres les te geven aan de andere weesmeisjes. Had de Kerk mijn jeugd al begeleid, nu werd ze mijn thuis. De gebeden die tijdens de begrafenis klonken zouden voortaan dagelijks de achtergrond vormen van mijn leven.

Pater noster qui es in caelis
santificetur nomen tuum
adveniat regnum tuum
fiat voluntas tua
sicut in caelo
et in terra
Panem nostrum quotidianum da nobis hodie
et dimitte nobis debita nostra
sicut et nos dimittimus
debitoribus nostris

et ne nos inducas
in tentationem
sed libera nos a malo
Amen

De zusters leefden als kloosterlingen. Voor henzelf begon de dag al om half-vijf 's ochtends. In alle vroegte klonken zachte voetstappen in de gangen, gedempte stemmen en kleppende deuren, geluiden die stilaan wegstierven, om momenten later als gedruis vanuit de kapel terug te keren – het gemurmel van in stemmenkoor opgezegde gebeden. Vanuit mijn bed luisterde ik naar de monotone litanie en dommelde weer in. Een wijl later trok de zwijgende groep met zacht geritsel aan mijn deur voorbij, op weg naar de eigen verblijven. In het schemerduister van haar sobere cel mediteerde elke zuster in stilte, alvorens aan de werkzaamheden te beginnen.

Het leven in het Moederhuis was strikt ingedeeld, opdat geen tijd in ledigheid verloren zou gaan. De weesmeisjes werden geacht om zes uur op te staan en een kort gebed te doen. Om kwart voor zeven volgden we samen met de zusters de mis en na het ontbijt begonnen de lessen, waarbij ik de onderwijszusters moest assisteren. Eerst hielp ik bij de kleintjes, later ook bij de grotere meisjes.

Ofschoon ik in leeftijd nauwelijks van de laatsten verschilde, kon ik door mijn opleiding bij tante Cornelie toch overwicht houden. De meisjes waren afkomstig uit arme families en hadden nauwelijks scholing gehad. Terwijl ik me wederom bezighield met schrijven en rekenen, handwerken en bijbellezen, maar nu als lerares, moest ik denken aan mijn bestemming zoals tante me die voorgespiegeld had.

Buiten de Bossche vestingwallen zou ik mijn brood gaan verdienen, dat leed geen twijfel. Zoals de zusters hun leven gewijd hadden aan goede werken, moest ik het overdragen van mijn kennis aan mij toevertrouwde pupillen volbrengen – niet hier in het Moederhuis, waar de uren dagelijks hetzelfde verliepen, verandering van bezigheid werd aangekondigd door een bel of door de stem van de zuster, het geluid van vele kinderschoenen en klompjes op de trappen en vloeren weerklonk, geroezemoes wanneer praten was toegestaan, gefluister op momenten dat het verbod gold, en het begin en het eind van de dag werden bepaald door de *soeurs*.

Het strakke en eentonige leven van het Moederhuis was niet precies wat ik me had voorgesteld van mijn toekomst, maar tegelijkertijd was ik dankbaar nog een poos onder de vleugels van de zusters te kunnen verblijven. De wijde wereld kon wachten – Den Bosch met haar veilige stadsmuren was nog even de plek waar ik als zuigeling in tante Cornelie's armen had gelegen, waar mijn wieg had gestaan, waar mijn leven was begonnen.

Langzaam ging het jaar voorbij. In mijn zwarte rouwkleding viel ik niet uit de toon tussen de soeurs. De leerlingen bejegenden mij met respect, de zusters waren vriendelijk. Dikwijls bezocht ik het graf van mijn tante, weende er soms, maar het verdriet zou slijten, had men mij gezegd.

Een enkele keer wandelde ik op zondagmiddag langs ons oude huis, dat thans door anderen werd bewoond. Hoe bekend en toch hoe anders was deze mij zo dierbare plek geworden. Nieuwe gordijnen hingen er, vreemde stemmen riepen door de open ramen, zelfs de dichtvallende voordeur klonk anders.

Troost wachtte mij onvermoed onder de vestingwallen, waar ik veldbloemen verzamelend tussen het verspreide struikgewas over de Meierij kon uitkijken. Zo mijmerend waaiden tantes lentelessen terug in mijn gedachten, de echo van haar lieve stem, als bewaard door de omgeving. Verstrooid tussen ruisend gras en buigend lover, leefden herinneringen weer op. Dwarrelende bloembladen kleurden mijn schoot terwijl ik het boeket schikte. Als vanzelf vervlochten mijn rusteloze vingers de stengels tot een krans, de trouwe gift voor Maria's beeltenis op de terugweg bij de tweesprong.

Aanvankelijk was het vaste en werkzame ritme van het Moederhuis me welkom, het bood afleiding van mijn verdriet en ervaring aan de andere kant van de lessenaar. De dagen waren steeds vol en druk, altijd met anderen om me heen, kinderen die om aandacht vroegen, taken die vervuld moesten worden.

Maar 's avonds, nadat ik met de zuster de slaapzaal van de kinderen had gecontroleerd en me naar mijn kamer had begeven, wachtten mij nog de lange uren van de nacht, waarin ik overgelaten was aan mijn gedachten.

Ik was inmiddels zestien, en ongeduldig om meer van de wereld te zien. Zowel tante Cornelie als de zusters hadden streng over mij gewaakt. Ik vond voldoening in het onderwijzen, het bijschaven van mijn pupillen. Het was prettig om te zien hoe een bij binnenkomst schuw, haveloos meisje, na enige tijd in het Moederhuis veranderde in een levendig en opgewekt kind. Of hoe een al te vrijpostige straatmeid omgevormd kon worden tot een pronte deerne, een toekomstige kroon op de huishouding.

Maar als ik door het lokaal langs de lesbanken van mijn leerlingen de ronde deed, af en toe over een tafelblad buigend om iemand de helpende hand te bieden bij een moeilijke opdracht, kon ik het gefluister achter mijn rug horen. Veel van de meisjes hadden vóór ze onder de hoede van het Moederhuis kwamen wel het een en ander meegemaakt. Uit opgevangen opmerkingen begreep ik dat ik in hun ogen tamelijk wereldvreemd overkwam. Mijn boekenkennis mocht dan groter zijn, zij zouden niet met mij willen ruilen, in feite verlangden ze naar de dag dat ze terug onder de mensen zouden zijn, zouden werken en gezinnen stichten. Zelfs het vooruitzicht weer terecht te komen in de armenwijken kon hen niet afschrikken. Hoop op beter bleek zelfs deze kleine verschoppelingen gegund.

Mijn kindertijd was voorbij en ik begreep wat er van mij in het leven verwacht werd, was er reeds lang door tante Cornelie op voorbereid. Als kind wist ik niet beter, maar nu werd ik door onrust beslopen. Opstandige gevoelens stookten onder het dunne dek van berusting dat me eerder was opgelegd. Ontevredenheid smeulde, weerstand broeide, verzet brandde in mij tegen mijn lot. Ik leefde haast als de zusters, al was ik geen religieuze. Eenmaal zou ik het Huis verlaten en de wereld betreden. Maar dan nog zouden huwelijk en moederschap niet voor mij zijn weggelegd. Mijn leven lang zou ik anderen ten dienste zijn, een nobel streven, ware het niet dat ik me er niet meer mee kon verenigen.

Misschien bemerkte zuster Agnes mijn onrust. Ze begon me mee te nemen op haar bezoeken aan de arbeiders en armen. In de woonkazernes en de kelderwoningen langs de rand van de stad, de Diepstraat en de Louwsche Poort, kon ik met eigen ogen de erbarmelijk kleine, vochtige en overvolle huisjes zien, te weinig van licht en lucht en drinkwater voorzien, te dicht bij het riool. Wie zou niet dankbaar zijn voor wat hij had, bij het zien van de ellende van de bewoners? Aardappelen met lawaaisaus van azijn en mosterd, meelpap, spaarsoep van de soepbiljetten van het Bedelingsfonds - het menu van de armen was te karig om volwassenen en kinderen voldoende te voeden.

Bij onze bezoeken torste ik een mand voor de zuster, die voorzien bleek van wat broodnodige levensmiddelen, schoon verband om zieken te behandelen, en een kruisbeeldje waarbij we aan het eind van elk bezoek om kracht baden voor de ongelukkigen. Meer dan eens werd ik geconfronteerd met de wankele fundamenten van het bestaan, als we een vrouw in barensnood aantroffen of een verslagen familie, geschaard rond het sterfbed van een geliefde. Geluk en verschrikking lagen dicht bij elkaar, in de krappe woonruimten gingen ze maar al te vaak in elkaar over.

Ik leerde de praktische aard van soeur Agnes beter kennen en waarderen. Onverschrokken begaf ze zich in de donkere, vuile kamers om hulp en troost te bieden. Toch wilde ze mij niet aan álles blootstellen, zoals bleek uit het feit dat ze me op cruciale momenten naar buiten stuurde om de dokter of de vroedvrouw te halen, of de kleine kinderen bezig te houden.

Wat de zuster met mijn assistentie had beoogd, bleef echter niet zonder effect. Ik schikte me in het onvermijdelijke in de wetenschap dat er erger bestond – maar me helemaal ermee verzoenen kon ik niet.

Als elk jaar vingen eind augustus de voorbereidingen voor de kermis aan met het getimmer aan plankiers, het hijsen van tentzeilen en het aanleveren van vele kisten uit mysterieuze, met doeken bedekte wagens. Werklui riepen aanwijzingen over en weer, sjouwers lieten luid hun stem horen om onvoorzichtigen die hen in de weg liepen tijdig te waarschuwen. Tenten werden opgezet, kramen verrezen, podia staken boven de menigte uit. Bonte vaandels hingen van lange staken omlaag en toonden welke attracties er deze keer te bezoeken waren.

Ik wandelde over het drukke plein van de Markt en deelde de opwinding van de toeschouwers, die nauwelijks konden wachten tot het zover was en de kermis werkelijk zou beginnen. Met weemoed dacht ik eraan hoe tante vroeger met mij de kermisviering altijd inluidde met de aankoop van een verse wafel of een portie poffertjes. Daarna drentelden we samen langs de kramen met parfums, zijden stoffen en spiegels en kristal. Allemaal te duur en voor ons van geen nut, maar o zo plezierig om naar te kijken.

Nog boeiender echter waren de kermisattracties: paardenrijders, het Dikke Meisje, de glasblazers. Maar het mooist vond ik datgene waar tante Cornelie jaarlijks voor spaarde, het Wassenbeeldenspel. Hier konden we in levensechte voorstellingen de grote gebeurtenissen in de wereld aanschouwen. Napoleons veldtochten en zijn sterfbed, het koninklijk huwelijk, alles in miniatuur, ter lering en vermaak.

Vanavond, peinsde ik, zou de kermis openen. Ik zou er moeilijk heen kunnen gaan, want het leven in het Moederhuis stond dergelijke wereldse vrijetijdsbesteding niet toe. Maar misschien, als ik het aan zuster Agnes vroeg... Tenslotte was ik geen kloosterlinge. Ik zou dan om zes uur, na het avondmaal, weg kunnen gaan, wanneer de zusters en de meisjes hun handwerkjes tevoorschijn haalden om nog een paar uur te babbelen en te spelen tot het weer tijd was voor het avondgebed. Vóór de soeurs te bed zouden gaan, kon ik weer terug zijn.

Maar wat een chaperonne betrof, kon ik niemand bedenken die mij als zodanig zou kunnen begeleiden. Geen van de soeurs zou ertoe te bewegen zijn zich op de kermis te begeven. Misschien dat onze vroegere meid Geertje bereid zou zijn deze taak op zich te nemen? Maar Geertje had inmiddels verkering en zou de avond vast met haar vrijer op de kermis willen doorbrengen. Zuchtend begaf ik me naar het Huis.

Het geluk was echter met mij. Een van de zusters had voor een kwaal een smeersel laten bereiden bij de apotheek en vroeg me of ik het medicijn na het eten voor haar wilde ophalen. Overgelukkig spoedde ik mij naar de apotheker en daar ik al vlug geholpen werd, bleef er genoeg tijd over om de kermis even te bezoeken.

Het plein was met fakkels en lampen verlicht. Uit omringende herbergen klonk gerucht. Vanaf het podium schalden stemmen, klonk uitbundig gezang. Enkele potsenmakers haalden op het toneel hun grappen uit en werden door het omringende publiek beloond met gelach en gejuich. Er was niet voldoende tijd om een hele voorstelling bij te wonen, dus liep ik verder, gulzig de geuren, kleuren en klanken indrinkend, een welkome verandering van de eentonige dagen in het Huis.

Terwijl ik langs de kramen slenterde, de uitgestalde artikelen bewonderend, werd ik me ervan bewust dat er iemand naar me stond te kijken. Half bij toeval draaide ik me om en zag een jongeman naar mij staren. Naar zijn kleding te oordelen moest hij timmermansknecht zijn. Zijn haar was verward en zijn kleren zaten slordig, maar zijn ogen lachten en hij trachtte mijn blik vast te houden. Van mijn stuk gebracht door de onverwachte aandacht maakte ik meteen aanstalten door te lopen, denkend dat hij door de onbeantwoorde lach ontmoedigd zou worden.

Maar tot mijn schrik bemerkte ik dat de jongen mij volgde. Even twijfelde ik of ik nu direct terug naar het Huis zou gaan, maar mijn verlangen naar de kermis verzette zich tegen dit rechtschapen idee. Ik besloot me in de drukte te begeven om de lastpost kwijt te raken en nog wat van mijn uitje te kunnen genieten. Vlug liep ik verder, onder de lijnen met vlaggen door, langs de vuurspuwers en voorbij de muzikanten, tot ik ervan overtuigd raakte dat hij verdwenen was. Een poos verwijlde ik nog op het plein, maar besloot toen de kermis te verlaten. Het werd tijd om terug te gaan, zuster Bertha zou wel naar haar zalfje uitkijken.

Het licht en de menigte achter me latend, liep ik van het plein weg. Voor mij lagen de donkere straten op weg naar het Huis. Ik voelde me voldaan, tevreden dat ik plicht met plezier had weten te verbinden. Het geroezemoes van de kermis raakte steeds verder verwijderd terwijl ik voortliep, met mijn gedachten nog bij de feestelijke taferelen die ik net had aanschouwd.

Plots stond hij voor me, kwam hij misschien uit een zijstraat? 'Waarom ga je nu weg, juffrouw? Het is nog vroeg!' sprak hij en lachte geruststellend. Maar ik voelde me allerminst gerustgesteld en verweet mezelf dat ik zo ondoordacht en zonder chaperonne gehandeld had.

'Mijnheer, ik verzoek u mij met rust te laten, er wacht een zieke op haar medicijn!' Hij wierp een blik op mijn mandje en vestigde toen zijn ogen weer op mij.

'De juffrouw hoeft niet bang te zijn. Vergun me met u mee te wandelen, alstublieft.' Hij was knap ondanks zijn smoezelige voorkomen en dat zijn hoffelijk bedoelde woorden toch brutaal overkwamen, kon een ongeletterde timmergezel niet verweten worden. Ik aarzelde even want ik wilde niet onbeleefd zijn. Waarschijnlijk had de jongeman geen slechte bedoelingen, maar ik was niets gewend op het gebied van mannen en geen haar op mijn hoofd die eraan dacht met hem mee te gaan. Bovendien, een eerbaar meisje liep niet met onbekende jongens rond, en dat moest hij toch weten. Waarom drong hij dan zo aan?

Terwijl ik mijn hoofd pijnigde over hoe de timmerjongen fatsoenlijk kwijt te raken, bemerkte ik de wijze waarop hij naar me keek. Zijn blik dwaalde goedkeurend over mijn lichaam en toen hij mijn gezicht bereikte, glimlachte hij en staarde me diep in de ogen.

Als mijn alledaagse gedachten waren als gestage druppels op een rad, dan stortten nu stromen van ondefinieerbare emoties als een waterval omlaag, mijn hoofd leeg achterlatend. Niet in staat mij af te wenden, staarde ik terug. Hoe kan men in een seconde van het eigen lichaam zo vervreemd raken, vervuld van onbegrijpelijke, sterke sensaties, die niets te maken hebben met het dagelijkse kleed van conventies? O schande, met bonzend hart en moeizaam ademend, voelde ik dat de gezel mijn verwarde gemoed ried. Zonder mijn blik los te laten schoof hij dichterbij, streek met zijn tong over de lippen. Mijn benen leken ineens van was, vastgesmolten op hun plaats, ongehoorzaam aan vaag alarmerende gedachten. Ik merkte dat er zweetdruppeltjes parelden op mijn bovenlip en dat mijn kleren plakkerig voelden onder mijn oksels. Langzaam zag ik zijn gezicht het mijne naderen en werd ik me bewust van zijn geur – bier, zweet en zaagsel, zo anders dan de dagelijkse wierook en zeep.

Hoeveel gewicht leggen opvoeding en zeden in de schaal? Te veel, misschien, maar als een meisje op het punt staat reputatie en vooruitzichten te verliezen, vormt enkel dat haar redding – het besef dat men met luchtige salonconversatie een loodzwaar oordeel over haar zal vellen.

Alles vond in minder dan een minuut plaats, maar leek zich trager dan een voorbijdrijvende wolk af te spelen. Toen de maan tevoorschijn kwam hervond ik mezelf en wendde mijn blozende blik af. Wat moest hij niet van me denken? Wat zou iedereén van mij denken? Ik moest maken dat ik wegkwam en wel meteen. Maar de jongen, mijn blos als aanmoediging opvattend, boog zich naar me toe, gereed om me te kussen.

Mijn weigerachtige benen vonden hun wil terug. Het lukte me langs de blokkade van zijn lichaam te glippen. Schrik joeg door mijn aderen en zette me in beweging. Ik vluchtte, rende en rende, de donkere straten door zonder om te kijken, tot ik het Moederhuis had bereikt.

Ik vertelde de zusters niets, om hen niet te alarmeren. Mijn beetje vrijheid wilde ik behouden en hun bezorgdheid zou mij nog meer aan het Huis gebonden hebben. Ongemerkt wist ik zuster Bertha's medicijn op het dressoir achter te laten en liep op mijn tenen langs de deur vanwaarachter het avondgebed in koor opklonk. De meisjes waren al op de slaapzaal. Voordat de soeurs tevoorschijn zouden komen om zich naar hun vertrekken te begeven, had ik mijn kamer bereikt, waar ik me snel omkleedde en waste. Toen de zuster even later zachtjes op de deur klopte om zich ervan te gewissen dat ik thuis was, kon ik haar gedempte nachtgroet met gespeelde onschuld beantwoorden.

Na de avondklok lag ik in bed en overdacht de gebeurtenissen. Ik was geneigd mezelf beurtelings te feliciteren met mijn ontsnapping en op mijn kop te geven voor mijn onvoorzichtigheid. Maar los van de opwinding over mijn illegale uitje, de schrik over de onverwachte attentie en de daaropvolgende opluchting, was er een gevoel waar ik geen weg mee wist, dat me verwarde en me schuldig deed voelen zonder precies te weten waarom.

Zeker, het wás onfatsoenlijk te praten met een man die je niet kende, maar iets in zijn ogen en zijn lach had me bewust gemaakt van vreemde, nieuwe gedachten en ik wist niet wat ik daarmee aan moest. Ik had geleerd mezelf weg te cijferen en te zien als dienstbaar aan anderen: dochters en moeders – niet als iemands toekomstige echtgenote en nu had hij juist zó naar mij gekeken: als naar een vrouw.

Ik voelde me betrapt en vernederd. Mijn vrouwzijn was niemands zaak dan de mijne. Diep in mezelf had ik dit besef bewaard, weggestopt voor de ogen van de buitenwereld. Een wereld die weliswaar van me verlangde dat ik me vertoonde als vrouw, maar slechts de uiterlijke tekenen daarvan goedkeuren zou. Iedere dieper liggende emotie, bewijs van mijn vrouwelijkheid, was ongewenst, stuitend tegen de waarden bepaald door een afwijzende gemeenschap.

De volgende dagen bleven verwarde gevoelens mijn gemoedsrust verstoren en ik begon spijt te krijgen van mijn stiekeme uitstapje. Het kwam bij me op ter biecht te gaan, maar dat idee verwierp ik weer. Ik had er weinig vertrouwen in dat de priester iets van mij zou begrijpen of me troost zou kunnen schenken. Al wat hij zou zeggen wist ik tevoren: hij zou mij aanraden mijn tijd aan goede werken en gebed te besteden, rein en kuis te blijven en geen nutteloze verwachtingen te koesteren. Ja, ik kende de goede pater reeds.

Maar in de nachten alleen met mezelf, zag ik, hoewel van weerzin vervuld, steeds weer de jongen voor me met zijn gretige en verwachtingsvolle ogen. Ik kon niet ontkennen dat hij met zijn veelzeggende blik een schaamte in mij gewekt had, schaamte voor mijn eigen gevoelens. Ik had gemeend dat ik mezelf beter beheerste dan dit. Dat de eerste de beste kinkel mij in verwarring kon brengen ervoer ik als een vernedering, een nederlaag van al wat ik met verstandig redeneren had bereikt.

Uiteindelijk besloot ik toch maar bij de pater te rade te gaan. Het resultaat was zoals ik verwacht had. De eerwaarde vader berispte me om mijn ongehoorzaamheid en hovaardigheid. Hoe kon ik denken dat alles binnen mijn eigen macht lag? De mens was nu eenmaal zwak en ik moest me daarvan bewust blijven om verleidingen des te krachtiger te kunnen bestrijden, met Gods hulp. Hij verzachtte wel mijn zonden met de opmerking dat ik mijn overleden pleegmoeder wel zou missen, en ried me te bidden voor haar zielenheil. Ach, tante! Ik herinnerde me haar wijze lessen.

> *De onderwijzeres: zij neemt de bescherming van haar leerlinges op zich, bewaakt en bewaart hun zedigheid en goede naam, met alles wat in haar vermogen ligt.*

Ten langen leste beschouwde ik de aangewakkerde onrust als straf voor mijn ongehoorzaamheid en besloot mijn kruis maar weer te dragen. Veel keus had ik immers niet. Toch was ik wijzer geworden: beseffend dat ik als lerares een voorbeeld moest zijn voor de kinderen en jongedames die onder mijn hoede zouden vallen, zou ik me serieus moeten voorbereiden op een deugdzaam, kuis en vroom leven. Voortaan zou ik me niet meer van mijn stuk laten brengen door de attenties van welke man dan ook. Mijn trots zou me helpen en behoeden. Alleen al de herinnering aan de schaamte was genoeg om me ervan te verzekeren dat ik nooit weer de controle over mijzelf zou verliezen. Met dit in gedachten zou ik de kracht vinden om mijn waardigheid te behouden.

Vier

Amsterdam 1842 - 1845

De tijd had niet stilgestaan, al voelde dat wel zo, in een leven van ochtendbel tot avondklok, in dagelijkse herhaling. Zelfs de onderbrekingen in de vorm van assistentie bij zuster Agnes' ziekenbezoeken waren routine. Een bitter lot, omdat er niets scheen te veranderen, noch voor de miserabele armen, noch voor mijzelf. Hoe langer hoe meer kreeg ik het gevoel het leven te bekijken door de wanden van een glazen fles, de wereld zichtbaar voor mij, maar ikzelf te veraf bewaard, verstoffend in de kast.

Als ik echter heimelijk het Moederhuis mijn doelloze leven verweet, dan deed ik de zusters onrecht. Ongeveer een week nadat ik zeventien jaar was geworden, riep zuster Agnes mij bij zich. Ik verwachtte niet anders dan dat ze wat karweitjes had ter voorbereiding van de armenbezoeken, maar toen ik de kamer binnentrad, trof mij iets plechtigs in haar houding.

'Regina, ga zitten.' Haar blik gleed van mij naar het bureaublad, waar een envelop en enige beschreven vellen papier lagen. Er scheen een zekere spanning in de lucht te hangen en ik vroeg me af wat er aan de hand was. Toen begon de zuster te vertellen en de droesem van stille wrok, bezonken in te lange uren, loste op en het glas verhelderde, ten langen leste een proeve van mijn toekomst.

Zonder dat ik ervan had geweten, had zuster Agnes zich over mijn lot ontfermd. Ze had naar haar familie geschreven en bij relaties geïnformeerd om mij aan een betrekking te helpen. Aanbevelingen waren verstuurd en er waren besprekingen met anderen geweest over waar ik het best op mijn plaats zou zijn. Als jong meisje werd ik nog niet geschikt geacht de oudere jeugd les te geven, daarom werd aan een familie met jonge kinderen de voorkeur gegeven. En tot mijn geluk vond de goede zuster een betrekking voor mij bij haar lievelingsnicht Alexandra Helmink in Amsterdam.

Vreugde en opluchting overspoelden het vage schuldbesef van ondankbaarheid jegens de zusters die mij onderdak gaven. Maar met het ongeduld de jeugd eigen, kon ik niet lang stil blijven staan bij die kleine misstappen - ik zou mijn vleugels uitslaan!

'Eerst,' zei de zuster, 'moet je een nette garderobe hebben; je zal nu in de hogere kringen gaan verkeren.' Daar was gelukkig nog geld voor. Het huisje van tante Cornelie was na haar dood verkocht en de opbrengst gebruikt om schulden en doktersrekeningen te betalen en mijn verblijf bij de zusters te bekostigen. Wat overbleef was te mijnen gunste aan de bank in bewaring gegeven. Ik voelde me opgewonden toen we geld van de rekening haalden en naar winkels en naaisters gingen. Ik werd gouvernante!

De kleren die zuster Agnes geschikt achtte, waren donker en degelijk en dienden mijn deugdzaamheid te onderstrepen, alsmede mijn pupillen vertrouwen en respect in te boezemen. Hoewel mijn ogen verlangend naar vrolijker en lichter stoffen afdwaalden, sprak ik soeur Agnes niet tegen. Zij zou het wel beter weten en was ook tante niet altijd stemmig gekleed geweest? De plaats van een gouvernante was immers op de achtergrond, onopvallend maar bekwaam.

Er was weinig spijt toen ik het Moederhuis en Den Bosch ging verlaten, het had nu lang genoeg geduurd, mijn leven als zelfstandige vrouw zou beginnen. Slechts de mensen zou ik missen en sommige dierbaar geworden plekken uit mijn jeugd.

Op de dag dat mijn reis aanving, was het helder weer en ik voelde me optimistisch gestemd. Zuster Agnes zwaaide mij uit en ik bleef uit het raam van de koets kijken tot deze de hoek omging en het Moederhuis niet meer te zien was. De koetsier loodste de wagen door het drukke marktverkeer en ten slotte reden we ratelend de stadspoort uit. Eindelijk liet ik Den Bosch achter me. Ik keek nog eens om en zag de ommuurde stad allengs verder weg geraken en toen het struikgewas aan weerskanten steeds dichter werd, verdween ze ten slotte.

De reis verliep voorspoedig en enige dagen later bevond ik me in Amsterdam.

De stad was groter dan ik tot nu toe gewend was geweest. Hoewel de huizen dicht op elkaar stonden, leek Amsterdam veel ruimer, misschien wel omdat ze niet omringd werd door dikke vestingwallen. De stadsbewoners gingen anders gekleed, er waren veel minder mensen in klederdracht te zien en ik had de indruk dat iedereen hier zich sneller voortbewoog.

Op de stoep voor het huis waar ik zou komen in te wonen, moest ik even terugdenken aan de tijd dat ik met tante Cornelie naar haar pianolessen ging. Dit was net zo'n huis, en een familie waar we in betere omstandigheden toe hadden kunnen behoren.

Op mijn gebel deed de dienstbode de deur open en ik mocht binnentreden in een hal en een salon die aan de door mijn herinneringen opgeroepen verwachtingen voldeden. Onder de indruk liet ik mijn blik dwalen over het deftige interieur dat ietwat uitheems oogde door een paar grillige gouden beeldjes op de schoorsteenmantel en een grote ivoren waaier erboven tegen de schouw. Deze niet-alledaagse details wekten mijn nieuwsgierigheid. Verwachtingsvol zag ik de ontmoeting met de bewoners tegemoet, redenerend dat hun aard niet veel van hun smaak kon verschillen.

Ik werd niet teleurgesteld. De Helminks ontvingen mij hartelijk. Later zei Alexandra Helmink dat ik er in mijn zware reiskleding en met de grote tas aan mijn zij, bleek en mager uit had gezien, maar met een vastberaden trek om mijn mond en een open, onderzoekende blik.

Mevrouw Helmink was een knappe vrouw, ongeveer tien jaar ouder dan ikzelf. Haar bruine haar viel in vrolijke krulletjes langs haar gezicht, ze lachte graag. Mijnheer Helmink was begin dertig en zijn ogen keken mij boven zijn blonde snor vriendelijk aan. De kinderen lagen al in bed, ik zou hen de volgende dag ontmoeten. Alexandra had een hoop te vragen over haar tante, zuster Agnes.

Die avond dineerde ik samen met de familie. Zowel bij tante als bij de zusters waren de maaltijden sober geweest en sommige gerechten bij de Helminks waren dan ook volkomen nieuw voor mij. Vlees en verfijnde schotels had ik uiterst zelden gehad, laat staan desserts met zuidvruchten. Dat een maaltijd bovendien meer dan twee gangen kon hebben, had ik tot dan toe alleen bij tantes Franse lessen meegemaakt. Maar eindelijk kwam mijn tafeletiquette van pas.

Ik kwam erachter dat mijnheer Helmink werkte bij een firma in koloniale waren, wat de souvenirs in de salon en de opgediende exotische versnaperingen verklaarde. Het viel me niet moeilijk om aan de conversatie deel te nemen en door de gemoedelijke aandacht die men mij schonk, voelde ik me langzaamaan steeds meer vervuld worden van warmte, het besef een nieuw thuis te hebben gevonden.

Bij de familie Helmink voelde ik me spoedig als een lid van het gezin. Mijnheer was dol op zijn mooie vrouw en beschouwde mij meer als haar jongere zuster dan als een ondergeschikte. Ik had het geluk dat in deze situatie mijn jeugd in mijn voordeel werkte en de Helminks er geen bezwaar tegen hadden mij verder te helpen bij mijn ontwikkeling. In feite, bleek later, zou het mevrouw Helmink zijn die mijn opvoeding verder vervolmaakte.

De kleintjes van vijf, vier en twee jaar, twee meisjes en een jongen, zouden mij worden toevertrouwd. Weliswaar zou ik meer kindermeid dan gouvernante zijn, maar daar stond tegenover dat ik voor mevrouw ook als gezelschapsdame kon fungeren. Willem Helmink moest voor zijn firma vaak op reis en zijn vrouw vond het prettig dat ik haar gezelschap kon houden. Haar familie woonde in het zuiden des lands en kon dus niet zo vaak op bezoek komen als in Amsterdam gebruikelijk was.

Alexandra Helmink had een opgeruimd karakter en een brede belangstelling. Ze deelde graag haar kennis met mij. 's Avonds als de kinderen naar bed waren, lazen we elkaar onder het handwerken beurtelings voor. Zij leerde mij de Engelse taal en moedigde me aan zo veel mogelijk van de Engelse literatuur te lezen, hetgeen ik met genoegen deed. De Helminks hadden een goed gevulde boekenkast en bevrijd van de al te zeer door puriteinen gekuiste stadsbibliotheken, leerde ik naast Jean de la Fontaine en Walter Scott, ook Victor Hugo en Charles Dickens kennen en waarderen.

Hier ook, leerde ik meer over mijn positie, die overal tussen viel en nergens precies aansloot - geen werkelijk door bloedbanden verbonden nichtje of zusje, geen echt familielid. Geen naaister of bediende, maar wel bedreven en bereid te verstellen en te strijken in noodgevallen. Te jong en weinig wereldwijs om in gezelschappen als gesprekspartner aan te zitten. Ik diende me discreet terug te trekken als er bezoek kwam, maar ervoor te zorgen dat ik beschikbaar was als het nodig mocht zijn.

Met de goede raad van zowel tante Cornelie als juffrouw Agnes in gedachten, trachtte ik een evenwicht te vinden in houding en gedrag ten opzichte van mijn meerderen. Dankzij de band met zuster Agnes was mijn relatie met de Helminks meer dan van werkgevers verwacht mocht worden. Maar tante Cornelie's welgemeende lessen indachtig, stelde ik me zo bescheiden mogelijk op. Soeur Agnes mocht dan wel een meer uitgesproken wijze van handelen en spreken voorstaan, maar zij was dan ook ouder en bovendien opgegroeid in kringen waar ik nu diende. Misschien later, wanneer ik zelf ouder en wijzer zou zijn, kon ik me veroorloven mezelf meer te profileren, maar nu gedroeg ik me zoals gepast was.

Gedurende de vele reizen van meneer Helmink vormde ik het gewaardeerde gezelschap van zijn vrouw, maar als hij weer thuis was trok ik me al vroeg op de avond terug, om het echtpaar tijd met elkaar te gunnen. Als er gasten waren, ontfermde ik me vanzelfsprekend over de kinderen en at apart met hen, terwijl de Helminks aan het diner zaten. Alexandra liet de kinderen echter nooit helemaal alleen aan mij over, daarvoor was ze te dol op hen. Zelfs als ze gasten had, of met haar man naar een feest of naar het theater ging, kwam ze altijd eerst even bij de kinderen langs om hen een nachtkus te geven.

Naarmate de kinderen ouder werden kwam ik ook aan het echte gouvernantewerk toe, en leerde ik de plichten van de leskamer kennen. Aletta en Suzanna, de oudsten, kregen 's morgens les van negen tot twaalf. Als ze dan goed hun best hadden gedaan, waren de middaglessen wat lichter van taak, met handwerken, voorlezen of spelletjes in de tuin. Althans, tot zij oud genoeg waren om meer kennis tot zich te nemen.

Ik was gewend aan de grote klassen van het weeshuis, waar discipline een eerste vereiste was. Hier, met maar twee leerlingen, was meer ruimte voor speelsheid en genegenheid en daar de kinderen mij ook als kindermeisje gewend waren, was het niet moeilijk iets van ze gedaan te krijgen. De lessen verliepen voorspoedig en ik voelde me steeds zekerder in mijn rol als gouvernante.

De wereld buiten mijn geboorteplaats had altijd al mijn belangstelling gehad. Door de handelsstad Den Bosch kwamen Amsterdams volle havens en de met vrachtschuiten drukbevaren grachten mij niet onbekend voor. De echte attractie voor mij bevond zich echter in de binnenstad. Daar was te vinden wat Amsterdam wel, en Den Bosch niet had. Overal in het centrum waren er theaters en salons waar opera's, orkesten, blijspelen en ballet te bewonderen waren.

Mijnheer en mevrouw Helmink hadden mij voor het eerst meegenomen naar het Théâtre Français aan de Amstel, waar ik *Le barbier de Seville* zag. Onmiddellijk werd ik betoverd door de wereld die middels toneellicht en kostuumglitters op de planken was gezet, en door de zangers, die met bestudeerde poses de emoties van hun aria's nog versterkten, dramatisch of komisch gesticulerend. Hoewel het slechts eenmaal gebeurde dat ik de Helminks naar de schouwburg vergezelde – naar mijn functie behoorde ik thuis bij de kinderen te blijven – maakte het theater een onvergetelijke indruk op mij.

Zozeer zelfs, dat ik op mijn eerstvolgende vrije middag naar de Nes wandelde om een theater te bezoeken. Weliswaar had ik geen chaperonne, maar op klaarlichte dag zou dat niet zo bezwaarlijk zijn, meende ik.

Er was keus tussen minstens zes amusementsgelegenheden. Na bestudering van de plakkaten buiten tegen de gevels, koos ik voor een nieuw uitziend gebouw in Grieks-klassieke stijl. Ik kocht een kaartje en kreeg te horen dat ik daar een gratis drankje bij kreeg. Vanuit de vestibule kwamen mij het geroezemoes en muziekklanken tegemoet. Even aarzelde ik. Het stond me bij dat het Théâtre Français meer distinctie had vertoond.

Maar door nieuwsgierigheid gedreven stapte ik toch binnen. Een walm van tabaksrook sloeg me in het gezicht en even dacht ik in een café beland te zijn. Obers liepen met bladen vol glazen tussen de tafels en het publiek door, iemand riep om een servet, maar in de orkestbak zwaaide de dirigent met zijn stokje en op het podium stonden een man en een vrouw te zingen.

Verbijsterd bleef ik staan. Maar achter me waren reeds nieuwe gasten binnengetreden, en ik werd bijna opzij geduwd voor ik mezelf weer had hernomen. Na een snelle blik in het rond, kwam ik tot de conclusie dat zich ook dames in het publiek bevonden, zodat ik maar bij een leegstaand tafeltje aanschoof. Ik ging zitten en vestigde mijn ogen op het toneel.

Laurierboom en Bedelstaf werd gespeeld, een stuk in drie bedrijven. En, zoals in het programma was te lezen, zouden in de pauzes een paar 'Sterke Mannen' en een goochelaar optreden. Met veel belangstelling volgde ik de voorstelling, me ondertussen tegoed doend aan mijn limonade. Het was duidelijk dat de Nes niet het niveau had van de Amstel, maar het publiek had er niet minder plezier om.

Toen ik echter na verloop van tijd wat beter om me heen keek, moest ik toch tot de conclusie komen dat ik me in enigszins dubieus gezelschap bevond. Het luide geschater en de vrijmoedigheid van sommige van de aanwezige vrouwen brachten me tot die gevolgtrekking, want aan de kleding van de aanwezigen was me tot dan toe niets opgevallen. Na deze ontdekking begon ik het warm te krijgen en ik vroeg me af of de Helminks mijn aanwezigheid in dit etablissement wel zouden goedkeuren.

Halverwege de tweede voorstelling begonnen twee aangeschoten heren vrolijke blikken in mijn richting te zenden. Dat leek me het sein om te vertrekken. Vlug begaf ik me naar de uitgang en even later stond ik opgelucht op straat.

Toen ik het Alexandra later opbiechtte was ze verbaasd dat ik niet tijdig gezien had waar ik beland was. Ze waarschuwde me voor bepaalde straten die berucht waren en ik beloofde voortaan beter uit te kijken.

Later, toen ik ouder was en Willem Helmink voor zijn werk steeds verder weg moest reizen, kwam het vaker voor dat Alexandra mij als gezelschapsdame meenam naar een voorstelling, ik was toen al twintig en volwassen.

Geïnspireerd door het toneel en aangemoedigd door Alexandra begon ik af en toe kleine verhaaltjes te schrijven, die ik dan na de thee aan de kinderen voorlas. Hoewel deze probeersels niet echt goed te noemen waren en vermoedelijk te veel op reeds bestaande verhalen leken, reageerde mijn kleine publiek immer enthousiast. Om in het schrijven echter werkelijk goed te worden, daarvoor ontbrak mij de tijd. Er was altijd wel iets te doen in het drukke huishouden, hoewel ik eerlijk gezegd soms mijn verstelwerk verwaarloosde om maar iets te kunnen schrijven.

Vond ik het nu nooit erg om op de achtergrond te blijven, een positie te hebben die mij deels verbond met het gezin, maar ook erbuiten plaatste? Als jong meisje aanvaardde ik de ongeschreven regels als vanzelfsprekend, maar mijn groei naar volwassenheid bracht me het besef dat ik niet eeuwig naar de achterkamer verbannen wilde worden. Ook al zou ik geen eigen gezin hebben, dan zou dat nog geen reden zijn in afzondering te moeten leven.

Veel hiervan werd me duidelijk toen ik met mijn patrones mee uit logeren ging. Alexandra was uitgenodigd door een vriendin, mevrouw Huygens in Den Haag, om de jaarlijkse debutantenbals bij te wonen. De zeelucht zou goed zijn voor onze kleintjes en dus ging ik mee om voor de kinderen te zorgen.

In Den Haag bleek alles een stuk conventioneler toe te gaan dan ik tot dusver bij de Helminks gewend was. Alexandra ging vaak met haar vriendin weg en ik bleef dan met de kinderen en het personeel in huis achter. In de vreemde omgeving viel het me meer op dat ik ook tot het personeel behoorde. Mocht ik dit in Alexandra's gezelschap weleens vergeten, voor onze gastvrouw gold de strenge scheiding tussen meerderen en dienenden wel degelijk. Door consequent een formele toon tegenover mij te handhaven wist ze de afstand tussen ons te bewaren. Ongetwijfeld keurde ze Alexandra's minder vormelijke omgang met mij af, maar of ze zich daarover onderling uitspraken, bleef me onbekend.

Overdag merkte ik weinig van de reserve ten huize van mevrouw Huygens. Tijdens de logeerpartij kregen de kinderen geen les, maar konden we lange wandelingen maken langs de boulevard, of spelen op het strand. Natuurlijk at ik apart met de kinderen en had ik hen overdag steeds bij me, maar als ik de kleintjes 's avonds naar bed had gebracht, wachtte me nog de lange avond in de salon. Behalve de geplande feesten, waren er nog diverse visites en ontvangsten. Daar vele Haagse families voor de festiviteiten gasten te logeren hadden, was het een goede gelegenheid om elkaar weer eens te ontmoeten, of met nieuwe mensen kennis te maken.

Wat echter mijn bijdrage aan het algemeen plezier moest zijn, was onduidelijk. Vaak treuzelde ik bij de brede deur in de vestibule, moed verzamelend om naar binnen te gaan. Ik wist wat me te wachten stond, namelijk niets. Geen dans, conversatie of kaartspel, en doordat ik niet muzikaal genoeg was, was er ook geen kans om als pianiste voor de muziek te zorgen. Hooguit kon ik me verdienstelijk maken met het ophouden van het garen, of draad te rijgen voor de oudtante, die zich het liefst met handwerken bezighield. Het was niet waarschijnlijk dat ik voor het kaarten gevraagd zou worden, daar men liever onder elkaar was. In het bijzijn van de gouvernante kon men immers niet onbekommerd babbelen. Wilde ik me niet de hele avond werkeloos en zwijgend zitten vervelen – met een onderbreking voor het schenken van thee voor de aanwezigen – dan zat er niets anders op dan me vroeg terug te trekken om op mijn kamer nog wat te lezen of te schrijven voor ik naar bed ging.

Het had anders kunnen zijn, bedacht ik – onder de vaste gasten bevond zich een leeftijdgenote van mij die, als ik me niet vergiste, meer bij mijn stand paste dan de anderen. Zij was een nichtje van onze gastvrouw en heette Elise van Noord. Aan haar manier van kleden, die tamelijk eenvoudig was, was te zien dat ze het niet breed had. Ze had een bleek gezicht en vlassig blond haar dat ze in een knotje droeg. Elise was meegekomen als gezelschap van haar oudere tante van Noord en was meestal bezig het deze naar de zin te maken, wat geen gemakkelijke opgave leek. Tante van Noord had nogal wat kwaaltjes, die Elise op verschillende wijzen en meestal vruchteloos trachtte te verlichten.

Omdat wij beiden in een dienstbare positie verkeerden had ik gehoopt met mijn lotgenote wat gezelligheid onder elkaar te hebben, maar Elise bleek geen behoefte te hebben aan mijn gezelschap. Zodra ze gemerkt had dat ik haar als gelijke beschouwde, had ze haar best gedaan het verschil tussen ons te benadrukken, door zo veel mogelijk bij de anderen aan te schuiven. Graag liet ze zich ontvallen wat haar familiebanden en connecties waren en door veel aandacht van haar kant en wat kleine vleierijtjes wist ze zich inderdaad spoedig een vaste plek op de avondjes te verwerven.

Dat Elise liever deel uitmaakte van het gezelschap in de salon was te begrijpen, maar waarom ze mij negeerde als had ik de pest, was me een raadsel. Daar ik echter meende dat ik gezien haar beperkte interesses niet veel miste, maakte ik me er verder niet druk over.

De avond van het belangrijkste bal beloofde voor mij anders te worden. Alexandra had me beloofd dat ik mee kon gaan met Aletta, mijn oudste pupil. De jongsten zouden dan voor deze keer onder de hoede van de meid van onze gastvrouw blijven. Ik verheugde me haast net zo op het bal als Aletta, zelfs al zouden wij beiden eerder dan de andere gasten weer huiswaarts gaan, om het kind niet te zeer te vermoeien.

Toen die avond de koets voor de sociëteit waar het bal gehouden werd stilhield, stapten we met nauwelijks bedwongen opwinding uit en liepen naar het rijkelijk verlichte gebouw. Binnen werden onze mantels door bedienden in livrei aangenomen. Alexandra begaf zich met haar vriendin naar enige kennissen om hen te feliciteren met het debuut van hun dochter. Dit was de avond waarop huwbare meisjes de wereld van de volwassenen betraden, blozend als pas ontloken rozen, schuchter en gretig tegelijk, en nauwlettend in het oog gehouden door hun trotse mama's.

Met Aletta posteerde ik me op het balkon boven de feestenden en samen keken we onze ogen uit. Een schouwspel dat nieuw voor ons was en toch bekend, als uit de sprookjesboeken van de kinderkamer. Dames in prachtige japonnen van tafzij en satijn, de kapsels versierd met kunstbloemen en paarlen, drentelden in kleine groepjes door de zaal, glimlachend en keuvelend. Heren in overwegend donkere kostuums spraken gedempt met elkaar over gewichtige zaken, gesticulerend met hun halflege wijnglazen. Anderen waren de galante begeleiders van dames in met volants overvloedig versierde robes. Overal brandden kaarsen en olielampen en aan de balustraden hingen brede vanen met vergulde koorden. Bedienden gingen rond met glazen champagne en wijn, en in een van de kleinere zalen was een kunstig opgemaakt buffet uitgestald. Aletta wees ernaar en vroeg mij toestemming om wat lekkers te gaan halen.

Nadat de kleine meid was weggesneld, de rokken van haar kanten feestjurkje vrolijk meedeinend, speurde ik rond naar een wat minder opvallende plaats om ons terug te kunnen trekken. Met alle pracht en praal om me heen voelde ik mijn soberheid wel erg afsteken, zelfs al had ik mijn beste japon uitgekozen - parelgrijze zij met kanten garnering.

Opeens bemerkte ik een lichte beroering in de menigte beneden. Een vrouw trad naar voren die onmiddellijk indruk maakte, niet alleen op mij, maar gezien de reacties in haar omgeving, ook op anderen. Ze was niet groot, maar straalde een natuurlijke charme uit en leek moeiteloos de aandacht naar zich toe te trekken. Rondom mij werd het geroezemoes luider en toevallig ving ik het gesprek op van twee dames in mijn nabijheid.

'Daar heb je Catharina van Lier,' zei de in bordeaux zijde geklede jonge vrouw tegen de oudere, die haar moeder leek te zijn. 'Het is zo jammer dat ze geen les meer geeft sinds ze getrouwd is.'

Bij het horen van het woord 'les' spitste ik de oren.

'Maar lieve,' antwoordde de oudere vrouw, 'heb je dan niet gehoord dat ze weer begonnen is met lesgeven? Het schijnt dat het met de zaken van haar man niet zo goed meer ging en zodoende besloot ze haar vroegere professie weer op te nemen.'

'Is het heus?' riep de jongere uit. 'Dan moet ik haar zeker voor onze Keetje vragen. Zij heeft er nu net de leeftijd voor. Het schijnt dat juffrouw Von Ulft destijds zeer goed aangeschreven stond. Zij heeft zelfs les aan het Hof gegeven!'

De oudere vrouw knikte bevestigend en deze opmerking beamend, spoorde ze haar dochter aan om mevrouw Van Lier-Von Ulft zo spoedig mogelijk te spreken te krijgen over privélessen voor Keetje. Uit wat ik verder van het gesprek opving, begreep ik dat de uit Duitsland afkomstige mevrouw Van Lier een ontwikkelde vrouw was, die als gouvernante in de hogere kringen zeer gewaardeerd werd om haar kennis en innemendheid. Door haar belezenheid kon zij in gezelschappen een levendige conversatie op gang houden, terwijl ze toch middels hoffelijke bescheidenheid, haar positie zowel wist te bewaren als te verheffen.

De beide dames hadden zich tijdens hun loftuitingen langzaamaan verwijderd en mij in gedachten achtergelaten. De wijze waarop de vrouwen over de gouvernante hadden gesproken, had diepe indruk op mij gemaakt. Er was meer mogelijk dan de eenzame post aan het eind van de gang! Meer dan ooit voelde ik me gedreven me op mijn studies te werpen, vastbesloten eer te behalen, niet alleen als onderwijzeres, maar ook als sieraad in de salon. Vooralsnog echter, was ik als het zwanenjong uit het eendennest - beter stil gehouden dan te luid gekwaakt.

Muziek klonk en ik keek toe hoe de jonge debutantes zenuwachtig de dansvloer opgingen. Eens zou ik de corsage van mijn élève inspecteren, haar instructies geven en haar vertrouwelinge zijn. Ik zou me terzijde bij de vrouwen voegen, vanachter onze waaiers de dansers gadeslaan, praten en lachen, en me plezierig gewaardeerd weten...

Aletta kwam terug met een schoteltje met pastei en taart en we begaven ons naar een rustiger plekje, vanwaaruit we de dansers toch goed gade zouden kunnen slaan. Bij de opening van het bal waren meer gasten naar boven gekomen om het schouwspel beter te kunnen volgen en nu en dan passeerden deftig geklede paren. Vanaf ons hoekje achter de gordijnen bleken we echter uitstekend zicht te hebben op de zaal, zonder de feestvierders te storen. Verdekt opgesteld genoten we van het eten, de muziek en de walsende paren. We hadden het zeer naar onze zin, ook al maakten we niet echt deel uit van het evenement.

'Nog wat lekkers, juffie, toe, mag het?' Vanmiddag aan tafel had Aletta van opwinding geen hap naar binnen gekregen, nu had ze weer een gezonde eetlust.

'Nu, vooruit dan,' zei ik toegeeflijk, 'het is tenslotte feest.'

Blij huppelde het kind weer terug naar de buffettafels.

Terwijl ik op mijn plek bleef tussen de gordijnen, naderden twee dames. Omdat het een rare indruk zou maken dat ik daar half verscholen stond, schoof ik zachtjes nog wat verder naar achteren in de plooien van de gordijnen, zodat ik onzichtbaar was. Mijn bedoeling was weer tevoorschijn te komen als ze eenmaal gepasseerd waren, maar vlak voor mijn schuilplek besloten ze hun wandeling te onderbreken.

Door een spleet in de draperie gluurde ik naar de vrouwen, die met de rug naar me toestonden. De ene vrouw wuifde zichzelf koelte toe met een waaier, de andere droeg een ingewikkeld kapsel van opgerolde vlechten. Beiden waren van middelbare leeftijd. Hopelijk bleven ze daar niet de hele avond staan. Wat zou er gebeuren als Aletta terugkwam en ongewild mijn schuilplaats verraadde? Nerveus onderdrukte ik een opkomende giechel.

Onbewust van mijn aanwezigheid begonnen de vrouwen een gesprek. 'Heb je die boerse kindermeid gezien, waarmee Alexandra Helmink binnenkwam?' sprak de dame met de waaier. De vrouw met de vlechten knikte. 'Dominee Hanewinkel had gelijk, die zuiderlingen lopen eeuwen achter. Hoe kan Alexandra haar aangenomen hebben, zo'n meisje weet toch niets van cultuur, op het platteland hebben ze immers geen kunstbehoeften.'

'Ja, 't is een simpel mensenslag,' antwoordde de ander, 'en dat is het meisje ook aan te zien. Ik heb gehoord dat de Brabanders nog erg onderontwikkeld zijn, en dat roomse bijgeloof ...' Meer kon ik niet verstaan daar de vrouwen hun wandeling hadden hervat en snel buiten mijn gehoorsafstand waren.

Getroffen als Lots vrouw stond ik onbeweeglijk, een schuldeloos bestrafte. Nooit eerder had ik zo over mijn afkomst horen praten. Schaamte deed mijn wangen branden, hulpeloos om de onterechte aantijgingen. Opeens voelde ik me minder onzichtbaar dan ik de afgelopen weken dacht te zijn geweest. Maar het was geen attentie die me beviel. Al die tijd van ons verblijf was ik wel degelijk door andere gasten en bezoekers opgemerkt, maar niet om een goede reden. Was dat waarom juffrouw van Noord had verkozen mij te negeren? Omdat ze op mij neerkeek?

'Juffie!' De stem van Aletta verstoorde mijn gedachten. Het kind kwam vrolijk aangerend.

Achter haar verscheen Alexandra. 'Wat is er?' vroeg deze zodra ze mijn gezicht zag.

Ik vertelde haar wat ik zojuist had gehoord. 'Ach, ach,' Alexandra schudde meewarig haar hoofd. 'Trek het je niet aan, Regina. Het is die verfoeilijke oude reisbeschrijving van dominee Hanewinkel, die mensen zo op het verkeerde been heeft gezet. Lieden als hij richten kwaad aan door hun eigen ongenoegen te plaatsen op onschuldige schouders.' Ze omarmde me troostend en herhaalde dat ik me er niets van aan moest trekken.

Maar mijn plezier in het bal was bedorven. Ik voelde me gekrenkt en terechtgewezen. Angstvallig hield ik me achteraf, gaf mijn pupil afwezig antwoord op haar opgewonden vragen, tot het gelukkig tijd was voor Aletta om naar huis te gaan en ik met goed fatsoen kon vertrekken.

Ondanks de wetenschap dat er in het calvinistische noorden mensen waren die op mij als Brabantse neerkeken, verliep mijn leven bij de Helminks verder prettig en kalm. Ik gaf les en was kindermeisje en gezelschapsdame, maar daarnaast kon ik mij in het spel met de kinderen nog uitleven, jong als ik was, met opgeschorte rokken rennen in de tuin, balgooien en stoeien. Wie had kunnen denken dat aan die vrolijke, luchthartige tijd zo snel een einde zou komen? Juist doordat het Willem Helmink in zijn carrière zo goed verging, werd hij verkozen om in Oost-Indië de zaken van zijn firma te gaan behartigen. Het gezin zou mijnheer Helmink daarheen volgen en dus moest ik weer op zoek naar een volgende betrekking.

Een drukke tijd brak aan - inpaklijsten werden gemaakt, boodschappen gedaan, allerhande zaken moesten worden geregeld. In die periode was ik onmisbaar. Maar in de Oost zou het leven anders worden. De kinderen zouden samen lessen volgen van de Nederlandse huisleraar, die de kinderen van de Hollandse elite onderwees. Er was sprake van een dicht netwerk van vrienden en kennissen, doordat men in een vreemd land nu eenmaal meer onder elkaar verkeerde. Alexandra en Willem zouden meer tijd voor elkaar hebben. Het moment was voor mij gekomen om verder te gaan.

Bijna vier jaar was ik bij mijn geliefde familie Helmink gebleven. Maar moesten niet alle gouvernantes verder, als hun taak erop zat? Zo ging het nu eenmaal en ik mocht niet bij de pakken neer blijven zitten. In de courant vond ik een advertentie van de familie Aerdenhout aan de Heerengracht. Ik reageerde erop en werd na een persoonlijk onderhoud met mevrouw aangenomen.

Met pijn in het hart nam ik op de laatste avond afscheid van Alexandra (Willem was enkele maanden eerder vertrokken) en de kinderen Aletta, Suzanna en Johan, die inmiddels allemaal oud genoeg waren om les van mij te hebben gekregen. Zij zouden de volgende dag scheep gaan.

Mijn koffer en spullen waren reeds overgebracht naar de kamer bij de familie Aerdenhout. In de komende dagen zou ik moeten wennen aan mijn nieuwe thuis - een onbekende woning, vreemde gezichten, andere gewoonten, karakters waar ik mee moest leren omgaan. Ook de mij vertrouwd geworden eigen kamer bij de Helminks zou ik missen, al bracht ik mijn eigen spulletjes mee.

'Ik mag niet klagen,' sprak ik mezelf toe, 'ik moet eraan wennen. Zo zal het gaan, steeds weer. Elke keer als de kinderen groot genoeg zijn, moet ik verder.'

Tot de laatste dag waren we samen gebleven, hielp ik Alexandra en de kinderen met inpakken, verstellen en duizend andere dingen. Er was weinig tijd geweest voor verdriet en daar ik de volgende dag bij de Aerdenhouts zou beginnen, zou er ook de komende tijd weinig gelegenheid zijn om te treuren, wat misschien maar goed was. Toch voelde ik mij bijna net zo bedroefd als toen tante stierf, zo dierbaar waren de Helminks mij geworden.

De stem van de koetsier onderbrak mijn gedachten. 'Juffrouw! We gaan de paarden uitspannen, wilt u uitstappen?' Zo verdiept was ik geweest in mijn herinneringen dat ik niet gemerkt had dat iedereen reeds was uitgestapt en naar de herberg getrokken, om een plaats te reserveren voor de maaltijd en de nacht.

Vlug liet ik me uit de koets zakken en begaf me naar de uitspanning. Ik was blij de benen weer te kunnen strekken. Na een kamer te hebben geregeld en mijn bagage naar boven te hebben gestuurd, kon ik samen met de andere reizigers van een eenvoudig maal genieten.

Iedereen ging vroeg naar bed, want de volgende morgen zou de reis naar 's Hertogenbosch weer bij het krieken van de dag worden voortgezet. Ondanks het weinig comfortabele bed sliep ik beter dan ik in lange tijd had gedaan.

Vijf

OKTOBER 1846 - MEI 1847

Soeur Agnes ontving mij hartelijk. De wagen was net bij het huis in de Choorstraat gearriveerd en de koetsier was nog bezig de bagage af te laden, toen de zuster in de deur verscheen en haar armen uitspreidde om mij te verwelkomen. Ik moest even wennen aan haar nieuwe voorkomen - tot nu toe had ik zuster Agnes alleen in burgerkleding gezien. Maar de plechtstatige nonnenkap en de wijde mouwen van haar zwarte habijt hadden de zuster allerminst haar warmte ontnomen, en dankbaar gaf ik mij over aan haar moederlijke omhelzing.

Nadat de koffer was binnengebracht, leidde zuster Agnes me naar de op dat moment verlaten eetkamer. Moe van de reis zette ik me aan tafel neer en liet mijn blikken dwalen over de ruimte die na zo lange tijd zowel vertrouwd als weer nieuw voor mij was. Soeur Agnes vertelde dat ze wat van het avondmaal voor mij had achtergehouden en haalde een afgedekt bord van de kachel.

Terwijl ik me te goed deed aan de gortenpap kreeg ik te horen dat ik in het gastenkamertje kon verblijven tot ik een nieuwe betrekking gevonden had. Tegen betaling van wat kostgeld kon ik zo lang blijven als ik wilde. Maar nu was van belang te weten - en hier kwam een bezorgde trek op haar gezicht - of mij niets kwaads overkomen was.

Ik haastte mij de zuster gerust te stellen; mijn eer was onaangetast gebleven, maar mijn trots en geduld waren danig op de proef gesteld. Al vertellende begonnen de wallen van zelfbeheersing rond mijn opgekropte emoties langzaam af te brokkelen en eerst met felle verontwaardiging maar daarna met haperende stem, gaf ik haar een verslag van mijn lotgevallen bij de familie Aerdenhout. Haar ernst en meeleven deden mij de tranen in de ogen springen en waren als zalf op de wonde.

Getroost en met het vaste voornemen zo spoedig mogelijk mijn terugkeer als gouvernante in Amsterdam of een andere plaats te bewerkstelligen, begaf ik mij die avond ter ruste.

In de weken die volgden nam ik zo veel mogelijk deel aan het dagelijkse leven van de nonnen in het Moederhuis. 's Ochtends volgde ik de mis met de zusters, waarna we om halfacht het gezamenlijke ontbijt in stilte nuttigden. Daarna hielp ik de zusters met diverse bezigheden in de huishouding, of in de klas bij de weesmeisjes.

Na het middagmaal om twaalf uur had ik de tijd aan mezelf. Gewoonlijk ging ik dan naar de leeszaal van de Stadsbibliotheek om de couranten door te nemen op advertenties en sollicitatiebrieven te schrijven. Vol goede moed, al zou het moeilijk zijn een nieuwe betrekking te vinden. In het zuiden had ik concurrentie van de Vlaamse en Franse gouvernantes, in het protestantse noorden moest ik het opnemen tegen de vooroordelen en het wantrouwen dat men tegen het 'achterlijke Brabantse mensenslag' koesterde.

Meermalen had ik in gedachten deze dominee Hanewinkel verwenst, die met zijn beruchte reisbeschrijving van de Meierij, de Brabanders zo ongunstig mogelijk had afgeschilderd. En al was het nu per brief, opnieuw zou ik tegen de angst voor groeiend katholicisme moeten opboksen, en toekomstige werkgevers ervan moeten overtuigen dat met het binnenhalen van een roomse gouvernante heus niet het boerse bijgeloof en lakse onwetendheid hoogtij zouden vieren. 'Kundige luiden' waren heus niet alleen boven de Vijfheerenlanden te vinden.

Maar weken werden maanden, de winter ging voorbij en de lente brak aan. Hoewel het nu gemakkelijker reizen was, waren de sollicitatiegesprekken een beproeving. Ik had er niet bij stilgestaan dat het vinden van een nieuwe betrekking een langdurige kwestie zou kunnen worden. De eerste werkgever was mij door zuster Agnes aangereikt. De tweede had zich nog vóór het vertrek van de Helminks aangediend. Nu echter, ontbrak mij een aanbevelingsbrief van mijn laatste werkgever en dat stelde me voor een groot probleem. Als ik bij een kennismakingsgesprek naar waarheid zou antwoorden op de vraag naar het ontbreken van een adres van recommandatie, dan liep ik de kans afgewezen te worden uit voorzorg. Nieuwe werkgeefsters zaten niet te springen om een bron van moeilijkheden in huis te halen, en mijn onschuld was helaas niet bewezen. Als mindere in positie moest ik maar hopen dat men mijn verhaal geloven wilde, hoe kies ik me over de kwestie ook zou uitlaten.

Door mijn jeugd en gebrek aan ervaring binnen de elite werd ik nog niet voldoende gedistingeerd bevonden jongedames voor te bereiden op hun intrede in het uitgaansleven van de hogere kringen. Voor mij kwamen jonge gezinnen in aanmerking, waar ik naast het leren lezen en schrijven, ook de verzorging van de kinderen op mij zou nemen. Maar dat betekende tevens dat de vrouw des huizes nog jong genoeg was om weer in verwachting te raken en een werkgeefster hoedde zich ervoor een jeugdige intrigante in huis te halen terwijl zijzelf op haar onaantrekkelijkst was.

Tot mijn leedwezen bemerkte ik ook dat mijn educatie onvoldoende was, alle moeite van tante Cornelie en mevrouw Helmink ten spijt. Gouvernantes uit het buitenland met Frans als moedertaal hadden een streepje voor. Het was jammer dat ik nooit de mogelijkheid had gehad van enige maanden studie aan een Brussels of Zwitsers instituut. Met mijn Engels was het beter gesteld, maar als men kon kiezen tussen een gouvernante met vlekken op haar blazoen, of een discrete Engelse, dan was de keuze snel gemaakt.

Met mijn onverwachte vertrek uit het huis van de Aerdenhouts bleek het geval nog niet achter de rug te zijn. Na enige vruchteloze en pijnlijke sollicitatiegesprekken begon ik te beseffen dat mijn reputatie een zodanige deuk had opgelopen dat mijn loopbaan als gouvernante al gestrand leek te zijn nog voor deze goed en wel van de grond was gekomen. In Amsterdamse regionen bleek de wraakzuchtige Ada Aerdenhout valse woorden over mij te hebben rondgestrooid. Ik was kansloos gevangen in een web van gefluisterde geruchten zonder mogelijkheid me te verweren. Geen vijand die met open vizier tegemoet getreden kon worden, maar de wetenschap dat men mij met nauwelijks verholen misprijzen te woord stond, terwijl achter mijn krampachtig rechtgehouden rug kwaad over mij gesproken werd.

In mijn onschuld dacht ik nog dat ik de leugens zou kunnen weerleggen als men mij persoonlijk zou ontmoeten en leren kennen. Maar tot mijn schande ontdekte ik de kracht van salonroddels en verdachtmakingen. Zelfs buiten Amsterdam hadden de geruchten zich verspreid. Het kleine circuit waar een gouvernante voor haar brood terechtkon, was van een benauwende beslotenheid. Ik had afgedaan in de kringen waarop ik mijn hoop had gevestigd.

In mijn kamer in het Moederhuis bestudeerde ik treurig mijn uiterlijk in de kleine handspiegel die ik bezat. Mijn dikke, donkerblonde haar droeg ik altijd in een chignon. De weerbarstige lokken die langs mijn gezicht losspongen probeerde ik doorgaans naar de mode in pijpenkrullen te draaien, maar deed daarbij mijn best dit zo eenvoudig mogelijk te houden. Gecombineerd met de saaie, stijve kleding, meende ik toch te voldoen aan de stilzwijgende eis van onopvallende aanwezigheid die aan gouvernantes werd gesteld. Ik bracht de spiegel dichter naar mijn gezicht en bekeek mezelf.

Nu het kinderlijke vet verdwenen was, was de vorm van mijn gelaat niet meer zo rond als van mijn moeder, meer wat hoekiger, als bij mijn vader. Mijn bleke huid was dof en schraal. Ik had grijze ogen, donkere wenkbrauwen en volle lippen. Niet het ideaalbeeld zoals dat op portretten van adellijke personen te zien was: ronde kin, lange smalle neus en hoog voorhoofd, schoon, sereen en edel. Niet het strakke spiegelbeeld dat nors terugblikte. Maar wat ik zag kon evenmin tot het uiterlijk van een verleidster worden gerekend. Jaren geleden had ik als ijdel kind in de spiegel gestaard op zoek naar tekenen van schoonheid. Nu onderzocht ik mezelf op sporen van verdorvenheid. Was het gebeurde met mijnheer Aerdenhout werkelijk aan mij te wijten geweest? Wat kon hem toch de indruk hebben gegeven dat hij vrij spel had? Was er iets in mij dat die attentie verwelkomd had?

Onredelijke schuldgevoelens maakten dat ik mezelf die hatelijke vraag stelde. Ik wist dat ik de man verfoeide en enkel door zijn afwezigheid opvrolijkte. Er was dus geen reden mezelf te kwellen met verwijten die anderen mij toch al maakten. Onschuld echter, heeft de neiging meer op zich te laden dan de werkelijk schuldigen zichzelf doen. Ik had het gevoel mijn eigen ruiten te hebben ingegooid en droeg deze last voor een poos met me mee. Maar hoewel de irrationele schuldgevoelens gaandeweg wegebden om plaats te maken voor boosheid, veranderde er aan mijn situatie niets.

Wat had ik van de toekomst te verwachten? Somber zette ik de overgebleven mogelijkheden op een rij. Als gouvernante voor oudere en jongere kinderen viel ik al af. Wat bleef er nog over? Een chaperonne met mijn reputatie zou een slechte invloed kunnen hebben op de huwbare dochters van een familie, of erger nog, hun huwelijkskansen doen dalen. Zelfs oudere vrouwen zouden mij niet als gezelschapsdame willen, onbesproken gedrag was een vereiste.

Kindermeisje worden was het enige wat mij nog restte, een functie die dichter lag bij die van dienstmeid. Wat zou er dan gebeuren met alle kennis die ik de afgelopen jaren met pijn en moeite had vergaard? Ik zou verkommeren in de kinderkamer, enkel bezig met haren vlechten en neuzen snuiten, terwijl in de aangrenzende leskamer de gouvernante voor de geestelijke vorming zou zorgen. Het vreselijke gevoel gefaald te hebben zou mij mijn leven lang achtervolgen.

Ik kon ook in het weeshuis van de nonnen lesgeven, of op de katholieke dagschool. Maar in beide betrekkingen zou van mijn capaciteiten nauwelijks gebruikgemaakt worden. Immers, wat moet een weesmeisje of arbeiderskind met Franse of Engelse conversatie of literatuur? Daarbij zou ik hooguit genoeg verdienen voor kost en inwoning en wat kleedgeld, maar ik zou niet kunnen sparen voor mijn toekomst, hetgeen betekende dat ik altijd in het Moederhuis zou blijven wonen. De gedachte dat ik eerst als weeskind, dan als onderwijzeres en ten slotte als bejaarde in het verzorgingshuis van de nonnen mijn leven zou slijten, was te veel. Met heel mijn jeugd verzette ik me tegen dit idee van voorbestemming.

Dan was er de brief van een weduwnaar in Hilversum met vijf kinderen. Hij zocht een gouvernante voor het moederloos geworden gezin. Doordat de man in nood verkeerde zou hij misschien minder kieskeurig zijn over de referenties van zijn sollicitante. Maar hoe zou het leven zijn, in een huishouden zonder vrouwelijk toezicht? Ik vreesde dat ik spoedig voor ergere dilemma's te staan zou komen, dan eerder al was gebeurd.

Dagelijks echter, zag ik mijn reserves slinken. Het meeste van mijn opgespaarde loon had ik weggelegd voor mijn oude dag, opdat ik niet behoeftig en armoedig zou zijn. Na haar vijftigste levensjaar werd een gouvernante zelden meer aangenomen, omdat werkgevers vreesden dat haar prestaties zouden lijden onder de kwalen van de ouderdom. Het was dus geboden zo veel mogelijk opzij te leggen voor de onvermijdelijke toekomst. Maar elke hoopvolle reis voor een sollicitatiegesprek betekende tevens nieuwe kosten en een aanslag op mijn tegoed. Wagenveren en herbergen waren tenslotte niet kosteloos. Ook kon ik niet eeuwig bij de zusters blijven wonen. Een pension of kosthuis zou echter weer veel duurder uitvallen.

Maar wat dan, als ik niet van honger om wilde komen? Huiverend bedacht ik welk lot gevallen vrouwen wachtte. De maîtresse te worden van Aerdenhouts gelijken. Nee, dat nooit, dat zou ik niet kunnen verdragen.

Het andere uiterste echter, leven als zuster Innocentia, kon ik door geldgebrek al evenmin. De verplichte kerkelijke bruidsschat kon ik niet opbrengen, maar daarenboven ontbrak mij de roeping. De stille devotie en totale gehoorzaamheid wrong met mijn eigen aard, mijn ongedurig karakter. Het geduld en de gelatenheid waarmee ik nu reeds de dagelijkse missen onderging, zou veranderen in ergernis en opstandigheid en alle zuivere bedoelingen van de professie tenietdoen.

Soms, wanneer ik met soeur Agnes haar middagronde deed langs de huizen van armen en behoeftigen, kon ik te midden van het vuil en de ellende het spook van de armoede naderbij voelen komen, wenkend met haar in lompen gehulde klauwen, wachtend tot ik, bereid of tegenstribbelend, in haar krochten zou wonen. Dan leek een leven gevuld met goede werken en van honger behoed verkieslijker en moest ik mijn hang naar het wereldse zien te bedwingen, ten gunste van het kloosterleven.

Zo, overgeleverd aan zwarte gedachten bracht ik menige eenzame middag door. Toch weigerde ik te geloven dat dit het einde van mijn loopbaan als gouvernante was. De Aerdenhouts kregen mij niet klein. Hoewel weinig nobel, hielp deze motivatie mij me niet over te geven aan wanhoop. IJverig ploos ik de advertenties na, nu onder de kolom 'Buitenland'. Daar zou hopelijk de invloed van de roddels niet reiken, noch zou men zwaar aan de afwezigheid van recommandaties tillen.

Brussel was relatief dichtbij, maar mijn Frans zou het vast weer afleggen tegen dat van de Vlaamse of Franse concurrentes. Londen hoefde ik vanwege de overvloed aan concurrentie aldaar niet eens te proberen. Indië was nog een mogelijkheid. Ik vrolijkte op bij het idee van een weerzien met de Helminks. Zoals ik de afgelopen maanden al zo vaak had gedaan, kruiste ik alle bruikbare annonces aan en zette me aan de schrijftafel om de sollicitatiebrieven te schrijven.

'Suriname.' Ik proefde de naam op mijn tong en herhaalde ze, en nogmaals. Zuster Agnes zat naast me op het bed en keek zowel blij als bezorgd. Ik hield de brief beurtelings voor mijn ogen en op mijn schoot. 'Een naam die doet denken aan kruiden en specerijen. Aan oerwouden en palmbomen.' Lachend sprong ik op en draaide van vreugde in het rond, zwaaiend met de brief. Hardop las ik de inhoud van het korte epistel voor.

Amsterdam, 8 mei 1847

Geachte juffrouw Winter,

Uw reactie op onze vraag naar een gouvernante voor een pupil in Suriname, heeft onze interesse gewekt.
Graag ontvangen wij u op 16 mei omstreeks 12 uur, in Amsterdam op onderstaand adres voor een persoonlijk onderhoud.

Hoogachtend,

F. en A. van Roepel

Niet eerder had ik bij mezelf een dergelijke lust tot avontuur vermoed. Plicht, huiselijkheid en bescheidenheid hadden tot dan toe de leidraad van mijn leven gevormd. Het was alsof de constatering dat mijn positie als gouvernante onmogelijk was geworden in Nederland, en daarmee het wegvallen van de enige zekerheid die ik bezat, het afscheid inluidde van een voorbeschikt leven. Het besluit nieuwe horizonten te verkennen had vervolgens de deur geopend naar een ongekend scala van mogelijkheden en ik merkte tot mijn eigen verbazing dat dit me eerder verheugde dan beangstigde. Ik moest meer van mijn vaders avontuurlijke bloed hebben dan ik had gedacht.

Alsof ze mijn gedachten raadde bracht soeur Agnes mijn vader ter sprake. Maar dan als waarschuwing. 'Het is ook een gevaarlijk land. Het heeft je vader zijn gezondheid gekost. En je oom Hendrik is in de tropen overleden. Zou het wel verstandig zijn op de uitnodiging in te gaan?'

Geroerd ging ik weer naast zuster Agnes zitten. 'Ook in Nederland zijn mij familieleden aan akelige ziekten ontvallen. Zo veel gevaarlijker kan het overzee toch niet zijn! Tenslotte groeien daar ook kinderen op.'

Soeur Agnes schikte zich in de situatie. Ze glimlachte bedachtzaam. 'Wel, misschien dat je daar dan geen onbekende zal zijn. Mogelijk kennen ze je ouders nog.' Uit haar hoopvolle gezicht leidde ik af dat ze mij graag weer onder bescherming zag van een bekende, of een verre vriend van de familie. 'Maakt u zich geen zorgen, zuster. Ik zal het best redden. Bovendien, ik heb eigenlijk nog het kennismakingsgesprek in Amsterdam. Wie kan zeggen of ik mijnheer en mevrouw Van Roepel bij de ontmoeting aansta? Al hoop ik natuurlijk op het beste!'

Amsterdam was even bedrijvig als altijd. De zomer had de deftige families naar hun rustieke buitenhuizen verdreven, maar voor de rest van de bevolking ging het leven gewoon door. De handelshuizen deden zaken zonder zich om het warme weer te bekommeren. Tussen de menigte door mijn weg zoekend, begaf ik me naar het adres waar het echtpaar Van Roepel met mij afgesproken had.

Het pand lag in de buurt van de pakhuizen langs het water. Terwijl ik langs de kade liep, waar de schepen aangemeerd lagen en werklui over de loopplanken af en aan liepen, sjouwend met vaten en kisten, snoof ik de geuren op. Naast teer, rottende sinaasappels en gezouten vis, was daar het aroma van avontuur. De scherpe lucht van specerijen, het zware, fruitige van tabak en de donkere, pittige wasem van koffie. De zoete geur van balen suiker, al die exotische producten die ik weldra in hun natuurlijke omgeving zou kunnen aanschouwen. Want vanzelfsprekend zou ik het echtpaar Van Roepel van mijn kwaliteiten en toewijding kunnen overtuigen. Vol verwachting telde ik de huizen om het juiste nummer te kunnen vinden. Daar was het al! Vóór mij bevond zich een kantoorgebouw. De sierlijke trapgevel onderscheidde zich van de wat smoezelige, lompe pakhuizen. Hier zou ik mijn toekomstige opdrachtgevers ontmoeten.

De benedendeur stond open en wierp wat licht in het donkere trappenhuis.

Zoals in de brief was vermeld, moest ik me naar de tweede etage begeven. Ik beklom de schemerige trappen, mijn rokken met één hand vasthoudend om niet op de smalle treden te struikelen. Bovengekomen trof ik een kale overloop aan, met een bank voor een gesloten deur. Op de bank zat een vrouw van middelbare leeftijd te wachten. Mijn oog viel op haar keurige, wat buitenlands ogende kleding: een strooien bonnet die met een lint om haar kin was vastgeknoopt, een blauw fluwelen jak met opvallende sierknopen en een wijde gestreepte zijden rok. Toen ze mij vriendelijk groette, bemerkte ik haar Engelse accent. De moed zonk me in de schoenen. In de advertentie was gevraagd om een gouvernante die de Engelse taal beheerste. Hoe zou ik de vergelijking kunnen doorstaan met een gedistingeerde Engelse?

Op dat moment ging de deur open. Een mollige vrouw met een rode gelaatskleur verscheen in de deuropening. Een paar losgeschoten pieken haar vielen langs haar gezicht. Haar kleding leek te krap of te warm voor de tijd van het jaar, waardoor ze een verhitte en wat slordige indruk maakte. De heer die achter haar opdoemde, nam afscheid van haar met de nietszeggende uitdrukking op zijn gezicht die ik door ervaring als afwijzing had leren herkennen. Toen hij zich naar voren boog en de Engelse ontwaarde, verhelderde zijn gezicht. Met een elegante beweging rees de dame naast mij op en liet zich binnen noden. Terwijl de deur zich achter mijn concurrente sloot, ging de vorige sollicitante puffend en hijgend de trap af. Ik bleef achter in de wachtruimte en luisterde naar de geluiden die van kantoren op andere etages kwamen. Mannenstemmen, gelach, af en toe het schuiven van een stoel. Ik had niet veel hoop, maar was al zo ver gereisd dat ik mijn afspraak net zo goed kon nakomen.

Plots hoorde ik de Engelse haar stem verheffen. Erachter klonken sussende geluiden en nog een derde persoon, op wat afgemeten toon. Ik kon niet verstaan wat ze zeiden, maar de geluiden verplaatsten zich naar de deur en even later vloog deze open. Mijn concurrente kwam verontwaardigd naar buiten, haar ongenoegen uitend: *'This is ridiculous! And to think I have traveled a good distance just to be insulted! I am not into charity, Sir, I make an honest living educating children, not savages!'*

Zonder acht te slaan op de stamelende man in de deur, stevende de vrouw naar de trap om die met klinkende stappen af te dalen. Verbaasd staarde ik naar de man, die verward terugkeek, zich vervolgens herstelde en zijn rug rechtend en zijn buik vooruitstekend, mij uitnodigde binnen te komen.

In de kamer stonden een sofa en een paar beklede stoelen op een groot, verschoten vloerkleed. Een schrijfbureau en een paar kasten completeerden het kantoorinterieur. Door de ramen aan de voorkant viel het daglicht naar binnen. Op de sofa zat een magere vrouw van ongeveer midden twintig enigszins zuur te kijken. Ze was weinig opvallend gekleed en maakte een strenge indruk. De man stelde zich voor: 'Frederik van Roepel, directeur van de plantage Lemuel, in dienst van de heer Blackwell.' Terwijl ik de informatie in me op trachtte te nemen, wendde hij zich naar de dame en zei: 'Mijn zuster Augusta van Roepel.'

Opgelucht dat ik niet had geblunderd door haar als zijn echtgenote aan te spreken, neeg ik licht en stelde mezelf voor.

Nadat we allen waren gaan zitten stak de heer Van Roepel van wal. Hij was tamelijk gezet en begon bovenop al te kalen. Zijn gebruinde gezicht werd gedomineerd door een forse snor. Ik schatte hem een eind in de dertig. Aan zijn onderzoekende blikken bemerkte ik dat hij mij eveneens trachtte te beoordelen. Onmerkbaar trok ik mijn kleding wat rechter en hoopte niet al te ongunstig uit te vallen. Naar juffrouw Van Roepel durfde ik me nog niet te richten, onzeker over welke rol zij in dit gesprek had.

'Juffrouw Winter,' begon Frederik van Roepel gewichtig, 'in uw brief maakte u al melding van uw vaardigheden en uw interesse in het buitenland. Wat mij echter nog onbekend was, is uw overduidelijk jeugdige leeftijd.'

Schuldbewust bedacht ik dat ik dit feit met opzet uit mijn brief had weggelaten, uit angst bij voorbaat afgewezen te worden. Ik zweeg, en hij vervolgde: 'Maar u ziet eruit als een flinke jongedame. Vertelt u eens, bent u goed gezond? Hoe staat u tegenover ontberingen van de tropen?'

Ik verzekerde de heer Van Roepel dat ik sterk en gezond was, en ondanks mijn jeugd voldoende overwicht op mijn pupillen kon doen gelden.

Dit scheen hem veel genoegen te doen, want hij beaamde gretig dat het voordeel van jongelui was dat ze zich gemakkelijker aan de omgeving konden aanpassen. Toen werd hij weer ernstig en zei: 'Uw pupil is een jongen van zeventien jaar. Hij is tevens mijn opdrachtgever.'

Verbaasd bleef ik zwijgen. Voor oudere jongens werd doorgaans een huisleraar aangenomen, immers, wat moesten zij met zang- en borduurlessen?

Voor ik een vraag kon stellen ging Van Roepel verder: 'En hij is een neger.'

Nu had ik helemaal tijd nodig alles te verwerken. Voor mijn geestesoog doemde de afbeelding op van de wilde, zoals ik die in een geïllustreerde atlas was tegengekomen: zwart, grof en onbeschaafd, gewapend met schild en speer, gehuld in een luipaardvel, het gezicht met dreigende strepen beschilderd. Dit beeld was niet op een of andere manier te rijmen met dat van de opdrachtgever van de gezette heer Van Roepel in zijn geruite vest en bruine jas. Ik wist een opborrelende lach te bedwingen, maar vreesde dat mijn gezicht toch een dwaze grijns vertoonde.

Toen Frederik van Roepel merkte dat ik niet onmiddellijk in angst of verontwaardiging het pand verliet, ging hij vlug door. 'Laat me het uitleggen. Ik werkte jaren voor de heer Wellington, een Engelsman die een plantage in Suriname had gekocht. Anders dan de meeste eigenaars, woonde deze planter ook werkelijk op zijn bezit en bestierde het persoonlijk, met hulp van mij, natuurlijk,' vergat hij niet eraan toe te voegen met een blik die duidelijk maakte dat zijn kennis onontbeerlijk was. 'De heer Wellington had een verhouding met een slavin en verwekte bij haar een zoon.' Hier keek hij wat ongemakkelijk, zich ervan bewust dat onzedelijke praat niet voor de oren van jongedames bestemd was.

Juffrouw Van Roepel, die tot nu toe gezwegen had, liet een afkeurend geluid horen.

'Wellington voedde de jongen in zijn huis op, maar leek niet veel aandacht voor hem te hebben. Drank en afzondering werkten niet bevorderlijk voor zijn gezondheid. Toch, ondanks zijn schijnbare onverschilligheid, kocht hij de jongen vrij en liet hem ook zijn bezittingen na. Op zestienjarige leeftijd erfde hij zijn vaders vermogen.'

Nog altijd kon ik me geen beeld vormen van de pupil die de heer Van Roepel voor ogen had. De man zelf leek ook niet erg op zijn gemak met de hem toevertrouwde opdracht. 'Wat is zijn voornaam?' vroeg ik om ook maar iets te zeggen.

'Walther,' antwoordde de directeur. 'Walther Blackwell.' Met een gepijnigde uitdrukking op zijn gezicht hernam hij: 'Het is de gewoonte dat vrijgemaakte slaven een deel van de naam van hun weldoener aannemen. Hij had Wells kunnen heten, of Welford of voor mijn part Welton. Maar hij koos voor Blackwell. Je reinste provocatie, als je het mij vraagt!'

In de afgelopen minuten was zo veel nieuwe informatie over me uitgestort, exotisch, maar tegelijkertijd zo vanzelfsprekend voor de verteller en zijn zuster, dat ik me een beetje wereldvreemd begon te voelen. In een poging weer op bekend terrein te komen stelde ik de vraag die in al mijn sollicitatiegesprekken van pas kwam. 'Hoe is zijn karakter?'

'Ah!' De heer Van Roepel wreef zich over zijn knokkels alsof het hem moeite kostte zich tegenover zijn pupil, tevens zijn opdrachtgever, in te houden. Hij stond op en begon al pratende te ijsberen terwijl zijn zuster met toegeknepen ogen zijn bewegingen volgde. 'Walther is slim en heeft zich in korte tijd onze beschaving eigen gemaakt. Hij heeft zelfs zozeer de manieren van deftige blanken overgenomen, dat hij wel spottend "de Zwarte Lord" wordt genoemd. Maar nog is het hem niet genoeg. Hij wil iemand die hem helpt zich verder te ontwikkelen en heeft zodoende bij de zaken die ik in

Nederland moest afhandelen, de opdracht gevoegd een gouvernante mee te nemen.' Hij pauzeerde en ik wendde mijn gezicht naar Augusta van Roepel. 'Mijn zuster is geen gouvernante, juffrouw,' zei de directeur, die tegenover mij naast zijn zuster ging zitten en mijn blik onderschepte. 'Bovendien kunnen Walther en zij slecht met elkaar opschieten.'

Hier kneep de vrouw haar lippen nog vaster opeen.

'O, maar,' zei ik vlug verontschuldigend, hopend dat ze niet gekwetst was door mijn veronderstelde vraag, 'ik vroeg me af waarom er niet voor een huisleraar gekozen is?'

Nu nam Augusta van Roepel het woord. 'Huisleraren vervallen in de tropen gemakkelijk in verkeerde gewoonten. De ervaring leert dat we van vrouwen minder te vrezen hebben wat betreft drankzucht... en ander onbehoorlijk gedrag,' besloot ze, met zo'n misprijzende uitdrukking op het gelaat, dat ik de indruk kreeg dat zij de slechte ervaringen persoonlijk had ondervonden.

Mijnheer Van Roepel leek gegeneerd. Hij kuchte en stelde toen: 'Uw bekwaamheden zoals vermeld in uw brief, voldoen aan Walthers eisen. U bent wel nog jong, maar mijn zuster en ik kunnen u bijstaan als uw leerling last zou geven.' Beiden keken mij verwachtingsvol aan.

Ik dacht na.

Gedurende het gesprek was Walther Blackwell van een halfnaakte wilde in een Zwarte Lord veranderd. In een leergierige pupil. Dat sprak me wel aan. Maar... een jongen, en dan nog slechts vijf jaar jonger dan ik? Aan de andere kant - wat had ik te verliezen? Een betrekking overzee betaalde beter dan in Nederland, zodat ik meer zou kunnen sparen. Ik zou meer van de wereld zien, veel leren en daardoor bij terugkeer een degelijke gouvernante zijn, die gaarne door ouders in de arm genomen werd om hun kroost te helpen vormen. Om nog maar niet te spreken van mijn conversatiestof voor in de salon, nuttig als ik op latere leeftijd gezelschapsdame zou worden... Ik hief mijn hoofd en sprak: 'De betrekking is voor twee jaar, is het niet?'

De gezichten tegenover mij klaarden op. Frederik van Roepel veerde overeind en reikte me de hand. 'Ik heb het gevoel dat we goed samen zullen kunnen werken!' riep hij uit. Ook zijn zuster glimlachte nu en gaf me een hand. 'Het lijkt me het beste,' ging Van Roepel verder, 'dat Augusta u verder begeleidt met uw uitrusting. U heeft zes weken tijd voor de voorbereidingen. Eind juni vertrekken we. Uw salaris zal zeshonderd gulden per jaar bedragen. De kosten van de uitrusting en de overtocht worden natuurlijk vergoed. Ik zal alle papieren in orde maken.'

Na een halfjaar bij wijze van spreken in stilstand te hebben doorgebracht (op sommige dagen telde ik werkelijk de uren, de minuten), kwam mijn leven opeens in een stroomversnelling. Anderhalve maand was kort nu bleek dat ik mij een nieuwe, hoewel bescheiden, garderobe moest laten maken. De donkere kleding die zuster Agnes destijds met mij had uitgezocht, moest ik volgens juffrouw Augusta in Nederland achterlaten, daar de kleur in Suriname zo veel muskieten zou aantrekken dat ik geen leven meer zou hebben. Ik gaf deze kleren dus, evenals het wintergoed, bij soeur Agnes in bewaring. Bij mijn terugkeer in Nederland zou ik de koffer weer bij haar ophalen.

Met blijdschap en verdriet namen wij afscheid. Het was duidelijk dat de goede zuster niet gerust was over mijn verblijf in een ver land, maar mijn opwinding over de nieuwe betrekking weerhield haar ervan veel bezwaar te maken. Wel drukte ze me op het hart mij steeds door God te laten leiden, en minstens een bezoek te brengen aan de door de missie uitgezonden paters. Dit laatste achtte ze misschien niet zozeer nodig vanwege mijn introductie in de Surinaamse samenleving - die zou middels mijn werkgever wel plaatsvinden - maar om in tijden van nood een toevlucht te hebben, zoals thans het Moederhuis. De uitgezonden geestelijken zouden me daar wel verder kunnen helpen, meende ze.

Nu ik het Moederhuis ging verlaten raakten de frustratie en agitatie die ik de afgelopen maanden door mijn gedwongen verblijf ervaren had, op de achtergrond. De warme geborgenheid van het Huis kwam terug in mijn herinnering en ik betuigde soeur Agnes spijt over mijn rusteloze karakter. De zuster glimlachte weemoedig en antwoordde dat jeugd zich niet laat verloochenen. Zij zag wel aan mijn gezicht dat palmen en papaja's meer lokten dan paternosters en psalmen.

'Over twee jaar zien we elkaar toch weer, zuster!' zei ik vrolijk.

En zij knikte berustend.

Meteen na het regelen van mijn zaken in Den Bosch vertrok ik weer naar Amsterdam, omdat alle voorbereidingen voor de reis daar plaats zouden vinden. Gedurende die tijd zou ik een kamer huren in een pension, terwijl de directeur en zijn zuster bij familie verbleven, in een eenvoudige burgerwoning op het Spui.

Behalve dat ik met juffrouw Van Roepel naar de naaister en de winkels moest voor mijn garderobe, had ik van Walther de opdracht gekregen goed lesmateriaal en boeken aan te schaffen, daar deze in de kolonie niet gemakkelijk te verkrijgen waren. Walther had veel belangstelling voor geografie, geschiedenis en voor de Engelse literatuur. Mijnheer Van Roepel had mij de lijst overhandigd en ik was naar Diederichs, de grootste boekhandel van de stad, gegaan om bestellingen te doen.

De bel klingelde welluidend toen ik, vol opwinding over de dingen die komen gingen, de winkel binnenstapte. In het wat schemerige interieur lagen rijen boeken in kasten langs weerszijden en op toontafels te wachten. Een collectie van grote en kleinere globes stond achterin opgesteld, een jonge bediende was juist bezig deze af te stoffen. Met zelfverzekerde stappen begaf ik mij rechtstreeks naar de oudste heer die daar aanwezig was. De stijve verkoopmeester keek mij door zijn lorgnet heen neerbuigend aan, zodat ik het niet kon laten bij het overhandigen van mijn verlanglijst een nuffig gebaar te maken, alsof ik alle dagen egards gewend was. Na het papier een moment met opgetrokken wenkbrauwen bestudeerd te hebben, veranderde zijn houding abrupt. De oude man klapte in zijn handen en meteen schoten bedienden naderbij om zijn bevelen te ontvangen.

Boeken waren mijn grote liefde en dit moment van verrukking, van overvloed, was onvergetelijk. De beschikbare materialen werden door de verkopers aangedragen en uitgestald, waarna ik op mijn gemak door de boeken, platen en atlassen kon bladeren om een goede keus te maken. Nog nooit had ik over zo'n ruim budget beschikt en ik genoot dan ook met volle teugen van mijn opdracht. Alles zou naar het schip worden gebracht en tijdens de zeereis zou ik voldoende tijd hebben mij op de komende lessen voor te bereiden.

Meer terughoudend was ik bij de aanschaf van mijn tropengarderobe. Hoewel mijn nieuwe salaris royaal was, kende ik de dreiging van armoede en wist ik dat ik moest sparen voor tijden van ziekte en ouderdom. Ik nam me dus voor zuinig te leven, ook al haalde juffrouw Augusta haar neus op bij het zien van mijn eenvoudige keuzen in winkels en bij de naaister.

'Vergeet wol,' placht ze te zeggen, 'neem fijn linnen, katoen of zijde.' Zijde! Het idee dat ik me aan dergelijke voorname luxe te buiten zou gaan, was werkelijk buitensporig. 'Regina,' klonk haar wat scherpe stem, 'één feestelijke japon is in een land waar je zo overvloedig zweet, bijlange niet genoeg. Je moet er echt minstens twee laten maken. Maar vier is beter.' De volhardende juffrouw Van Roepel bleef me aansporen om wat meer te spenderen, daar mijn uitrusting immers vergoed werd en het leven in de kolonie voor de blanken zeer op weelde gericht was.

Hierin kon ik haar niet volgen. Het was niet gepast, vond ik, als gouvernante te pralen met opschik. Daarbij was het me opgevallen dat juffrouw Augusta's garderobe, hoewel meer uitgebreid dan de mijne, niet veel meer in raffinement vertoonde. Het contrast tussen de gretigheid waarmee ze kostbare stoffen voor mij uitkoos en de - waarschijnlijk door een krappe beurs opgelegde - eigen simpele snit, was groot. Ze had kunnen tegenhouden dat ik haar qua verschijning voorbij zou streven, maar genoot er te zeer van mij van goede spullen te voorzien. Mijn waardering voor haar zelfverloochenende hulp werd echter enigszins verstoord door de onbeschaamde wijze waarop ze pleitte voor een grotere som van spendering. Volgens haar smalende opmerkingen was mijn werkgever toch te rijk om zich over onze overzeese uitgaven druk te maken. Ze vond het dan ook gerechtvaardigd zichzelf voor haar moeite te belonen en liet daarom twee japonnen voor haarzelf op mijnheer Blackwells kosten maken.

Accessoires vormden het volgende onderdeel van onze aankopen. Attributen welker gemis ik tot nu toe als overkomelijk had beschouwd, zoals een waaier en een parasol, waren volgens de ervaren juffrouw Van Roepel een onontbeerlijke aanschaf. Ik voelde me bepaald lichtzinnig toen ik een kleine, lichtgroene parasol met een kanten rand aan zijn uitgesneden handvat liet ronddraaien. Op de collectie waaiers raakte ik niet uitgekeken. Na de geborduurde, met zilver bestikte, ivoren en parelmoeren exemplaren bewonderd te hebben, koos ik ten slotte voor een kleinere, blauw zijden briséwaaier.

Eenmaal zover gekomen liet ik me dan toch overhalen om naast de eenvoudige lichte japonnen, twee mooiere van mousseline te laten maken voor speciale gelegenheden. Haar betoog luidde dat ik Walther bij bijzondere feesten zou moeten assisteren en soms de gastvrouw zou moeten zijn. Dit argument gaf de doorslag, al vermaakte het idee me heimelijk. In plaats van een blozende en blonde élève, zou ik een donkere jongeman bij zijn debuut begeleiden. De onwaarschijnlijkheid van deze situatie maakte dat ik begrip kon opbrengen voor de onmacht van de Engelse, die op de dag van mijn sollicitatie zo woedend vertrokken was. Wie was ik dat ik dacht het er beter af te zullen brengen? Er was geen verklaring voor, behalve het gevoel dat ik in jeugdige overmoed meende alles aan te kunnen.

En zo, met alle heerlijke voorbereidingen, waarin zich steeds meer van mijn nieuwe leven voor mij ontvouwde, kon ik niet anders dan mezelf gelukkig prijzen. Fortuin en avontuur lagen voor mij in het verschiet en daarnaast had ik nog de kans mijn kennis en beschaving over te dragen aan een gewillige leerling.

Zes

HALF JUNI – BEGIN AUGUSTUS 1847

Zachtjes schommelden de kledingstukken aan de wand van de hut. De ceintuur, die ik aan een spijker had opgehangen, de onderrok ernaast en de jurk aan de hanger, wiebelden allemaal mee op de deining van het schip.

Ik lag in mijn kooi, de bedstee die de zeelui zo noemden, en mijmerde voor me uit. Tien dagen waren we nu onderweg, al bijna twee weken geleden had ik Holland voor het laatst vaarwel gezwaaid, en was ik meteen daarop door zeeziekte geveld. Ontdaan dat ik zo spoedig na het begin van mijn dienstverband van zwakte blijk moest geven, had ik me wankelend naar mijn hut begeven. Frederik en Augusta van Roepel waren het reizen reeds gewend en hadden nergens last van. Alleen in mijn hut bracht ik de volgende dagen ziek en misselijk door, me afvragend waarom ik in 's hemelsnaam overzee had willen gaan en tegen beter weten in wensend dat er spoedig een eind aan de reis zou komen.

Maar gelukkig wist ik mezelf na drie dagen weer op de been te krijgen en maakte beverig een wandelingetje aan dek. De frisse lucht deed me goed en nu pas kon ik het uitzicht waarderen. Hoewel, het eerste zicht was een schok. Nergens was land te bekennen, logisch natuurlijk, maar het idee geheel omringd te zijn door water en nog eens water, dat maar eindeloos door bleef bewegen onder de voortjagende wolken in de omspannende lucht, sprak mijn instincten aan en door een primitieve angst overvallen, klemde ik me stevig vast aan de reling.

Even stond ik bleek met gesloten ogen, toen hoorde ik de zeelui naar elkaar roepen, werd ik me bewust van het klapperen van de zeilen, het gepiep en gekraak van hout en touwwerk, geluiden die ik de afgelopen dagen in mijn kooi had gehoord, terwijl ik me een vrijwillige gevangene aan boord had gevoeld. Ineens besefte ik dat wat ik in de buik van het schip aan geluiden had ervaren, het organisme was dat ons allen drijvend hield. Onder het deinende dek waren onze levens geborgen en het hing van de vaardigheid van de kapitein en de gunstigheid van het weer af, of wij wind en water zouden overleven. Duizelend liet ik dit feit bezinken.

Toen slenterde de kapitein voorbij en riep opgewekt: 'Prachtig weer, juffrouw! Als het zo doorgaat zijn we er in vijf weken in plaats van zes!'

Een overtocht. Voor hem was het slechts een overtocht, net als voor zijn bemanning en de andere passagiers. Ik stelde me aan, bedacht ik beteuterd, dit was een reis die al duizenden malen was gemaakt en zelfs al honderden jaren lang. Het kwam door mijn onbekendheid met de wereld buiten de paar Nederlandse steden die ik kende. Maar dat ging veranderen. Ik haalde diep adem en snoof de zoutige zeelucht op.

Zelfs in mijn eigen familie was ik niet de eerste die deze reis maakte. Mijn gedachten gingen naar mijn overleden vader, die toen hij jong was, net als ik zo aan dek moest hebben gestaan, nieuwsgierig naar wat komen ging. Een gevoel van trots doorstroomde me. Dit had ik dan toch gepresteerd! De Atlantische Oceaan over, in het voetspoor (bij wijze van spreken) van mijn vader. Het was erg jammer dat er geen familie van mijn moeder meer was. Maar een plantersfamilie zou toch niet zo snel in het vergeetboek raken? Misschien kreeg ik de kans om ook van mijn moeder wat meer te weten te komen, al was het feit dat ze berooid was en van onaanzienlijke komaf, waarschijnlijk een reden om niet in de publieke belangstelling te staan. Voor mijn gevoel echter, had ik een moeder minder gemist dan een vader. En met hem voelde ik me meer verwant.

Hoe dan ook, het verleden kwam nu niet op de eerste plaats. Mijn maag begon te rommelen. Ik realiseerde me dat ik gauw moest gaan eten, wilde ik niet flauwvallen. Na drie dagen ziek te zijn geweest had ik plotseling geweldige trek.

Op dit punt met mijn gedachten teruggekomen in het heden, voelde ik mijn maag andermaal knorren. Uit met het geluier, ik moest eruit voor het ontbijt! Vlug stond ik op en haalde mijn kledingstukken van de zwaaiende wand af, zocht in de koffer naar schoon ondergoed. Met enige moeite speelde ik het klaar me te wassen en aan te kleden op de deinende vloer.

Daarna begaf ik me naar de vertrekken van de kapitein, waar de passagiers ook hun maaltijden hadden. Ik trof broer en zus Van Roepel aan het ontbijt. Ze nodigden me meteen uit bij hen aan te schuiven en even later zat ik, als elke morgen, in de kajuit achter een dampend bord havermout. Alsof ik nooit anders had gedaan.

De dagen gingen kalm voorbij. Gedurende ons verblijf op het schip hadden we het redelijk luxueus, want buiten onze hutten konden we gebruikmaken van de suite van de kapitein, die voorzien was van comfortabele sofa's, spiegels, tapijten en een piano. Onze hutten waren sober, maar ruimer dan die waar de bemanning sliep.

In de beperkte ruimte van de boot waren het lange dagen, maar de tijd werd doorgebracht met voorbereiding op mijn lessen en mijn verblijf in Suriname.

In de *Surinaamsche Almanak*, die ik in de kleine bibliotheek van de kapitein vond, las ik dat het oppervlak van Suriname drie keer dat van Nederland besloeg en dat Surinames grenzen gevormd werden door grote rivieren: de Marowijne, de Lawa en de Corantijn. Behalve in het zuiden, waar de Blauwe Bergen een natuurlijke grens vormden, en in het noorden, waar het land aan de Atlantische Oceaan grensde. De buurlanden van ons Hollands Guyana waren Frans Guyana en Brits Guyana.

Genietend beproefde ik hardop de namen die ik op de landkaart ontdekte: Saramacca, Matapica, Tibiti, Cottica. Indiaans, vertelde mijnheer Van Roepel, maar er schenen meerdere dialecten te bestaan. In Paramaribo sprak men uiteraard Nederlands, maar ook Engels, Frans, Duits en nog een mengtaal die vooral voor de slavenbevolking gereserveerd was. Ik prees me gelukkig dat ik mij in meerdere talen verstaanbaar kon maken en nam me voor een goede indruk te maken in de hogere kringen, al had Augusta me verzekerd dat ik me daarover geen zorgen hoefde te maken.

Juffrouw Van Roepel was al gauw afgestapt van de regels van conventie en stond erop dat ik haar bij de voornaam noemde. Gedurende de zeereis waren wij voor tijdverdrijf zeer op elkaar aangewezen en ze vond het onzin dat ik haar met 'juffrouw' zou blijven aanspreken, terwijl wij de enige vrouwen aan boord waren. Vaak hielp ik haar met haar kapsel, want in Amsterdam bij Alexandra Helmink, die prachtig lang haar had, was me het nodige omtrent de opmaak van coiffures bijgebracht. In de kajuit waren we uren in de weer met kam, waskom en friseertang. Met ingewikkelde vlechten en krullen wist ik het tamelijk gewone uiterlijk van Augusta te verfraaien en zij toonde zich daarover zeer verguld.

Al gauw begon ze mij in vertrouwen te nemen. Het Lot, vond Augusta, had haar onheus bejegend. Ze vertelde dat ze zes jaar eerder een verloofde had gehad. Zij was evenals haar broer in Suriname geboren. Op haar negentiende hadden haar landverhuisde ouders, erop beducht dat hun dochter te Surinaams zou worden, haar voor kennismaking met en ter herbevestiging van haar Hollandse afkomst, naar familie in Amsterdam gestuurd.

School interesseerde de zorgeloze Augusta niet, maar pleziertjes des te meer. Als kolonistendochter viel ze op door haar ietwat uitheemse voorkomen. Op partijtjes en feesten wist ze de aandacht te trekken, niet in de laatste plaats doordat het gerucht ging dat er fortuin op haar wachtte in Suriname. Een gerucht dat ze nauwelijks hoefde aan te moedigen.

Ze had geluk. Een knappe, jonge onderwijzer liet zijn oog op haar vallen. In de huiskamers van de kleine burgerij werden jaloerse blikken en opmerkingen haar deel, want de stille wedijver om de weinige beschikbare mannen was groot. Het was de vrolijke Surinaamse niet gegund dat ze een aantrekkelijke vrijer had weten te strikken. Dat kon Augusta niet schelen, ze was verliefd en dolgelukkig. Het paar verloofde zich, waarna de man naar de kolonie vertrok om een betrekking te zoeken, want in Holland was aan de vraag naar zijn beroep ruim voldaan. Augusta bleef achter om de uitzet gereed te maken en verheugde zich over haar toekomstige leven als echtgenote.

Toen Augusta hem een halfjaar later volgde, kwam ze tot de onaangename ontdekking dat haar geliefde een losbandig leven was gaan leiden en aan de drank was geraakt. Zijn werkgever zette hem op straat en een door smart overmande Augusta verbrak de verloving. Gedesillusioneerd trok ze weer in bij haar ouders, die enkele jaren later overleden. Haar enige broer, Frederik, de assistent van William Wellington, ontfermde zich over zijn rouwende zuster en ze kwam op plantage Lemuel te wonen.

Toen Wellington stierf en Walther zijn erfgenaam werd, kregen de Van Roepels steeds meer problemen met de nieuwe eigenaar van plantage Lemuel. Uiteindelijk besloot Augusta niet meer in hetzelfde huis als Walther te verblijven en betrok de vroegere ouderlijke woning in de stad.

Het was een treurige geschiedenis en ik kon vergoelijken dat Augusta als jonge, bedrogen bruid verbitterd was geraakt. De dartelheid van de jeugd voorbij, was ze een wat verkommerde vrijster geworden, die weinig goeds van de wereld verwachtte.

Toch, al kon over de voormalige verloofde begrijpelijkerwijs niets goeds meer gezegd worden, haar rancune leek zich niet tot de bedrieger te beperken. Na een poos merkte ik dat ze over bijna iedereen wel wat te roddelen had en werd mijn sympathie wat getemperd. Het was duidelijk dat Augusta niet veel ontwikkeling had, noch veel interesses, maar met des te meer belangstelling iedereen in haar omgeving woog en keurde, of liever gezegd afkeurde.

Ofschoon ze zich tegenover mij familiair genoeg gedroeg, begon ik te vrezen ooit in ongenade te vervallen. Mijn positie indachtig, zorgde ik er dus voor geen indiscrete uitspraken te doen en me zo veel mogelijk op de vlakte te houden. Dat was niet zo moeilijk, aangezien Augusta graag sprak maar weinig luisterde.

Meermalen bracht ze haar grieven betreffende mijn toekomstige pupil onder mijn aandacht. Ze sprak over hem als lui, onbetrouwbaar, spilzuchtig en verwaand. Wanneer ze zo bezig was bracht ze me in grote verlegenheid, want ik kon onmogelijk bevestigen wat ze zei zonder de persoon in kwestie ooit meegemaakt te hebben en wat roddels betreft had ik zelf ook al mijn deel gehad in Nederland. Ik was dus niet geneigd mee te praten, daarbij was de jongen ook nog mijn werkgever. Gelukkig merkte ze niet dat ik nauwelijks wat zei als ze weer op Walther afgaf en dankzij mijnheer Van Roepel, die verder geklaag verhinderde als hij het bemerkte - waarschijnlijk uit angst dat ik als gouvernante zou afhaken na het vernemen van zo veel ondeugden - werd antwoorden mij bespaard.

Hoewel Augusta voorbeelden had aangedragen over onnodig grote aankopen en niet nagekomen afspraken, bleef de reden van haar aversie jegens Walther onduidelijk. Ik had de indruk dat ze jaloers was op zijn geluk. In wat zij mij tot nu toe had verteld zag ik weinig reden om me zorgen te maken - rijke, verwende en spilzieke jonge- en oudelui had ik in Holland ook al voldoende meegemaakt. Het verschil was nu dat de jongeman zwart was.

Het leven in de kolonie leek me volgens de verhalen van Augusta niet veel te verschillen van wat ik in Holland kende, misschien leefde men er wel luxueuzer.

'Een voorname familie moet tenminste twaalf negers hebben om haar te kunnen bedienen.'

'Wat doen die dan allemaal?' wilde ik weten.

'Wel, voor de keuken heb je er minstens drie nodig, voor het wassen, schoonmaken en verstellen drie, voor de tuin, de moestuin en de beesten zeker vier en voor hulp in huis en voor de boodschappen, de paarden en de koets nog een aantal knechten.'

Aanzienlijke families in Nederland hadden ook beschikking over veel personeel, al leek twaalf wat overdreven.

'Overdreven?' riep Augusta uit. 'Welnee, twintig tot dertig slaven in het huishouden was vroeger heel gewoon - al is dat sinds de Beurscrisis inderdaad minder geworden.'

Dergelijke aantallen gingen mijn begrip echter te boven. Rijke kolonisten moesten wel in paleizen wonen.

Maar Augusta ging verder: 'Dat zijn dan de huisnegers. Die zijn meestal lichter van kleur en niet zo sterk als de echte zwarten. De veldslaven werken op de plantages.'

Slavernij. Al wat ik tot nu toe ervan wist was gebaseerd op gipsen afgietsels en gravures die ik in boeken had gezien: de wit marmeren sculpturen van Griekse slaven, de Helleense vrouwen met het sluike haar in de karakteristieke wrong, het voluptueuze lijf naakt en geketend. De mannen verslagen in de strijd, het weerspannige lichaam met touwen bedwongen, de geprononceerde spieren gespannen, de glanzende blanke lijven perfect gevormd, hun kwetsbaarheid uitgedrukt in naaktheid. Met deze mythische beelden van schoonheid voor ogen was het moeilijk me iets anders voor te stellen en ik had dan ook geen idee wat me te wachten stond.

Negers, daarover had ik wel weer een en ander gelezen, voornamelijk in reisbeschrijvingen van ontdekkingsreizigers en avonturiers in Afrika. Veel daarvan was niet in overeenstemming met de klassieke beelden van slaven: als een zwarte op een prent was uitgebeeld, toonde hij weliswaar een gespierde torso, maar de grove gelaatstrekken waren vertrokken in een meelijwekkende dan wel woeste grimas. De potsierlijke bladerrokjes rijmden ook al niet met de beelden van heldhaftige Romeinse slaven.

Vóór mijn vertrek had soeur Agnes mij nog een betoog van de Franse predikant Frossard overhandigd, met de mededeling dat mij toch spoedig zaken onder ogen zouden komen die voorheen ver van huis lagen. *De Zaak der Negerslaaven*, zoals de vertaling getiteld was, pleitte voor afschaffing van de slavernij, als zijnde onwettig want tegen de menselijkheid.

Hoe dan ook, de gevankelijk meegevoerde Afrikaanse slaven werkten al driehonderd jaar in de beide Amerika's dankzij de pauselijke gezant van Valladolid, die hen voor de zware arbeid beter geschikt vond dan de zwakke rode slaven. Deze waren inmiddels vrijwel verdreven, zoals ik van mijnheer Van Roepel had gehoord.

'Indianen? Nee, daar hebben we in geen eeuwen last van gehad. Ze komen enkel naar de stad voor wat ruilhandel, verder blijven ze liever op zichzelf, ver van de bewoonde wereld. Het zijn de kwaaie marrons van wie we te duchten hebben gehad, juffrouw - de weggelopen slaven. Maar sedert tien jaar geleden gouverneur Van Heeckeren vredesovereenkomsten met de verschillende stammen heeft gesloten, hebben we niets meer te vrezen. U kunt mij geloven, ik woon er al mijn hele leven. Wees dus maar niet bang, juffrouw Winter.'

En zo, volgens de platen van atlas en pamflet, zag mijn leerling er dus uit: zwart, sterk, onbeschaafd... maar bereid te leren.

We waren al bijna vier weken op zee en het grootste deel van de reis zat er al op, toen Frederik van Roepel mij op een dag aansprak. Het gebeurde na een onderbroken kaartspel, waarbij Augusta over hoofdpijn had geklaagd en besloten had even te gaan liggen.

Mijnheer Van Roepel schoof de kaarten weer bij elkaar om ze weg te bergen, maar vóór ik kon vertrekken om me aan een andere bezigheid te wijden, schraapte hij zijn keel zodat ik bleef staan en hij gebaarde me hoffelijk weer te gaan zitten.

'Juffrouw Winter, het doet me plezier dat u en mijn zuster het zo goed met elkaar kunnen vinden,' begon hij en mijn dank voor zijn complimenten wegwuivend, vervolgde hij: 'Wellicht vraagt u zich af waarom ze zo'n hekel heeft aan Walther.' Hij keek me afwachtend aan en even wist ik niet wat te zeggen, zonder de een of de ander af te vallen. Hij bleek echter geen antwoord te verwachten en vervolgde: 'De jongen heeft haar zeer onheus bejegend. En dat terwijl ze uit de goedheid van haar hart heeft geprobeerd hem te helpen bij zijn pogingen op weg naar beschaving.'

Ik dacht aan de boekenlijst die Walther mij gezonden had en betwijfelde of juffrouw Augusta in staat zou zijn geweest om de jongen veel verder te helpen. Maar wijselijk hield ik dat voor me. Aandachtig luisterde ik naar wat mijnheer Van Roepel te vertellen had. Hierdoor aangemoedigd vervolgde hij: 'Ik had al vertrouwen in u toen ik u aannam en de afgelopen weken heb ik u geobserveerd en ben ik gesterkt in mijn keuze.'

Enigszins onzeker omdat ik niet wist waar hij naartoe wilde, knikte ik ten dank. Frederik van Roepel boog wat naar voren en liet zijn stem dalen zodat de weinige andere passagiers in de salon hem niet zouden horen. 'Ik zoek iemand met een goed oordeelsvermogen. Hoe beoordeelt u mij, juffrouw?'

'Eh...' Verrast door de wel zeer directe vraag moest ik een ogenblik nadenken alvorens te kunnen antwoorden. 'Ik zie u als een plichtsgetrouw en betrouwbaar man, die zijn best doet voor zijn opdrachtgever. Ook is het te prijzen dat u zich ontfermd heeft over uw zuster,' antwoordde ik oprecht.

Hij leunde weer naar achteren, blijkbaar tevreden met mijn oordeel. Een paar seconden dacht hij na, toen hernam hij: 'Het is tijd dat ik u van bepaalde zaken op de hoogte breng, juffrouw Winter. Ik neem u in vertrouwen omdat wij beiden het beste met onze pupil voorhebben. Het is zo dat Walther... wel, hij is... hij kan erg ongewoon zijn in zijn handelingen. Zijn gedrag is soms ronduit dwaas. Ik maak me zorgen.'

Bij alle ongerijmde beelden die al door mijn hoofd speelden, kwam er nu nog een bij. Te raadselachtig om me er een voorstelling van te kunnen maken. 'Verklaar u nader, alstublieft,' verzocht ik hem.

De heer Van Roepel schoof onrustig op zijn stoel, na een moment stilte opperde hij: 'Ik vrees dat het plotselinge fortuin onze jonge vriend naar het hoofd gestegen is. Augusta zal u al het een en ander verteld hebben en ik ben bang dat zij gelijk heeft. Walther heeft last van vreemde stemmingswisselingen en gedraagt zich af en toe heel impulsief. De jongen is geestelijk labiel. Walthers geluk schijnt hem zodanig getroffen te hebben dat hij uit zijn evenwicht is geraakt.'

De verbouwereerdheid moest van mijn gezicht af te lezen zijn, maar mijnheer Van Roepel merkte het niet, hij zocht nog naar woorden om uit te drukken wat me langzaam duidelijk begon te worden. Toen hij verderging werd mijn angstige vermoeden bewaarheid.

'Misschien ook, was hij reeds in aanleg behept met dit ziekelijke gedrag - dat zou me niet verbazen. Met andere woorden: hij is gek.'

Nu was ik met stomheid geslagen. Uit alle gegevens die mij tot nu toe ter ore waren gekomen, had ik vanzelfsprekend mijzelf een beeld gevormd van mijn toekomstige pupil tevens werkgever. Ik had begrepen dat hij leergierig was en op zoek naar beschaving. Dat hij wispelturig en verwend was en Augusta niet in zijn omgeving duldde. Maar gék? Dit vroeg om nadere uitleg.

Ik vond mijn stem terug. 'Hoe bedoelt u?' vroeg ik behoedzaam.

Frederik van Roepel slaakte een diepe zucht. 'Ik weet dat het onbegrijpelijk klinkt, en dat is het ook. Daarom heb ik uw hulp nodig, juffrouw Winter.'

'Is hij... heeft hij last van wanen?' viel ik hem in de rede. Ik aarzelde. 'Is hij... is hij gevaarlijk?'

'O, nee!' haastte Frederik van Roepel zich te zeggen. 'Als dat zo was zou ik u niet aan de risico's blootstellen, juffrouw. Hij is gelukkig niet gewelddadig. Maar... het is te vreemd om het zo uit te leggen.' Opgelaten zweeg hij en voegde er dan onbeholpen aan toe: 'U moet het zelf meemaken om het te begrijpen.' Daar hij zag dat ik min of meer gerustgesteld was, ofschoon natuurlijk nog geschokt door dit nieuws, hervatte hij op bezorgde toon: 'Als er op zijn jonge schouders te veel geladen is, te veel verantwoordelijkheid, dan moeten we hem zien te ontlasten. Hem helpen en begeleiden. Wat hem ten deel is gevallen is tenslotte zeer uitzonderlijk, en er zijn sterkeren aan onderdoor gegaan.' Zijn gezicht kreeg een andere uitdrukking, die ik niet nader kon duiden. Frederik van Roepel leek gespannen en onzeker. Zijn vingers plukten aan zijn rossige snor en hij kuchte een paar keer. Toen boog hij zich weer naar me toe en zei met nadruk: 'Uw hulp is onontbeerlijk. U moet Walther in de gaten houden, onopvallend. Probeer niet hem in het gareel te houden, dat accepteert hij toch niet. Doe gewoon uw werk, maar observeer de jongen tegelijkertijd.' Terwijl hij sprak had de directeur de vlakke hand op tafel gelegd en gaf daarmee nu en dan zachte klapjes op het tafelblad, als om zijn woorden kracht bij te zetten. 'En elke maand, of eerder, als zich iets onverwachts voordoet, brengt u verslag uit bij mij. Ik zal geregeld in de stad verkeren. Bij mijn afwezigheid kunt u bericht achterlaten bij Augusta, die er dan verder voor zal zorgen dat uw boodschap mij bereikt.' Hij keek me indringend aan, alsof hij me moest overtuigen van de noodzaak van deze bevoogding.

Maar dat was niet nodig. Uiteraard zou ik mijn medewerking verlenen als dit het welzijn van mijn pupil ten goede kwam. Ik zegde hem dan ook toe mijn uiterste best te doen.

'Mooi, dat is dan afgesproken!' besloot Frederik van Roepel opgelucht. Galant hielp hij me overeind en bood aan me terug naar het benedendek te begeleiden, maar dat voorstel sloeg ik af.

Ik wilde rustig en alleen zijn, om na te kunnen denken over wat ik zojuist had gehoord en te proberen in te schatten hoe deze nieuwe feiten mijn lessen zouden kunnen beïnvloeden.

Na bijna zes weken naderde de reis haar eind. Sinds we de evenaar waren gepasseerd, was het steeds warmer en zonniger geworden en eindelijk had ik de kans gekregen me in mijn nieuwe garderobe te vertonen. De tropenjurken waren van lichtere stoffen gemaakt en gewend als ik was aan zware wol, voelde het in het begin haast gênant, alsof ik vergeten was me fatsoenlijk aan te kleden en slechts in onderrokken gehuld rondliep. Maar over mijn kleurige japonnen, hoe ingetogen ook, was ik verrukt. Eindelijk iets dat meer bij mijn jeugd paste dan soeur Agnes' gouvernante-garderobe! Ik mocht Augusta wel dankbaar zijn voor haar adviezen bij de inkopen. Iedereen aan boord was trouwens overgestapt op tropenkleding, waarbij wit de boventoon voerde, maar ook de donkerbruine en -blauwe jassen van militaire uniformen te zien waren.

Met het eind van de overtocht in zicht, was de toon van de gesprekken steeds verwachtingsvoller geworden, elke dag kon het zover zijn. Nadat drijvende kokosnoten en losse palmtakken in de golven ons al een poos opmerkzaam hadden gemaakt op de aanwezigheid van land, ontdekten we op een morgen de donkere streep aan de horizon. Algemeen heerste er opwinding aan dek en mijn hart begon te bonzen terwijl ik door de verrekijker van de kapitein de Nederlandse vlag ontwaarde, in een ongewoon groene omgeving.

We gingen kort voor anker bij Braamspunt, aan de monding van de Suriname-rivier, waar zich een eenzame militaire uitkijkpost bevond. Een sloep werd uitgezet om de scheepspapieren door de wacht te laten controleren. Na langer dan een maand zilte zeelucht, prikkelde de zoetige reuk van slib en rottende bladeren de neusgaten. De geur van land.

Toen voeren we verder de rivier op, waar aan weerszijden van het brede water donkere bossen opdoemden. Wolken insecten waren af en toe zichtbaar boven het wateroppervlak, maar bleven uit de buurt van de boot. Langgerekte, slanke vogels met roze veren vlogen over en slaakten schrille kreten. Staande aan de deinende boordreling dronk ik met mijn ogen zo veel mogelijk op van wat ik zag, snoof de onbekende geuren op, lette steeds minder op Augusta's drukke gebabbel.

Allengs voeren we langs meer open plekken en werden er soms huizen zichtbaar, en mensen, donker en onduidelijk. De rivier vertoonde meer scheepsverkeer, van kleine roeiboten die soepel door het water gleden, tot grote tentboten volgeladen met vaten, vruchten en bundels riet.

Ten langen leste was het zover, het schip voer de haven van Paramaribo binnen, vanaf Fort Zeelandia vlagde men naar ons en de kade stroomde vol. Ik weet niet zeker wat ik had verwacht, maar het was in ieder geval anders dan dit volstrekt vreemde, exotische tafereel. Geen botters of trekschuiten te bekennen zoals op marktdag.

Wel waren er ruime houten vlotten en vele bootjes. Achter de masten van grote schepen met hun gestreken zeilen was de stad zichtbaar en het was er druk, druk als... op marktdag. Het krioelde er van mensen, donkere mensen die zich in lange, smalle vaartuigen begaven en razendsnel naar ons toe roeiden. Na weken van rust en stilte leek er een festijn losgebroken. Vol verwondering zag en hoorde ik alles, het geroep en gelach, zoete en doordringende geuren, de felle kleuren van fruit, bloemen en bonte doeken - alles volkomen nieuw voor mij.

Met enige schrik zag ik dat de zwarte mannen langs toegeworpen touwen behendig omhoog klauterden en aan boord klommen om hun koopwaar aan te bieden. Van een afstandje bleef ik toekijken hoe matrozen en passagiers zich om de kooplui verdrongen om zich verse vruchten, dranken en lekkernijen aan te schaffen.

Zou mijn leerling zijn als deze mannen, vrolijk, luidruchtig, pratend en onderhandelend in gebroken Nederlands - en zwart, o zo zwart?

Om hulp zoekend keek ik om me heen naar de Van Roepels, maar Augusta had zich in het koopgewoel gestort, blijkbaar had ze de Surinaamse geneugten te lang gemist. Mijnheer Van Roepel was verdwenen, waarschijnlijk om dragers voor onze bagage te zoeken.

Even voelde ik me verloren, eenzaam te midden van de drukte. Toen vermande ik me. Mijn rug rechtend wendde ik me naar de stad. De witte huizen met de keurige paden en het vele groen ertussendoor. Paramaribo, mijn thuis voor de komende twee jaar.

Deel twee

Zeven

PARAMARIBO HALF AUGUSTUS 1847
GROTE DROGE TIJD

Walther was er niet. Hij vertoefde op zijn plantage verder stroomopwaarts, maar zou in de loop van de week naar de stad komen. De magere kantoorklerk die ons opwachtte, verwittigde Frederik van Roepel van jongeheer Blackwells afwezigheid. Terwijl we allen naar de stad liepen, onze bagage geladen op een ezelskar en vast vooruitgestuurd, bracht de klerk Van Roepel in het kort op de hoogte van de stand van zaken sedert diens vertrek enige maanden geleden. In afwachting van Walthers komst naar de stad, zou ik zolang bij Augusta en Frederik van Roepel logeren.

Het was na de reis over de Suriname-rivier, het vervullen van formaliteiten en het bijeenzoeken van bagage, inmiddels bijna avond geworden. Ik verbaasde me erover hoe het heldere zomerse licht zo snel kon verdwijnen. Alsof het een wintermiddag betrof, zo vervlood het daglicht. Ook viel het op dat al kort na het invallen van de schemering, de straten beduidend leger werden. De drukte aan de kade was verstomd, vanuit de huizen die we passeerden klonken stemmen en gerinkel van vaatgerei, geblaf van honden.

Plotseling vulden een luid gezoem en rinkelend gegons de avondlucht, omhulden daken en boomkruinen, de bron ervan echter onzichtbaar.

'*Siksiyuru*, zes uur, de cicaden zingen,' merkte de klerk met een glimlach tegen mij op. Hij bracht een vinger omhoog en duidde naar het geluid.

Ik glimlachte terug.

Mijnheer Van Roepels klerk was jonger dan ik hem op het eerste gezicht had geschat. 'Samuel Lobato,' stelde hij zich voor. Hij leek begin dertig en had een tamelijk haveloos voorkomen. Bruine krullen staken tegen zijn ietwat bleke huid af en door een klein brilletje nam hij me vriendelijk op.

We wandelden naar de Noorderkerkstraat, waar de Van Roepels hun woning hadden. De benen moesten weer wennen aan een vaste tred, na het voortdurende en onregelmatige schommelen van het schip. En na zo veel weken omringd te zijn door zowel de weidsheid van de oceaan als de beperkende wanden van de benauwde scheepshut, moesten ook de ogen wennen aan een nieuw uitzicht, dat zich rein en ruim aandiende. Om me heen kijkend ontwaarde ik in de halfschemering grote, hoge, witgeschilderde houten huizen met rode pannendaken. Niet dicht op elkaar gebouwd zoals in Hollandse steden, maar met ruimten ertussenin, gevuld met struiken en bomen. Zwermen vogels vlogen luidruchtig kwetterend naar de boomtoppen, die zich boven de daken verhieven. Een sterke bloemengeur kwam van achter schuttingen verborgen tuinen, de warmte van de aarde steeg langs mijn benen omhoog, fijn stof dwarrelde op onder het lopen.

'Het is nu de Grote Droge Tijd,' bromde Frederik van Roepel. 'Dat betekent dat het overdag heel heet is en dat we weinig regen hebben—'

'Maar ook minder muskieten!' viel Augusta in.

Haar broer knikte. 'In december zal het wat koeler worden. De warmte zal nu even wennen zijn voor u, juffrouw Winter.'

'O,' verzuchtte Augusta, 'ik hoop toch zo dat ons huis in goede staat verkeert. Je weet het nooit met zwarte bedienden, wat ze uitspoken tijdens je afwezigheid.' Daarop wendde ze zich tot de klerk: 'Sammi, je bent toch wel van tijd tot tijd wezen kijken of alles goed ging?'

'Natuurlijk, juffrouw,' antwoordde hij. 'Ik heb alles gecontroleerd en alles is in orde, ook voor uw gast.' Hij glimlachte weer naar mij.

Inmiddels waren we op het Kerkplein beland, zoals men mij vertelde, waar omringd door fraaie bomen de Hervormde Kerk stond. Daarachter moest zich huize Van Roepel bevinden, waarnaar ook ik nu uitkeek, na de lange dag verlangend naar voedsel en rust.

Eindelijk betraden we de stenen treden naar de voordeur van een bescheiden woning. Geschreeuw bereikte ons. Kleine negerkindertjes renden voor ons uit, verdwenen door een paar klapdeurtjes naar de achterkamers. We stonden in de voorkamer, die al door olielampen verlicht was, zodat onze bagage in het oog sprong: stapels kisten en koffers op het tapijt, her en der tussen de stoelen en sofa's neergepoot, zodat de kleine salon meteen vol was.

Rennende voetstappen weerklonken en het personeel kwam tevoorschijn uit de achterkamer, welkomstkreten slakend. *'Ai, misi Augusta, masra Frederik!'* Uitroepen in een mij onbekende taal volgden, waarop de Van Roepels antwoordden in half Nederlands, half negertaal, en zich de attenties van hun bedienden lieten welgevallen.

Met verbazing bezag ik het personeel: twee vrouwen, een oudere en een jongere, een oude man en een paar kinderen, allen donker van huid, blootsvoets en schaars gekleed. Ze verdrongen zich om de teruggekeerde reizigers, lachend en stralend, trachtend diens armen en kleren aan te raken. Het was alsof ik naar een ongerijmd toneelstuk keek, al kon ik op dat moment niet aanduiden wat er mankeerde. Er was nogal wat tumult omdat allen tegelijk hun meesters wilden begroeten, die omgekeerd weer diverse bevelen riepen.

Toen het lawaai was weggeëbd ging iedereen aan de slag, bagage werd naar boven gebracht, borden werden op de kale tafel gezet en voedsel opgediend. We genoten een korte, maar voedzame maaltijd van hartige soep met aardknollen en vlees. Daarna begaven we ons naar onze kamers. Nadat we wat noodzakelijke spullen uitgepakt hadden, werd het steeds stiller in en rond het huis, zodat ik me ook maar ter ruste begaf.

In de smalle, eenvoudige kamer die me was toegewezen, lag ik in bed te luisteren naar de mij onbekende nachtelijke geluiden. Het was te warm om de luiken te sluiten, vond ik, en van onder mijn muskietennet kon ik dan naar buiten kijken, al viel er niet veel te zien in het donker. Al luisterend naar de menigte krekels en kikkers viel ik spoedig in slaap.

Zo herinner ik mij mijn eerste avond in Suriname.

Reeds de volgende dag kwam er een boodschap dat Walther gearriveerd was en mij in de namiddag verwachtte. De morgen was doorgebracht met het nakijken van de bagage. Volgens Augusta was controle op mijn bezittingen en op Walthers bestellingen geen overbodige zaak, en nadat ik mij ervan had vergewist dat alles de reis goed doorstaan had, zocht ik een japon uit waarmee ik hoopte een goede indruk te maken. Jozef, de oude knecht van Van Roepel, zou mij na de middagrust naar de Waatermolenstraat brengen, waar Walther een herenhuis bezat.

Ik was nog niet echt naar buiten geweest – de Van Roepels hadden het te druk met huis en zaken weer op orde te brengen, na hun lange afwezigheid, en zonder chaperonne of gids leek het me niet gepast om meteen rond te gaan dwalen – dus mijn indruk van het stadsleven had zich noodgedwongen beperkt tot het zicht uit mijn raam. Van daaruit had ik sedert het kanonschot in de vroege morgen, dat bedoeld was als sein dat de dag begon, het verkeer op straat waargenomen. Ezels- en paardenkarren, slaven die bundels vracht op hun hoofd droegen, mensen, vooral veel zwarte mensen. Sommigen met wijde, kleurige rokken aan, maar meestal halfnaakt. Gezien de warmte was dat laatste wel begrijpelijk, maar ook bedenkelijk. Hoe zou in een dergelijke omgeving een jongeman fatsoenlijk kunnen opgroeien, vroeg ik mij af. Werkte een en ander niet losbandigheid in de hand? Toen dacht ik weer aan de marmeren beelden van naakte Griekse slaven. Blijkbaar was naaktheid een gegeven voor slaven, een zichtbaar onderscheid.

De slagen van de koperen staartklok klonken zwaar en somber in de stilte van de namiddag, de middaghitte nauwelijks verdreven, de vogels en hagedissen nog waakzaam in de beschutting van het gebladerte, wachtend op een onachtzaam ogenblik van de beoogde prooi.

Ik schrok op, mijn aandacht was even weggedwaald naar het helle zonlicht dat door de hoge openstaande tuindeuren uit de achterkamer ongehinderd naar binnen viel en ervoor zorgde dat de donkere salon schemerig werd verlicht. De luiken aan de straatkant waren nog altijd gesloten, hoewel de rusttijd voorbij was. Vanuit een aangrenzende kamer kon ik het plenzen van water in een kom horen, geproest en vervolgens een mannenstem die bevelen gaf. Blote voetjes roffelden licht over de houten vloer en verwijderden zich.

Nerveus schikte ik de plooien van mijn wijnrode rok over de sofa en plukte aan de kanten stroken op het donkerblauwe lijfje, terwijl ik mijn blik liet ronddwalen. In de salon stonden sierlijk gedraaide mahoniehouten meubelen en een grote schommelstoel van Spaans riet. De donkere vloer was glanzend gewreven. Verspreid door de kamer bevonden zich enkele kleine ronde tafeltjes, waarop porseleinen herderinnetjes en bronzen venussen pronkten. Tegen de muur stond een imposante barokke kast van Europese origine, voorzien van uitgesneden hofportretten. Een jonkvrouw en een galante heer stonden op beide hoekpoten tegen de kastdeuren opgesteld en gebaarden met hun houten handen naar de achter groene glas-in-loodruitjes verborgen bezittingen. Aan de wanden hingen op enige afstand van elkaar smalle kaarsenkastjes met achterliggende spiegels, zodat de salon goed verlicht kon worden als dat gewenst was.

Er gingen deuren open en weer dicht, voetstappen naderden, de plankenvloeren kraakten. Een schaduw viel in de deuropening, ik keek op. Een slanke, bruine jongeman trad binnen. Hij was gekleed in een donker kostuum met wit gesteven overhemd, waarvan boord en manchetten kraakhelder afstaken tegen zijn gladde huid. Een wandelstok met ivoren knop lag losjes in de hand, een attribuut dat voor zijn leeftijd wat pompeus leek. De vorm van zijn ovalen gelaat en hoofd werd geaccentueerd door het ontbreken van haarlokken (zoals ik tot nu toe gewend was geweest te zien). In plaats daarvan was zijn hoofd bedekt met zwart kroeshaar, dat keurig bijgeknipt was en de schedel als een muts van kleine krulletjes omsloot. In het gelaat vielen meteen de ogen op, die helder en doordringend keken. Hoewel de neus breed en de lippen vol waren, was dat niet in te sterke mate en vormden alle aspecten samen een harmonieus en zelfs fijnbesneden geheel. Met kalme, gracieuze bewegingen liep de jongeman naar het midden van de salon en bleef op enige afstand van mij staan.

Een moment had ik getwijfeld of ik bij zijn binnenkomst als ondergeschikte op moest rijzen, of als vrouw en oudere kon blijven zitten. Nu maakte ik aanstalten om overeind te komen zodat ik mijn opwachting kon maken, maar met een onverwacht handgebaar beduidde de heer des huizes me dat ik gezeten moest blijven. Langzaam begon de jonge Blackwell heen en weer te lopen terwijl hij zijn blik op mij gevestigd hield.

Was ik eerder al niet op mijn gemak geweest in de lege salon, de drukkende stilte verbeterde de situatie niet, en werd nog verzwaard toen ik na enige ogenblikken mijn mond aarzelend opendeed en de jongeling terstond reageerde met een waarschuwende vinger tegen de lippen.

De zwijgende inspectie werd voortgezet terwijl ik ongemakkelijk de peilende blikken trachtte te ontwijken. De warmte in de kamer werd merkbaar en langs mijn haargrens begonnen zweetdruppels te parelen, maar ik bleef me te zeer bewust van de nadrukkelijke toeschouwer om mijn zakdoek te gebruiken. Nog steeds scheidden ons enige meters en ik begon me werkelijk onbehaaglijk te voelen. Als een zwarte sfinx bleef hij me maar aanstaren en het werd beslist tijd iets te zeggen.

Opnieuw weerhield hij me daarvan. 'Stil! Blijf stil zitten!' beval hij.

Nu moest mijn gezicht toch wel iets van mijn gevoelens verraden, ik was niet langer in staat onbewogen te lijken.

Opeens begon de jonge meester te praten. 'Juffrouw Regina Winter! Aangenaam kennis te maken. Zeer aangenaam, mag ik wel zeggen. En u bent Hollandse? Dat zou men niet zeggen.' Blackwell glimlachte. Hij sprak keurig Nederlands, dat wil zeggen, de zinnen waren correct. Maar zijn uitspraak was anders dan ik ooit eerder had gehoord. De verschillende dialecten die ik in Brabant was tegengekomen, en de stadse uitspraak in de grote steden, waren allemaal anders dan dit licht slissend klinkende Nederlands, met de gerekte 's'.

'Mijnheer Blackwell?' Ik vroeg me af of ik hem bij zijn voornaam kon noemen, besloot dan dat het beter was dit niet te doen. 'Ik ben Brabantse.' En verduidelijkend: 'Uit het zuiden van Nederland.'

Walther Blackwell knikte kort alsof wat ik had gezegd niet van belang was en ging voort met me te bestuderen. Het leek me het moment om over de lessen te beginnen, maar hij was me opnieuw voor: 'U had geen bezwaar om aan een neger les te geven. Heeft u daar een goede reden voor, juffrouw?' Hij keek me vorsend aan, de lach was van zijn gezicht verdwenen.

'Wel,' zei ik van mijn stuk gebracht, 'een leergierige pupil is de wens van iedere leermeester of lerares. Ik ben er zeker van dat ik u van mijn kennis kan laten profiteren.'

'O ja?' Zijn reactie leek gedachteloos, alsof mijn antwoord hem niet interesseerde. Intussen bleef hij me maar opnemen en ik moest denken aan wat Frederik van Roepel me op het schip had verteld: 'Hij is eigenaardig. U zult het zelf meemaken.' Dit was dus de excentrieke Zwarte Lord.

'U spreekt zeer goed Nederlands,' waagde ik te zeggen.

Dit trok zijn aandacht. 'En u kunt het weten, is het niet?' Het leek of hij meer wilde zeggen maar hij zweeg weer.

'Natuurlijk,' antwoordde ik, 'maar u heeft mij laten komen met als belangrijkste reden beheersing van de Engelse taal...'

Afgeleid door zijn ongeduldig ijsberen staakte ik mijn repliek. Wat wilde hij van mij? Ik haalde diep adem. Het leek me het beste me er niet druk om te maken en me gewoon aan mijn taak te wijden.

Juist wilde ik het hebben over het lesprogramma dat ik aan boord had opgesteld, toen de jongeman weer begon: 'Heeft u kennis van de koloniën, juffrouw Winter? Wat zeggen ze u?'

Niettegenstaande mijn voornemen me niet druk te maken, raakte ik nu toch in verwarring. 'Wat zeggen ze mij?' herhaalde ik, onzeker over waar hij naartoe wilde.

'Voelt u zich hier thuis?' vroeg hij met een wijde armzwaai, zijn andere hand steunend op de wandelstok.

'Thuis?' herhaalde ik weer, nu het risico lopend dom te klinken.

'Dit alles moet u toch bekend voorkomen! Komt u van Barbados? Of van Trinidad?'

Dit moest een misverstand zijn. Ik besloot dat het tijd was voor krachtiger optreden, of we zouden nog uren doorgaan met het uitkramen van onzin. 'Ik weet niet wat de heer Van Roepel u heeft geschreven, maar helaas ben ik niet op de hoogte van de situatie in de Caraïben. Wel kan ik - zoals u zelf ook wenste - u helpen met Engels en etiquette, met literatuur, aardrijkskunde en geschiedenis. Als u niet van mijn diensten gebruik wilt maken, moet ik deze reis dan als vergeefs beschouwen?' Dat was een boude aanpak en ik vreesde ook het antwoord dat me meteen de deur zou wijzen, daarmee de hele onderneming tot mislukking bestempelend.

Maar hij keek me even scherp aan en scheen dan tot een soort conclusie te komen. 'Neem me niet kwalijk, juffrouw Winter. Het is, dat ik graag wil weten wat voor vlees ik in de kuip heb.'

Daar zijn wel elegantere manieren voor, dacht ik bij mezelf maar ik liet mijn gedachten niet blijken.

Walther Blackwell zei: 'Elena zal u uw kamer wijzen. De lessen beginnen morgen. Ik ga voorlopig niet terug naar de plantage, we blijven in de stad.'

Hiermee beschouwde hij het onderhoud als beëindigd en verliet met grote stappen de kamer. Terwijl ik nog van mijn verbazing zat te bekomen, kwam een jonge, bruine vrouw met een schort voor haar jurk gebonden binnen en vroeg me in gebroken Nederlands haar te volgen.

'Hij was een beetje vreemd? Ja, dat is typisch Walther, typisch!' Augusta zuchtte en waaierde zichzelf koelte toe. Ik had op haar nieuwsgierige vragen slechts kort geantwoord, bang als ik was voor haar geklets. Stel je voor dat mijn leerling en werkgever ter ore zou komen dat ik over hem geroddeld had! Een slechter voorbeeld van fatsoen kon ik hem niet geven.

Zodoende wist Augusta niet wat zich had afgespeeld, enkel dat Walther zich eigenaardig gedragen had. Dat leek me zowel een acceptabele als exacte omschrijving van wat er was gebeurd, verder ging ik er niet op in.

Augusta bedwong haar teleurstelling en verschoof op de sofa, bood me een glas tamarindestroop aan, hetgeen ik dankbaar accepteerde. Terwijl een bediende wegsnelde om het verlangde te halen, wendde ze zich weer tot mij. 'Je gaat ons nu dus verlaten? Heb je Blackwells huis al kunnen bezichtigen? Heb je een goede kamer gekregen?'

Tot op zekere hoogte kende ze Walthers huis al: tot ze gebrouilleerd raakten had ze op het plantagehuis gewoond, maar in de stad verbleef ze altijd in haar ouderlijk huis. Ik wijdde uit kiesheid niet al te veel uit, want het was duidelijk dat het huishouden van de Van Roepels het met minder moest doen. Woning en interieur waren eenvoudig, hoewel Augusta gepoogd had het geheel met schilderijen en snuisterijtjes op te fleuren.

Leentje, de jongere slavin, kwam door de klapdeurtjes met limonade en koekjes. Toen ze zich weer teruggetrokken had, merkte Augusta op: 'Ze zijn allemaal familie, weet je, we hebben Leentje, haar kinderen en haar moeder tezamen gekocht. Jozef was reeds van Frederik, maar toen we hier naartoe verhuisden, hadden we meer huishoudelijke hulp nodig. Het was een hele uitgave, maar moeders en kinderen worden al bijna twintig jaar niet meer los van elkaar verkocht. Dat helpt overigens wel – het aantal weglopers is sindsdien duidelijk verminderd.'

Weer bekroop me het gevoel dat er gesproken werd over zaken die me volkomen onbekend waren en ik besloot Augusta meer te vragen over het leven in de kolonie. Aan boord had ze weliswaar al het een en ander verteld, maar mijn levenservaring was beperkt tot dat van de rangen en standen in Nederland, dus had ik me iets soortgelijks voorgesteld bij de Surinaamse samenleving. Hierin bleek ik me echter deerlijk vergist te hebben, zoals in het vervolg van ons gesprek bleek.

Leentje kondigde bezoek aan. Het bleek de klerk te zijn die ons de dag tevoren aan de haven had opgehaald. Hij overhandigde ons de reispapieren, die hij bij de autoriteiten van stempels had laten voorzien en Augusta nodigde hem meteen uit een glas mee te drinken. Het was nog steeds buitengewoon warm, hoewel de zon over zijn hoogste punt heen was en Samuel accepteerde gaarne een koele dronk. Zodoende kon ik van mijnheer Lobato vernemen hoe de bevolking van de kolonie was samengesteld.

Samuel Lobato woonde al twaalf jaar in Suriname en wist te vertellen dat de bevolking bestond uit zo'n 3 600 blanken en joden, 5 200 vrije kleurlingen en negers en 53 000 slaven. De verhouding vrijen tot slaven bedroeg dus één op zes. Diep in het binnenland leefden nog eens bijna tienduizend marrons en indianen die hij nu niet meetelde, maar dezen hadden dan ook geen slaven.

Daarbij, haakte Augusta in, waren er zo weinig blanke vrouwen, dat in heel Suriname de helft van de blanken zonder vrouw zat. Dientengevolge waren de sociale verhoudingen verschoven, bleek mij verder uit Augusta's verhaal. Want in plaats van stand, was kleur hier bepalend voor je toekomst. Hoe lichter je huidskleur, hoe beter.

Stand, in Holland zo belangrijk voor huwelijk en sociale omgang, scheen hier nauwelijks een rol te spelen, alsof men het onderscheid bij het oversteken van de oceaan had afgelegd. Huwelijken tussen verschillende klassen kwamen algemeen voor - zo kon een rijke weduwe een arme kantoorbediende trouwen, of een bemiddeld zakenman een onaanzienlijk meisje.

Alleen in de hoogste kringen, de bewindvoerders die door Nederland tijdelijk waren uitgezonden, werd het rangensysteem strak aangehouden en huwde men enkel binnen de eigen stand, en daarbij uitsluitend in het moederland. Deze hoge ambtenaren waren doorgaans niet van plan zich werkelijk in de kolonie te vestigen en vertrokken na het volbrengen van hun diensttijd weer. Dientengevolge vormden ze een groep apart, die de top van de elite vormde en bij de Surinaamse bevolking niet bijzonder geliefd was. De bewoners waren niet erg te spreken over de Nederlandse regels en belastingen opgelegd door heren die niet van zins waren zich hier te vestigen, noch zich te vermengen met de bevolking.

Speelde stand geen voorname rol, kleur deed dat des te meer. Na de Hollandse bewindvoerders volgde in de hiërarchie de blanke bevolking, die enkele van de meest aanzienlijken onder hen verkoos tot woordvoerders in de Koloniale Raad. Vervolgens kwam de joodse bevolking, daarna de voorname vrije kleurlingen. Hierna volgde het gewone volk, waarvan vrije gekleurden meer status hadden dan vrije zwarten, en ten slotte gekleurde en zwarte slaven, en in het binnenland nog eens indianen en bosnegers, die goed beschouwd ook vrij waren, maar geen zeggenschap hadden en zich ook buiten het koloniale leven hielden.

'We zijn heel blij met u als aanwinst voor het sociale leven,' verklaarde de heer Lobato, 'u zult spoedig vele uitnodigingen krijgen.'

Mijn ongelovige blik ziende, voegde Augusta daaraan toe: 'Juffrouw Winter is toch zo bescheiden! Ze wil maar niet geloven dat een schitterende plek in de salon haar deel kan zijn, als ze zich tenminste los kan schudden van haar Zwarte Lord.'

Een blos kleurde mijn gezicht, om de wijze waarop Augusta zich uitdrukte over mijn broodheer, maar ook om het beeld dat ze nogal vrijmoedig van mij geschetst had. Wat moest ik daar nu mee? Zouden de notabelen ervan gediend zijn dat een eenvoudige gouvernante de salon zou 'sieren'? Nee, ik zag nog niet gebeuren dat mijn positie van dienstbare geaccepteerd zou worden als gelijke. Dát was onmogelijk, een grap.

Maar Samuel knikte en zei ernstig: 'Toch is het werkelijk zo, juffrouw Winter. We kijken ernaar uit om nieuws uit Europa te krijgen, dat bent u ons zowaar verplicht. En met uw lieftallige verschijning—'

'O, Sammi,' onderbrak Augusta hem geamuseerd, 'je loopt wel hard van stapel!'

'Nee, nee,' haastte deze zich te zeggen, 'ik meen dat juffrouw Winter een verrassing zal zijn voor de hogere kringen en zich gauw thuis zal kunnen voelen.'

'Daar heb je gelijk in,' stemde Augusta in. 'Wie had kunnen denken dat Walther ons nog een dienst zou bewijzen door haar aan te nemen? Hoe meer zielen, hoe meer vreugd, vindt u ook niet, juffrouw Winter? Och, kijk haar toch eens tegenspartelen!' kirde ze en ze giechelde om mijn beteuterde gezicht.

Onder hun lovende maar merkwaardige opmerkingen was ik me steeds onbenulliger gaan voelen. Mijn kijk op de wereld werd door hen op zijn kop gezet en ik vond het moeilijk hen te geloven, ook al waren mijn gastvrouw en haar helper heel stellig in hun beweringen.

Tot mijn opluchting kwam er een eind aan ons gesprek omdat een ieder nog andere verplichtingen had. Toen Samuel vertrokken was en Augusta zich weer aan haar huishouden wijdde, ging ik met Jozef, die mijn bagage droeg, op weg naar Walthers huis.

Opnieuw een thuis. Mijn derde als gouvernante. Ik pakte mijn koffer uit en liet de donkere Elena mijn kleren uithangen. Het meisje kweet zich zwijgend van haar taak. Ik was blij dat de bedienden in Walthers huis netjes gekleed gingen. Dat zei tenminste iets over zijn gevoel voor fatsoen.

Mijn kamer was ruim, zeker drie keer zo groot als ik tot nu toe gewend was geweest bij al mijn vorige gouvernantekamers. Er stond een groot, houten ledikant met een fraai versierd hoofdeinde. Erboven hing een wit gordijn, zodat ik eerst dacht een Frans hemelbed gekregen te hebben, tot Elena de doek losknoopte en over de vier manshoge beddenposten drapeerde – het bleek een muskietennet te zijn. Maar deze was van kraakhelder, fijn geweven katoen, anders dan het grauwe gaas bij de Van Roepels. Evenals in de salon beneden, waren ook hier de meubels glimmend geboend, en op een commode stonden een met rozen gedecoreerde porseleinen waskom en waterkan, met daarboven een ingelijste spiegel. Verder was er nog een grote klerenkast met ingesneden bloempatronen, en bij het raam een kleine schrijftafel met laden en een stoel, beiden met sierlijk gedraaide poten. Een vaas met een fris, exotisch boeket completeerde de inrichting. Eigenlijk was het geheel zo mooi, dat het meer een kamer voor een logerende gast leek, dan voor een werkneemster.

Zodra Elena vertrokken was, draaide ik met zwierende rokken opgetogen in het rond. Ik ging er het beste van maken, het kon me niet schelen dat Walther zich vreemd gedroeg of dat Augusta mij een andere positie toewenste, ik was eindelijk weer gouvernante en kon mezelf rehabiliteren – in dit huis, waar de knorrige eerste kennismaking werd weersproken door het welkom van de prachtige kamer. Een nukkige leerling zou mij niet afschrikken en Blackwells boekenlijst deed mij vermoeden dat we samen heel wat interessante lesuren zouden hebben.

Later op de avond lag ik in bed. De langzaam dovende olielamp had ik op de glanzende vloer laten staan, zodat een zacht schijnsel nog mijn kamer verlichtte. Slaperig maar tevreden keek ik naar mijn eigen spullen, die ik had uitgepakt en een plaatsje gegeven. Vergeleken met de eerste nacht in mijn vorige betrekking ging het me nu heel wat makkelijker af, te wennen aan een ander huis.

Misschien, dacht ik doezelig, werd ik nu de gouvernante die tante Cornelie voor ogen had gestaan, waarop mijn vader trots zou zijn, en mijn moeder ...

De lampolie was bijna op en het licht werd flakkerend minder en doofde. Ik sliep.

Acht

AUGUSTUS 1847

'Noemt u mij maar Walther, juffrouw Winter.' Hij glimlachte naar me, wierp me een raadselachtige blik toe, waarvan ik meende dat het hoorde bij het onvermijdelijke peilen en uitproberen van leerlingen die tegenover een nieuwe lerares staan. Daarom besloot ik de touwtjes in handen te houden.

'Dat is goed, Walther,' zei ik afgemeten, 'pak je boek maar, dan kunnen we met de test beginnen.'

Gehoorzaam reikte Walther naar de stapel boeken op tafel, zocht er een uit en sloeg het open.

Het was 's morgens kwart voor tien in het huis aan de Waatermolenstraat. Buiten ratelden ezelskarren voorbij en prezen passerende venters hun waren aan. De luiken van de grote salon stonden open, mijn leerling zat met zijn rug naar het raam aan de grote ronde tafel, gebogen over zijn boek. Hij droeg niet het zwarte pak waarin ik hem voor het eerst gezien had, maar een wit katoenen hemd met kanten kraag en een beige pantalon met daaronder roodbruine laarzen.

Toen ik de kamer klokslag negen was binnengekomen, zat hij aan tafel te schrijven in een groot kasboek. Zijn blik was geconcentreerd, zijn hemdsmouwen waren opgerold, alsof hij al een poos aan het werk was. Hij keek op en leek enigszins verrast me te zien, sloeg het kasboek dicht, rolde zijn mouwen terug tot zijn polsen en stond op om mij een stoel aan te bieden.

Ik vertelde hem dat zijn bestellingen aangekomen waren en hij stuurde onmiddellijk zijn bediende weg om de kist bij Augusta op te halen. Daarna pakten we alle spullen uit en stalden ze uit op de tafel. Opgetogen liet Walther de globe ronddraaien, betastte de bol en bekeek dromerig het beschilderde oppervlak.

Ik kan niet ontkennen dat mijn leraressenhart sneller sloeg bij het aanschouwen van mijn pupil, die gretig boek na boek opensloeg en de bladzijden bestudeerde, waarderend mompelde of een verraste uitroep slaakte. Mijn zelfvertrouwen groeide, een oudere leerling onderwijzen was misschien nog meer vervullend dan een jongere, omdat de uitdaging groter was.

Nadat alle aankopen bekeken en bewonderd waren, zetten we ons aan tafel. Eerst liet ik Walther een paar proeven doen om te zien hoe ver hij was. Hij toonde zich aandachtig en ijverig, een voorbeeldige leerling, niets was merkbaar van zijn vreemde gedrag bij onze kennismaking.

Het valt mee, dacht ik bij mezelf, zolang hij zich bij de lessen in kan tomen en serieus studeert, zal ik geen aanstoot nemen aan onbeholpen gedrag. Daarbij, ik kan hem nog de manieren leren waarvoor hij me heeft aangenomen. Hij is een edelsteen die nog gepolijst moet worden.

Het bleek dat Walther geen rekenlessen meer nodig had. Ook de Engelse taal was hij reeds machtig, al had hij nog zowel onderricht als oefening nodig. Van geschiedenis, aardrijkskunde en Engelse literatuur kon hij nog veel bij mij leren. Nederlandse spraakleer, echter, wuifde hij weg als onbelangrijk.

'Wat ik weet is mij genoeg, juffrouw Winter. En u zult moeten toegeven dat er aan mijn dictie niets mankeert.' Dat was waar en aangezien hij het voor het zeggen had, werd ons rooster aldus vastgesteld.

Een kanonschot denderde aan de Waterkant. Walther stond op. 'Twaalf uur, tijd voor het diner.'

Ik legde boeken en papieren ordelijk op een stapel en volgde hem. In de eetkamer was voor ons beiden gedekt. Een blik op de tafel liet zien dat borden en pannen zonder meer waren uitgestald, er was geen symmetrisch liggend bestek of een tafelkleed. Hier moet ik nog wat aan doen, noteerde ik in gedachten, tafeletiquette is ook voor een heer van stand van belang.

Het meisje Elena bediende ons. Ik had inmiddels opgemerkt dat alle zwarten blootsvoets liepen. Alleen Walther niet. Zijn schoenpunten glansden van onder zijn smetteloze pantalon en de trots waarmee hij zich bewoog, werd nog versterkt door het zachte tikken van de zolen bij zijn tred.

Ik kreeg een bord met gebakken cassave, vis en een groentegerecht: in melk gestoofde *antruwa*, zoals Walther vertelde. Hij schonk ons beiden een glas wijn in en hief het zijne. 'Op u, juffrouw Winter,' zei hij goedgehumeurd. 'Winter! Wat een excellente naamkeus. Mijn complimenten.'

Mijn wenkbrauwen gingen omhoog. Kreeg hij weer kuren?

Hij schoof me een ronde aardewerken pot toe. 'Tast toe, juffrouw. Dit moet u proeven. Een echte plantagespecialiteit, speciaal voor u.'

Ik keek in de aarden pot en ontwaarde een smeuïge massa, klaarblijkelijk een soort stoofpot. Er stak een grote pollepel uit en ik pakte die aan en roerde even. Een onbekende, maar zoetige geur prikkelde mijn neusgaten.

Walther knikte uitnodigend, wachtte zelfs met eten.

Om hem niet langer te laten wachten, nam ik een schep uit de pot en deed die op mijn bord. Tevreden nam ook Walther een schep en begon dan te eten. Hongerig bracht ik mijn lepel naar de mond, proefde de nieuwe smaken van de groenten en vis – cassave had ik de vorige dag al leren kennen. Het smaakte me goed.

De plantagespecialiteit leek uit vlees met tomaten te bestaan en nieuwsgierig nam ik ook hier een hap van. Zoet, zout, zuur... Die eerste indruk werd radicaal weggevaagd door een als bliksemschicht inslaande sensatie: *vuur!* Als van oplaaiende, ingeslikte vlammen gloeiden mondholte en keel, trachtten waterlanders tevergeefs te blussen. In een reflex van beleefdheid slikte ik de hap door in plaats van hem uit te spugen. Niets anders dan vuur brandde, alle andere smaken werden erdoor verdoofd. Hoestend tastte ik naar het glas water dat Elena voor me had neergezet. Was ik vergiftigd? Haastig dronk ik het glas leeg en vestigde dan mijn blik op Walther. Mijn gastheer zat te grijnzen.

Hoe had ik dat kunnen vergeten? Het uitproberen van een nieuwe gouvernante, een ontgroening. Woede over de vernedering rees in me op, maar werd in toom gehouden door onzekerheid. Kon ik een leerling bestraffen, die tevens mijn werkgever was? Mijn kwaadheid bedwingend, slaagde ik erin op tamelijk onbewogen toon te vragen: 'Wat is de naam van deze specialiteit?'

Nog steeds met een brede grijns op zijn gezicht antwoordde Walther: '*Peprepatu*. Peperpot. De indianen bewaren hun eten op deze wijze: in pepersaus. Het bederft dan niet. De scherpte van de peper conserveert het voedsel. Iedereen hier heeft deze inheemse methode overgenomen. Aan het eind van de maaltijd gaan de restjes in de *ingipatu* en kunnen dan de volgende keer gewoon worden opgediend. Het is zeer smakelijk, vindt u ook niet?' Hij lichtte opnieuw zijn glas. 'Op de indiaan!'

Hoewel nog steeds ontdaan, voelde ik mijn woede wegebben toen ik zijn blik onderschepte. Spot was van zijn voorkomen verdwenen. In plaats daarvan was een nadenkende trek op Walthers gezicht verschenen. De ernst daarvan was zo in tegenspraak met zijn voorgaande gedrag, dat het was alsof hij had gezegd: 'Op u, miss Winter', met een respectvolle ondertoon.

Ik besloot het incident te negeren, al zou ik voortaan wat meer op mijn hoede moeten zijn. Van Roepel had gelijk gehad. Maar ergens, vreemd genoeg, had ik het gevoel toch gewonnen te hebben.

Na het diner verwachtte ik verder met de lessen te kunnen gaan, maar Walther bleek daar anders over te denken. Met een korte groet trok hij zich terug en liet mij met mijn boeken achter. Het was stil geworden in huis en op straat, en ik besloot dat daar ik onverwachts vrij was, er eindelijk gelegenheid was om de omgeving te verkennen. Het moest nu tijd voor de siësta zijn, het middagslaapje waar men zich in de kolonie aan hield. Maar gewend als ik was aan de Hollandse dagindeling, voelde ik er niets voor om op klaarlichte dag naar bed te gaan. Ik trok een vestje en witte handschoenen aan, haalde mijn kleine parasol tevoorschijn, strikte de linten van mijn muts en verliet het huis.

Buiten kaatste het zonlicht verblindend terug van het reine schelpenzand dat de straat bedekte. Boven de witgeschilderde houten huizen was de hemel helder en lichtblauw met trage, ragfijne wolken. Aan de linkerzijde was de rivier te zien, met kleine, dobberende bootjes aan de kade. Rechts strekte zich de stad uit, vertakten zich de straten. Ik dacht even aan de route die ik al gelopen had met Jozef en de Van Roepels en merkte tot mijn tevredenheid dat ik het een en ander herkende. Al enigszins bekend met de Waterkant en het Kerkplein, besloot ik een nieuwe richting te proberen en sloeg de Knöffelsgracht in.

Winkels waren dicht, straten goeddeels verlaten. De weg leidde naar een plein waar vele paarden en ezels uitgespannen waren. De dieren werden gedrenkt bij de stenen waterbakken of stonden in de schaduw van bomen en afdakjes dromerig op grasstengels te kauwen. Slaperige venters zaten bij manden met fruit en versnaperingen onder de bomen en wuifden zich koelte toe.

Toen ze mij bemerkten, sprongen sommigen op en liepen naar me toe, wezen op hun stopflessen met koekjes of hun gevlochten bamboewaaiers, en spraken me aan in een voor mij onbekende taal, soms doorspekt met Nederlands. Ik schudde mijn hoofd, want ik had geen beurs bij me en na een poosje dropen ze af.

Intussen keek ik mijn ogen uit, alles was nieuw voor mij, net twee dagen in Suriname. Maar vooral het zonlicht, dat fel scheen en alles baadde in een ongenadig licht, de bruine, zwarte en crèmekleurige mensen in hun bonte doeken of in schamele lapjes, de hete stenen stoepen, de groene bomen. De zon brandde dwars door de lagen van textiel op mijn rug heen en deed het zweet vloeien. De lichte parasol leek niet gemaakt voor zo'n overvloed aan schitterend licht, dat me slechts toestond met toegeknepen ogen de omgeving te verkennen.

Al gauw begon de dorst me te plagen. De zon prikte, mijn kleren plakten me tegen het lijf, ik kreeg het benauwd. Nu pas viel het me op dat ik geen blanken op straat zag, die hadden zich blijkbaar achter de gesloten luiken van hun koele huizen verschanst. Om me heen kijkend bemerkte ik dat ik nogal de aandacht trok, zo'n kersverse Hollandse dame die zich op het heetste uur van de dag naar buiten waagde, in kleren, zo vele lagen kleren, waar men er juist zo min mogelijk droeg. Grijnzende vrouwen en wijzende kinderen lieten er geen twijfel over bestaan wat ze over mijn verschijning dachten. Niettegenstaande mijn gevoel voor fatsoen, begon ik mij zodanig gekleed licht belachelijk te voelen, vooral toen ik na een poosje door joelende kinderen werd gevolgd. Het leek me het beste toch maar om te keren en naar huis te gaan. Ik zou me voortaan maar wat beter moeten beraden over mijn kledingkeuze, en misschien ook over het juiste tijdstip voor uitstapjes.

Pas om vier uur kwam Walther weer naar beneden, opgefrist, gekleed in een donkergroen satijnen kostuum en geurend naar pommade. Hij zwaaide met een rieten wandelstokje en maakte aanstalten om de deur uit te gaan. Toen hij mij zag staan met bezweet gezicht, verwachtingsvol bij de lestafel geposteerd, trok hij zijn wenkbrauwen op. 'Juffrouw Winter, de morgenuren zijn voldoende voor de lessen, in de middag heb ik andere zaken te doen.'

Teleurgesteld sprak ik hem tegen: 'Maar drie uren per dag zijn te weinig, dat vordert niet voldoende.' In mijn stem lag onwillekeurig het verwijt besloten dat de afgelopen uren in de stilte van het huis had liggen broeden. Zo veel werkeloze tijd!

De jongeman moest mijn wrevel hebben opgemerkt want hij fronste het voorhoofd en repliceerde: 'Uw dag start dan ook rijkelijk laat. Wat als we voortaan om zeven uur beginnen, juffrouw, kan dat u bekoren?'

Ik knikte verbluft.

Terwijl hij de voordeur opende voegde Walther eraan toe: 'Vier dagen les per week is mij voldoende. Het staat u vrij om bij andere pupillen aan huis les te geven. Wel stel ik op prijs dat u eerst met mij overlegt, alvorens u aan een tweede opdrachtgever te verbinden.' Hij inspecteerde zijn handschoenen, zette een hoge zijden hoed op en stapte naar buiten.

De deur sloeg achter hem dicht, in de grote salon bleef ik beduusd achter.

Alleen in mijn kamer vouwde ik mijn huishoudschorten op en legde ze in de kast. Geen kinderen om voor te zorgen, neuzen te snuiten, modderhandjes af te vegen, in bad te doen. Geen dagrooster vol lessen, als op de nonnenschool. Wat zou ik met mijn tijd moeten doen?

Walther had gelijk, het was het beste er nog een betrekking bij te nemen. Bij het idee van de mogelijkheden die zich hierdoor ontvouwden, vrolijkte ik weer op. Nog meer kansen tot onderwijs en ontplooiing, nog meer verdiensten voor mijn spaarbankboekje! Over het verkrijgen van nieuwe leerlingen maakte ik me nog geen zorgen. Ik was maar net in Suriname en zou wel een manier vinden om verder te komen. Hadden niet Augusta en Samuel gezegd dat mijn aanwezigheid spoedig bekend zou worden? Daarvoor vertrouwde ik op dezelfde manier van nieuws verspreiden die ik in de Amsterdamse salons had leren kennen.

Optimistisch telde ik af wat ik verder met mijn tijd kon doen. Ik bevond me in de Nieuwe Wereld, Amerika. Waarom zou ik niet mijn eigen ontdekkingen gaan doen? In stilte prees ik tante Cornelie, die mij had leren schilderen in de vrije natuur – wat een prachtige gelegenheid om vaardigheid aan exploratie te koppelen!

Het schoot me in dat de lange tussentijd van vruchteloze sollicitaties toch zijn nut had gehad, want dankzij die periode van herhaalde reizen als alleenstaande vrouw, was ik mijn bedeesdheid veroorzaakt door het besloten en beschermde leven in Moederhuis en stadspand, tenminste kwijtgeraakt. Inmiddels ook wat ouder, hoefde ik me niet meer zonder chaperonne als een bleu meisje te generen. Het was hooguit het publieke oordeel dat me ervan weerhield al te boud op pad te gaan. Een dame bleef een dame en als bescherming nodig was, zou ik me daarvan voorzien. Misschien dat ik een knecht kon huren om me op tochten te helpen en vergezellen? Tevreden dromend en plannen makend, had ik me alweer helemaal verzoend met de wisselvalligheid in mijn huidige dienstverband.

Aldus vingen de lessen voortaan 's morgens om zeven uur aan. Het daglicht scheen dan reeds klaar en helder door de openstaande ramen en op straat was het leven volop aan de gang. Mijn pupil en ik zaten aan de lestafel, lazen elkaar voor uit *Robinson Crusoe* en bespraken het boek in het Engels, zoals ik bij Alexandra had geleerd.

'Miss Winter,' zei Walther, 'don't you think Friday is a perfect example of the idea of a *"noble savage"*? A loyal and humble servant. Someone who was taught how to be civilized, otherwise he would have forever wandered in this primitive state of a vicious man-eater. I think, however, that both images show more of the supposed superiority of the white man, than give a truthful view of the Negro himself.' Hij leunde achterover en keek me afwachtend aan, met een blik die heimelijk plezier verried.

Ik schraapte mijn keel en zocht vlug in mijn herinnering naar de theorieën van tantes geliefde Rousseau. 'Well, yes, you are quite right. In this small Eden Crusoe is accompanied by the grateful savage, but that seems natural, after all Robinson saved his life. Why should Friday not be devoted to him?'

'Ah, but Crusoe as the master, and Friday as his servant. *"Master"*, – as Robinson said – *'was to be my name. I taught him to say Master.'* Walther zweeg en zond me een peilende blik. 'He only refers to Friday as a *"poor igno-*

rant creature" or *"most faithful servant"*. Tell me, is there no other way that you, or the white man for that matter, can see Friday for himself? Is he only to be seen as dangerous or docile? Tell me, Miss.'

Daar had hij me klemgezet. Rousseau sprak inderdaad van de ideale natuurmens, onbedorven en onbeschaafd, onwetend, maar ook zonder innerlijk leven. Animaal en instinctief, levend bij het ogenblik. In dat beeld paste Vrijdag precies. Ik dacht even na en antwoordde: 'Well, the noble savage stands at mankind's beginning, trying to survive nature's wild paradise—'

'Like here?' viel Walther me in de rede, gesticulerend naar het uitzicht vanuit het raam, waar het zonlicht op de golven van de rivier blonk. Een menigte slaven sjouwde aan de oever met zware keien, bezig de dijk te verstevigen.

'Could be,' hervatte ik, 'but since he has no sense of history, nor future, the savage lives only to satisfy immediate needs, like Friday does. So you see...'

Mijn pupil schudde zijn hoofd. 'Miss Winter, you are mistaken. History is a matter of knowledge. Since you - or Robinson - have no knowledge of Friday's language, you cannot know his history. As it seems now, Friday's history starts with his master, Robinson.'

Meteen rezen er beelden op in mijn hoofd: kastelen, forten, beeldhouwwerken, schilderijen. Deze bewijzen van geschiedenis en beschaving waren in Europa en Azië in ruime mate te vinden. Wat het Donkere Continent betrof, bleef mijn kennis echter beperkt tot Egypte. Was er op de grasvlakten en in de jungle wel iets anders te vinden dan hutten of karavanserais? En dat Vrijdag niet van Afrika kwam maar van Amerika, maakte in deze discussie niets uit, ik begreep Walthers gedachtengang.

Misschien waren mijn twijfels af te lezen van mijn gezicht, want Walther begon weer: 'History is what one man passes on to another, but if there is no one else around who can understand his words, his tale will cease to exist, thereby closing the doors of history. What once was, will forever disappear. Leaving us to think there was really nothing - or do we just want to believe that?' Uitdagend keek hij me aan, wetend dat ik geen weerwoord had, daar ik inderdaad geen kennis bezat over dit onderwerp. En dat ik niets wist, betekende niet noodzakelijkerwijs dat er ook niets was of was geweest. Primitief of niet: *that was the question*.

Denkende aan de theorieën van de rassenwetenschap, volgens welke mensen naar lichaamskenmerken werden ingedeeld in superieur of inferieur, moest ik toegeven dat er niets primitiefs was aan Walthers voorkomen, noch aan zijn optreden. Mocht Vrijdag nog alles hebben van een 'nobele wilde', de Zwarte Lord kon bogen op een bij tijd en wijle bepaald adellijke uitstraling, ook al bleef zijn innerlijk leven me nog een raadsel.

Nieuwsgierig geworden keek ik naar zijn prachtige gezicht, waarin de ogen ondeugend schitterden, en een nauw verholen glimlach om zijn mond speelde.

'Moreover, Miss,' hernam hij op zelfverzekerde toon, 'there is the question of Friday's god Benamuckee of whom he tells us: *"All things say O to Him."* Now why does Robinson think it impossible for creation to honour its Creator? Is it because the Crown of Creation, meaning the white man, thinks only humans can respond to God? Well, who could possibly testify to that, if one does not speak the language of animals and trees, of rocks and rivers?'

Ah! Dat was een vraag die ik kon beantwoorden. Mijn bevlogenheid als lerares werd aangesproken, de juist geleden nederlaag compenserend. 'That is really a question of Enlightenment,' antwoordde ik. 'Animals can't speak or think, let alone pray. They have no soul.' Meteen toen ik dit gezegd had, wist ik dat mijn leerling het zielenrecht zou betwisten.

Maar voor Walther Blackwell was zelfs dat een te kleine stap. 'You mean they have no soul to be *saved*. They are lucky in that. But what about their spirit? You can't truly know about the spirit, because you only believe in what you can see.' Walthers glimlach was verdwenen. Op een of andere wijze scheen dit standpunt belangrijk voor hem te zijn - dit was geen spel in scherpzinnigheid, maar de loot van iets diepers, dat verder geworteld lag dan alle aangesleepte kennis uit Europa.

Aanvankelijk meewarig hoorde ik zijn betoog aan, toen tot me doordrong dat er iets ernstigs aan de hand was. Langzaam schudde ik mijn hoofd. 'But that sounds just like animism. You know, Walther, that modern man does not believe in these fairy-tales. Only children think that trees can speak. This explains too, why Robinson sees Friday as a child to be taught.'

Het leek erop dat ik mijn - reeds gekerstende - leerling terug zou moeten leiden uit de duisternis van onwetendheid. Hoe was dat mogelijk? Primitieve invloeden bleven blijkbaar langer aan de naakte geest hangen, ook al had beschaving het lichaam met fluweel omkleed.

Het bleef een poosje stil. Walther leek in gedachten verzonken, een lichte frons tekende zich af op zijn voorhoofd. Blij dat ik tot hem was doorgedrongen, begon ik te vertellen over wetenschappers, die enkel aannamen wat ze met de zintuigen konden waarnemen. 'So, while information from the senses forms the basis, logic is to be the tool to gain knowledge—'

Als door een wesp gestoken, viel Walther me in de rede: 'Science isn't logical at all. Science is blind. Blind because it accepts an invisible Christian

God, but rejects the so-called animistic gods, which might at times be more visible than the former.'

Geschokt legde ik mijn boek neer, leunde naar voren om mijn woorden kracht bij te zetten. 'Walther! Christelijke wetenschappers weten dat ze beperkt zijn, dat de menselijke geest de uiteindelijke Bron niet kan bevatten. Dáárom moet onze kennis beperkt blijven tot wat we kunnen waarnemen.' Ongerust voegde ik eraan toe: 'Je denkt er toch niet over de Kerk te verlaten?'

Walther wierp me een vlugge blik toe. Hij wachtte even en toen zijn antwoord kwam, leek hij op zijn hoede: 'Kom, miss Regina, waarom zou ik dat doen?' Hij glimlachte en hanteerde een luchtige toon: 'De Kerk maakt zich al druk genoeg om de heidenen, zou ik ze er dan nog zorgen bij geven?' Terwijl hij zijn benen over elkaar sloeg, er zorg voor dragend dat zijn schoenen de lichte broekspijpen niet bevlekten, zag hij er weer even geruststellend beschaafd uit als altijd, zodat ik zijn vorige opmerkingen besloot te vergeten. Het was maar het beste terug te keren naar de Engelse les.

Mijn rug rechtend hernam ik mezelf en herinnerde me zijn eerste opmerking. 'En vertel me nu, dear Walther, in what way should we regard the Negro? What is his true image?'

Walther grijnsde. 'Dear Miss Winter,' repliceerde hij, 'right now I'm grateful for the lessons you have given me. That doesn't make me servile. Isn't that the way Crusoe and Friday should have related to each other?' Hij stak bezwerend zijn hand op. 'Yes, I know. Crusoe saved his life. But nevertheless they should be considered equals, don't you think? Because I suspect Crusoe could have learned a lot more about survival from Friday. After all, this fellow was *born* on the islands. If only Robinson had not insisted on getting things done just the way *he* wanted it!'

Even was ik in verwarring. Het leek erop dat Walther de dingen graag scherp stelde. Opnieuw hadden we het niet enkel over de roman van Daniel Defoe. Maar was het mijn plaats om kritiek te hebben op de wijze waarop Europa de wereld regeerde? Het leek me niet. Tenslotte was het mijn taak slechts de Engelse literatuur te bespreken. Bovendien voelde ik, dat ik nog te weinig wist van de samenleving waarin ik terecht was gekomen. Dus besloot ik het over een andere boeg te gooien. 'According to Rousseau, winning a war does not give the triumpher the right to enslave the defeated. So if you choose to see Robinson as a master of slaves: yes, then he is wrong. But Friday, for all I can see, is not a slave. It is entirely from free will that the Caraïb has chosen to be with Robinson and serve him.' Dat bracht me op een vraag die me al een poos had beziggehouden. 'Wacht even,' sprak ik, 'er is iets wat ik wil weten.'

Walther keek me belangstellend aan, terwijl ik mijn gedachten probeerde te formuleren.

Mijn geboortestad had ongeveer zo veel inwoners als Paramaribo: Den Bosch twintigduizend, Paramaribo vijftienduizend. Van deze laatste stad was echter negenduizend, man en vrouw, slaaf. Stel nu dat duizend vrije mensen niet rijk genoeg waren om zich slaven aan te schaffen, dan bleven er nog vijfduizend over. Een hele slavenpopulatie om slechts vijfduizend vrije mensen te bedienen! Dat maakte zo'n twee slaven per vrije persoon. Voor een gezin van vijf mensen - vader, moeder, drie kinderen - betekende dat tien extra mensen in de huishouding. Dat leek me nogal extravagant.

In Nederland hadden rijke mensen weliswaar veel bedienden, maar daar leefde het personeel een eigen persoonlijk leven, los van de meesters. Hier waren slaaf en heer bijna onlosmakelijk aan elkaar verbonden, beiden afhankelijk van elkaar, de een hulpeloos zonder de ander. Het systeem waar Augusta eerder over had gesproken, dat families altijd gezamenlijk moesten worden verkocht, verklaarde waarschijnlijk ook het groeiende aantal dienstbaren per slavenmeester.

Maar hoe zat het dan met de vraag die mij intrigeerde: 'Ik heb in de stad gezien dat een slaaf zelf ook slaven kan hebben. Hoe vind je dat dan? Is dat volgens jou wel acceptabel?'

Walthers gezicht verstrakte. 'Je bedoelt dat dit dezelfde positie betreft als de witte slavenmeester? Nee, Regina, dat klopt niet.' Ongemerkt was Walther overgestapt naar mijn voornaam. Ik zei er niets van. Hij vervolgde: 'Een slaaf die timmerman is, verdient geld voor zijn meester. Hij draagt het geld af aan zijn eigenaar, die er zelf niet voor hoeft te arbeiden. Komen er nu zo veel opdrachten dat de timmerman hulp nodig heeft, dan kan hij die alleen krijgen door een ándere slaaf in te huren. Geen vrije zal zich immers verlagen door voor een slaaf te gaan werken. Ten eerste kan de slaaf hem geen loon betalen, daar hij niet zelf over het geld mag beschikken. Ten tweede: men zou een dergelijke arbeidsverbintenis de omgekeerde wereld vinden.' Hij keek me onderzoekend aan. 'Wat dat betreft vindt men mijn huishouden ook de omgekeerde wereld. En o, voor ik het vergeet: mijn bedienden zijn allemaal vrijen. Ze krijgen betaald voor hun werk. Stelt dat u gerust?' Voor ik kon antwoorden stond hij op en raadpleegde zijn horloge. 'Het is tijd, miss Winter.'

Terwijl hij wegliep klonk van de Waterkant het noenschot.

Nog nooit had ik een dergelijke vis gezien. Gefascineerd bekeek ik de wriemelende vis die op Elena's keukentafel lag. In de zinken emmer ernaast zwommen er nog meer rond, de zwarte lijven sinister glanzend. Spartelend streed het dier op de tafel, trachtte terug te springen naar zijn soortgenoten. Het loodgrijze beest oogde als een voorwereldlijk schepsel, de romp gepantserd met een laag harde schubben, die meebewogen en over elkaar schoven als een harnas. Vier lange snorsprieten staken van voren uit de kop.

'*Kwikwi*,' antwoordde Elena op mijn vraag naar de naam.

Terwijl ik naar het merkwaardige dier staarde, kwam opeens een plan in me op. 'Elena, mag ik deze vis even lenen?' Ik haastte me naar mijn kamer om mijn tekengerei te halen. Het was middag, de lessen waren voorbij, dus had ik vrijaf. Een mooie gelegenheid om een exotische vis vast te leggen in waterverf. Het zou het begin van mijn Suriname-tekenmap worden.

Toen ik de trap weer afkwam viel me voor het eerst de houten koffer op die naast de pilaar onder aan de balustrade stond, maar ik was te opgewonden om er aandacht aan te besteden. Terug in de keuken zocht ik een plekje aan tafel en stalde mijn verf en penselen uit. Elena had de vis voor mij op een stenen bord geplaatst en keek nieuwsgierig toe. Het beest bewoog nog een beetje, maar zou spoedig dood zijn. Vlug begon ik te schetsen.

Toen ik enkele tekeningen gereed had, zocht ik op het palet de juiste kleuren uit en begon te schilderen. Geel, zwart, rood en een ietsje blauw vermengend en verdunnend, maakte ik bruine, grijze en violette tinten. Al schilderend beleefde ik veel genoegen. Dit was iets wat ik beslist vaker zou doen, met al die door zonlicht versterkte kleuren om me heen. Hoe kon je daarnaar kijken en ze niet vast willen leggen?

'*Mmmm, a moi, misi!*' Elena bewonderde de tekeningen, ondertussen een paar grote groene vliegen verjagend met haar hand. De insecten hadden de dode kwikwi ontdekt en cirkelden hinderlijk zoemend om onze hoofden. Het meisje rende weg om een waaier te halen.

In een zwarte flits sprong er iets op tafel. Voor ik was bekomen van de schrik, klonk achter mij Elena's waarschuwende kreet en kletterend viel mijn tinnen waterkom op de grond, weggeveegd door de kwaad zwiepende staart.

'*Aai, puspusi lon! A gwe kba*,' verklaarde de verontwaardigde Elena. Ik lachte en raapte het kommetje op.

'Ik ben klaar, Elena, dankjewel.'

'*Misi kba?*' vroeg ze teleurgesteld en begon dan de rommel op te ruimen.

De vis was al door kleine krioelende vliegjes bedekt, die zich niet makkelijk lieten verjagen. Het kwam er blijkbaar op aan snel te tekenen in de tropen.

Elena dweilde de vloer en maakte onderwijl lokkende geluidjes naar de poes, die zich wijselijk verstopt hield. Ik bracht de schilderingen naar de hal, waar ik ze op de vloer achter de trap uitspreidde om te drogen. Weer viel me de koffer op. Het was meer een grote houten doos met een handvat eraan en hij zag er zwaar uit. Wat zou erin zitten?

In de keuken legde ik mijn verfsteentjes te drogen in de vensterbank. Buiten op het gras zag ik de fortuinlijke poes kluiven op de resten van de kwikwi. Elena keerde terug uit de tuin met het lege bord.

'Elena,' vroeg ik, 'wat is dat voor een koffer?'

Walthers meid keek me niet-begrijpend aan.

'Die houten kist,' beduidde ik, 'onder aan de trap.'

Ze fronste de wenkbrauwen en liep naar de hal.

Ik ging haar achterna, maar het voorwerp bleek verdwenen.

In het voorhuis sloeg de buitendeur dicht. Walther was weer eens op pad.

Negen

SEPTEMBER 1847

Ik wende snel aan mijn nieuwe thuis. Behalve Walther en ik woonde er in het herenhuis niemand. Wel stond er achter in de tuin een klein huisje, waar Elena, Coen en hun drie kinderen woonden. De kinderen gingen overdag naar de Stadsschool, pas later in de middag hoorde ik hen in de tuin rennen en spelen.

Elena was de kokkin en schoonmaakster. Een slanke, jonge vrouw die weinig sprak maar goed werkte. Ze was gewoonlijk eenvoudig maar net gekleed, met een doek om haar hoofd en een schort voor. Binnenshuis liep ze graag blootsvoets, buiten altijd met schoenen.

Coen was de tuinman, koetsier en knecht die Elena hielp met het onderhoud van Walthers huis en have. Hij was een keurige jongeman en een goede vader. Als Coen ons buitenshuis moest dienen droeg hij behalve schoenen, ook graag een vest en een hoed. Misschien imiteerde hij daarin zijn baas, met dat verschil dat de knecht zijn hemdsmouwen opgestroopt droeg.

Niet alle huishoudelijk werk werd ter plekke gedaan. Hoewel we beschikten over een waterput en een stenen bakhuis voor het opvangen van regenwater, was het een opluchting dat het wassen werd uitbesteed. Voor het vuile wasgoed kwam driemaal in de week een wasvrouw langs, die alles meenam in een grote baskiet. Met schommelende gang, de mand fier boven op het hoofd balancerend, schreed deze vrije vrouw dan de straat uit, de eigen, stijf uitstaande *koto* en strak gevouwen *angisa* als bewijs van properheid. Enige dagen later bracht zij alles kraakhelder, gesteven en gestreken terug.

Het was een grappig idee dat als simpele gouvernante, mijn was nu werd gedaan door de befaamde Surinaamse wasvrouwen die voor Franse adellijke families wasten, families die rijk genoeg waren om hun wasgoed overzee te sturen. Hier, in de Caraïben, werden dan het weelderige Franse linnen en kant gedompeld in tobbes met regenwater, zachte zeep werd uitgesmeerd in groenig glibberige stroken, lakens in het warme zonlicht te bleken gelegd, waarna de stof ritmisch over de houten ribbels van een wasbord werd gewreven, tot uit het schuim het reine wit tevoorschijn rees.

Er zou een standbeeld opgericht moeten worden voor wasvrouwen, mijmerde ik, voor de lange uren arbeid aan tobbe en strijkplank op het eentonige ritme van borstel en ijzer, voor het putten van vele emmers spoelwater, teilen doorroerd met stijfsel, soda of blauwsel. En ondanks de ruwe, zere werkhanden en pijnlijke rug, er een eer in leggen de helderste was te leveren. Een trots die haar oorsprong vond in de eerlijke en vrije arbeid, een vak dat de beoefenaarster haar brood en boter bezorgde – niet de tweejaarlijkse bedeling van de slavenmeester. Zij was haar eigen baas. Met de slagvaardigheid en tevens strategische behoedzaamheid van een generaal werden de hete ijzers op het gesteven goed gehanteerd – elke roetvlek betekende een herhaalde wasbeurt, elke schroeivlek verlies van kapitaal. Beginnende wasvrouwen vertrouwde men niet de beste kleding toe, ervaring telde in de gildenloze rangorde van wasvrouwen. Een wasmeid begon daarom al heel jong, als hulpje van moeder of oma.

Standbeelden werden niet voor de juiste mensen opgericht.

De tuin was een oase van rust, vergeleken met de drukke straatkant aan de voorzijde van het huis. Het vele groen zichtbaar vanuit mijn slaapkamerraam werkte weldadig. Heesters met tere bloemkelken van rode *angalampu* en kleine roze en witte *kotomisi* sierden de tuin, terwijl in de achtergrond taaie woudbloemen groeiden, met vreemde namen als bokkepoot, *popokai tongo* en canna-lelie.

Het huishouden van Blackwell werd voor een deel door de tuin van voedsel voorzien. Verspreid over het erf achter het huis bevonden zich verschillende vruchtbomen, die naar het leek zonder noemenswaardige zorg een overvloed aan fruit produceerden: papaja's, bacoven, West-Indische kersen, broodvrucht en citrus.

Mmm, het zuurzoete, zachte roze vruchtvlees van de guave, met de lichtbittere gele schil, was onovertroffen. Al moest je wel oppassen niet te ver door te bijten in deze kleine peren, want dan wachtten je harde, oneetbare pitjes en soms een paar kleine fruitwormpjes. Veiliger was de *markusa*, waarvan Elena een grote kan helder sap maakte, die geurde als parfum en verrukkelijk smaakte.

Een kleine moestuin leverde een keur aan bladgroenten, nachtschaden en slingerbonen op. Er waren kippen en wat tamme duiven. In mijn ogen nog het meest exotisch waren de crotonstruiken met haar grote, rood en paars gekleurde of groen en geel gespikkelde, dik generfde bladeren. Van deze struiken leek nooit één blaadje te verdorren, een vlammende vegetatie van bonte toortsen, dwars door zon en regen immer brandend.

Wilde men de hitte van de middagzon ontvluchten, dan kon vanuit de tuin het achterhuis worden betreden, waar zich de eetkamer bevond – ruim, maar sober en met de schaduwen van weleer afgetekend op de wanden. Bleke ovalen en rechthoekige silhouetten rezen uit de kale muren, een verdwenen interieur verradend. Volgens Blackwell was een maaltijd noodzakelijke tijdverspilling en meer opsmuk was zodoende de moeite niet waard. Naar mijn mening was het eenvoudig een vrouwenhand die ontbrak.

Opzij van de eetkamer was een kleine keuken, met rekken vol Keulse potten, stopflessen, blikken bussen en een zwevende vliegerkast. Tevergeefs zouden hongerige muizen en ratten azen op het achter gaas bewaarde voedsel; het kistje bungelde tergend buiten hun bereik aan een draad vanaf de zoldering.

Hoewel deze alkoof 'keuken' werd genoemd, diende ze voornamelijk als provisiekast en om het blinkend geschuurde kookgerei uit te stallen. Het bordenrek, dat een hele wand besloeg, praalde met serviesgoed van beschilderd porselein. De voedselbereiding vond echter buiten onder een afdak plaats, in een koolpot of op een houtskoolvuurtje. Een stenen oven bevond zich op het erf tussen het herenhuis en de woning van het personeel.

In de eetkamer, nog vóór de trap naar boven, was links de wasruimte. Daar lagen bekkens en zinken teilen omgekeerd op de plavuizenvloer op gebruik te wachten. Met behulp van gespannen waslijnen en een groot laken was een badscherm gecreëerd. Buiten, in de achtertuin, lag half verscholen achter een fris geurende limoenboom het privaat.

Van de achtergelegen eetkamer kwam men in de weelderig ingerichte voorzaal terecht, waar grote ramen uitkeken op de straat. Bezoekers wachtte bij binnenkomst meteen de luxe van mahoniehouten stoelen, een fluwelen sofa en fraai gebeeldhouwde kasten. Met de salon kon de eigenaar pronken, zelfs zijn meid schepte er genoegen in alles te poetsen tot het glom, van vloer tot tafelblad.

Naast de voorzaal bevond zich nog een lange, smalle ruimte: Walthers werkkamer, slechts toegankelijk voor hem. De luiken en de deur hiervan waren immer afgesloten, of hij nu thuis, uit, of in zijn werkkamer was. Zelfs Elena met haar bezem en dweil scheen daar nooit te komen.

Op de bovenetage bevonden zich vier vertrekken. De grootste slaapkamer was van Walther, aan de straatzijde. Ik vermoedde dat zijn kamer minstens even mooi zou zijn als de mijne. In ieder geval kon ik rustig speculeren dat hij over een grote garderobekast en een spiegel moest beschikken. Eén deur verder en aan de overzijde, was mijn kamer, met uitzicht op de tuin. Mijn kamer, waar ik nog steeds verrukt van was en die steeds meer mijn eigen plek werd. Verder waren er nog twee kleinere kamers, die niet in gebruik schenen te zijn.

De dagindeling van het huishouden was voor mij heel wat meer ontspannen dan ik tot nu toe had meegemaakt bij mijn vorige werkgevers. Geen gehaast om kindjes 's ochtends aan te kleden, of 's avonds op tijd in bed te krijgen, geen verplicht handwerkuurtje of buitenspel.

Vier keer per week gaf ik Walther les van het ontbijt tot aan het diner. 's Middags was ik vrij. Op de andere dagen en ook in de namiddag hield mijn werkgever zich bezig met zaken. Hij had een klein kantoor aan de haven, waar de boten van de plantage arriveerden, gevuld met landbouwproducten voor de stad. Daar onderhandelde hij met de inkopers, controleerde de leveringen, deed de boekhouding.

's Zondags als de klokken luidden, gingen we allemaal naar de kerk – ik naar de kerk van de rooms-katholieken in de Gravestraat, Walther en zijn personeel naar de Grote Stadskerk van de Evangelische Broedergemeente.

Er kwamen nooit bezoekers langs voor visite, enkel mensen met wie hij zaken deed, of die bij hem in dienst waren, zoals Frederik van Roepel en Samuel Lobato. Hij ontving hen in de salon en ik trok me dan discreet terug.

In de avond kon het gebeuren dat de jonge meester prijs stelde op mijn gezelschap. Dan zaten we in de voorzaal en lazen elkaar voor en voerden gesprekken. Insecten, aangetrokken door de olielampen, kropen over de tafel en moesten met handgewapper worden weggejaagd van onze thee en beschuiten.

Maar dikwijls zat hij 's avonds alleen in zijn werkkamer, waar hij niet gestoord mocht worden. Soms kwam hij pas laat boven, wanneer alles stil was geworden. Als ik nog wakker lag hoorde ik zijn voetstappen op de krakende trap, en de deur die zachtjes piepte alvorens de sleutel knarsend werd omgedraaid.

Op zaterdag besloot ik Augusta te bezoeken. Ik was nu twee weken in Suriname, ze zou wel willen weten hoe het met me ging. Op mijn gemak wandelde ik naar de Noorderkerkstraat, waar Augusta al bezoek bleek te hebben.

Juffrouw Van Roepel toonde zich zeer ingenomen met mijn komst. Ze had juist enige vriendinnen op visite en tot haar genoegen kon ze nu met mij als nieuwe aanwinst voor de kolonie pronken.

'Ach, Regina wil mij niet geloven als ik zeg dat ze zo in de smaak zal vallen in onze kringen, wat zeg je me daarvan, vrouw Klazina?'

En vrouw Klazina, Helena en Carolina lachten klaterend en verzekerden me om het hardst dat ik me vergiste. Behalve Augusta hadden ze allemaal hetzelfde Surinaamse accent als Walther, met de trage tongval. De drie dames waren vrolijk en gezet, van middelbare leeftijd en hadden de gelige, enigszins tanige teint, die een leven in de tropen verried. Ze waren allen uitbundig uitgedost, als voor een bijzondere gelegenheid.

Na de rust van Walthers huishouden, viel me nu de levendigheid van de dames op, misschien zelfs wat al te veel. De vrouwen geneerden zich niet, maar lachten luidkeels om hun grapjes, kletsten en roddelden en probeerden mij uit te horen over mijn pupil. Inmiddels was ik hierop voorbereid en wist de antwoorden handig te omzeilen door middel van complimenten en wedervragen.

Zo kwam ik te weten waar ik het beste garen en band in de stad kon kopen, waar goede manufacturen te verkrijgen waren en wie de mooiste hoeden verkocht.

Daarna begonnen de vrouwen zich te vermaken met te bedenken waar ik het best een man kon vinden. 'Niet bij de gouverneur, *baya*, die hoofdambtenaren zijn zo verwaand! Ze hebben hun eigen sociëteit, daar kom je niet binnen.'

'Alsof ze dat zou willen, Regina is zo bescheiden, hoor.'

'*Ai baya*, misschien is dokter Pieterszen iets voor haar?'

'Nee, mijn schat, dat is niets. Geneesheren, apothekers, advocaten. Die heren blijven ook niet lang in Suriname. Ze willen gewoon snel fortuin maken om dan in Nederland op hun lauweren te gaan rusten. En dat willen we niet, nietwaar. We willen onze Regina hier houden, *is nie so*, Lena?'

'Natuurlijk, vrouw Carolina. Maar neem geen ambtenaar derde klasse, meisje. Die zijn arm als een kerkrat. En wat heeft een mens daaraan?'

'En militairen, mijd ze als de pest, dat is alles wat ik kan zeggen.'

'Het schuim der natie!'

'Dan weer muiterij, dan weer opstand, en armoedzaaiers zijn het.'

'Groot gelijk, vrouw Lena.'

Augusta presenteerde een grote schaal met zoetgeurende lekkernijen. 'Gommakoekjes, kokosbollen, blokmout en pindabanketjes,' verkondigde ze met een uitnodigend gebaar en de dames tastten toe.

'Heerlijk, *mi gudu*. Je meid kan goed bakken, hoor.'

Hoewel ietwat vermoeiend gezelschap, waren vrouw Helena, Klazina en Carolina goedhartig en goedlachs. Hun bruine vlechten en blonde pijpenkrullen schudden mee met de grote gebaren en kwieke hoofdbewegingen. Ze hadden plezier in het leven, dat was zeker.

'Wel, als mijn Samson een broer had, wist ik het wel. Of jouw Jansie.'

'Koopmansvrouw is een mooie taak, hoor, *no*, Klazina?'

Luid geschater en vriendelijke porren en kneepjes brachten me enigszins van mijn stuk, wat de algemene vreugde nog meer verhoogde.

'Een deugdzaam meisje is altijd een goed ding,' en andere wijsheden vlogen over de tafel.

Inmiddels was ik me wel af gaan vragen waarom geen van de beide Van Roepels getrouwd was, gezien het feit dat er genoeg 'hulp' voorhanden leek. Dat raadsel werd vlug opgelost, toen Augusta verzuchtte dat het afgelegen leven op de plantages onvoldoende kansen gaf op succesvolle ontmoetingen. Zelf was ze pas een halfjaar geleden in de stad komen wonen. 'Ach,' zei ze triest, 'sommige wonden helen langzaam.' En ik had medelijden met haar.

De dames zwegen een moment tactvol. Dan richtten ze hun trouwbeluste spervuur op haar, haar verzekerend dat ze nog immer jeugdig was en vlug het geluk zou vinden. Augusta glimlachte dapper en weerde hun gevlei af.

Het gesprek ging verder over de laatste mode en of ik daarover wist te vertellen, wat was er gewild in Europa? Wat vond ik van de mode hier? Waar had ik mijn kleren besteld?

Gaar maar terdege bijgepraat verliet ik een paar uur later Augusta's huis. Bij de deur had ze me echter snel toegefluisterd: 'Frederik laat vragen hoe het gaat.'

Ik antwoordde dat ik nog niets bijzonders had opgemerkt.

'Ah,' knikte ze teleurgesteld maar begrijpend. 'Hij houdt zich in. De jongen is je nog aan het peilen.' Plotseling alert zei ze: 'Laat niet merken dat je hem in de gaten houdt. Laat hem maar denken dat hij jou in het ootje neemt.'

Ze liet me beloven voorzichtig te zijn, maar ik kon er eerlijk gezegd geen touw aan vastknopen. Wat moest ik achter Walthers gedrag zoeken? Misschien zou ik er beter aan doen meer oplettend te werk te gaan. Tenslotte hadden de vele nieuwe indrukken van de laatste weken me afgeleid van Van Roepels opdracht.

Waar ik maar niet aan kon wennen, was de hitte. Het was de Grote Droge Tijd en iedereen verzekerde me dat het daaraan lag, dat het beter zou worden met de komst van de Kleine Regentijd, het regenseizoen, dat van december tot februari duurde. Voorlopig echter, moest ik de tropische hitte verdragen, die erger was dan de warmste zomer die ik me kon herinneren.

Er stonden zweetdruppels op mijn bovenlip, langs de haargrens van mijn kapsel, natte plekken breiden zich uit onder mijn armen. Transpiratie liep tappelings langs mijn ruggengraat en tussen mijn borsten door, in de nauwe ruimte die het korset bood. Onder de wijde rok parelden de zweetdruppels omlaag langs dijen en knieholten, maakten mijn kleren klam en plakkerig.

Mijn gezicht was rood, mijn haar krulde erger dan ooit, de handpalmen die de steel van de parasol omsloten waren vochtig. De broeierige kousen had ik verkort zodat ze niet meer tot aan mijn bovenbenen reikten - onder de lange rokken was deze noodgreep toch niet zichtbaar. Zelfs nu ik de overbodige handschoenen en vest had weggelaten, bleven er nog genoeg kledingstukken over waarmee ik zat opgescheept. Hoe verwenste ik in dit klimaat de strakke baleinen en crinolines die ik volgens de etiquette verplicht was te dragen! Het scheen niemand vreemd voor te komen dat in de vochtige tropische warme kleding werd gedragen die daarvoor allerminst geschikt was.

Heet, heet, heet! O, waarom waren de dunne chemises uit de Napoleontische tijd zo gauw uit de mode geraakt? De mode *à la Grecque* - Griekse gewaden en tere sandaaltjes. Tulen, zijden en batisten robes. Ik prees me gelukkig dat ik bij mijn vertrek uit Den Bosch in een opwelling nog een paar van tante Cornelie's vroegere meisjesjaponnen had meegenomen. De meeste had zij veel eerder al vermaakt tot kinderkleertjes voor mij. Maar bij het ontruimen van ons huisje had ik toch een paar overgebleven exemplaren gevonden in een stoffige koffer. De verouderde empirejaponnen uit tante Cornelie's nalatenschap waren nu weliswaar zeer bruikbaar - met de zachte plooien, wijd en luchtig, zodat de wind het lichaam kon verkoelen - buitenshuis zouden ze direct als onfatsoenlijk worden geclassificeerd. Ik kon me niet voorstellen dat mijn zedige tante ooit zulke frivole kleding gedragen had. Het was meer waarschijnlijk dat ze afdankertjes waren van een rijke schenkster.

Zodra ik me in mijn eigen kamer kon terugtrekken, me van mijn verplichtingen ontslagen wist, wierp ik mijn degelijke maar ongemakkelijke kledingstukken af en hulde me in de dunne, mousselinen robes. De normen hier vereisten enerzijds een bijna ondoenlijke kuisheid: jas, korset, kousen, handschoenen, kragen en manchetten, even kuis als thuis in Nederland, maar hogelijk onpraktisch in de plakkerige hitte. Als om het onderscheid in beschaving en positie te benadrukken liepen de blanken met bijna hun gehele klerenkast aan het lijf over straat, tegelijk verlichting zoekend met waaiers en parasols, terwijl de slaven vrijwel naakt de zon trotseerden.

Kleurlingen daarentegen leken meer keus te hebben. Sommigen, vooral degenen met een hogere positie, waren net geschoeid en overdadig aangekleed als de blanken. Anderen hadden dan de heupen wel omhangen met talloze bonte doeken, maar lieten het bovenlijf onbekommerd naakt en liepen blootsvoets.

Dachten de blanken met hun bedekking blijk te geven van superieure zedelijkheid, dit idee werd dadelijk gelogenstraft door het grote aantal halfbloeden dat hen op straat zowel als thuis omringde.

En wat de slaven betrof, waarom golden voor hen de fatsoensnormen niet? Het was waar: ze vormden een bezit dat goedkoper in onderhoud was naarmate er minder voor hen hoefde worden aangeschaft. Maar dit onderscheid maakte het contrast des te belachelijker. Hier liepen wij, beschaafde blanken, te zweten, gevangenen van onze eigen kledij en strakke normen. Wat snakte ik ernaar om als de *Merveilleuses* van de Franse keizer te kunnen bewegen, zwevende godinnen in Griekse gewaden, in plaats van me lomp als een gemankeerd schip over straat te slepen, inwendig mijn overbodige tuig en ballast verwensend.

De Zwarte Lord leek onaangedaan door hitte, ofschoon hij nauwelijks minder kleren droeg dan ik. Immer verzorgd, geurend naar de beste kwaliteit scheerzeep en cologne en piekfijn gekleed. Hij moest over een uitgebreide garderobe beschikken, want in de weken die volgden zag ik hem in steeds andere, mooiere kostuums verschijnen, met niet te vergeten de bijpassende vesten van fluweel of zijde. Daarbij verliet hij zelden het huis zonder een of andere accessoire, zoals een wandelstok of een mooie sjaalring. Blackwell was een echte dandy, die zich volgens de regelen van de kunst wist te kleden, de plooien van zijn witte linnen zakdoek zorgvuldig gevouwen, alvorens die nonchalant in de borstzak te steken, de gouden horlogeketting delicaat zichtbaar van onder zijn halflange jas. Of het nu ging om halsdoeken of handschoenen, geen detail ontsnapte aan zijn aandacht.

Het moet gezegd: Walther was een knappe jongeman. Uit zijn heldere ogen en hoge voorhoofd sprak intelligentie, zijn geprononceerde mond kon spottend opkrullen, of soms een vreemde, mysterieuze glimlach tonen. Bij tijd en wijle leek hij afwezig, met zijn gedachten ver weg en maakte dan de indruk van een dromerig koningskind.

Nooit kon ik hem betrappen op een slordig of verwaarloosd uiterlijk en dat kon van een goed deel van de kolonisten niet gezegd worden. Velen verslapten in een lui leventje en boden een ongemakkelijke en zweterige aanblik in hun te krap geworden pakken, de boorden knellend om de vlezige, rode wangen, de buik bekleed met een flodderig vest dat menigmaal een reinigingsbeurt gebruiken kon.

Van de 'gekte' waarvoor Frederik van Roepel mij gewaarschuwd had, had ik tot nu toe weinig gemerkt. Walther had er weliswaar een gewoonte van gemaakt mij van tijd tot tijd aan te spreken met curieuze namen, dan kon hij plotseling uitroepen: 'Miss Santo Domingo!' Of: 'Hoe gaat het op St. Kitts? Op Bonaire? In Georgetown?' Van die obsessie met Caraïbische namen begreep ik niets, en ik trok me er niet veel van aan. Op deze momenten was zijn toon luchtig en zijn humeur vrolijk, dus nam ik aan dat het scherts was. En wat ijver betreft had ik me geen betere leerling kunnen wensen.

Het tafelblad in de eetkamer was bedekt met een wit kleed dat Elena in opdracht van mij uit de linnenkast had gehaald. De meid en ik waren al vroeg in de morgen aan de slag gegaan. Walther was met een geschiedenisboek in de salon aan het studeren gezet, waarna ik me bij Elena in de keuken had teruggetrokken met serviesgoed en glaswerk.

Waar de salon goed onderhouden werd en een toonbeeld was van voornaamheid, werd de eetkamer verwaarloosd, het eten zonder plichtplegingen opgediend en ontbrak het aan aandacht voor enige onderhoudende conversatie. Etiquette, de regelen van de kunst der verfijning, zou ook mijn leerling, zo begaafd in zijn uiterlijke presentatie, ten langen leste worden bijgebracht. Nu ik in rang was gestegen van *bonne gouvernante* naar *finishing governess*, zou ik ervoor zorgen dat het mijn pupil niet aan manieren zou ontbreken waarmee hij goede sier kon maken bij zijn debuut in het sociale leven.

Samen met Elena bond ik de bij de ramen slordig loshangende stof met linten bijeen, zodat het uitzicht fraai omlijst werd door gordijnen. Kandelaars werden op de lange eettafel geposteerd, stoelen werden gewreven. Nadat we het glaswerk hadden gepoetst, dekte ik de tafel, intussen instructies gevend aan Elena. Het meisje scheen het allemaal wel grappig te vinden en volgde mijn orders op zonder problemen.

Zes personen, dat leek me een goed aantal, voor als de heer des huizes gasten zou willen ontvangen. Terwijl ik het bestek plaatste om de porseleinen borden, kristal en bloemen rangschikte, voelde ik me zo vrolijk als destijds met tante Cornelie's tafellessen. Een gedekte tafel als een gedicht: messen en vorken symmetrisch als strofen, schotels rond als rijmwoorden, smalle geslepen glazen als hoge uitroeptekens. Kijk eens, tante, hoe goed ik het doe! Dit huishouden, waar de tijd stil was blijven staan sedert het vertrek van de laatste Europese bewoners, zou weer opbloeien onder mijn leiding.

Uit een van de onbewoonde kamers op de bovenverdieping had ik na een middag rondneuzen wat bruikbare spullen gehaald. Elena had me de toegang verschaft, toen ik bij navraag erachter was gekomen dat daar overtollig meubilair was opgeslagen. En nu hingen we twee schoongemaakte schilderijen op: een stemmig zeegezicht en een stilleven met bloemen.

Bij de opening van de tuindeur werd een vogelkooi bevestigd, met de zangvogel die Coen van de markt had meegebracht. Het beestje was al meteen begonnen te fluiten en zijn hoge getjirp en heldere trillertjes vulden de ruimte en verlokten zijn soortgenoten buiten tot veelvuldig antwoord.

Toen alles gereed was, haalde ik de jonge eigenaar naar de eetkamer. Trots toonde ik mijn pupil hoe de eenvoudige achterkamer was veranderd in een zowel voor formele, als voor huiselijke diners geschikte eetkamer. Bovendien was het ook een stuk gezelliger geworden. In de voorheen onverzorgde, kale kamer, geurden nu rozen en zong de twatwa zijn lied.

Walther was verrast. Sprakeloos nam hij de veranderingen in ogenschouw. Terwijl hij de kamer rondliep maakte hij waarderende geluiden, raakte hier en daar een voorwerp aan.

Met de armen voor mijn schort geslagen genoot ik van zijn reactie, knikte naar de trouwe hulp Elena.

Walther lichtte een van de wijnglazen van het damast en constateerde dat er eindelijk gebruikgemaakt werd van 'de uitzet van *Het joodse bruidje*'.

Mijn vragende glimlach opmerkend, legde hij uit dat het huis had toebehoord aan een joodse familie, die na de Beurscrisis in Amsterdam steeds verder in financiële problemen was geraakt. Na in opeenvolgende decennia te hebben geworsteld met een stijgende schuldenlast, besloten de nazaten ten slotte de knoop door te hakken, hun bezittingen te verkopen en naar Nederland te vertrekken.

'Hun plantage werd reeds door mijn vader gepacht. Later werd hij de nieuwe eigenaar. De meeste leden van de familie Lemuel waren al jaren eerder naar Amsterdam uitgeweken. Bij het vertrek van het laatste familielid heeft William Wellington ook dit huis, met de inboedel, gekocht. Maar ik geloof niet dat hij er ooit naar heeft omgekeken,' besloot hij.

'Wel,' haakte ik in, 'dan wordt het tijd dat we er eens iets mee gaan doen. Het is zonde om zulke prachtige stukken ongebruikt in de kast te laten staan. Ik zal Elena leren hoe ze het materiaal moet onderhouden en als je wilt, Walther, kun je dan diners geven aan huis.'

Walther knikte, nog steeds onder de indruk van de mogelijkheden van zijn herontdekte bezit.

'Neem plaats, dan leg ik uit waar het allemaal voor dient,' zei ik met een uitnodigend gebaar naar de gedekte tafel.

Het volgende uur was ik bezig met aanwijzingen over de plaatsing en het gebruik van het juiste bestek. Lepels voor soep, troffels voor vis, zuurvorkjes en puddinglepels. De regels die van generatie op generatie waren doorgegeven, aangepast of verder vervolmaakt. Gehoorzaam onderging de gastheer in spe het onderricht, al leek hij niet erg enthousiast. Elena moest doen alsof zij de gangen serveerde en Walther koos dan uit het assortiment het passende bestek uit. Al met al kostte het meer moeite Elena te instrueren dan haar meester te begeleiden.

'Dan komen we nu op de tafelconversatie,' verklaarde ik, toen ik vond dat beiden voldoende geoefend hadden.

Maar Walther schoof zijn stoel achteruit en stond op. Zijn gezicht stond afwijzend. 'Voor vandaag lijkt het me voldoende, juffrouw,' zei hij vormelijk.

Mijn uitleg stokte en ik staarde hem ongelovig aan. 'Maar het heeft al zo veel tijd gekost alles klaar te leggen,' wierp ik tegen. 'Het is beter nog even door te gaan met de les, nu we toch al zover zijn. Tafelschikking is nog maar een deel van de etiquette, een succesvol diner vereist meer vaardigheid. Over een poos zul je mensen willen ontvangen en dan moet je als heer je verplichtingen kennen. Je wílt dit toch allemaal gaan gebruiken?'

Maar zijn onverschillige blik maakte duidelijk dat het argument Walther koud liet. Hij vertoefde met zijn gedachten reeds elders. De Zwarte Lord volstond met een 'Als u me nu wilt excuseren.' Hij knikte kort en verliet abrupt de kamer zonder nog om te kijken.

Verbijsterd zeeg ik op een stoel neer. 'Wat heeft het voor zin dat hij kostbaar serviesgoed in huis heeft als hij er geen gebruik van wil maken?' vroeg ik me hardop af. Van achter de deurpost zag ik Elena naar me gluren. Moedeloos wenkte ik haar. We ruimden de tafel af.

De middagwandelingen waren voor mij een vaste gewoonte geworden. Niet meer tijdens de middagrust, de heetste tijd van de dag, maar rond een uur of vier ging ik naar buiten, met mijn parasol gewapend tegen de zon. Op dat tijdstip kwamen de meeste mensen weer naar buiten om bezoeken af te leggen of te werken.

Het duurde niet lang of ik werd aangesproken door onbekenden. Blanken, die hadden gemerkt dat ik nieuw was in de kolonie. Het was een aangename verrassing – nooit eerder was men mij in een vreemde stad zo zonder terughoudendheid tegemoet getreden. Mijn voorkomen, onopvallend in Europa, leek hier door het zichtbare contrast aan te trekken als een uithangbord.

Zoals Augusta had voorspeld, werd ik al gauw uitgenodigd voor een bezoek of bijeenkomst. Iedereen bleek benieuwd naar nieuws uit Europa en

– voor mij merkwaardig om mee te maken – naar mijn persoon. Maar daar ik op zoek was naar nog wat leerlingen, leek het me alleszins gewenst mijn kennissenkring uit te breiden. Soeur Agnes' vroegere raadgeving indachtig, besloot ik dus schoorvoetend mijn bescheidenheid opzij te zetten.

Zo kwam het dat ik werd aangesproken door handelaren, geestelijken, advocaten en zelfs diplomaten. Iedereen toonde zich belangstellend, zij het op verschillende wijze. Sommigen, met name de Nederlandse hoofdambtenaren, hanteerden de voor mij meer bekende reserve in houding, evenwel vergezeld van een met nadruk uitgesproken uitnodiging – hoogst ongebruikelijk voor iemand in mijn positie.

Anderen moest ik met een beleefde glimlach aanhoren, ondertussen hun harde, brallerige stemgeluid verdurend. Ook van de schel pratende, luidruchtige vrouwen, die meenden geen wandeling te kunnen maken zonder een schare slavinnen in hun kielzog om accessoires en inkopen te dragen, hield ik liever afstand.

Maar dankzij Augusta's verhalen begreep ik al snel dat ik me in de kleine blanke gemeenschap moeilijk kon onttrekken aan sociale verplichtingen, zonder me daarmee vijandige roddels op de hals te halen. Dus reageerde ik welwillend op de uitnodigingen en begon met enige bezoeken af te leggen aan vrouwen uit Augusta's kennissenkring.

Ondertussen vroeg ik me af hoe mijn werkgever zou reageren als ik mijn visites zou uitbreiden naar diegenen op hogere posten. Zou een dergelijke onverwachte standsverhoging gewenst zijn, hoe verhield zich dat met de positie van mijn eigen werkgever, werd het allemaal niet te veel van het goede?

Een invitatie die ik in ieder geval kon aannemen zonder het fatsoen geweld aan te doen, was die van Samuel Lobato. De klerk van Walther had me al spoedig uitgenodigd om zijn uitgebreide vlindercollectie te komen bekijken. Vlinders verzamelen was een liefhebberij die in de tropen door veel kolonisten hartstochtelijk scheen te worden beoefend, evenals tuinieren en botanie. In mindere mate gold dat ook voor het vergaren van geleedpotigen en het preserveren van reptielen. Menige gastheer hield er een rariteitenkabinet op na en liet zich niet het genoegen ontzeggen, vrouwelijke bezoekers te laten griezelen door hen een pot vergeelde alcohol te tonen met daarin een dode opgerolde slang of monstrueuze pad.

In de Stoelmanstraat stonden vele kleine huisjes, die beschaduwd werden door brede, bladerrijke bomen. Het was geen wijk die in voornaamheid uitblonk, maar de groene bermen met de bescheiden *kotomisi*-bloempjes wekten een indruk van gezelligheid en geborgenheid.

'Welkom, welkom!' Samuel kwam me tegemoet terwijl ik doende was mijn parasol en hoed aan het negerjongetje bij de deur af te geven. Het kind hing de spullen netjes op aan de lage kapstok in de hal. Verheugd gaf Sammi me een arm en we wandelden naar binnen. Het huis van de klerk was eenvoudig gemeubileerd, er was geen vertoon van dure schilderijen of kostbare spullen. Wel vielen onmiddellijk de talloze lijsten en houten doosjes op, die de wanden besloegen. Achter het glas bevonden zich - in Sammi's woorden - ''s Oerwouds feeën, de tere vleugels opengespreid, hun bonte kleurschakeringen tonend'. Hun bewonderaar had met veel geduld de vlinders gevangen en geprepareerd en was op zijn verzameling niet weinig trots.

Toen ik mijn verrassing over zijn collectie uitsprak, leidde Samuel me van wand tot wand en voorzag iedere lijst van uitleg. De vlinders waren inderdaad bijzonder mooi. Ik bewonderde felgekleurde, haast onwerkelijk blauwe exemplaren, glanzend als satijnen hemelbloemen. Er waren schitterende gevlekte papillons in allerlei formaten en variaties, giftigrode passiebloemvlinders met ellipsvormige vleugels, verbleekte reuzenvlinders naast nietige, bloesemachtige schepseltjes. Het moest niet moeilijk zijn in een land met zulk een uitbundige flora, verstrooide vlinders te verschalken.

'Zijn ze niet prachtig, die vrolijke klapwiekjes, die trage loksters met hun fabuleuze vleugels!' riep Sammi verrukt uit.

'O, Samuel, ik wist niet dat je zo poëtisch aangelegd was,' zei ik verbaasd.

'Zo onaangedaan door hun eigen schoonheid kunnen ze wegzweven,' ging hij dromerig voort, 'schitterend, alsof ze de draagsters van fortuin zijn.' Hij strekte de arm, zwaaide als een orkestmeester sierlijk de hand, verbeeldde zich zijn schare tuinbezoeksters in hun onhoorbare, dartele dans met de bloemen. Met gesloten ogen bleef hij een moment staan, een gelukkige glans over zijn gezicht. Toen keek hij me weer aan en verklaarde plechtig: 'Ze zijn mijn muze.'

'Terecht,' antwoordde ik glimlachend.

We drentelden langs de collectie. Ten slotte haalde Sammi uit een kast een zorgvuldig in doeken en kamfer bewaard boek tevoorschijn, de *Metamorphosis Insectorum Surinamensium*. 'Ach, die Maria Sibylla Merian...' mijmerde hij, 'was ik maar half zo goed met penseel en perkament...'

De foliobladen omslaand bewonderden we de natuurgetrouwe schilderingen van vlinders, rupsen en spinnen, afgebeeld op de takken van de fruitbomen waarin ze leefden. Blij constateerde ik dat ik verschillende afgebeelde planten en vruchten reeds kon herkennen. Wat de insecten betrof, kon ik echter alleen sympathie opbrengen voor de vlinders en het was dan ook een opluchting dat Sammi zich niet bezighield met het verzamelen van ongedierte.

Mijn nieuwe vriend had wel de hele avond door kunnen gaan met het vertellen over zijn liefhebberij, als niet de kokkin was komen melden dat het souper klaarstond. De zon was begonnen onder te gaan en een jongen van een jaar of elf kwam de lampen aansteken.

We begaven ons naar de eetkamer, waar vanuit de keuken heerlijke etensgeuren ons tegemoet dreven. Kaarsen verlichtten het tafellinnen en serviesgoed, dat sober oogde, maar van de opgediende spijzen kon niet anders gezegd worden dan dat ze voortreffelijk smaakten. De zwijgzame kokkin bediende ons samen met twee meisjes en een oudere jongen. Voor slechts twee personen was dat rijkelijk veel bediening, maar dat scheen men in Paramaribo niet anders gewend te zijn.

Na de kippensoep volgden gebakken broodvrucht en gestoofde kip met zuurgoed van palmhart en als groentegerecht kousenband, een vrolijke naam voor de lange groene peulen, die in stukjes gebroken werden geserveerd. Als dessert kwamen er ingemaakte kersen en *fiadu* op tafel. De kokkin, een bruine vrouw van tegen de veertig, dirigeerde zonder veel woorden de kinderen, liet hen de tafel afruimen en de nieuwe gang binnenbrengen. Alles verliep ordelijk, maar enigszins gespannen, alsof de slaven niet gewend waren aan bezoekers. Plichtplegingen, zoals ik die kende uit de huishoudens van de Hollandse elite, speelden hier natuurlijk geen rol; het was een gewoon, huiselijk etentje.

Toen ik me bezwaard voelde dat we zo zaten te smullen, stelde Sammi mij gerust: de kinderen kregen hier net zo goed te eten als wij. En dat was ook te zien. Samuels huisslaven zagen er goed gevoed en net gekleed uit en hoewel ze zich bescheiden op de achtergrond hielden, zagen ze er niet angstig of schichtig uit, zoals me bij Augusta weleens was opgevallen. Ik leidde eruit af dat Samuel een goede meester was.

Gaandeweg leken de bedienden zekerder van zichzelf te worden en tegen de tijd dat het dessert werd geserveerd, waren de jongsten van hun plicht ontslagen en speelden in een hoekje van de kamer. Samuel maakte grapjes met hen. Tegen de muur geleund stond de oudste jongen, een jongeman al haast, naar ons te kijken. Op gemoedelijke toon maande de meester hem om zijn moeder te gaan helpen en de jongen verdween naar de keuken.

Het was nog steeds wennen voor mij: enerzijds ging men hier veel strenger om met het personeel dan in Europa. Slaven hadden immers nauwelijks rechten en lijfstraffen behoorden helaas tot de orde van de dag, of het nu kinderen of volwassenen betrof. Meer dan eens was ik op straat een slaaf gepasseerd wiens rug één massa littekens was, aandenken van de striemende zweep, een gruwelijk gezicht. Zelfs kinderen werden dergelijke mishandelingen niet bespaard. Anderzijds werd in veel gevallen het slavenpersoneel goed verzorgd en met meer vertrouwelijkheid en minder afstand benaderd, ja, zelfs met inniger familiariteit dan in Holland het geval zou zijn.

De stads- en huisslaven hoefden minder zwaar werk te doen. Veld- en plantageslaven werden, naar ik had gehoord, veel meer afgebeuld en verwaarloosd. Toch gebeurde het maar al te vaak dat eerder aangehaalde intimiteit door de eigenaren later werd betreurd en verloren autoriteit weer met de zweep herwonnen moest worden. Welke gevoelens moesten deze slaven over hun meesters hebben, hij of zij die zich soms gul en toegeeflijk kon opstellen, en dan weer wreed en harteloos kon optreden? Ik was blij dat ik niet voor zulke keuzen werd gesteld, noch als slavin, noch als meesteres.

Praktisch gezien maakte ik wel gebruik van slaven, ook al bezat ik er zelf geen. Maar ik had geen keus, de bedienden van Augusta en Samuel, de zwarte ambachtslieden en verkoopsters op straat, waren allen slaven. Zelfs de vrijgeboren kleurlingen of vrijgelaten zwarten hadden slaven als ze zich dat konden veroorloven.

Toch, al tolde mijn hoofd soms van dit volkomen ingeburgerde en al meer dan tweehonderd jaar bestaande koloniale arbeidssysteem, ik moest toegeven dat het gemak ook snel kon wennen. Had ik in Nederland de verantwoording voor mijn garderobe, hier kon ik elk verstelwerk voor weinig geld laten doen door een slavin die voor dat doel te huur was.

Alle straten werden schoongehouden door 's lands *soesti nengre's*, 'sociëteitsnegers'. 's Morgens in alle vroegte en 's middags weer, zorgden gouvernementsslaven ervoor dat de hele stad kraakhelder geharkt, geveegd en geschrobd was. Niet als onzichtbare kabouters, maar als duidelijk in het oog lopende zwarte menigte van half geklede mensen die nijver werkte voor de witten en lichter gekleurden, en voor wie ze telkens als er zo een goed geklede hooghartig passeerde, opzijgingen, eerbiedig dan wel angstig.

Het was een situatie die mij in verwarring bracht, een van de zo vele tegenstrijdigheden die ik al was tegengekomen. Maar vanavond voelde ik me op mijn gemak, beter dan in lange tijd, ongedwongen zonder mijn autoriteit of nederigheid van de gouvernanterol te hoeven handhaven. Samuel behandelde mij als een goede vriendin en dat was juist waar ik behoefte aan had.

Na de maaltijd zaten we met een glas amandel-orgeade en een schaal koekjes in de huiskamer en maakte ik Samuel complimenten over de kunde van zijn kokkin. Sammi vertelde dat Judith was gehuurd van een joodse vrouw, bij wie ze van jongsaf vertrouwd was gemaakt met de sefardische keuken. Zelf voelde hij zich al jaren niet meer aan de strenge religieuze wetten gebonden en de synagoge bezocht hij nog maar zelden. Maar de maag wende minder snel dan het hart: de joodse keuken te moeten ontberen zou een beproeving zijn geweest en dus was hij blij met Judith als huishoudster.

Tevreden zaten we te midden van de kunstmatige vlindertuin, nipten van de zoete orgeade. Zachtjes wiegend in de rieten schommelstoel, omringd door verstilde, fragiele vleugels, wist ik dat ik een glimp van iemands privéparadijs had mogen opvangen.

Dagelijks kwamen er nu uitnodigingen voor mij binnen. Tot nu toe had ik er geen van belang geaccepteerd, maar wel had ik Elena opdracht gegeven de briefjes na ontvangst te bewaren op het bijzettafeltje bij de voordeur. Daartoe had ik tevens een koperen dienblad neergelegd. Het leek me geen slecht idee zo ook het personeel te instrueren, opdat ze een Zwarte Lord waardig kon zijn.

De stapel groeide gestaag. Walther toonde zich geïnteresseerd, bekeek de kaarten die door Elena op mijn aanwijzingen aan het ontbijt op het dienblad werden gepresenteerd. *'Sang!'* Hij floot zachtjes. 'Een uitnodiging van de gouverneur zelf! U bent wel populair, juffrouw Winter.'

'Het feest is op 7 oktober, aanstaande zaterdag,' deelde ik weifelend mee. Moest ik erheen? Kon ik erheen? Twijfel omtrent de toestemming van mijn werkgever rees op.

'Natuurlijk gaat u ernaartoe,' zei Walther beslist, alsof ik hardop gesproken had. 'Van zo'n gelegenheid moet u gebruikmaken. Ik zal Coen opdracht geven u er met de wagen heen te brengen.'

'O, dat is erg vriendelijk,' antwoordde ik verrast.

Hij wuifde mijn dank weg. 'De gouverneur wil weten wat voor vlees hij in de kuip heeft. Zet uw beste beentje voor, juffrouw. Dan heeft u voor u het weet, een paar leerlingen van goeden huize erbij.' De Zwarte Lord liet zijn blik over de andere uitnodigingen gaan. 'Het is het beste als u eerst naar het feest van de gouverneur gaat en daarna pas aan andere uitnodigingen gehoor geeft. Op die manier hoeft u niet bang te zijn een slechte naam te krijgen door te beginnen met een verkeerde keus in gezelschap.' Het was heel attent van hem om aan mijn welzijn te denken. Maar Walther vervolgde: 'Geef op het paleis uw ogen en oren goed de kost, dan ziet u zo aan welk gezelschap u de voorkeur kunt geven.'

‘Die raad zal ik zeker ter harte nemen,’ zei ik dankbaar.

Met een achteloos gebaar bracht hij een arm omhoog en legde zijn witte handschoen een moment tegen de schouder. ‘Tenslotte bent u hier nieuw,’ sprak hij en knikte me toe met een bemoedigende glimlach.

Het zag er gunstig uit voor mijn carrière. Sinds het diepe dal na de Aerdenhouts, had ik me ruimschoots gerehabiliteerd.

Tien

BEGIN OKTOBER 1847

Het gouverneurshuis straalde me al van verre tegemoet. Honderden lantaarns verlichtten het klassieke, witte gebouw met de vele galerijbogen en de Engelse tuin ervoor, al had het lila van de schemering nog nauwelijks ingezet. Een overstelpende gloed van oranje boven in de waaier van hemelkleuren, hield in het fronton het wapen van de Geoctroyeerde Sociëteit nog goed zichtbaar.

Gelukkig had Walther mij de wagen met Coen ter beschikking gesteld, want hoewel het slechts een klein stukje lopen was van de Waatermolenstraat naar het Plein, was het door de droogte een zeer stoffig traject geworden en ik had niet graag het paleis met stof bedekt betreden.

Rijtuigen en wagens waren op de wijde, nu door de zon bijna bruin geroosterde grasvelden voor het paleis samengestroomd. Koetsiers en menners liepen rond om de paarden te verzorgen, of zaten met ontspannen gezichten bij elkaar in groepjes te babbelen en te wachten. Hun takitaki klonk opgeruimd alsof het ook voor hen feest was. Vanavond hadden ze in ieder geval toestemming om na acht uur nog buiten te zijn.

De Tamarindelaan was versierd met een ereboog van palmtakken en oranje guirlandes, brandende olielampen wierpen hun gele schijnsel op het pad dat naar de ingang van het paleis leidde. Het feest werd gehouden ter herdenking van de kroningsdag van onze geliefde vorst Willem II, zeven jaar geleden. Feesten als deze werden volgens Walther van tijd tot tijd gegeven opdat men zich in Suriname bewust bleef van de grandeur van het Koninkrijk der Nederlanden.

Zenuwachtig zat ik op de wagen, mijn beste kleren aan. Geen grijs of zwart deze keer, niet de fletse gouvernantenjurk die herinnerde aan een binnenskamers bestaan, grauw als spinnenwebben: vanavond trad ik naar buiten, voor het eerst in een echte feestelijke japon en meteen ook in de hoogste kringen – een transformatie mij nog zo oneigen, dat uit de dorre cocon bevrijd, de nog vochtige vleugels weifelden zich te ontvouwen. Welk hersenspinsel deed me toch geloven dat ik buiten mijn stand kon treden?

Tante Cornelie zou dit ongehoord hebben gevonden. Maar mijn vaders avontuurlijke bloed liet zich niet verloochenen en scheen sedert mijn komst in de kolonie zelfs sterker te spreken. Met een diepe teug frisse avondlucht dronk ik mezelf moed in. Het was zover. Coen zette me af.

In mijn eentje liep ik naar de ingang - hoge, met rood-wit-blauw vlaggendoek behangen deuren, geflankeerd door soldaten in uniform. Onwennig, want gewoonlijk halfverscholen in het kielzog van mijn werkgeefsters rokken, betrad ik de grote zaal.

De ramen en deuren stonden wijd open, opdat de zo gewenste verkoeling uit de schaduwen van de tuin naar binnen kon drijven. Voor het eerst sinds bijna twee maanden zag ik weer zo veel blanke mensen bij elkaar, het was alsof ik in een soort van warm Holland was binnengestapt. Maar achter de galerij, zichtbaar door de openstaande tuindeuren, schemerde tussen de palmkruinen de beginnende avond zachtpaars, een contrast zo scherp met de menigte deftige Europeanen dat ik me een moment in een exotische droom waande. Overweldigd door de overvloedige indrukken hield ik mijn pas in.

Vioolmuziek. De lieflijke klanken deden mijn korte besluiteloosheid vervluchtigen. Een ensemble speelde, gekostumeerd als achttiende-eeuwse hofmusici, compleet met gepoederde pruiken. De magere muziekmeester dirigeerde de stukken met korte, verbeten gebaren. Af en toe drukte hij met een ongeduldige beweging het afglijdende lorgnet terug op zijn glimmende neus, sloeg dan vlug een blad om. Verwonderd merkte ik op dat sommige van de violisten zwart waren. Geconcentreerd bespeelden de mannen hun muziekinstrument, het publiek negerend. Hun donkere huid stak prachtig af tegen het zilvergalon op de fluwelen jasjes en kniebroeken. Tegelijkertijd verleenden de gekrulde witte pruiken het tafereel iets onwerkelijks. Tot ik de verstolen druppels transpiratie zag glijden van pruikrand naar kraag, een vochtig spoor op de wang achterlatend. Dit was Suriname. Mozarts melodieën verweefden zich met het concert van de cicaden, die buiten luidruchtig begonnen waren te concurreren.

De Hollandse driekleur was de oude vertrouwde, als ornament gedrapeerd langs de wanden en boven de lijsten van grote spiegels, die elk lichtschijnsel verdubbelden. Koperen kroonluchters en veelarmige kandelaars verlichtten de zaal en voorzagen de rijen portretten aan de muren van een zachte glans, leven aan linnen verlenend. Centraal tussen de vereeuwigde hoogwaardigheidsbekleders stond natuurlijk het schilderij van koning Willem II, omringd door een uitbundige bloemenhulde van kransen en ruikers, die het ontbreken van zijn persoonlijke aanwezigheid moest vergoeden.

Links van de zaal ontwaarde ik door een openstaande deur een lange tafel met overdadig buffet. In livrei geklede slaven liepen af en aan met bladen gevuld met dranken en versnaperingen. Aan de rechterzijde van de grote zaal stond tegen de wand een tableau vivant opgesteld. Met losse palmtakken was een jungletafereel gecreëerd, met als ik het goed zag, echte indianen.

Het duurde even voor ik in de mij omringende massa onderscheid kon maken tussen de verschillende personen. Maar spoedig werd me duidelijk wie ik voor me had. De mannen in officieel uniform waren van het Nederlands bestuur. Hun vrouwen waren zoals ik van de Amsterdamse en Haagse elite gewend was geweest, zij het dan dat ik nu ontvangen werd met een hartelijkheid die me nooit eerder bij officiële gelegenheden ten deel was gevallen. Terwijl ik aan deze of gene werd voorgesteld, stelde ik gaandeweg vast dat de hoofdambtenaren en officieren weliswaar even Nederlands waren als ikzelf, maar dat de rest van het gezelschap zeer gemêleerd was.

Er waren planters en administrateurs, rechters en handelaren. De eersten bruingebrand en tanig, de laatstgenoemden rozig en blank. Sommigen sprekend als de Surinamers, anderen met een Hollands, Duits, Frans of Engels accent. De inwoners van Paramaribo leken wel uit alle grote Europese landen afkomstig en ook nog uit naburige landen als Brazilië en Jamaica.

Ambtenaren en geestelijken bleken vaak enige jaren in Oost-Indië achter de rug te hebben, of na een poos werken in de West, al weer bijna op weg naar Azië. Was er in het moederland sprake van werkeloosheid, de aanwezigen wekten de indruk dat voor hun werklust één land te weinig was. De hele aardbol wachtte op ontginning.

Menig burger was naar het feest gekomen met in zijn of haar kleding een groot vertoon van luxe. Kostbare kanten ruches, satijnen strikjes en fleurige zijden bloemen sierden rokken en kapsels. Heren hadden weliswaar minder opschik, maar vertoonden een voorkeur voor opzichtig dure stoffen. Vergeleken met Holland was de mode hier beslist weelderiger, maar op een of andere wijze ook ietwat verlopen.

Daar speelde mee dat als zo'n deftig heerschap zijn mond opendeed, hij opeens blijk kon geven van botte manieren of lompe luidruchtigheid. Avonturiers van allerlei allooi, wie Vrouwe Fortuna gunstig was geweest, toonden dit maar al te graag. Beschaving en boersheid gingen hier letterlijk hand in hand.

Slaven, in de regel onmisbaar voor het dragen van zelfs de kleinste voorwerpen als pijp of tabaksdoos, waren vanavond gelukkig door niemand meegenomen, een enkeling daargelaten, die wegens een lichamelijk gebrek hulp nodig had. De slaven van de gouverneur namen de bediening voor hun rekening, blootsvoets schrijdend over de glanzende vloeren, zwijgend hun zilveren bladen torsend vol flessen en glazen.

Franse wijnen en champagne vloeiden rijkelijk, canapés en kaviaar kwamen langs, terwijl het kostelijke buffet zowel de maag als het oog streelde. Torens van fruit, bataatschotels, gerookte hammen, goudbruine pasteien, vederlicht gerezen, geurige taarten en allerhande kleine versnaperingen.

Door de ongedwongen wijze waarop de meeste gasten zich gedroegen, legde ik spoedig mijn verlegenheid af en slaagde erin met diverse personen te converseren. Ik had me voorgenomen van deze unieke gelegenheid gebruik te maken door zo veel mogelijk mensen te leren kennen, en me aldus van de ene groep naar de andere verplaatsend, hier en daar een praatje makend, wist ik te ontkomen aan een al te eenzijdige occupatie – de hoek met de kolonistenvrouwen deed me te veel denken aan Augusta's theekransje.

Mijn eerste gesprek was met de bejaarde Hollandse planter Spillenaar, die al bijna veertig jaar in de kolonie woonde, maar met weemoedige stem sprak over 'zijn' Amsterdam, alsof het pas gisteren was dat hij hoopvol aan boord was gegaan van het schip dat hem de oceaan had overgevaren. Al mijmerend stond hij erop mij een uitgebreide stadsbeschrijving te geven. Toen bleek uit verschillende onjuistheden dat Amsterdam in de tussentijd toch enige veranderingen had ondergaan, vooral bij het Rak-in en de Nes. Maar gegrepen als hij was door zijn eigen herinneringen, had het geen zin hem tegen te spreken.

Politiek daarentegen vormde een onuitputtelijke bron van discussie voor de kolonisten. Het bleek dat de aanwezigheid van gezagsdragers geen beletsel vormde voor ontevreden burgers. Zo beklaagde de Schotse heer MacIntosh zich omstandig: 'That damned monopoly of the Dutch! No ship allowed to trade elsewhere than to Holland! No trade or it must be with the Dutch. That was quite different under the British! More than a hundred ships a year to England and America, yes Sir! Quite different! But now? A bit of melasse allowed to America, the rest all to Holland.' Hij zwol op en zijn gezicht liep rood aan. 'And without any competition the price for our products stays low, way too low!'

'Hieruit blijkt maar weer, mijn beste,' viel de baardige planter Elizee in, 'dat wij niets anders zijn dan een melkkoetje voor de bestuurders in Nederland. Dankzij onze levering van grondstoffen houden wij honderden, wat zeg ik, duizenden in het moederland aan het werk.'

'Hetgeen niet alleen een rechtmatige zaak is,' voegde nu een van 's gouverneurs jongere officieren die zich dichterbij de stokers had gewaagd, uitdagend toe, 'maar ook een zeer eerbare, als u het mij vraagt.' De jongeman glimlachte zelfgenoegzaam. 'Welk beter doel dan de nood in eigen land te verlichten?'

Maar mijnheer MacIntosh zwol nu paars op. 'Eighty to ninety shiploads a year, from our goods! That's about seven million Dutch guilders worth, just shipped away! Yearly, I mind you ! For minimumprices, absolute minimumprices! It's outrageous - what I say - damn exploitation, Sir!'

Daar hij eruitzag alsof hij aanstonds nog meer zou gaan vloeken, trok ik me maar gauw terug uit dit gesprek, dat over iets handelde waar ik toch te weinig vanaf wist, en liet de heren aan elkaar over.

Me verder door de zaal bewegend, merkte ik een groepje eenvoudig geklede blanken op, dat een bedeesde indruk maakte. Ze stonden bij elkaar op een kluitje en keken de zaal in met grote ogen of staarden bedremmeld naar de grond. Onwennig omklemden hun grove handen de ranke steel van het champagneglas. De boerenschorten en vlassige blonde vlechten contrasteerden sterk met de rijk versierde japonnen en kunstige pijpenkrullen van de andere aanwezige dames. Wat meteen opviel was dat zich in deze groep veel meer vrouwen bevonden dan elders in de zaal. Een hunner trachtte een wankelende man, die duidelijk al te veel op had, ervan te weerhouden nog een fles soldaat te maken. Toen ik hen passeerde hoorde ik een vrouw de zatlap snibbig terechtwijzen in een zwaar Gronings accent. Nee, ze waren beslist nog niet lang in de kolonie.

Inmiddels was ik aan de rechterkant van de zaal terechtgekomen, waar zich het tableau vivant bevond. Nieuwsgierig bekeek ik de indianen, die ik voor de eerste keer in mijn leven kon aanschouwen. Er waren twee mannen, drie vrouwen en vijf kinderen. Ze waren geplaatst in een decor van palmtakken en kuipen met bananenplanten, en op de achtergrond hing een groot beschilderd doek waarop een indiaans dorp met palmhutten was afgebeeld. Verspreid waren te zien een paar aardewerken kruiken, een hangmat, enkele houten zitbanken in de vorm van dieren en enige mij onbekende gevlochten voorwerpen.

De vrouwen hielden zich bezig met het raspen van cassaveknollen en het spinnen van katoen. Hun lange, glanzend zwarte haar hing los op de rug. Op een met kralen en kwastjes versierd schaamschortje na en gekleurde katoenen banden om de benen, waren ze geheel naakt. Hun bruinrode huid was hier en daar beschilderd met zwarte versieringen.

De mannen droegen lange lendendoeken en waren eveneens beschilderd. Bovendien waren zij getooid met gekleurde veren op het kort gesneden haar. Eén man blies op een fluit, de andere was bezig een visnet te knopen. De kinderen liepen tussen hen door of verscholen zich achter hun moeders.

De indianen keken nauwelijks op, negeerden de gasten alsof die niet bestonden. Alleen de kinderen gaapten me onverholen aan of keken schuw vanuit een hoekje naar de bezoekers in de zaal.

Bewonderend aanschouwde ik dit volk, dat knap en schoon gebouwd was, de vrouwen met zachte rondingen, de mannen met stevige spieren. Vervuld van aandacht voor hun huishoudelijke bezigheden, leken ze in paradijselijke staat te verkeren, onbewust van goed en kwaad. Als Adam en Eva in Eden, zonder de Boom der Kennis die met ons, Europeanen, was meegekomen. Even vroeg ik me af wat onze bijdrage feitelijk zou kunnen zijn aan zo een benijdenswaardige onschuld.

'Ziet er woest uit, niet?' klonk een stem naast me. Ik wendde me opzij en zag een jongeman staan met een olijk gezicht. Hij was keurig gekleed, maar zijn bruine haardos stak enigszins warrig uit en verleende hem een ondeugend aanzien.

'Ik bedacht juist wat een idyllische aanblik dit tafereel biedt,' merkte ik op, intussen de heer naast mij opnemend.

'Ah, vergist u zich niet,' vermaande hij, 'achter die beschilderingen verbergt zich een volk dat tot grote wreedheid in staat is.'

Weer keerde ik me naar het tafereel. De zachtmoedigheid die het vredige beeld uitstraalde, kon ik echter niet ontkennen. 'En waarachter bergen wij onze wreedheid?' wilde ik weten.

Verrast flitste zijn blik naar mij, dan barstte hij in lachen uit. 'U bent niet op uw mondje gevallen!' Hij knikte waarderend en stak zijn hand uit. 'Reiner Campenaar. Ik geloof niet dat ik u al eens eerder heb gezien? U en uw man zijn zeker pas in Suriname gearriveerd?'

Ik bloosde en antwoordde: 'Geen man. Ik ben hier om mijn professie van gouvernante uit te oefenen.'

Reiner Campenaar floot zachtjes. 'Zo! Dat is heel moedig van u, moet ik zeggen. Weinig vrouwen wagen zich aan zo'n verre reis. Mist u het comfort van Europa niet?'

Tot dusver was mijn leven in Paramaribo comfortabeler dan het ooit geweest was, op het ongemak van de hitte na. Maar het leek me niet gepast te laten blijken dat ik in Europa minder 'dame' was dan in Suriname. Een werkende vrouw werd toch al snel als onfatsoenlijk beschouwd. Dus neeg ik bescheiden het hoofd en stelde vast dat het allemaal wel meeviel.

Op dat moment voegde zich een gezette heer bij ons, die puffend van de warmte zijn rood aangelopen gezicht koelte toewuifde met een grote zakdoek. 'Brammerloo,' stelde hij zich voor. 'U bent juffrouw Winter. Ik was naar u op zoek. Campenaar, vergunt u mij?'

Reiner Campenaar boog en trok zich terug.

Mijnheer Brammerloo leek haast te hebben. Terwijl hij sprak keek hij om zich heen alsof hij verwachtte dat we elk moment overvallen zouden worden. 'Het treft dat ik u zie, juffrouw Winter. Het gebeurt niet alle dagen dat we in Paramaribo een gouvernante krijgen. Ik wil u een voorstel doen. Ik heb een dochter, Margaretha, die juist oud genoeg is om verdere educatie te ontvangen. Maar ik zie haar niet graag op school, onder het gewone volk. Wat zegt u ervan om haar gouvernante te worden? Mijn vrouw en ik willen onze Margaretha nog niet van ons wegsturen voor een opleiding in Europa. Maar als zij in deze vorm toch onderricht kan genieten, kan zij nog enige jaren bij ons blijven. Het zou ons zeer verblijden indien u erin zou toestemmen haar les te geven.' Mijn bedenkelijke blik ziende, ging hij voort: 'Het is ongetwijfeld veel meer naar de aard van uw beroep om een jong meisje voor te bereiden dan een ongeschoolde neger. Wat kan een losbol als Blackwell u bieden? Stellig niet de vooruitzichten die u onder onze vleugels zoudt genieten.'

Hoewel ik te doen had met mijnheer Brammerloo, die zijn geliefde dochter niet wilde wegzenden, vond ik zijn aantijgingen jegens Walther wel wat onheus. Zou ik mijn pupil nu zomaar moeten laten vallen, bij de eerste de beste gelegenheid? Ik vertelde mijnheer Brammerloo dat ik reeds in dienst was bij Walther Blackwell, maar dat ik nog wel lesdagen overhad.

'Voor enkele uren per week, dan,' stelde de arme vader voor.

Ik beloofde dat ik de zaak zou bekijken - ik moest immers nog toestemming krijgen van mijn huidige werkgever.

Nauwelijks had de opgeluchte man zich teruggetrokken, of ik werd door andere vaders en moeders aangeklampt, die allen les wilden voor hun kinderen. Verbaasd over zo veel belangstelling, moest ik me beperken tot het noteren van hun namen en de informatie die ze me gaven over hun kroost. Er was op het moment niets meer dat ik kon doen. Terwijl ik opeens omringd was door deftige mannen en vrouwen die niets liever wilden dan dat ik bij hen in dienst kwam, zag ik mijnheer Brammerloo vanaf een afstandje nog ongerust in mijn richting kijken. Hij was er niets te vroeg bij geweest.

Later op de avond maakte ik nog kennis met de gouverneur-generaal van de kolonie, vertegenwoordiger van de koning, baron Van Raders. De gouverneur was met zijn ceremoniële kostuum een toonbeeld van gezag. Ik verwonderde me erover dat het een onbeduidend iemand als ik, was toegestaan met zo'n hooggeplaatste in rang te praten alsof we gelijken waren. Hij bleek een vriendelijke man, die niet bang was voor een beetje kritiek. 'Ja, ik weet dat de burgers niet tevreden zijn over het beleid dat Nederland voert. Maar laten we wel wezen, élk voorstel van Holland zou hier in slechte aarde vallen. De Surinamers willen liever met rust gelaten worden. Begrijpelijk, omdat het moederland niet genegen is investeringen te doen, doch wel gaarne belastingen int. De plannen voor afwatering en verbetering van de suikermolens, voor stoommachines, al jaren geleden ingediend, zijn tot nu toe steeds aan dovemansoren gericht. Nederland wil niets dat geld kost. Jammer, want het zou de opbrengsten van de kolonie anders zeker ten goede komen. Maar vertelt u me eens, juffrouw Winter, bevalt het u bij de heer Blackwell?'

Gezien het feit dat iedereen hier me over van alles aansprak, zou ik me gauw moeten verdiepen in de gang van zaken in de kolonie, om niet met mijn mond vol tanden komen te staan. Maar de vraag die me nu gesteld werd, had ik de afgelopen tijd al wel talloze malen beantwoord. Geoefend zei ik dan ook, dat ik me geen betere leerling had kunnen wensen.

'En de huiselijke omstandigheden? Is alles naar wens?' informeerde de gouverneur verder. Hij leek werkelijk belangstellend naar mijn welzijn.

Over een antwoord hierop moest ik even nadenken. Goed beschouwd had ik nergens over te klagen - zij het dat ik me in het huis van Walther nogal eenzaam voelde. Maar dat was des gouvernantes lot, elders zou het niet anders zijn. Ik antwoordde dus dat ik zeer tevreden was en hoopte spoedig meer deel te kunnen nemen aan het koloniale leven.

Dit leek de gouverneur oprecht te verheugen. 'Het is zo jammer dat ons Letterkundig Genootschap juist vorig jaar ter ziele is gegaan! Maar er zullen zeker nog wel lezingen worden gegeven.' En hij sprak galant de wens uit me nog vaker bij sociale evenementen tegen te komen. Hierna vervolgde hij zijn weg langs zijn gasten, mij met bonzend hart achterlatend.

Ik had het klaargespeeld! Een eerste officiële ontmoeting met een autoriteit en ik had me erdoorheen geslagen zoals een dame van stand zou doen. In stilte feliciteerde ik mezelf.

Intussen was het laat geworden en verschillende gasten vertrokken al. Het was ook tijd voor mij om te gaan. Terwijl ik me naar de uitgang begaf, werd ik weer aangesproken door Reiner Campenaar. 'U bent wel gewild, juffrouw Winter. De hele avond was u bezet. Mag ik u misschien naar huis vergezellen?'

Verrast gaf ik ten antwoord dat ik reeds voorzien was van vervoer, Walthers koetsier wachtte mij op.

'Dan begeleid ik u wel naar uw wagen,' besliste hij.

Al lopend door de Tamarindelaan vertelde de jongeman dat hij werkte bij een firma die in opdracht van Amsterdamse eigenaars hun plantages controleerde. Voor zijn werk moest hij dus vaak naar het binnenland. In de stad verbleef hij in een pension aan de Gravestraat, dat gedreven werd door een oudere weduwe, mevrouw De l'Isle. Mijnheer Campenaar verbleef sinds acht jaar in Suriname. 'En het bevalt me goed,' besloot hij.

We waren intussen aangekomen bij de koets. Het plein was al half verlaten. Een heldere maan verlichtte het zwarte gras.

'Ik moet binnenkort weer naar het binnenland. Maar als ik terugkom hoop ik u weer te zien. Goedenacht, juffrouw Winter, het was me een genoegen.'

Coen spoorde het paard aan en het rijtuig zette zich in beweging. Ik keek om en zag het silhouet van Reiner Campenaar op het grasveld. Zijn arm ging omhoog en hij zwaaide met zijn hoed.

Walther was verguld met mijn succes op het koningsfeest. 'U heeft indruk gemaakt. En een goede indruk, ook. Mijn complimenten, juffrouw Winter.'

Ik liet hem de briefjes met namen zien van alle gezinnen die gebruik van mijn diensten wilden maken. Maar ik vergat niet te benadrukken dat de heer Brammerloo zich als eerste had gemeld.

Walther bekeek de blaadjes aandachtig, af en toe goedkeurend mompelend. Ten slotte legde hij de papiertjes terug op tafel en sprak: 'Ik beveel u mijnheer Brammerloo aan. Van de families hier opgegeven, staat hij het hoogst in aanzien, als secretaris van de gouverneur. Ik meen dat uw agenda hiermee voldoende is aangevuld, tenzij u nog een derde betrekking wenst te vervullen?'

Ik schudde mijn hoofd en dankte hem voor zijn advies en toestemming. Hij schoof mijn dank vriendelijk terzijde en zei dat hij nog iets te doen had, of ik hem wilde excuseren.

Het was zondag en ik besloot eerst mijnheer Brammerloo het goede nieuws te melden en afspraken te maken. Daarna zou ik bij Augusta langsgaan. De Van Roepels zouden wel willen weten van de veranderingen in mijn omstandigheden.

De familie Brammerloo bleek een groot huis in de deftige Heerenstraat te bewonen. Hoge bomen beschaduwden de waardige witte huizen, paarse struiken van de bougainvillea bloeiden op de met sierspijlen afgezette balkons. Dit was een straat waar nooit de drukte van het marktverkeer kwam, geen ratelende ezelskarren, maar geruisloze koeriers en boodschappenjongens die discreet door de slavenpoort, opzij van de hoofdingang, het achtererf betraden.

De treden van de rode bakstenen stoep leidden naar een dubbele voordeur, waarboven een paneel met beschilderd reliëf de Hoorn des Overvloeds verbeeldde. Druiven en granaatappels, potten met melk en honing sprongen boven mijn hoofd uit de gevel, een zoete voorbode.

In de salon werd ik ontvangen door mijnheer Brammerloo, geflankeerd door zijn vrouw en dochter. Op de mahonie theetafel pronkte een prachtig gedecoreerd servies. Mevrouw Brammerloo, gehuld in een modieuze robe, bediende mij met gulle hand. Fijne blonde krullen vielen langs haar bleke gelaat toen ze zich naar de theepot overboog. Margaretha en haar moeder oogden beiden teer en breekbaar, als Meissner porselein in een glazen kabinet.

De kennismaking was hartelijk en mijn nieuwe pupil, de oogappel Margaretha, was een lief meisje van twaalf jaar. Tot nu toe had zij les gekregen van haar moeder. Na de eerste uitwisseling van informatie trok Margaretha zich terug, waarna de Brammerloo's met mij de zakelijke kant van de betrekking bespraken. Mevrouw Brammerloo zou haar dochter blijven onderwijzen in Duits, handwerken en muziek. Ik zou daaraan toevoegen: Frans, geschiedenis, mythologie, rekenen, geografie en godsdienst. We spraken af dat ik vier middagen plus één ochtend per week les zou geven aan Margaretha, wat neerkwam op zestien uur per week. De vrijdagmiddag en zaterdag en zondag bleven voor mijzelf. Een ongekende luxe voor iemand van mijn positie! De bespreking verliep naar volle tevredenheid van beide partijen en vervuld van een trots en voldaan gevoel, verliet ik na een uur het pand.

Nu was ik ook nog huisonderwijzeres geworden. En met een bedrag van een gulden per lesuur – opgeteld bij wat ik reeds bij Walther verdiende, zou ik nog rijk worden van mijn arbeid! Opnieuw zou ik mijn kennis kunnen overdragen en met die nuttige taak mijn spaarrekening kunnen aanvullen. Misschien zou ik bij mijn terugkomst in Nederland zelfs een klein huisje kunnen kopen, waardoor ik niet meer zou hoeven inwonen bij anderen en de kost als huisonderwijzeres kunnen verdienen. Het spook van de armoede, dat me vóór de grote oversteek nog dagelijks gewenkt en bedreigd had, leek nu voorgoed verbannen.

Zo dromend en me koesterend in prettige gedachten, liep ik naar de Noorderkerkstraat en begaf me naar Augusta's woning.

Maar net had ik een voet op de stoeptreden gezet, of mijn oor werd getroffen door een vreselijk gegil. Hevig verontrust duwde ik de deur open en stapte de voorkamer in, waar ik niemand aantrof. Verder het huis in lopen zou onbeleefd zijn, maar het geschreeuw hield aan en zonder verder na te denken haastte ik me door de klapdeurtjes naar achteren tot ik in de keuken kwam. Het tafereel dat ik daar aantrof, deed me terugdeinzen van schrik.

In elkaar gekrompen lag er iemand op de grond, het hoofd verscholen onder beschermende armen, de naakte rug weerloos. Augusta stond met vertrokken gezicht voorovergebogen en sloeg met een tamarinderiet op de zielige figuur in. Haar pijpenkrullen zwaaiden wild mee met haar zwiepende arm. Kletsend klonken de slagen door de kamer, overstemd door kreten van pijn. Van de eerste schok bekomen, herkende ik nu Leentje, die huilend en smekend op de grond lag. Verspreid over de vloer lagen scherven van een schaal of bord. Onder het raam, bij de gordijnen, hadden Leentjes kinderen zich verscholen, ogen groot van angst, de lijfjes bevend van ingehouden snikken.

Augusta zag mij en staakte haar afstraffing.

Ik liet mijn arm zakken. Nu pas bemerkte ik dat ik onbewust mijn arm geheven had, een zwakke poging om tussenbeide te komen. Op de huid van Leentje tekenden zich opzwellende striemen af. Zwaar ademend wendde de vrouw des huizes zich tot mij, haar gezicht nog een strak masker. 'Regina. Wacht even, ik moet dit eerst regelen.'

Excuses mompelend dat ik op een ongelegen moment binnen was gekomen trok ik me terug naar de voorzaal, keek nog een keer om. Leentje was weggekropen en had zich in een hoek van de keuken teruggetrokken, Augusta legde haar rietje weg.

Gezeten in de ontvangstkamer, hoorde ik nog Augusta's kijvende stem en het gesnik van haar slavin. Maar er werd niet meer geslagen. Dit was de eerste keer dat ik direct geconfronteerd werd met de bestraffing van een slaaf. Wat moest ik doen? Gelukkig was Augusta bij mijn binnenkomst gestopt, maar mocht ik er iets van zeggen? Het betrof immers niet alleen haar personeel, maar ook haar *eigendom*. Pijnlijk werd ik me ervan bewust dat het hier geen gewone arbeidsverhouding betrof.

Ten slotte werd het stil. Augusta trad binnen, bijna weer haar gewone zelf. Ik voelde me behoorlijk opgelaten, maar het enige wat ze zei was: 'Die Lena-meid is toch zo slordig! Ik weet niet wat ik met haar aan moet, telkens breekt ze wat, en serviesgoed is duur, duur!' Waarschijnlijk door de uitdrukking op mijn gezicht, voegde ze er nog aan toe: 'Je moet ze laten zien wie de baas is, als je dat niet doet, valt er al gauw geen land meer mee te bezeilen.'

Ze keek me aan, tartend hiertegenin te gaan. Opeens moest ik terugdenken aan mijn eerste avond in Paramaribo, toen we in het huis van de Van Roepels verwelkomd werden door hun slaven. Hoe hartelijk ook het weerzien destijds had geleken, het had bij mij al een bijsmaak van tegenstrijdigheid opgeroepen. Hoe blij was het personeel werkelijk geweest, bij de terugkomst van hun strenge meesters? Hadden de slaven geprobeerd de bazen gunstig te stemmen door luidruchtig uiting te geven aan hun blijdschap en dienstbaarheid? Had de kritische Augusta alles bij thuiskomst exact naar wens aangetroffen, of waren de slaven voor nalatigheid gestraft?

Toen ik zwakjes te berde bracht dat Leentje's kinderen ook wel erg geschrokken zouden zijn, reageerde juffrouw Van Roepel heftig: 'Maar goed ook! Hoe eerder ze het leren, hoe beter! Wat denk je dat ze zouden doen als zíj de baas waren? Wat denk je?' Daar ik bleef zwijgen vervolgde ze op zachtere, waarschuwende toon: 'Daarom zijn mannen als Walther zo gevaarlijk. Regina, laat je niet misleiden door de elegante manieren van die Zwarte Lord. Hou hem goed in de gaten!' Ze wierp me een scherpe blik toe.

Ik besloot van onderwerp te veranderen. Vlug verwittigde ik haar van mijn tweede betrekking, met welk nieuws ze me volgens verwachting complimenteerde.

Augusta kon zich er echter niet van weerhouden een opmerking over mijn connectie met de Brammerloo's te plaatsen, die jaloezie verried. 'Ach, meisje, die mensen zijn zo deftig, ze hebben het hoog in hun bol. Laat je niet koeioneren, hoor, mijn schat. En heb je wel gepaste kleding voor die kringen? Het is maar goed dat ik je nog heb geadviseerd in Nederland. Had ik geen gelijk? Je was veel te bleu om maar iets moois uit te durven kiezen. Het is maar goed dat ik erbij was.'

Daar had ze gelijk in, maar ik was nog te zeer aangedaan door wat ik net had gezien om haar complimenten te maken. Ik besloot maar niets te zeggen over mijn bezoek aan de gouverneur. Dat zou haar vast helemaal uit haar humeur halen, en hoe kon ik ervan op aan dat ze haar ongenoegen niet op haar slaven zou verhalen?

Mijn bezoek duurde niet lang. Even later wandelde ik terug naar de Waatermolenstraat.

In mijn hoofd bleef Augusta's stem doorklinken: *Wat zouden zíj doen als ze de baas waren?*

Elf

OKTOBER 1847

Blanke kinderen was ik in Suriname tot nu toe maar weinig tegengekomen. Dat kwam natuurlijk doordat blanke vrouwen er zeldzaam waren. En in veel gevallen stuurden ouders hun kinderen voor scholing naar Nederland. Wel had ik al vernomen dat de kinderen in de kolonie bazig, verwend en tiranniek waren - wat geen wonder was, gezien het feit dat hun ouders over het algemeen zelf nadrukkelijk en op luidruchtige wijze hun slaven commandeerden, bevolen en bestraften.

Stiller ging het er bij de familie Brammerloo aan toe. De bedeesde Margaretha, bleek en zwijgzaam, liet maar zelden haar gevoelens blijken. Soms glimlachte ze, maar als haar blik verstrooid afdwaalde was het onmogelijk te zeggen waaraan ze dacht. De zoete Margaretha kon echter nijver en geconcentreerd werken en gaf mij geen reden tot klagen.

Ze was eenzaam. Zoals gezegd waren er weinig leeftijdsgenootjes, en dan was er nog de moeilijk te verkrijgen toestemming van haar ouders om met een ander kind om te gaan. Vrouwen van hoge ambtenaren was niet toegestaan intiem te worden met de vrouwen in de kolonie. Het Hollandse gezag moest afstand bewaren en een familiaire omgang zou de eigen positie maar ondermijnen.

Aan de huishouding van de Brammerloo's was te zien dat ze tot de hoogste stand behoorden. De kamers waren kostbaar ingericht, de slaven waren in keurige kleren gestoken en hielden alles brandschoon.

De prachtige woning was echter als een fraaie, maar lege schelp. Mevrouw Brammerloo en Margaretha leefden er als twee parels in een oester, zonder bezoekers en zonder zelf naar buiten te trekken. Op sommige dagen was het zo stil dat het gegons van een verdwaalde vlieg zich ongestoord kon vermengen met het zoemen van de muskieten, vertrouwde mevrouw me toe. Deze ongenode bezoekers waren de enigen van wier gezelschap je altijd verzekerd kon zijn. Na deze verzuchting dwaalde haar blik rusteloos rond, de expressie op haar gezicht neigend naar meer dan een zweem van melancholie.

Het zou te sterk uitgedrukt zijn dat mevrouw Brammerloo de kolonie haatte – ze *verdroeg*. Het leven in Nederlands Guyana was slechts te verduren door haar rol van gastvrouw en gezelschap op schaarse officiële gelegenheden en vooral door de zorg voor haar geliefde enige kind. Dankzij mijn komst als huisonderwijzeres kon ze haar laatste jaren in Suriname nog volmaken, tot de diensttijd van haar man erop zat en het gezin weer naar Nederland kon vertrekken.

Na de lessen vroeg mevrouw me dikwijls te blijven souperen, wat ik gaarne deed, want in Walthers huis zou ik geheel alleen aan de dis zitten, aangezien Walther 's avonds meestal buitenshuis verkeerde. Het huishouden van de Brammerloo's deed me bovendien weldadig Hollands aan, ik miste in dit overzeese wingewest het bekende, het herkenbare dat 'thuis' betekende.

Dat vanzelfsprekende, dat geen uitleg behoefde: te spreken van dooi en winterwak, van carnaval of jaarmarkt, te kouten over Dam en Spui, piepkoffie en meitak, zonder die kring van blikken te hoeven ontmoeten – weerspiegeling van onbegrip, meewarigheid en tanende interesse.

Zo had ik eerst de rustige lessen met Margaretha op de veranda of in de tuin, en daarna de maaltijd, met de heel wat meer formeel gedekte tafel dan bij Walther thuis, die desondanks heel genoeglijk was door het vriendelijke gebabbel van mevrouw en de brommende conversatie van mijnheer.

Er waren veel dingen waaraan ik had moeten wennen en die om nieuwe manieren van aanpak vroegen, het ene minder ingrijpend dan het andere. Ter verlichting van de warmte, die soms ondraaglijk werd en mij de schaars geklede slavinnen deed benijden, had ik van sommige jurken de voering losgetornd en was ik stiekem overgestapt van vier naar twee onderrokken.

Maar wat werkelijk een grote verandering betekende voor mijn persoonlijke routine, was de Surinaamse gewoonte om dagelijks in bad te gaan. Walther, had ik gemerkt, nam tweemaal daags een bad, eigenlijk een stortbad, want lang bleef hij nooit in de wasruimte naast de eetkamer. Na het geklater van neerstortend water en wat geproest, was het gedaan en kwam hij opgefrist tevoorschijn. Ook Elena en haar gezin, had ik van het dienstmeisje begrepen, genoten dagelijks met behulp van tobbe en kan, een stortbad.

Aan hete baden deed men hier begrijpelijkerwijs niet, zodat ik moest trachten te wennen aan mijn daagse koude bad. Zittend in de smalle zinken teil die ik voor mezelf had aangeschaft, dompelde ik me zo goed en zo kwaad als het kon in de krappe tobbe, huiverend voor het frisse putwater op mijn bezwete huid, een reinigingsritueel dat al gauw onmisbaar voor mij werd.

Afgekoeld, proper en goedgehumeurd, kon ik dan na de siësta naar mijn leerlinge toe, die mij in de schaduwen van het grote herenhuis wachtte.

Daar ging hij weer. Gekleed in een kostuum dat in de verte iets had van werkkleding: een geruite broek, blauwe jas, handschoenen, en het onvermijdelijke koffertje. Middagenlang was mijn werkgever op pad zonder dat iemand wist waarheen hij was en wat hij deed. Hij vertrok het liefst rond siëstatijd, wanneer de meeste mensen rustten en het niet opviel dat hij weg was. Pas als de jongeman in de namiddag terugkeerde met zijn bagage, werd duidelijk dat hij niet op zijn kamer had gezeten.

De bekraste en gevlekte houten kist bleef een geheimzinnig voorwerp waaraan niemand mocht komen, zelfs Coen en Elena niet. Walther zelf behandelde de oude koffer met buitengewone omzichtigheid, alsof hij er Sèvres-serviesgoed in vervoerde. Hoe zwierig echter, het viel niet te ontkennen dat de dandy er bij terugkeer van zijn uitstapjes niet vlekkeloos bijliep. Stof en grasvegen ontsierden zijn broekspijpen, zijn jas vertoonde krijtachtige sporen of kleine vlekjes, tevergeefs afgeklopt en gepoetst.

Maar het meest eigenaardige was de reuk die hem dan omgaf. Zonnewarmte leek elk spoor vocht in te dampen en in aroma te versterken, ongehinderd door filterende mistdroppels of dempende vrieskou. Een melange van scherpe geuren omringde hem, bracht herinneringen naar boven aan inmaakkelders of een smidse of een bedrijvig boerenerf; nuances van azijn en rokend metaal, vermengd met het zoete van zijn eigen sandelhoutreukwater, aangelengd met een vleug kruidige buitenlucht. Onveranderlijk bleef echter zijn antwoord op nieuwsgierige vragen: hij wuifde alles met een zorgeloze lach weg.

Gedurende de afgelopen twee maanden had ik de Zwarte Lord leren kennen als een zeer wisselvallige persoonlijkheid. Daar was de gentleman, uitstekend gekleed, galant en welbespraakt, en er was de kwajongen, die weleens streken had en probeerde hoe ver hij met zijn lerares kon gaan. Verder was er de zakenman, die op zijn kantoor besprekingen hield met zijn directeur en zijn klerk, afnemers en leveranciers te woord stond. Die zich 's middags naar de haven begaf om de dezelfde dag binnengekomen boten van de plantage te controleren op opbrengst van de verkoop van landbouwproducten. Ook op plantage Lemuel zwaaide hij de scepter, maar deze had ik nog niet bezocht.

En toch, in alle verschillende rollen, met de diverse gezichten die ik van hem had gezien, was hij mij nog steeds een onbekende, wiens ware aard voor mij verborgen bleef.

Goed beschouwd ging het me niets aan wat mijn werkgever in zijn vrije tijd deed. Van Roepels opdracht om Walther in de gaten te houden deed mijn gevoel voor discretie dan ook geweld aan, zowel Augusta als Frederik bleven echter aandringen op informatie. Mijn integriteit kwam in het geding, het was moeilijk te rechtvaardigen dat ik Walthers gangen in het geniep zou volgen. Ik besloot daarom niets te ondernemen voor ik daar gegronde reden voor zou hebben.

Eenmaal waren wij samen inkopen gaan doen. Ik wilde me wat nieuwe kledingstukken laten maken en zou de stoffen daarvoor gaan uitzoeken. Walther bood aan dat ik op zaterdag mee kon rijden op de wagen naar de Saramaccastraat, alwaar zich verscheidene manufacturenzaken en modistes bevonden. Hij moest er zelf ook een paar boodschappen doen.

Coen zette ons af in de drukke winkelstraat waar het naar paardenmest en rum rook, en we kuierden naar de zaak die Walther had aanbevolen. Onderweg lokten al kleurige rollen bedrukte Amerikaanse katoen, Vlaams linnen en glanzende tafzij vanuit de vele open winkeldeuren. Maar ook stapels potten en allerhande ijzerwaren, jachtgeweren en hangmatten, alsmede een keur aan levensmiddelen waren in de kleine en grote zaken te verkrijgen.

Weer verbaasde ik me over de dames die met een uitgebreid gezelschap van slavinnen gingen winkelen, rumoerig kwetterend, maar tegelijkertijd traag en voornaam bewegend, waaiers, zakdoekjes en flesjes eau de cologne op voorhand gereed bij haar dienaressen, zich ten volle bewust van de eigen grandeur. Pas toen deze zwerm bonte vlinders met veel geritsel van gesteven rokken en in een wasem van zwaar parfum en kokosolie voorbijgetrokken was, viel me het niet minder exotisch ogende groepje bosnegers op, merkwaardig halfgekleed en pratend in een zangerig klinkende taal, bezig de uitgestalde handelswaar te inspecteren. Degene die onder hen klaarblijkelijk de belangrijkste was, had niet alleen een lendendoek om, maar droeg ook een pandjesjas en een hoge zijden hoed, echter zonder pantalon. Een dergelijke incomplete uitdossing moest wel potsierlijk overkomen, maar ik wist me te beheersen.

Bovendien, ónze verschijning op zich, voldeed ruimschoots om in de rij van excentrieke vertoningen geschaard te worden. Walther, als immer piekfijn gekleed, en zijn gouvernante, eenvoudiger in haar witte jurk, een omgekeerd beeld van de voorgaande stoet. Terwijl we langs winkels, kramen en cafés liepen, voelde ik de blikken van omstanders op ons gericht, verbeeldde ik me afgunstig gefluister en heimelijke hoon. Niemand zou het ons in het gezicht zeggen, maar de combinatie van ons tweeën deed in de gemeenschap veel stof opwaaien.

Kon de Zwarte Lord in zijn eentje de stadsbevolking van voldoende gespreksstof voorzien, het feit dat hij een blanke lerares had, maakte de zaak eens zo gevoelig. Het enige dat ongepast geroddel de kop in kon drukken was een zorgvuldig vertoon van onberispelijk gedrag. Mij was van jongsaf geleerd wat van een fatsoenlijke dame werd verwacht. Voor mijn pupil echter, lag het anders. Zeker, hij was welgemanierd, maar ook extravagant, en het was mij nog niet gelukt hem voor de Hollandse soberheid te winnen. Nu was het leven in de kolonie voor de welgestelden ook lang niet karig te noemen, maar Walthers gedrag overtrof alles, zoals mij spoedig zou blijken.

In de manufacturenzaak werden we hartelijk verwelkomd door de eigenaar, mijnheer De Meza, een kalende man die gul lachte, waarbij de zilveren crucifix op zijn dikke buik meeschudde en trilde. Terwijl hij Walther meetroonde ging ik op zoek naar de stoffen van mijn gading. Na alles zorgvuldig te hebben geïnspecteerd, tot de garnering van kant en linten toe, maakte ik mijn keuze. Nu moest ik alleen nog het stikgaren hebben. Inwendig jubelend bedacht ik hoe heerlijk het was dat ik de jurk niet zelf hoefde te maken, maar een naaister kon inhuren!

De zaken waren vlot afgehandeld en ik ging op zoek naar Walther. Het duurde niet lang voor ik hem ontdekte: de jongeman bleek het middelpunt te vormen van een zwerm verkopers die zich het vuur uit de sloffen liep om hem van dienst te zijn. De een hanteerde het maatlint, een tweede presenteerde een spiegel en de anderen droegen het ene na het andere artikel ter goedkeuring voor hem, begeleid door de vurige aanprijzingen van mijnheer De Meza.

In eerste instantie vond ik het schouwspel hoogst amusant. Maar na een poosje groeide mijn ongerustheid. Het leek niet Walthers bedoeling te kiezen uit het uitgebreide aanbod, maar voor *het geheel*. De Zwarte Lord verbaasde me door fijne stoffen in te slaan alsof hij een heel kerkkoor van hemden moest voorzien. Terwijl drie winkelbedienden druk bezig waren met de vele ellen stof af te meten en te knippen, probeerde ik hem voorzichtig erop te wijzen dat zulk buitensporig gedrag ongunstig zou werken voor zijn aanzien als heer. Maar hij trok zich niets aan van mijn raadgeving en vervolgde zijn kooptocht, die allengs meer op een strooptocht begon te lijken.

In de hoedenwinkel schafte hij zich een dozijn hoofddeksels aan, het merendeel zonder te passen, enkel met een zwaai van zijn arm aangevend dat de collectie bij hem kon worden bezorgd. De buigende winkeleigenaar toonde zich verguld, maar niet verrast, waaruit ik ontsteld afleidde dat Walther zich al vaker zo te buiten moest zijn gegaan.

Verder ging het weer, naar de juwelier. Het had geen zin te proberen hem in toom te houden. De glinsterende koopwaar lokte. Lispelend dirigeerde de tandeloze goudsmid zijn slaven, die om Walther heen dromden met bladen waarop kostbaarheden gerangschikt waren. De jonge Blackwell toonde een bijzondere belangstelling voor sieraden, met name gouden munten, ringen en horlogekettingen. Het viel me op dat hij geneigd was hier niet de meest fijnbewerkte exemplaren te kiezen, maar een voorkeur had voor een iets grovere kwaliteit. Maar de noodzaak en het nut van dergelijke overvloedige aankopen ontging mij.

Walther zelf verkeerde in een uitgelaten en joviale stemming. Hij gekscheerde met verkopers, met andere klanten en met mij, maande de lieve miss Winter wat vrolijker te kijken, daar zij toch niet al deze aankopen hoefde te bekostigen.

Maar ik wist wel beter; mijn zure gezicht beschermde me voor de nieuwsgierige, op roddels beluste verkopers. Elke suggestie dat ik op een of andere wijze van Walthers spendeerlust zou profiteren, moest worden voorkomen of mijn blazoen zou niet meer smetteloos zijn. Ik nam me dan ook heilig voor niet meer met hem uit winkelen te gaan en doorstond de koopexpeditie met verbeten kalmte, trachtend zo afzijdig mogelijk te blijven.

Dit grillige gedrag bleek echter een nog vreemder keerzijde te hebben. 's Maandags werden de boodschappen geleverd, de ezelskar van de manufacturenwinkel en de kruier van de hoedenzaak stonden voor de deur, beladen met pakken en dozen. De heer des huizes werd erbij gehaald, maar bij het zien van de berg pakjes op de kar fronste hij de wenkbrauwen. Beleefd informeerde hij bij de leveranciers naar de reden van hun komst. De voerman en de loopjongen overhandigden hem de bestelbonnen, die door Walther vluchtig werden bekeken en vervolgens met een simpele ontkenning geretourneerd. De voerman, een breedgebouwde, gemoedelijke neger, bleef rustig en begon omstandig te verklaren dat er geen sprake was van een vergissing. De loopjongen leunde afwachtend tegen zijn kruiwagen en liet de ander het woord doen.

Hoewel ik inmiddels van Elena een mondje takitaki had geleerd, was het tafereel bij de voordeur ook zonder taalkennis wel te volgen. De ongelovige houding van Walther versus de kalme uitleg van de oudere bediende sprak boekdelen. Van een afstandje keek ik toe, me wijselijk op de achtergrond houdend in de hoop dat de jongen zo een lesje in matigheid zou leren. Men zou denken dat hij zelf niet bij het spektakel van afgelopen zaterdag was geweest, zo verbaasd stond Walther te kijken van de hem kennelijk onbekende aankopen. Heimelijk bestudeerde ik hem, zoals hij daar stond in zijn mooie vest en hemdsmouwen, een toonbeeld van oprechte onwetendheid. Was het dan mogelijk dat de jongeling werkelijk niet wist wat er was voorgevallen?

Er is een grens tussen toneelspel en echt drama, overschreden wanneer timbre en manieren overgaan in onuitgesproken vragen en onderdrukte respons, de spelers niet langer acteurs. Al bleef elke partij pijnlijk geduldig en vasthoudend, iedere ontkenning bracht een uitbarsting naderbij. Wat, als dit periodieke geheugenverlies geen klucht was?

Onrust hing in de lucht als een moeizame ademhaling. Mijn slapen omkranst door zweetdruppels verbeeldde ik me de echo van Van Roepels stem, die de last van verantwoordelijkheid liet neerdalen op mijn schouders. Ik deed een stap naar voren, gereed om in te grijpen.

Toen verbrak Walther plots de spanning. Hij barstte in lachen uit om zijn eigen vergeetachtigheid en gaf de bedienden goedgehumeurd een flinke fooi en een vriendschappelijke klap op de schouder. Terwijl ik nog aarzelde tussen verwarring en opluchting, begonnen de plichtsgetrouwe dienaren de zaken van de wagen af te laden en langs me heen naar boven te sjouwen, excuses lispelend bij het passeren.

In een van de twee onbewoonde kamers werden de aankopen opgeslagen. Walther keek er verder niet meer naar om en leek de gênante gebeurtenis al gauw weer vergeten.

Het had er de schijn van dat de kwestie goed afgelopen was, maar achteraf bekeken was alles, de geduldige wijze waarop de leveranciers hem te woord hadden gestaan, het terugkeren van Walthers geheugen - zelfs Elena, die gelaten met de sleutel boven stond te wachten toen de kleine stoet de trap beklom - te veel om enkel onder de noemer excentriek te scharen. Elk detail leek te duiden op eerdere soortgelijke voorvallen. Het was alles bij elkaar een heel eigenaardige en verontrustende zaak. Dit moest zijn wat Augusta en Frederik van Roepel eerder noemden Walthers 'vreemde gedrag'.

Nieuwsgierigheid, een voor mij ongewone eigenschap, begon de overhand te krijgen. Opmerkzaam volgde ik nu de gebeurtenissen in en rond het huis. Stemmingswisselingen vielen op. Vlagen van haast euforische opgewektheid, waarin Walther veel sprak en graag met mij discussieerde, gevolgd door perioden van zwijgzaamheid en afzondering. Op deze momenten gedroeg hij zich somber en afwezig, en sloot zodra daartoe gelegenheid was zich in zijn kamer op.

Bezoek was als altijd schaars, zodat het opviel wanneer er eindelijk iemand kwam. Natuurlijk moest ik me dan terugtrekken, maar wist toch klaar te spelen eerst voorgesteld te worden aan de aanwezige. Eigenlijk hoefde ik daar nauwelijks moeite voor te doen – zoals de Hollandse elite er prijs op stelde beschikking te hebben over een buitenlandse *governess* of *mademoiselle*, was Walther trots op zijn Europese gouvernante.

Op zekere dag werd tijdens zijn afwezigheid een pakket bezorgd. Elena haalde mij erbij om te tekenen voor ontvangst, en een jongen met een apothekersschort voor overhandigde mij een in bruin pakpapier gewikkelde doos. Behoedzaam schudde ik de doos, die licht rammelde. Toen wierp ik een blik op de bestelbon. Een vreemd gevoel bekroop me terwijl ik het papier las. Ik nam het vermetele besluit de bon aan Van Roepel te laten zien.

'Komt u binnen, kom binnen.' Mijnheer Van Roepel gebaarde uitnodigend naar de stoelen in zijn kantoorvertrek. Hij was voor administratieve doeleinden naar de stad gekomen en ik maakte van de gelegenheid gebruik mijn eerste verslag aan hem uit te brengen.

'Samuel...' – zijn stem klonk nu gebiedend – '...loop eens even naar de winkel en haal een fles inkt.'

Samuel stond gehoorzaam op, glimlachte vriendelijk naar mij en haalde hoed en beurs tevoorschijn om de inkoop te gaan doen.

Behalve twee grote schrijfbureaus en een paar kasten tegen de wand, was het havenkantoor van Walther vrijwel kaal. Aan de muren geen opsmuk, enkel wat opgeprikte tabellen en een gedempt tikkende klok. Dikke kasboeken lagen opgestapeld op de kasten.

Frederik van Roepel schoof stoelen aan en ritselde bedrijvig met papieren. Toen de klerk vertrokken was, kwam Van Roepel ter zake. 'Ik ben blij u weer te zien, juffrouw Winter. Maar vanwege het vertrouwelijke karakter van onze samenwerking met betrekking tot onze pupil, is het beter dat er geen derden bij zijn. We mogen geen argwaan wekken bij Walther, of anderen.' Hij boog even naar voren, alsof iemand ons door het openstaande raam zou kunnen afluisteren. Buiten trok het straatverkeer voorbij.

Ik antwoordde dat ik het begreep. 'Uw discretie strekt u tot eer.'

Dit deed Van Roepel zichtbaar genoegen. Hij vervolgde: 'Het is een tijd geleden dat we elkaar gesproken hebben, juffrouw Winter. Naar ik van mijn zuster begrepen heb, bent u al aardig ingeburgerd, hier?'

Terwijl ik zijn opmerking bevestigde, bedacht ik dat Sammi elk moment terug kon komen en dus haastte ik me mijn bevindingen weer te geven. 'Er is een kamer in huis waar niemand mag komen, zelfs Elena mag er niet schoonmaken. De luiken zijn daar altijd gesloten en de deur is op slot. Walther brengt er dikwijls uren door, zonder te vertellen waarmee hij bezig is.'

'Ah?' sprak Frederik van Roepel blijkbaar verrast.

Ik ging verder: 'Vorige week heeft hij een Franse schilder laten komen, een zekere monsieur Auguste Carret.'

'Ha, dat is die bejaarde Franse refugié-schilder,' merkte Van Roepel bedachtzaam op.

'Hij heeft monsieur Carret opdracht gegeven zijn portret te schilderen,' vertelde ik, terwijl de directeur zijn wenkbrauwen optrok om aan te geven dat hij dit wel overdreven ijdelheid vond. 'Verder schijnt Walther belangstelling te hebben voor scheikunde. Hij vroeg mij tenminste of ik daar iets vanaf wist, maar wuifde de vraag na mijn ontkenning weer weg. Zijn woorden waren: "Ach nee, het is niet belangrijk." '

Aan het gezicht van Frederik te zien, kon hij deze informatie evenmin plaatsen als ik, maar ik had nog meer. Uit de zak van mijn rok haalde ik de bon tevoorschijn waarop Walthers laatste boodschappen waren genoteerd, en overhandigde dat aan de man tegenover mij. Van Roepel nam het lijstje aan, zette zijn bril op en bestudeerde zwijgend de tekst. Toen hij het papier weer neerlegde, was zijn gezichtsuitdrukking tamelijk verbijsterd.

'Zouten en zuren?' las hij hardop. 'Hij heeft interesse in... zouten en zuren? Hm... vreemd.'

Hoofdschuddend gaf ik te kennen dat ik ook niet wist wat ik daarmee aan moest. Ik wilde mijn leerling echter niet tekortdoen. 'Maar Walther is een intelligente en zelfbewuste jongeman. Hij heeft zwier en charme en is daarnaast vastbesloten hogerop te komen. Als lerares heb ik over hem niet te klagen. Maar het lijkt er veel op dat hij moeite heeft zijn weg in de maatschappij te vinden, nu hij fortuin en status heeft geërfd. Bij tijd en wijle komen denkbeelden naar voren die wijzen op een op primitieve leest geschoeide gedachtengang, en hij is niet altijd evenwichtig te noemen.'

Frederik van Roepel zuchtte. 'Precies wat ik al dacht, mijn beste juffrouw Winter. Ik ben blij dat u met mij deze mening deelt.'

Door het raam zag ik Samuel Lobato terugkeren met een zwarte fles onder zijn arm. Ik stond op. 'Het is zaak om hem rustig te begeleiden, opdat zijn goede eigenschappen kunnen ontbloeien en ziekelijke ideeën geen vat krijgen.'

'Juist, juist, u heeft volkomen gelijk.' Frederik stond ook op en begeleidde me naar de deur. 'We zullen ons best doen de jongeman in kalmer vaarwater te loodsen. Blijft u hem observeren en aan mij rapporteren, dan zal ik kijken wat ik kan doen.' De directeur nam hartelijk afscheid en voor Samuel voet over de drempel zette, was ik al verdwenen.

Voor het feest in de Sociëteit had ik speciaal een baljurk moeten laten maken. De uitnodiging was bedoeld voor alle blanken in de kolonie. De gouverneur en zijn hoofdambtenaren zouden niet aanwezig zijn, het betrof een kolonistenfeest.

De beste japon die ik uit Europa had meegenomen, had ik reeds aangehad op het feest bij de gouverneur-generaal, en dat betrof een heel keurig kledingstuk. Maar voor iets frivolers was ik nu aangewezen op de Surinaamse kleermaker van Augusta, op zich een hele stap, want nooit had ik gedacht zo weelderig gekleed op een feest te verschijnen.

Niet dat het een echt bal betrof, maar Augusta had me overgehaald iets werkelijk moois te laten maken, omdat ik anders te veel zou afsteken bij de andere gasten, wat mogelijk als een belediging kon worden opgevat. Het zou lijken alsof ik niet de moeite had willen nemen om goed voor de dag te komen op een voor iedereen belangrijk evenement. Deze redenering was begrijpelijk als men ervan uitging dat ik tot de welgestelden behoorde. Hoewel dit niet het geval was verkeerde ik door de omgang met de familie Brammerloo in hogere kringen en werd dientengevolge voor rijk genoeg aangeslagen. En zelfs de minder rijken gingen hier buitenshuis bij elke gelegenheid met pracht en praal omkleed.

Maar los daarvan voelde ik er veel voor om mijzelf eens van mijn verdiende loon te trakteren. Mezelf verontschuldigend dacht ik daarbij aan het beeld van de model gezelschapsdame, dat mij in de toekomst voor ogen stond. Als ik te zijner tijd gelijk Catharina Von Ulft indruk wilde maken in de salon, dan mocht ik me gerust wat eleganter tonen. En enkel sparen voor barre tijden bood geen kans om ook eens te genieten, dus waarom niet, nu het kon?

Zodoende had ik voor het eerst van mijn leven een echte, prachtige feestelijke japon, van turkooisblauwe geborduurde zijde met een wijd decolleté dat de schouders bloot liet, en een bijpassende lichtblauw kanten sjaal.

Staande voor de spiegel had ik me nog nooit zo mooi gevoeld. Mijn haar, altijd al wat weerbarstig, was door de steeds aanwezige warme, vochtige lucht onstuimig gaan krullen. Met verbazing bekeek ik de blonde krullenbos die mijn gezicht omlijstte. Dat gezicht waarvan de teint met de dag leek te verdiepen. Sinds mijn aankomst in Paramaribo was mijn witte huid door een heel kleurenpalet gegaan, van rood via roze naar geel tot bijna goudgeel. Ten langen leste was mijn huid niet meer schraal als vroeger, maar had een gezonde teint gekregen.

Mijn haar, doorgaans simpel opgestoken in een wrong, hing nu in losse pijpenkrullen langs mijn gezicht, met een bloemcorsage als versiering. Met hulp van Elena was het medaillon van tante met een fluwelen band om mijn hals gevlijd.

Mijn spiegelbeeld was een verrassing. Het jonge gezicht met de blozende wangen en schitterende ogen, leek nauwelijks op het sombere, bleke meisje dat me voorheen terug staarde. Ik leek wel een ander mens geworden.

Nogmaals bewonderde ik mijn spiegelbeeld, voordat geluiden beneden me waarschuwden dat het tijd was. Vlug pakte ik mijn waaier en handschoenen: de Van Roepels waren me komen halen.

'Jazeker mijn beste, kleurlingen komen tegenwoordig ook op onze feesten. Wel, niet vandaag - het is Kolonistenavond. Maar de aanzienlijken onder hen, zoals die rechtsgeleerde, Mr. Palthe Wesenhagen, of dokter Coupijn... Die zouden we moeilijk kunnen overslaan. Ze bekleden belangrijke functies in onze kolonie.' Het was planter Stenhuys van plantage Wederzorg, die het woord had.

'Werkelijk?' informeerde ik belangstellend.

'Zeker, juffrouw. De een is de voorzitter van ons Koloniaal Gerechtshof, de ander is medeoprichter van de Surinaamsche Maatschappij van Weldadigheid, die veel goed werk verricht.'

'Ik had er geen idee van dat kleurlingen onder de hooggeplaatsten waren vertegenwoordigd,' merkte ik verbaasd op.

'Ah, dat is al sedert 1828 het geval, toen alle vrijen gelijke rechten kregen. Vanaf die tijd kunnen ook joden en kleurlingen op hogere posten worden benoemd.'

'Er was feitelijk niet meer aan te ontkomen,' viel een oudere planter in. 'Al die kleurlingen die in Europa gestudeerd hebben en actief zijn in het sociale leven...'

'En misschien,' veronderstelde Stenhuys, 'zagen de vaders hun zoons ook graag op hogere posten, in een betere positie—'

Een por van mevrouw Stenhuys bracht de planter voortijdig tot zwijgen.

'Ach ja,' poogde de plantersvrouw te vergoelijken, 'er zijn er nu ook zo veel, hè? Hoewel het niet een ieder is aan te zien dat hij of zij negerbloed heeft.'

'Ja, vermakelijk is dat,' stelde Reiner Campenaar vast, 'zuiver blank is soms nauwelijks te onderscheiden van... Wat is de juiste term ook weer?'

'Poesties,' zei mevrouw Stenhuys behulpzaam, 'en kasties en mesties, karboegers, kleurlingen, mulatten, blanke creolen...'

'Wat betekent dat allemaal?' vroeg ik verbaasd en iedereen haastte zich me te vertellen dat de namen de hoeveelheid vermenging betroffen: half negerbloed, kwart negerbloed, achtste, zestiende tot zelfs één tweeëndertigste toe, in dit laatste geval had men dan met een blanke creool van doen, wat dus pas na zes generaties blanke vermenging het geval was.

'Toch wordt er tegenwoordig wel meer getrouwd met kleurlingen,' zei mevrouw Stenhuys. 'Steeds meer kruisen zich onze wegen.'

'Daar kunt u van meepraten, niet, juffrouw Winter?' meende planter Stenhuys. 'Bevalt uw pupil wel?'

'Ik mag niet klagen,' glimlachte ik. Terwijl ik de inmiddels overbekende vraag geroutineerd beantwoordde, keek ik de zaal rond. Er waren verschillende tafels waar men kon aanschuiven om te kaarten, te babbelen of te drinken. De kolonistenvrouwen hadden zich een tafel toegeëigend waar ze een kleurige oase vormden te midden van de witte en donkere kostuums van de mannen. Sommige vrouwen echter, gaven er de voorkeur aan zich in gemengd gezelschap te begeven om te genieten van een spelletje kaart, of te wandelen door de kamers van de Sociëteit. In een aangrenzende ruimte speelde iemand piano en klonk de sopraan van een vrouw, begeleid door een koor van bassende mannenstemmen. Het lied eindigde en er werd geapplaudisseerd.

Rondkijkend stelde ik me voor hoe mijn ouders deel hadden uitgemaakt van deze gemeenschap. Mijn moeder, zo oud als ik, had hier met haar wijde rokken door de kamers gedrenteld, wuivend met de waaier die ze meer voor de sier had omdat ze gewend was aan de warmte, die voor nieuwkomers als ik afmattend was. Haar huid moest de gouden teint hebben die jonge blanken in de tropen krijgen, voordat de zon hun uiterlijk verweert.

Zo moest mijn moeder eruit hebben gezien, zo had zij geleefd - als de blanken die in de kolonie geboren waren. Anders, losser, gemakkelijker in de omgang. Een vrijheid die mijn vader moest hebben aangetrokken, met zijn bleke uiterlijk duidelijk nieuw in de kolonie en zelf zwijgzaam, vormelijk Hollands, maar benieuwd.

Terug in het heden ondervond ik dat mijn mijmeringen slechts kort konden duren, daar elke kolonist kennis leek te willen maken met mijn onbekende persoon. Spoedig kon ik constateren dat niets de landgenoten meer interesseerde dan het moederland. Het moederland als object van heimwee, waar hun wieg had gestaan en hun familie woonde, maar dat tegelijkertijd een bron van ergernis was vanwege het onbegrip en de schraperigheid van de verre bestuurders die de kolonie slechts wensten te kennen van cijfers op de winstbalans. Zo lyrisch als de conversatie kon worden bij het ophalen van herinneringen, zo giftig werd deze wanneer onvermijdelijk het koloniaal beleid ter sprake kwam. Steeds herhaalde zich deze wisseling van zoet naar bitter, tot ik de gasten met wie ik kennismaakte niet meer uit elkaar kon houden. Om enigszins op adem te komen trok ik mij – met enige moeite – terug uit de drukte en wilde onopvallend langs de kant de feestelijkheden aanschouwen. Het viel niet mee om opeens in het middelpunt van de belangstelling te staan, waar ik altijd een simpele muurbloem was geweest.

Toen zag ik een jongeman die me al eerder was opgevallen. Hij stond in een hoek van de zaal, de handen in de zakken van zijn witte pantalon gestoken, enigszins apart van de anderen. Er waren verscheidene zaken waardoor hij mijn aandacht trok. Ten eerste was daar zijn kleding: hoewel schoon, droeg die toch de sporen van slijtage door frequent en intensief gebruik. Dit was een man die arbeidde, die niet zijn dagen sleet als kantoorklerk, maar het buitenleven kende. Toch was zijn houding niet zo gewillig (om niet te zeggen onderdanig), als van de klerken, blankofficieren of soldaten, maar evenmin zo autoritair als van de hoge functionarissen of de planters. Zijn gebruinde gelaat en iets te lange blonde haar gaven hem het uiterlijk van een vrijbuiter. Eerder op de avond had hij deel uitgemaakt van de verschillende groepjes van mannen die in het gezelschap bij elkaar zaten en verhalen uitwisselden of over politiek discussieerden. Hij scheen met iedereen overweg te kunnen, van de gedistingeerde rechter en de pompeuze planter, tot de heethoofdige jonge officieren. En desondanks leek hij buiten elke groep te vallen. Een kameleon met een eigen kleur.

Ik ging naar het midden van de salon, waar Walthers directeur met een groep mannen zat te kaarten. 'Wie is die man daar?' vroeg ik aan Frederik van Roepel.

Hij wendde zijn hoofd naar de hoek die ik aanduidde. Zijn rode gezicht kreeg een zorgelijke trek. 'O, dat is James Miller. Een armoedzaaier. Is zijn familiefortuin kwijtgeraakt en woont nu in een krot aan de rand van de stad. Schandalig, zoals hij zich gedraagt.'

Op dat moment dook Reiner Campenaar naast ons op en pakte me bij de hand. 'Juffrouw Winter! Vergunt u mij ?' En hij troonde mij mee, weg van de directeur. Dat hij me voerde naar het balkon, waar de avondlucht koelte bracht, was me niet onwelkom. De vele mensen en de overvloed aan kaars- en lamplicht hadden de ruimte al warmer gemaakt dan aangenaam was.

Buiten rook het naar bloemen. In het gras bromden de kikkers en tjirpten de krekels. Ik vroeg me af of de eersten niet op de laatsten jaagden, en of dat aan de geluiden te horen zou zijn.

'Saaie man! Heb ik u gered?' Zijn ogen twinkelden en hoewel ik mijn hand terugtrok, moest ik lachen om zijn brutaliteit.

'Het is meer waarschijnlijk dat u zich verveelde,' merkte ik op. 'Bent u uitgepraat met de heren?'

'Ah, wie wil zich nog bij de heren ophouden als hij kan verkeren in uw gezelschap' antwoordde hij, duidelijk tevreden met zichzelf.

'Kom, mijnheer, dat is vleierij, dat weet u zelf wel. Waarom zou u mij anders nu pas opzoeken?' En terwijl ik mijn waaier uitvouwde als teken dat ons gesprek geëindigd was, draaide ik me om teneinde naar de zaal terug te keren.

'Wacht even, Regina!'

Het was ongewoon dat hij mijn voornaam gebruikte. Op een of andere manier voelde ik me daardoor kwetsbaar.

Reiner had van mijn aarzeling gebruikgemaakt en haalde me in. 'Regina. Ik ben zeer op je gesteld. Het spijt me als ik je heb beledigd.' Opnieuw had hij mijn hand gepakt en deze keer bracht hij hem naar zijn lippen en drukte een kus op de vingers. Geschrokken wilde ik mijn hand terugtrekken, maar hij liet me niet meteen los. 'Wil je erover denken, Regina, beloof je me dat?' vroeg hij.

Aan verwarring ten prooi wist ik uit te brengen: 'Waarover, mijnheer? Vergeet niet dat u met een eerbare vrouw te maken heeft.'

'Maar mijn bedoelingen zijn volstrekt eerbaar,' zei hij ernstig. 'Wat kan ik doen om dat te bewijzen?'

Terwijl hij stond te peinzen wist ik even niet wat te zeggen. Dat mannen mij als prooi of buit konden zien had ik bij de Aerdenhouts ervaren. Maar om het hof gemaakt te worden, dat was nieuw. Deze gewaarwording bracht een ongewone sensatie in me teweeg. Ik voelde een prikkeling over mijn ruggengraat en kleine zweetdruppeltjes verschenen op mijn voorhoofd. Ik slikte. Het leek buiten ineens zo warm.

Toen tilde Reiner mijn kin op en keek me in de ogen. 'Regina, mooie vrouw. Even mooi als deugdzaam. Wees overtuigd van mijn goede intenties. Wil je ons de kans geven elkaar beter te leren kennen?'

Het leek alsof ik de eerste vrouw was, Eva, die Adam voor het eerst zag. Ik keek naar zijn knappe gezicht, dikke bruine haar en schrandere ogen. Mijn hart bonsde bij deze liefelijke woorden. Woorden waarvan ik nooit gedroomd had dat iemand ze tot mij zou zeggen. En nu werden ze uitgesproken door hem, Reiner. Jong, knap, charmant en met goede vooruitzichten. Het was te mooi om waar te zijn.

Mijn twijfel verbrak de betovering. Ik draaide mijn gezicht weg van zijn dwingende hand en hij trok zich meteen terug, vouwde de armen achter de rug, zijn hoofd nederig gebogen. Voor hij zich kon uitputten in excuses of zijn teleurstelling over een afwijzing kon uiten, zei ik vlug: 'Het is goed, Reiner. Ik wil je wel leren kennen. Maar denk aan wat ik heb gezegd.'

Hij glimlachte stralend. 'Natuurlijk, Regina. Als je mij kende zou je dat niet hoeven vragen. Maar dat komt nog. We hebben alle tijd van de wereld.' Hierna gaf hij mij een arm en we liepen gezamenlijk naar binnen. Reiner wilde nog een drankje voor mij halen, maar het was al laat en de meeste gasten maakten aanstalten om te vertrekken. Frederik en Augusta van Roepel stonden al op mij te wachten. Reiner vergezelde ons naar de poort, waar iedereen nog wat beleefdheden wisselde alvorens zijns weegs te gaan.

Die avond bleef ik nog lang wakker, in mijn hoofd speelden de gebeurtenissen zich steeds weer af. En toen ik eindelijk door slaap werd overmand, moet op mijn gezicht nog de vage glans van een glimlach te zien geweest zijn.

Twaalf

NOVEMBER 1847

'Juffrouw Winter, ik ben van plan binnenkort een feestelijk souper te geven. Wilt u zo goed zijn de organisatie hiervan op u te nemen?'

Verrast keek ik op van mijn ontbijtbord. Aan de overzijde van de tafel verorberde Walther met smaak zijn eieren. Hij veegde met zijn servet zijn mond af en vervolgde: 'Natuurlijk gebeurt alles in overleg. Ik help u met het vaststellen van de gastenlijst en het menu.'

Opwinding borrelde in mij op en zelfvoldaan bedacht ik dat mijn lessen toch effect moesten hebben gehad. Blijkbaar was bij mijn pupil het verlangen gewekt zich te profileren naar zijn stand. 'Het zal me een genoegen zijn,' antwoordde ik. 'Om hoeveel gasten gaat het?'

'Ik had zo gedacht,' zei Walther nadenkend, 'dat zestig personen een mooi aantal is.'

Zestig! Ik verslikte me bijna. 'Maar Walther, het lijkt me beter met minder te beginnen. Op die manier kunnen we eerst ervaring opdoen voor we het groter aanpakken. Wat denk je van tien man? Dat is nog overzichtelijk.'

Walther keek bedenkelijk. Zo te zien voelde hij er niet veel voor om met minder te beginnen. 'U hoeft niet bang te zijn dat Elena het niet aankan, we huren gewoon wat extra mensen in voor de keuken en bediening. En vanzelfsprekend bent u de gastvrouw.'

Niet gerust op een goede afloop van zo'n ambitieus plan pleitte ik: 'Je kunt beter met tien mensen een goed verzorgd souper genieten, dan een groot gezelschap door een rommelige avond zien te loodsen. Op die manier kun je naam vestigen als gastheer en bekendheid krijgen om je avondjes. Mensen zullen dan graag tot je gezelschap willen behoren.'

Zijn belangstelling voor mijn argumenten leek gewekt. Hij knikte instemmend en zei: 'U heeft gelijk. Maar tien betreft wel een intiem gebeuren. Zo veel vrienden heb ik hier in de stad nog niet. Mogelijk dienen die zich na deze kennismaking wel aan. Laten we met het dubbele beginnen: twintig man. Draagt dat uw goedkeuring weg?'

Ik gaf toe. 'Dat is een beter aantal. Om hoeveel gangen gaat het?'

Walther keek opgewekt. 'Om het niet te moeilijk te maken wilde ik het op tien gangen houden.'

De volgende dagen waren druk met het inspecteren van tafellinnen, porselein en kristal, inhuren van personeel dat bij de voorbereidingen en op de dag zelf zou moeten helpen, het toezicht houden op huishoudelijke taken als het wassen van gordijnen en boenen van vloeren. Ook moesten er allerlei bestellingen worden gedaan bij de wijnhandelaar, de bloemenvrouw, de koekvrouw, de slager en de Vette Wariër. Elena, Coen en ik liepen ons de benen uit het lijf, maar het lastigste werk bleek het vaststellen van de gastenlijst.

In zijn enthousiasme was Walther moeilijk in toom te houden en kwam hij steeds weer met nieuwe namen aanzetten. Aangezien ik de meeste mensen nog niet kende, moest ik eerst een beschrijving van hun persoon en functie te horen krijgen van mijn pupil, waarna we gezamenlijk besloten of genoemde personen in aanmerking kwamen voor een uitnodiging. Het hele geval was uiterst precair, want Walthers introductie bij de Surinaamse elite moest in één keer een succes zijn. In geval van een mislukking zouden notabelen immers niet geneigd zijn nogmaals hun gezicht in de Waatermolenstraat te laten zien.

De kwestie wie er uitgenodigd moest worden, was trouwens behoorlijk ingewikkeld. Door zijn eigen uitzonderlijke positie, kon Walther niet zo ver gaan dat hij bijvoorbeeld een rechter of hoofdcommissaris kon uitnodigen. Maar zijn kleermaker uitnodigen ging natuurlijk ook niet. Het beste was het te houden op de kleurlingenelite, tot welke groep hij ook behoorde, plus enige blanken die niet tot de hoogste top, noch tot de lageren behoorden.

De samenstelling van het menu zorgde vervolgens voor nog meer ophef. Tien gangen waren een minimale vereiste voor een onderhoudende avond en een geslaagd diner. De kolonisten vertoonden een voorkeur voor voedingswaren uit Europa, die natuurlijk duurder waren dan de lokale producten. Ook Walther zag het diner het liefst op deze wijze gepresenteerd.

Ik maakte een lange boodschappenlijst die ik verdeelde over Walther, Elena en mijzelf. Elena ging met Coen naar de markt en de slager voor de verse waren. En ik ging met mijn werkgever naar de Vette Wariër, waar we kaas, mosterd, wijn en griesmeel zouden kopen, maar ook kaarsen en lampolie. Terwijl ik de waren uitzocht en keurde, deed Walther de bestellingen.

Al was het menu niet geheel evenwichtig te noemen, ik was erin geslaagd aan Walthers speciale wensen te voldoen.

SOUPER

haring met tomatenpuree
heldere kippensoep
gestoofde kabeljauw
warme hampudding
capucijners en snijbonen
lamsbout in azijn
griesmeel-amandelpudding
Zaanse beschuitjes met kaas
fruit
Engelse bol

Terwijl Walther zoals hij van tijd tot tijd deed, voor zijn werk naar Lemuel was, hield ik me bezig met de voorbereidingen. Al dromend stelde ik me de ontvangst voor: Walther in een van zijn mooie kostuums en ik in mijn beste japon, de gasten begroetend en verwelkomend. Op de achtergrond Elena en een hulp bezig met de bladen met versnaperingen, Coen bij de voordeur om jassen en hoeden aan te nemen. In de keuken zou de ingehuurde kokkin in de pan met soep staan roeren, de oven buiten op het erf nog nagloeiend terwijl op de keukentafel het gebraad afkoelde. De salon bood een feestelijke aanblik met de kleurige boeketten en bloemenmanden, glaswerk fonkelde, koper en zilver glansde. En iedereen zou zich vermaken met plezierige conversatie, scherts en het uitbrengen van heildronken. Walthers eerste diner betekende ook mijn debuut als gastvrouw!

We waren al bijna twee weken aan de gang met alles rond te krijgen, toen Walthers stemming omsloeg. Ik was juist bezig de tafelschikking te organiseren – er zou tijdelijk een grote tafel worden geplaatst in de achterkamer en aan de hand van mij door Walther verstrekte gegevens, moest ik bepalen wie naast wie kwam te zitten. Nu alles bijna gereed was, verheugde ik me erop de genodigden te ontmoeten, benieuwd naar de personen op de invitatielijst.

Ik hoorde Walther binnenkomen en vroeg zonder op te kijken: 'Is het al bekend of er iemand heeft afgezegd?'

Toen er geen antwoord kwam, keek ik op en zag Walther zwijgend staan, zijn jasje over de schouder, een sombere uitdrukking op zijn gezicht.

'Wat is er?' vroeg ik gealarmeerd.

'Het gaat niet door,' antwoordde hij mat. 'Hou er maar mee op, miss Winter, zeg alles af.'

Geschokt wilde ik weten wat er aan de hand was, maar Walther liet zich in een stoel vallen en weigerde verdere uitleg. Pas toen ik aandrong en erop hamerde dat het zijn naam niet ten goede zou komen als hij gasten zonder opgaaf van reden zou opzeggen, gaf hij toe.

'Maakt u zich geen zorgen,' zei hij vermoeid, 'de uitnodigingen waren nog niet verstuurd. Niemand hoeft zich beledigd te voelen, omdat ook nog niemand op de hoogte is.'

Ik kon mijn oren niet geloven. Langzaam drong tot me door dat al het werk dat verzet was, voor niets was geweest. Waarom had hij ons allemaal voor een hersenschim laten werken? Mijn boosheid bedwingend vroeg ik: 'Is er een reden hiervoor? Twijfel je eraan of je al je debuut kunt maken in de gemeenschap? Je bent wel nog jong, maar in de Paramaribose gemeenschap lijkt me dat geen bezwaar. Walther, je bent velen al ver vooruit in je ontwikkeling.'

Even zag ik zijn ogen oplichten, een vonk van waardering - of was het mijn verbeelding? Het volgende moment echter, was zijn gezicht weer gesloten en kortaf zei hij: 'Het feest gaat niet door. Als de tijd rijp is, komt er wel een nieuw diner.' Hij stond op en maakte aanstalten om weg te gaan.

Ik vroeg haastig: 'Wat moet er dan met al het eten gebeuren?'

Met tegenzin keerde hij zich weer om, wuifde ongeduldig met zijn hand en mompelde: 'Laat Elena en Coen het maar bij de voorraden in de kelder bewaren.'

Tot overmaat van ramp bleek Walther bij de leveranciers alles dubbel te hebben besteld. Zo hadden we eten voor een uitgebreid souper voor veertig man, en geen gasten. Het warme weer was niet gunstig voor het opslaan van zo veel voedsel. En dus besteedde Elena de volgende dagen aan het inmaken van vruchten en inzouten van groenten en eieren, geholpen door de ingehuurde keukenmeid. Het vlees stuurden we naar een rokerij, en verder zouden we de komende maaltijden de al te bederfelijke waren moeten opmaken. Het was nog een geluk dat het grootste gedeelte van de inkopen goed te bewaren was, als we er tenminste in zouden slagen ongedierte weg te houden, wat in de tropen toch al niet eenvoudig was. Het meeste van de voorraad zou daarom gestuurd worden naar Lemuel, een onverwachte traktatie voor de plantageslaven.

Alles bij elkaar genomen was ik behoorlijk boos over de streek die Walther ons had geleverd. Zelfs al was er nog niemand daadwerkelijk uitgenodigd, ik wist zeker dat de verhalen al de ronde deden. In mijn rol van gastvrouw en huishoudster had ik nogal wat leveranciers moeten afzeggen die bepaald niet blij waren en sommigen, zoals de bloemenvrouw en de koekvrouw, raakten behoorlijk uit hun humeur en begonnen in het Negerengels te schelden, terwijl Coen de zaak probeerde te sussen. De mensen waren gewend aan Walthers buitensporige aankopen, maar niet aan het afzeggen daarvan. De koekvrouw kalmeerde pas toen haar beloofd was dat ze de van het voorschot aangeschafte ingrediënten zelf mocht houden. De bloemenverkoopster wilde per se alle decoraties toch bezorgen, maar hier stak ik een stokje voor. Het was al erg genoeg wat Walther veroorzaakt had, zonder dat het huis ook nog een zotte aanblik zou vertonen.

Als hij al gewend was dat er achter zijn rug om werd geroddeld, dan moest hij nu toch oppassen dat hij niet openlijk uitgelachen werd. Nee, ik had echt schoon genoeg van zijn kuren. Het was niet alleen al het werk dat we verzet hadden, de verwachtingen die gekoesterd waren en de spot waaraan hij ons had blootgesteld - ook het feit dat hij zich niet eens verontschuldigd had, niet leek te beseffen dat hij iets ongehoords had gedaan.

Het was bijna een opluchting dat hij de eerstvolgende dagen geen tijd maakte voor zijn lessen, maar zich op zijn kamer terugtrok. Als ik hem op de gang tegenkwam leek hij afwezig en gaf op vragen nauwelijks antwoord. Soms hing hij in de salon lusteloos op de sofa en dan trok ik me maar zelf terug. Ik had geen zin om tegen deze in zichzelf gekeerde figuur aan te kijken, een schaduw van de sprankelende Zwarte Lord.

Na een week echter, kon ik het niet langer aanzien en riep mijn pupil op het matje. 'Herneem jezelf, Walther, zo gaat het niet langer. Ik weet niet wat er met je aan de hand is, maar zo is het genoeg. Of je raadpleegt een dokter, of je staat morgen om zeven uur weer gereed voor je lessen.'

Met deze ferme woorden had ik de attentie van de uitgebluste jongeling op de bank. Hoewel hij mijn eis geïrriteerd terzijde schoof en gebood hem met rust te laten, wist ik dat ik er goed aan had gedaan hem tot de orde te roepen. Wat had ik anders kunnen doen? Gedane zaken nemen geen keer.

Ik besloot maar eens een wandeling te gaan maken om zelf wat af te koelen. Ontevreden met mijn leerling en met het gevoel maar weinig opgeschoten te zijn met zijn educatie, liep ik over straat. Het was alsof ik pas op de plaats gemaakt had met mijn lessen, niets van waar ik naartoe had gewerkt leek bereikt. Walther was dan wel een Zwarte Lord in uiterlijk en gedrag, maar deel van de *society* was hij nog niet geworden. Al was drie maanden natuurlijk erg kort. Misschien waren we allebei wat overhaast te werk gegaan. Zuchtend bedacht ik dat ik me de volgende keer niet zo door hem moest laten meeslepen.

Het organiseren van zijn debuut kon nog best een jaar wachten. Tegen die tijd was Walther meer geleerd en ouder en wijzer.

Als hij weer met dergelijke plannen zou komen, zou ik vanaf nu voet bij stuk houden dat hij ermee moest wachten. Zonder mijn hulp zou hij dit toch niet allemaal kunnen organiseren. Waarom had ik ook zo gauw toegegeven? Mijn gevoel had me al gewaarschuwd dat het te snel was voor een debuut. Wilde ik zelf zo graag bij de elite horen, als gastvrouw bevestigd zien dat we allebei in rang gestegen waren? Mijn geweten pijnigend over deze zaak, hoorde ik plotseling mijn naam roepen.

'Regina!' De stem deed me verrast omkijken. Samuel kwam aangelopen en zwaaide. Ik hield mijn pas in zodat hij me kon inhalen. De klerk droeg een pak papier bij zich, dat hij naar het kantoor moest brengen. Als we nog in Nederland waren zou ik gevonden hebben dat Van Roepel zijn klerk als een slaafje behandelde. Maar hier had de uitdrukking aan betekenis verloren. Ik liep een eindje met hem op. Het was prettig Sammi te ontmoeten en mijn gedachten te verzetten.

'Sammi,' vroeg ik, 'wat is er dat je bevalt aan dit land? Waarom ben je hier al zo lang?'

'Ah!' Sammi glimlachte en kleine lachrimpeltjes tekenden zich af rond zijn ogen. 'Waarom?' zei hij bedachtzaam en staarde even voor zich uit. 'Toen ik als jongeman uit Amsterdam vertrok, was het de Nieuwe Wereld die me lokte. Het oude Europa had al te lang haar juk op mijn ouders en voorouders gelegd. Maar in de Amerika's wachtte de vrijheid! Ik ging naar een land waar ik kon zijn wat ik was, wat ik wilde. Zonder angst voor stigma's. De tolerantie is hier groot. Niemand wordt aangerekend wat hij denkt of gelooft. Heb je niet 's zondags de klokken van alle kerken horen luiden, alle verschillende Lutherse, Remonstrantse, Moravische, Calvijnse, Roomse en zelfs joodse gemeenten? Goed, die laatste dus niet, maar voor wat je gelooft of niet gelooft, word je niet vervolgd. Joden hebben in Holland weliswaar eerder gelijke rechten gekregen dan in Suriname, maar dat gold meer voor de rijken. Arme families, zoals die waar ik uit voortkom, moesten meest leven van de bedeling. Werk was ons joden niet makkelijk gegund.'

Ik wist waarover hij sprak. In Den Bosch had ik ook genoeg armoede meegemaakt om met mijn vriend mee te kunnen leven.

Sammi ging verder: 'De werkeloosheid trof ons harder, omdat we nog steeds niet overal in elk beroep werden toegelaten. Toen ik in Suriname kwam, had ik de hoop een goede positie te verwerven. Volgens de wet konden joden en kleurlingen ook belangrijke posten bekleden. Ach, de dromen van de jeugd...' Hij glimlachte gelaten.

'Al is mijn droom niet uitgekomen, het leven bevalt me wel. Het is hier een vrijplaats voor andersdenkenden... voor zover ze het gezag niet aantasten.'

Geboeid had ik geluisterd. 'Het gezag aantasten?'

'Jazeker, de Nederlandse autoriteiten houden alles graag bij het oude. Van die nieuwe politieke ideeën uit Frankrijk moeten ze niets hebben. Brengt maar chaos en verval.'

'De revoluties, bedoel je?'

'Ja, Napoleon, de Burgerkoning, de Socialisten, noem maar op. Hoe vaak is het regime in Frankrijk al niet gewisseld.'

'En hoeveel slachtoffers zijn er niet gevallen,' peinsde ik.

'De overheid in Paramaribo tolereert de Franse refugiés, de ontsnapte politieke gevangenen van het woeste Bagno in Frans Guyana. Dat is de strafkolonie waar Frankrijk haar dissidenten heen stuurt, de socialistische oproerkraaiers.'

Ik knikte om te bevestigen dat dit me bekend was, maar Sammi vervolgde: 'Het Bagno is zo'n hel dat degenen die het geluk hebben te kunnen ontsnappen, maar al te blij zijn dat Nederland hen niet terugstuurt. Ze kunnen hier in vrede leven en bemoeien zich niet meer met de politiek. Sommigen vinden een nieuw bestaan als timmerman of kunstschilder.'

'O ja.' Ik dacht aan monsieur Carret, die Walthers portret moest schilderen. Had die ook in het Franse gevangenenkamp gezeten? Toen bedacht ik dat bijna alles wat in Europa voorkwam, zich hier als het ware op een speldenknop bevond, dicht op elkaar en zonder onderscheid te maken. Alsof deze maatschappij gespiegeld was aan de Europese en door de omkering alle verschillen wegvielen. Kon hier werkelijk de socialist naast de royalist zitten, de jood naast de katholiek, de boer naast de koning? Of, in het laatste geval, de vertegenwoordiger van de koning, de gouverneur. Maar het kon, blijkbaar. Wederom verbaasde ik me over de Surinaamse samenleving.

Intussen waren we aangekomen bij het kantoor van plantage Lemuel. Frederik van Roepel stak zijn hoofd door het raam en zag mij. Verheugd gebaarde hij dat ik binnen moest komen, dus ging ik met Samuel mee. Eenmaal in het kantoor, werd de arme Sammi direct weer voor een boodschap de hete straat op gestuurd, terwijl Frederik mij een stoel aanbood.

Zoals ik had verwacht vond ik in Frederik van Roepel een gelijkgestemde, waar het ging om Walthers laatste gril. De directeur toonde zich verbolgen over het zo plots afgelaste feest, vooral vanwege de achteloze verspilling van zuur verdiend geld.

'Het is hem gewoon te veel,' zei hij hoofdschuddend met somber gezicht.

'Blackwell kan het allemaal niet aan.' Hij zweeg een moment en opperde dan voorzichtig: 'Dat hij zich zo laat gaan, ook nu in zijn neerslachtigheid, kan duiden op zwakte, op een te grote verantwoordelijkheid. Verandering van omgeving zou hem goed kunnen doen. Rust, frisse lucht, lange wandelingen.'

Fronsend vroeg ik me af hoe ik Walther zover zou kunnen krijgen. Ik zag me nog niet met hem de lanen doorkruisen, zoals vroeger in het speeluur met jongere en meer gezeglijke pupillen.

De directeur aarzelde even en vervolgde dan: 'Probeert u de jongeheer eens te interesseren in een kuur op Cordonspunt. De zeelucht van Nickerie schijnt zeer gezond te zijn en wellicht verheldert dat zijn hoofd enigszins.' Bemoedigend voegde hij eraan toe: 'Velen vinden baat bij de schoonheid en rust van dat herstellingsoord.'

Dat was een mogelijkheid waar ik nog niet aan had gedacht, maar de man had gelijk. Wie weet, was de weldaad van frisse zeelucht precies wat Walther nodig had om uit zijn apathie van de laatste tijd te komen. De broeierige hitte die de stad teisterde was immers genoeg om iedereen lam te slaan, laat staan een kwetsbare jongeling als mijn pupil.

Ik beloofde de kwestie met Walther te bespreken en terwijl Van Roepel me naar de deur begeleidde, drukte hij me opnieuw op het hart met niemand over onze besprekingen te praten. Dat zou de toch al moeilijke positie van mijn leerling in de samenleving kunnen verzwakken.

Denkend aan hoe men ons misschien al heimelijk uitlachte om het mislukte feest, kon ik hem niet anders dan gelijk geven. Walther had geluk dat er mensen waren die om zijn welzijn gaven.

Nadat ik het kantoor verlaten had, wandelde ik naar de Noorderkerkstraat. Ik had Frederiks zuster al een poos niet gezien en besloot eens langs te gaan. Ze ontving me hartelijk en liet thee en koekjes brengen door een schuw kijkende Leentje.

Tijdens de uitwisseling van beleefdheden en nieuwtjes zag ik Augusta al afkeurende blikken in mijn richting werpen en even later liet ze een waarschuwend geluid horen. 'Mijn beste Regina, ik raad je ten zeerste af, op het heetste uur van de dag naar buiten te gaan. Je kunt beter wachten tot de late namiddag, wanneer de hitte is afgenomen en de zon je teint geen kwaad meer kan doen. Trouwens, als je dan overdag over straat moet, is naast een hoed en parasol ook een voile niet te versmaden.' Hierbij toonde ze met onverholen trots haar bleke gelaat, dat de tropenzon niettegenstaande, haar Europese, wassen uiterlijk behouden had.

Onbewogen had ik haar betoog aangehoord. Sedert ik haar betrapt had op het afranselen van haar slavin, was mijn sympathie voor Augusta flink gedaald. Eerder schatte ik haar al niet hoog, maar door haar hulp en begeleiding in de begintijd van mijn avontuur, had ze mijn sympathie aanvankelijk toch gehad.

'Ik kan je vertellen,' vervolgde ze toen ze bemerkte dat haar woorden weinig indruk maakten, 'dat reeds verscheidene heren belangstelling hebben getoond. En ik ben er zeker van dat er serieuze kandidaten bij zijn.' Augusta genoot zichtbaar van haar nieuw ontdekte succes bij de koloniale elite, dat vermoedelijk niet veroorzaakt werd door schoonheid, intellect, gevatheid of rijkdom – in feite werden haar gebreken in dezen slechts gecompenseerd door haar bleekblauwe teint, blijkbaar een gewild en zeldzaam goed in de bonte schakeringen van deze maatschappij.

'Ja, Regina,' ging ze verder, 'ik kan je een goede raad geven: kies zorgvuldig uit met wie je omgaat! Je hebt nu de kans een man te vinden. Wat zouden wij in Europa kunnen bereiken? Niets anders dan oude vrijsters worden, onze familie tot last, gedwongen tot armoede en dienstbaarheid—' Ze stokte ineens en zei dan met gespeelde schrik: 'Ach, hoor mij nou toch! Niet dat je beroep niet nuttig is, hoor, Regina. Maar ja, een vrouw die moet werken, dat is toch maar uit noodzaak.' En ze vervolgde vleiend: 'Ik ben er zeker van dat de elite graag van je diensten gebruikmaakt. Men kan je niet missen. Maar denk ook aan je toekomst! Ik meen het wel met je.' Eindigend met deze welgemeende ernstige waarschuwing, schonk zij me opnieuw thee in, en presenteerde de door Leentje gebakken koekjes.

Om juffrouw Van Roepel toch wat tegemoet te komen, informeerde ik naar de heren die volgens haar belangstelling toonden. Het was duidelijk dat ze daar graag meer over wilde vertellen.

Mijn vraag deed haar dan ook zichtbaar genoegen, maar opeens versomberde haar gemoed. 'Ik koester geen illusies meer,' zei ze. 'Wat is liefde? Het ene moment belooft zo'n man je alles en vertrouw je hem je hart en je leven toe, het volgende ogenblik is hij je vergeten en blijf jij met de brokken achter.'

Het beeld van Reiner Campenaar verscheen voor mijn geestesoog. Zou Augusta gelijk hebben? Het was in ieder geval juist om de kat uit de boom te kijken, ik moest hem nog leren kennen. Heimelijk glimlachte ik, de gedachte aan Reiner maakte me vrolijk. Maar ik wilde Augusta er nog niet over vertellen. Vlug keek ik op of ze iets had gemerkt. Maar ze staarde voor zich uit.

'Schoonheid slijt,' mompelde ze, bijna in gedachten. 'En dan gaan ze naar de anderen, die bruine naaktloopsters die maar al te graag willen. Voor wie geen huwelijk heilig is.' Een bittere uitdrukking gleed over haar gezicht. 'Het enige wat we op hen voor hebben, is onze kleur. Daarmee winnen we het. Onze kinderen zijn de wettigen, de blanken, de erfgenamen. Dát zal hij nooit vergeten.'

Ik schrok van de verbeten toon waarmee ze de laatste zinnen uitsprak. 'Wat de mannen toch in die verfoeilijke wezens zien! Zwart als de nacht, lelijk als de pest.'

Het feit dat haar vroegere verloofde zijn bedrog had gepleegd met gekleurde vrouwen had haar blijkbaar diep gekrenkt. Toch waagde ik het in hun voordeel te spreken.

'Ik heb geprobeerd schetsen van hen te maken. Het lukte niet.'

'Wat?' Augusta keek niet-begrijpend.

'Hun portret,' verduidelijkte ik, 'Elena en de kinderen hebben voor me geposeerd...'

'Nee toch!' viel juffrouw Van Roepel me in de rede. 'Dat is tijdverspilling, mijn beste, waarom doe je dat? De schone kunsten zijn aan hen niet besteed, dat weet je toch wel? Je kunt veel beter de portretten maken van de vrouwen en kinderen van de elite, dáár zul je waardering oogsten.'

'O nee, daar gaat het niet om,' probeerde ik uit te leggen. 'Het is dat ik een nieuwe manier moet zoeken. Ik ben geneigd om naar de klassieken te tekenen, maar een neger is niet een Griek... Daarom lukte het niet.' Ik lachte om mijn eigen mislukking. 'Elena en haar kinderen zagen er op het portret uit als donker gepoetste standbeelden met ijzeren krullen. Maar toch vonden ze het mooi.'

'Zie je wel!' riep Augusta uit en hief vermanend haar vinger. 'Niet meer doen, hoor, je maakt ze nog verwaand. Ze kunnen niet op dezelfde plaats staan als wij, vergeet dat niet.'

Ik trok mijn wenkbrauwen op. Theedrinken bij Augusta was geen onverdeeld genoegen.

Misschien dat mijn reprimande had geholpen, maar Walther knapte weer op. 's Donderdags gaf ik hem voor het eerst sinds een week weer les. Hij vroeg niet of de Brammerloo's iets hadden gezegd over het afgezegde diner. In feite was dat bij mijn tweede lesadres slechts terloops ter sprake gekomen, kies als de Brammerloo's zich tegenover mijn in hun ogen ongewone pupil, hadden opgesteld.

Ongewoon gedroeg hij zich zeker, maar de familie Brammerloo had zich erbij neergelegd dat ik zelden sprak over mijn zwarte patroon en hem zeker niet zomaar zou verruilen, zelfs niet voor een functie bij de blanke elite.

Waarom deed ik dat niet? In eerste instantie was trouw mijn motivatie. Walther Blackwell was de eerste die mij had aangenomen na mijn lange periode van vruchteloze sollicitaties. Ik kon mezelf er niet toebrengen hem meteen weer in de steek te laten, ook al gedroeg hij zich vreemd.

Maar daarna merkte ik, dat ik in zijn dienst een grotere vrijheid genoot dan ik bij de blanke elite zou hebben. Eenmaal ingelijfd bij het inwonende personeel van de Brammerloo's zou ik behalve gouvernante, ook weer gezelschapsdame worden, het vijfde wiel aan de wagen, maar altijd ter beschikking als dat nodig was. Juist nu ik begonnen was van mijn privé-uren te genieten. Nooit eerder had ik zo veel verdiend dat ik minder tijd aan werken hoefde te besteden. Niet meer dag en nacht klaar te hoeven staan, maar vier en een halve dag werken, twee en een halve dag vrij. Vrij om te doen wat ik wilde: lezen, tekenen, schrijven.

Sedert ik onder Alexandra's vleugels vandaan was, had ik niet meer geschreven. De periode bij de Aerdenhouts was te zenuwslopend geweest om aan schrijven toe te komen. En terug in het Moederhuis lag mijn prioriteit in het vinden van een betrekking. Pas tijdens de lange, eentonige zeereis naar Suriname had ik de pen weer opgepakt en was een dagboek begonnen. Nu had ik eindelijk gelegenheid om mijn kleine fantasietjes aan het papier toe te vertrouwen en te proberen een betere schrijfster te worden. Zelfs als ik de enige was die mijn verhalen las.

Nog mooier aan mijn positie bij Walther was dat er niemand was aan wie ik verantwoording hoefde af te leggen of om toestemming moest vragen als ik wilde wandelen, of buiten schilderen of bezoeken afleggen. Niemand die ik buiten de lesuren hoefde bezig te houden of te verzorgen.

Bij Walther was ik haast mijn eigen baas, een kostbaar gegeven dat ik zorgvuldig koesterde.

De eerstvolgende zaterdag kon ik meteen genieten van mijn nieuwe vrijheid. Ik ging zonder iemands toestemming en zonder chaperonne op stap met Reiner Campenaar. Hij kwam me halen met een open rijtuig en een grote etensmand. Vol verwachting stapte ik in, nagewuifd door Elena - Walther was op kantoor - en voor mijn gevoel nagekeken door de hele straat.

Zolang de koets door de stad reed, had ik het idee overal bekeken te worden, alsof iedereen wist dat ik voor het eerst van mijn leven met een man uitging. Door verlegenheid bevangen durfde ik niet op of om te kijken, maar hield mijn blik recht vooruit gericht. Stilletjes hoopte ik dat de wagen gauw meer vaart zou maken, want ik was niet gewend in het middelpunt van belangstelling te staan. En aandacht trokken we vast: de nieuwe gouvernante in de kolonie samen met de aantrekkelijke Reiner Campenaar.

Eindelijk waren we aan de buitenrand van de stad gekomen. Huizen waren schaarser geworden, weilanden met boerderijen kwamen in zicht. Reiner spoorde de paarden aan en ze draafden harder, blij meer van hun kracht te kunnen gebruiken. Me vastgrijpend aan de leuning keek ik nu rond, bewonderde het landschap, dat zo overweldigend groen was, en verbaasde me over de verschillen met Holland.

Op de akkers waren zwarte slaven aan het werk onder een zon die feller scheen dan in Nederland ooit mogelijk was. Een molen draaide haar wieken rond en liet water klaterend van het scheprad stromen toen we passeerden. Koeien en paarden graasden onverstoorbaar op een veld, een levenslustig veulen schurkte zich aan de stam van een palm. Ver naar achteren, aan de rand van de plantages, strekten zich hoge donkere bossen uit, schijnbaar ondoordringbaar woud.

Na een poos leek het alsof er geen boerderijen meer waren, het laatste witte plantagehuis omzoomd door palmbomen waren we al een tijd geleden gepasseerd. Maar de aarde onder de bomen was wit geworden, fijn savannezand stoof op onder de paardenhoeven. We gingen langzamer, door het mulle zand was het moeilijker voor de paarden om de koets te trekken.

Ten slotte stopte Reiner de wagen, hielp me uitstappen en maakte de paarden los. Boskrekels lieten hun ruisend gezoem horen, nog harder dan in de stad, een ode aan de ongerepte natuur. Zonnevlekken glinsterden op het water, dat donker en koel, slingerend door het struikgewas stroomde. De kreek was uitnodigend beschaduwd door majestueuze bomen. Rondom fluisterden duizenden insecten in het gras, maakten met hun zilveren zang de plek nog stiller. Bij de waterkant zocht ik een plaats uit om te zitten. De geur van bladeren die in de stroom langzaam verteerden en de karakteristieke donkere kleur aan het water gaven, was fris en opwekkend. Het was er zo rustgevend, dat ik niet aan de verleiding kon weerstaan mijn schoenen en kousen uit te doen. Het fijne, witte savannezand glipte tussen mijn blote tenen door, en voelde zacht en rein.

'Wat is het hier heerlijk,' zei ik tegen Reiner. Hij had de paarden uitgespannen en de mand van de wagen gehaald. Zijn hospita, mevrouw De l'Isle, had hem een baskiet vol lekkernijen meegegeven. We spreidden een kleed uit en gingen zitten. Reiner wierp een blik op de mand en zei: 'Mijn ouwetje heeft ons wel verwend, Regina. Een echt feestmaal!'

Maar ik had nog geen belangstelling voor het eten, de omgeving was zo mooi en vredig. Met mijn handen om mijn knieën geslagen zat ik om me heen te kijken, terwijl Reiner de mand uitpakte en het lekkers op het kleed neerzette. Toen ik mij weer omdraaide zag ik tinnen schalen met pasteitjes, geroosterde kip, vers gebakken cassave, een goudkleurige ananastaart op een zilveren plateau, een fles wijn en geelgroene vruchten met een dikke, vettige schil. 'Sinaasappels,' wees Reiner. 'Heerlijk sappig!'

We zetten ons neer en ik haalde de borden en het bestek uit de mand tevoorschijn, zette glazen neer. Daarna schepte ik porties van de verschillende gerechten op onze borden en reikte Reiner het zijne aan. In stilte was ik blij dat noch Reiner, noch ik een persoonlijke slaaf had. Zo'n slaaf of slavin zou dan meegegaan zijn op ons tripje om te bedienen, op te ruimen, vliegen te verjagen en in het algemeen ons van dienst te zijn. Maar dan hadden we nog een of twee personen om ons heen gehad, hetgeen de privacy niet ten goede kwam. Liever deed ik het zonder hulp, zelfs als dat betekende dat er ook geen chaperonne aanwezig was. Misschien was ik al te lang op eigen benen, te lang zelfstandig. Maar ik waardeerde mijn onafhankelijkheid. Zo vrij als nu had ik me nooit eerder gevoeld. Genietend van het eten, het uitzicht en het onderhoudende gezelschap van Reiner Campenaar, voelde ik me even luxueus en verwend als welke Amsterdamse adellijke dame ook.

Boven een half beschaduwde waterplas waren de libellen aan het dansen. Twee felroze gekleurde gegadigden streden om de gunsten van de bruid, onopvallend in haar rossigbruin kleed. De *grasbarki's* joegen elkaar hortend achterna, botsend, zwenkend, totdat de zwakste opgaf en met een wijde boog het veld ruimde.

De lucht gezuiverd van indringers, maakte de overwinnaar het vrouwtje het hof. Geluidloos zweefden de insecten, de wijde, gaasachtige vleugels glinsterend als gesponnen zonlicht, een kleine dans van vluchtige beloften, moeraselfen, een pulserend moment lang.

Twee triomfantelijke toortsen in miniatuur, vloog het duo synchroon manoeuvrerend gepaard, gekronkeld en vervlochten. Met halfrond gebogen lijven paarden zij, een fragiel hart vormend. Dan, met een gracieuze wenteling, werd het snoer verbroken en vloog elk de bestemde weg.

Het bevruchte vrouwtje daalde sereen af naar de watervlakte, het mannetje steeg omhoog. De rijke waterplas zou kraamkamer en voedster tegelijk zijn, een universum voor het kroost om te zwemmen en te jagen, tot de nymfen het nat ontstegen, na een laatste vervelling het hemelruim zouden verkennen.

Haar instinct volgend, balanceerde de nietige zwampengel verticaal op haar staart over het wateroppervlak om de eitjes te lossen. De karmijnrode glazenmaker cirkelde beschermend boven haar en waakte over zijn territorium.

Geboeid had ik de geruisloze liaison gevolgd die zich voor onze ogen afspeelde. Reiner lachte om de ernst waarmee ik de waarneming had beschreven: een voorval zo gering en meestentijds onopgemerkt, dat niettemin bijdroeg aan de eeuwige cyclus van de natuur.

'Daarom bewonder ik je,' sprak hij en nam mijn hand in de zijne. 'Je bent een vrouw die geleerd heeft. Een verademing. Heb je enig idee hoe saai de gesprekken zijn, als altijd weer dezelfde onderwerpen langskomen?'

Stilzwijgend beaamde ik dat ik er wel een idee van had, me intussen afvragend of ik zowel het compliment als zijn hand zou trachten te negeren. Als ik eerlijk was, verwarmden beiden mij en ik probeerde een blos te onderdrukken.

'Lieve Regina,' zei hij, 'ik zal er niet omheen draaien. In mijn functie van controleur heb ik genoeg kunnen sparen om over niet al te lange tijd een huis te kopen en een stuk grond. Over een paar jaar hoop ik ook nog een plantage te kunnen kopen, waarna ik de firma in Amsterdam vaarwel zeg en mijn eigen bedrijf begin. Mijn toekomst ziet er rooskleurig uit.' Reiner keek me verwachtingsvol aan. 'Maar dat alles heeft geen zin als er niet iemand, een gezin, is om voor te werken.'

Ik voelde hoe een rode gloed zich nu over mijn gelaat verspreidde.

Hij streelde mijn hand. 'Regina, sinds ik je gezien heb, weet ik dat jij degene moet zijn met wie ik een familie wil vormen. Ik weet dat het moeilijk is om Nederland voorgoed achter je te laten, maar je hebt de eerste moedige stap al gedaan en bent de oceaan overgestoken. Ik zal mijn best doen je het leven aangenaam te maken. Wil je je leven met me delen?'

Sprakeloos had ik geluisterd. Dat mijn allereerste uitstapje met een man ook meteen tot een huwelijksaanzoek zou leiden, was wel het laatste wat ik had verwacht. We hadden elkaar pas twee keer eerder gesproken en dan slechts kort. Maar zijn ogen straalden, zijn glimlach was innemend - het was duidelijk dat Reiner Campenaar gewend was te krijgen wat hij wilde. *Vroeger of later*, was wat zijn houding zei, *maar wat ik wil, dat komt er.*

Er was maar een manier om hiermee om te gaan. 'Ik dank je voor je vertrouwen, Reiner, en ik voel me zeer vereerd. Maar ik moet je toch wat meer tijd vragen. Gun me dat, alsjeblieft.'

Hij veerde op en schonk nog een glas wijn in. 'Natuurlijk, Regina, zo veel je maar wilt. Weet dat ik je hoog acht, daarom vond ik dat je moest weten hoe ik over ons denk.'

Ik knikte. 'Dat is zeer attent van je, ik waardeer het.'

Reiner reikte me een glas aan en zei: 'Laat ons proosten op een goede toekomst, wat het ook mag worden.'

En dat deden we.

Op de terugtocht zat ik peinzend aan zijn zijde. Terwijl de paarden draafden naar de stad, dacht ik na over hoe de middag verder verlopen was. We hadden samen gewandeld en Reiner had me allerlei vogels aangewezen – de omgeving wemelde van kleine, kleurige vogeltjes, die naar hartenlust tsjirpten, kwetterden en floten naar elkaar. Grietjebies, suikerdiefjes en *blawforki's*, zelfs enkele papegaaien vlogen over, krijsend in de late middagzon.

Opeens streek een grote libel op mijn borst neer. Ietwat geschrokken wierp ik een blik op het glinsterende, grasgroene insect, dat nietsvermoedend de doorzichtige vleugels spreidde over mijn blouse en op zijn gemak ging uitrusten.

Langzaam en voorzichtig, om zowel het beestje als mij niet te verschrikken, had Reiner de *grasbarki* onder mijn sleutelbeen vandaan geplukt, er pijnlijk zorg voor dragend dat zijn vingers niet per ongeluk mijn boezem raakten. In verlegenheid gebracht wendde ik mijn blik af. Toen stak Reiner zijn hand in de hoogte en liet de libel los, die wegzwenkte als op de wind.

Daarna boog hij zich naar mij over en kuste me op de mond. Verrast liet ik het toe. Het was een korte kus, en het was meer de intimiteit van de handeling dan de aanraking zelf, die me bijbleef. Toen liet hij me weer los, keek me aan met zijn charmante glimlach, waarna we verder wandelden.

Nu reden we terug, arm in arm, terwijl de zon bezig was onder te gaan. In de verte waren al de contouren van de stad te zien. Ik dacht na over mijn toekomst. Met Reiners aanzoek had zich een nieuwe, drastische mogelijkheid aangediend, een waarover ik nooit had durven dromen. En wel met iemand die in alle opzichten een goede partij leek.

Enerzijds was ik gewend alleen te zijn, anderzijds koesterde ik een geheim verlangen naar een familie... een gezin... Gedachten die ik al jaren niet meer had toegestaan, tevreden als ik was met wat mij aan kinderhanden werd aangereikt.

Ik zou dolgraag Reiners aanzoek aannemen, maar moest er toch goed over nadenken of ik voor altijd in Suriname wilde blijven. En ook meende ik dat we elkaar beter moesten leren kennen.

Stemmen schrikten me op, we waren de stad ingereden. Vlug liet ik Reiners arm los en ging rechtop zitten. De wagen reed naar een straat met aan weerszijden mooie, grote bomen en stopte voor een hoog huis.

'Hier woon ik,' zei Reiner. 'Kom binnen, kennismaken met mijn hospita.'

Ik stapte uit en volgde hem het pension in.

Mevrouw De l'Isle was volgens Reiner een nette weduwe, die kamers verhuurde aan reizigers en vrijgezellen. Damesbezoek op de kamers was uitgesloten, voegde hij eraan toe, waarschijnlijk ter mijner geruststelling.

Bordengekletter en gerinkel van bestek klonken me in de hal al tegemoet. In het voorbijlopen wierp ik een blik op het tafereel in de eetzaal – een schare slaven was er bezig met de voorbereidingen voor het avondmaal. De tafel werd gedekt door slavinnen van verschillende leeftijden in keurige witte kleren. Blootsvoets, dat wel. Enkele slavenkindertjes renden overal tussendoor. In de salon zaten de gasten al te wachten tot het eten werd opgediend.

Een oudere dame kwam ons tegemoet lopen. Haar grijze haar was bedekt met een muts en om haar schouders had ze een gehaakte omslagdoek geslagen. Ze nodigde ons vriendelijk uit in haar salon. Reiner en ik moesten samen met haar thee drinken en ik bedankte haar meteen voor de lekkernijen die ze ons had doen toekomen. Ze schoof mijn complimenten met een gul gebaar weg en zei: 'Ach, juffrouw Winter, ik ben zo blij dat mijnheer Campenaar eindelijk zo'n keurige verloofde heeft gevonden. En nog katholiek ook!' De dame duidde even naar het kruisbeeld dat aan de muur hing, maar haar gebabbel over de Kerk ontging me.

Verloofde? Ik keek Reiner vragend aan, maar die haalde lachend zijn schouders op. 'Zover is het nog niet, mevrouw...' begon ik, maar Reiner viel me in de rede met een opmerking over de paarden die nog uitgespannen moesten worden.

Mevrouw De l'Isle vatte dit op als een opdracht, die ze direct plichtsgetrouw doorgaf aan een van haar slaven. Terwijl de vrouw aldus afgeleid was, fluisterde Reiner me toe: 'De mensen trekken nu eenmaal gauw conclusies, trek je er niets van aan.'

Ik begon spijt te krijgen dat we geen chaperonne hadden meegenomen.

Dertien

BEGIN DECEMBER 1847

Na de inzinking ten gevolge van het fiasco met het debuutdiner, leek Walther zichzelf weer te hebben gevonden. Als vanouds volgde hij 's morgens de lessen en ging hij 's middags op pad met zijn koffer, of sloot zich urenlang op in zijn werkkamer.

Ik had al bedacht dat ik hem onopvallend moest zien gade te slaan, want het was niet waarschijnlijk dat hij mij vrijwillig op de hoogte zou brengen van wat hij in de middaguren buiten of in zijn werkkamer uitvoerde. Ik was niet zo naïef te geloven dat een simpele wandeling maken het enige was wat hij deed, ook al had hij mij bereidwillig een arm geboden, toen ik te kennen gaf mee te willen op zijn middagtocht. Vooral niet omdat de vreemde koffer meteen in zijn kamer achter slot en grendel verdween. Overbodig te vermelden dat het een keurige en onbevredigende wandeling werd.

Op vragen over de werkkamer gaf hij de meest voor de hand liggende antwoorden, die echter niet geloofwaardig waren. Werken, zaken regelen, deed men dat in een dichtgetimmerd hol, als kon worden beschikt over een ruime voorkamer of een kantoor aan de haven? Nee, daar trapte ik niet in, maar de enige mogelijkheid meer te weten te komen was zelf te spioneren. Een middel dat me niet aanstond, maar waartoe ik me ten slotte wel gedwongen voelde wilde ik de ware reden achterhalen.

Eerder had ik mijn gedachten al laten gaan over hoe ik mijn patroon ongemerkt zou kunnen volgen. Op de markt kocht ik een onopvallende jurk en een hoed met een voile. Een goedkope aanschaf voor een dubieus doel. Ik stelde mezelf gerust met het argument dat het om Walthers welzijn ging, ik wilde hem geen kwaad berokkenen. Aldus voorbereid, moest ik het juiste moment afwachten.

De eerstvolgende gelegenheid diende zich weldra aan, toen mijn pupil van de middaglessen, Margaretha Brammerloo, afzegde wegens een verkoudheid. De onverwachte vrije middag gaf me de kans een nietsvermoedende Walther stiekem te volgen. Ik gaf hem geen kennis van de afgezegde les, maar maakte me zoals gewoonlijk om halfvier gereed voor vertrek. Voor ik in vermomming de trap afging, spiedde ik rond – Walther was nog in zijn kamer. Duidelijk zou klinken hoe ik de houten trap afdaalde en vervolgens de voordeur dicht zou slaan. In plaats van naar de Heerenstraat te gaan, stelde ik me echter in de buurt van Walthers huis verdekt op.

Tijdens eerdere wandelingen had ik dit gedeelte voorbereid door goed om me heen te kijken. Bomen waarachter ik me kon verschuilen, inhammen en poortjes tussen huizen, zwaarbegroeide of overhellende schuttingen. De stad bood genoeg plekken om iemand ongemerkt te volgen. De hele onderneming had ik reeds van te voren in de verbeelding verricht, zonder zelfs te weten welke route Walther volgen zou. Dankzij deze oefening in de fantasie, moest het me lukken Walther ongezien te volgen.

Om kwart voor vier zag ik hem het huis verlaten. Hij zag er zeer deftig gekleed uit in een parelgrijs rokkostuum. De koffer droeg hij helaas niet bij zich. Ik volgde hem op enige afstand.

Van de Waatermolenstraat ging hij door de nauwe Krabbesteeg, wat me noodzaakte ver achter te blijven, vanwege een gebrek aan dekking. Eén blik achterom en hij zou mij ontdekken. Inmiddels was ik gegrepen door de opwinding van het ongewone. Alsof het een spel uit mijn kindertijd was en geen serieuze aangelegenheid, mijn eigen werkgever te achtervolgen!

Met bonzend hart wachtend tot hij ver genoeg vooruit was om me niet onmiddellijk te kunnen betrappen, hoopte ik dat Walther aan het eind van de steeg niet uit het zicht zou verdwijnen vóór ik wist welke kant hij opging. Gelukkig keek hij niet om en liep rechtstreeks naar de Waterkant, waar de fraaiste koopmanshuizen en nieuwe handelsgebouwen stonden, met uitzicht op de rivier. Vanwege de altijd aanwezige drukte bij de door amandelbomen beschaduwde waterkant, was het hier niet moeilijk onopgemerkt te blijven.

Van daaruit sloeg hij echter de Oranjestraat in en stak plotseling het Plein over. Op het wijde, groene gazon was hij de enige wandelaar, anderen hielden zich aan de rand ervan in de schaduw op. Dat was wat ik ook deed, het was nu eenvoudig hem in het oog te houden.

Gedistingeerd en met kaarsrechte rug, zelfverzekerd zwaaiend met zijn wandelstok, liep Walther voort, gevolgd door zijn gouvernante in vermomming. Aan het eind van het Plein wachtte het grote Gouverneurspaleis met daarachter de Palmentuin.

Hij was verdwenen. Wat nu? Tot aan de Palmentuin had ik hem gevolgd. Toen was hij ineens verdwenen. Zoekend dwaalde ik rond, hij kon nog niet ver zijn, net had ik hem nog in het zicht. Mijn speuren had succes, opeens ontwaarde ik tussen de struiken achter het paleis een glimp van Walthers hoge hoed.

Maar dan moest hij zijn afgeweken van het pad in het park en zich hebben gewaagd op de grond van de gouverneur. Zou ik hem daarheen durven volgen? Aarzelend naderde ik de groene haag en tuurde door het weelderige gebladerte. Daar zag ik mijn pupil haastig langs de muren van het witte gebouw lopen, om zich heen kijkend of de wacht al terugkeerde van zijn ronde.

Besluiteloos bleef ik op mijn plaats, volgde het figuur van de dandy slechts met mijn ogen, tot deze om de hoek verdwenen was. Meer zou ik niet te weten komen als ik niet bereid was ook deze grens te overschrijden. Dus wachtte ik minutenlang, verborgen achter een palmenstam, op de soldaat die traag kwam aangelopen, geweer over de schouder, verveeld tegen keisteentjes schoppend.

Pas toen de vogels weer op het grind achter het paleis neerstreken, zeker dat de wachter voorlopig niet terug zou keren, durfde ik tevoorschijn te komen. Vlug stak ik de open ruimte tussen park en paleis over, snelde langs de achtergevel, sloeg de hoek om. Terwijl ik de balustraden van de verlaten veranda achter me liet, hoorde ik stemmen klinken.

Opgewonden stemmen. Ik verstijfde. Waren we al ontdekt? Paniekerig keek ik rond om een schuilplaats. Wat een situatie! Hoe zou ik dit moeten uitleggen als ik betrapt werd? Waarom had ik daar niet beter over nagedacht?

Luid geschater kwam uit de hoge ramen. Nauwelijks ritselend met de bladeren, wist ik me achter een bloeiende struik bij de vensterbank te verbergen. Een grote hagedis, de getande kam verstoord overeind, schoot voor me weg. Met de hand tegen mijn mond onderdrukte ik een kreet van schrik. Maar mijn bezorgdheid over eventueel ongedierte in mijn schuilplaats verdween op slag toen ik Walthers stem herkende.

'Geachte leden van de Raad—'

'Wie is die snoeshaan?' Iemand viel hem in de rede. Er klonk geroezemoes en geschuifel van stoelpoten.

Ik schrok. Walther was zomaar een vergadering van de Koloniale Raad binnengelopen. Die bestond uit de belangrijkste grondbezitters van Suriname. Wat was hij van plan?

Behoedzaam zette ik de hoed af die nu een verraderlijk obstakel was geworden. Als ik ervoor zorgde achter de struiken verborgen te blijven, zou de wacht mij bij zijn ronde om het gebouw niet opmerken. Ik gluurde voorzichtig langs de rand van het kozijn.

Het was een vergaderzaal. Licht stroomde uit de vensters naar binnen, viel op het tafereel voor mij. Rond een grote ovalen tafel zaten een stuk of tien mannen. Aan het hoofd zat de gouverneur met opzij van hem een verbluft toekijkende klerk. Walther scheen zojuist binnengewandeld te zijn, want ieders blik was op hem gericht. Hij stond in een apart deel van de zaal, waarvan de vloer een paar treden verhoogd was en gedeeltelijk afgescheiden door middel van een houten balustrade, aldus een podium vormend.

'Wat doet u hier?' Gouverneur Van Raders klonk verbaasd, maar niet ontstemd.

Walther stoorde zich niet aan hem. Hij zag er zonnig en opgewekt uit, alsof hij een invitatie voor een feest had ontvangen. Staande in de opening van het hekwerk adresseerde hij de Raad. Zonder zijn hoed af te zetten, de rechterhand fier geleund op de wandelstok, begon hij: 'Geachte heren, leden van de Koloniale Raad. Gaarne uw aandacht voor mijn verhaal.' Met een vlugge beweging haalde hij een aantal lemmetjes uit zijn jaszak tevoorschijn en legde die zorgvuldig op de leuning van de balustrade op een rij. Zijn witgehandschoende vingers sloten zich om elke gele vrucht bij dit karwei en een sterke limoengeur trok door de ruimte.

'Zeg, de markt is buiten, hoor!' grapte een der leden.

'Ja, man,' viel een ander bij, 'ga naar Combé!'

Walther negeerde het algemeen gegrinnik en posteerde zich vlak voor de bovenste trede. Met heldere stem sprak hij: 'Mijne heren, u bent allen van groot belang voor de kolonie.' Hij gebaarde uitnodigend en bracht dan zijn hand naar de rij lemmetjes. Onder het spreken verplaatste hij telkens een vruchtje, als om nadruk te leggen op zijn woorden. 'Uw inzet, uw kapitaal en uw kennis zijn onontbeerlijk. Onder uw leiding vindt het dagelijks bestuur van de kolonie plaats.'

De mannen in de zaal zwegen en leken geboeid door de piramide van limoenen die voor hun ogen verrees.

'Dankzij uw inspanning wordt het moederland jaarlijks voorzien van tientallen schepen met duizenden kilo's koffie, suiker, cacao en katoen.' Hij voegde steeds een lemmetje toe, bedaard vervolgend: 'En dan hebben we de opbrengsten van de Nederlandse fabricage en de arbeidsgelegenheid in het moederland nog niet opgeteld.'

Het bleef stil in de zaal. Kennelijk was de Raad genoeg gevleid om een luisterend oor te verlenen.

De jongeman bouwde voort, zijn stem klonk dromerig. 'Zegge miljoen op miljoen, jaar na jaar...' De piramide was bijna voltooid. '...eeuw na eeuw...' Hij onderbrak: 'Wel, kijk eens aan!' Tevreden beschouwde hij zijn bouwsel. 'Het is een heel imperium geworden!'

De planters gaapten hem aan.

Walther speelde met een van de citrusbolletjes, liet de vrucht tussen zijn vingers rollen en vervolgde vriendelijk: 'Wat wilt u toch met dit land?' Hij zweeg een moment en bestudeerde aandachtig de gele fruittoren.

De stilte die viel was er een die aarzelde tussen verontrusting, verwarring en meewarigheid.

De jonge dandy keek weer op en de glimlach was van zijn gezicht verdwenen. In zijn beminnelijke stem siepelde een messcherpe, vileine toon. 'Moederland is een mooie naam, zij het onverdiend. De zwoegende stiefdochter Suriname wordt ondanks de voortdurende verscheping van vele rijkdommen, met hardnekkige onverschilligheid bejegend. Onverschilligheid ten opzichte van investeringen - wegen, bruggen, verbeteringen betreffende onze plantages. Stoommachines, de noviteit die de kolonie uit de malaise zou kunnen halen, de productie zou verhogen en de arbeid minder zwaar maken. Maar ja, waarom investeren als men alles gratis krijgen kan? Wat kan het schelen als de stiefdochter ten slotte in lompen gehuld gaat?' Hij haalde de schouders op.

Gemompel klonk uit de zaal. Ik meende iemand te horen zeggen: 'Hij heeft gelijk!', maar twijfelde of ik mijn oren kon vertrouwen. Afkeurende geluiden waren duidelijk sterker. De gouverneur keek ongemakkelijk.

Walther vervolgde: 'U spreekt van beschaving, van de goede dingen die het Rijk ons zou hebben gebracht. Ik vraag u: waar zijn de tekenen van deze geestelijke, of desnoods materiële rijkdom?' De Zwarte Lord was begonnen heen en weer te lopen, terwijl hij gesticuleerde naar zijn gehoor, dat met stomheid geslagen leek. 'Vertelt u mij eens, waar zijn de bibliotheken, scholen of anderszins beschavende instellingen?'

Verborgen in de struiken moest ik mijn ergernis verbijten. Op deze manier gooide mijn élève zijn eigen ruiten in! Sommige raadsleden maakten aanstalten iets te zeggen, maar de gouverneur legde hen met een handgebaar het zwijgen op.

'Iedere school, ieder kerkgebouw, is hier buiten uw initiatief geplaatst, door anderen, die overigens ook hun lidmaatschap vereisen, alvorens toestemming voor gebruik te verlenen.'

Met stijgende ontzetting had ik geluisterd. Hoe durfde hij een dergelijke toon aan te slaan? Was hij in weer zo'n dwaze bui? Moest ik naar binnen gaan om hem weg te sleuren en excuses aan te bieden bij de gouverneur?

Maar Walther was nog niet klaar. 'Ja, ik weet het.' Hij hief bezwerend zijn handen. 'Er zijn voorzieningen. Fort Zeelandia: het cachot. Bongo Pita op de Weide: het galgenveld, de strafplaats voor slaven...'

Tumult brak los. Stoelpoten schraapten, mannen riepen door elkaar. 'Zeg eens, jij vagebond, zal ik je eens een lesje leren!'

Een woest uitziende heer richtte zich dreigend op. Bijval en hoongelach op de achtergrond deed me het ergste vrezen—

Bam!

Iedereen schrok op. Onwillekeurig ineengekrompen bij de plotselinge dreun, bracht ik mijn gezicht geagiteerd weer naar het kozijn, en gluurde naar binnen.

Met een krachtige klap had Walther zijn wandelstok op de grond doen neerdalen, het geluid galmend over de houten vloer. De citruspiramide trilde. Hij plantte de punt van de stok voor zich neer, vouwde beide handen ferm om de knop en bleef met een vastberaden gezicht staan. Onverzettelijk.

Vrees sloeg me om het hart. De roekeloosheid van mijn pupil zou gevaarlijk voor hem kunnen worden. Maar gouverneur Van Raders maakte sussende gebaren en het beledigde gehoor aarzelde om iets te ondernemen.

Gebruikmakend van de tijdelijke besluiteloosheid, reikte de Zwarte Lord weer in zijn jaszak en haalde er nonchalant een voorwerpje uit dat ik eerst niet kon onderscheiden. Toen, met een elegante beweging, plantte hij op de top van de fruittoren een piepklein Nederlands vlaggetje.

Verbijsterd staarde de zaal naar deze vertoning.

Voor het smadelijk gelach kon losbarsten besloot Walther zijn toespraak. 'Ik kom tot de slotsom,' sprak hij vrijmoedig, 'dat *wat weet, dat deert*. Ik vraag u nogmaals mijne heren, wat bent u toch van plan met het land waarop u nu roofbouw pleegt en waarvan u zo gauw als uw zakken gevuld zijn, afscheid neemt?' Kordaat greep hij het bovenste limoentje van de stapel, riep 'Vang!' en gooide het bevlagde exemplaar naar de dichtstbijzijnde planter.

Terwijl de overrompelde man in een reflex het kleinood opving, boog Walther eenmaal en verliet dan de zaal zonder nog om te kijken.

Opnieuw vond ik mezelf terug in het kantoor met Frederik van Roepel. Hoewel hij me eerder had gevraagd bij zijn zuster thuis verslag uit te brengen, vond ik het kantoor toch meer hiervoor geschikt. Het gaf me tenminste niet het gevoel dat ik achter Walthers rug om zat te roddelen. En Frederik meende het tenminste net zo goed als ik met ons zorgenkind.

Toen Sammi zoals gewoonlijk was weggestuurd, bromde Frederik: 'Hij heeft een oogje op u, weet u.'

Niet-begrijpend keek ik hem aan.

'Lobato,' verduidelijkte van Roepel, naar de deur duidend waardoor Sammi was verdwenen.

'Samuel?' zei ik ongelovig. 'Welnee, dat kan niet.' Ten overvloede schudde ik ontkennend mijn hoofd.

'Maar dat doet er niet toe,' ging Van Roepel verder. 'We hebben een belangrijke zaak te bespreken.'

Walthers waagstuk, natuurlijk. Ik ging rechter zitten.

Maar mijnheer Van Roepel stond op, schraapte zijn keel en keek plotseling plechtig. 'Ehm, hm...' Frederik van Roepel kuchte. 'Ik wil u een voorstel doen. Juffrouw Winter, u zult het met me eens zijn dat wij het goed met elkaar kunnen vinden.' Hij keek me aan.

Ik knikte.

Aangemoedigd vervolgde hij: 'Mijn financiële situatie is goed te noemen en de vooruitzichten zijn veelbelovend.'

Dit klonk me bekend in de oren - ik glimlachte bij de herinnering.

'Met uw samenwerking kan op korte termijn meer bereikt worden en voor de toekomst kunnen we op zoek gaan naar een beter huis...'

Toen de directeur mijn onbehaaglijke blik zag haastte hij zich te verklaren: 'Maakt u zich geen zorgen, mijn zuster blijft natuurlijk bij ons wonen, maar u en Augusta kunnen het gelukkig goed met elkaar vinden. Bovendien zullen wij vaak op de plantage zijn.'

'Pardon?' vroeg ik gealarmeerd.

Van Roepel leek me niet gehoord te hebben. Zijn blik was gericht op een onzichtbare toekomst en hij had een zelfvoldane blik. Een verontrustend vermoeden besloop me. Ik probeerde er een woord tussen te krijgen, maar de directeur luisterde niet. Gewichtig ging hij verder: 'U begrijpt, alles moet nog strikt geheim blijven om onze pupil niet achterdochtig te maken. Tot ons huwelijk, misschien over een jaar, voltrokken zal worden, dient hij dan ook onwetend te zijn.'

Abrupt kwam ik overeind zodat de stoel over de kale vloer schaafde. 'Mijnheer Van Roepel!' bracht ik geschrokken uit.

Frederik staakte zijn monoloog en keek me onthutst aan.

'U trekt conclusies die niet gerechtvaardigd zijn. Wanneer heeft u mij ten huwelijk gevraagd? Nee, doet u geen moeite,' zei ik toen hij poogde zich te verontschuldigen en van plan leek zijn aanzoek alsnog te doen, 'het spijt me dat ik u moet teleurstellen, maar u heeft me ook volledig verrast.'

Ontdaan omdat over mijn toekomst was beschikt buiten mijn medeweten, wilde ik het kantoor verlaten maar herinnerde me dan dat we nog altijd moesten samenwerken. Frederik van Roepel maakte van mijn aarzeling gebruik door zijn excuses aan te bieden en me verzoeken weer te gaan zitten.

Dat deed ik maar, maar de stemming bleef geforceerd en de directeur slaagde er niet in zijn houding te weervinden. Verward betuigde hij zijn spijt over mijn afwijzing en deed een zwakke poging mij van gedachten te doen veranderen. Om daaraan een eind te maken zei ik: 'Mijnheer Campenaar heeft me eveneens gevraagd en ik heb toegestemd.'

Dat deed voor Van Roepel de deur dicht. Hij vermande zich, maar reageerde enigszins beledigd, alsof ik hem verraden had.

Koeltjes namen we afscheid zonder het nog over Walthers misstap te hebben gehad.

De ergste hitte was nu voorbij. De zon brandde niet langer fel en hardvochtig, maar was getemperd tot draaglijke warmte - hetgeen anders is dan behaaglijk. Maar het leven kwam weer op gang, luiken die de middaghitte hadden buitengesloten werden geopend, gaanderijen werden geveegd, stemmen klonken op het erf en binnenshuis. Het was vrijdagmiddag en het weekeinde brak aan, tijd voor mijzelf. Ik besloot een wandeling te maken en meteen mijn schetsmap en wat tekengerei mee te nemen. Na mijn bad kleedde ik me in een lichte japon en ging op pad.

De straten waren weer levendig na de siësta en geregeld werd ik aangesproken door venters en straatverkoopsters die koekjes, fruit en snuisterijen te koop aanboden. Maar deze keer wilde ik een deel van de stad verkennen waar ik tot nu toe niet was geweest en zette er dus flink de pas in.

Toen ik bijna een uur had gelopen, kwam ik aan de buitenkant van de stad, waar het groen steeds weelderiger werd en de huizen kleiner. Hier waren geen *soesti nengre's* die de hobbelige weg weer glad zouden harken. De dakbedekking van de huisjes bestond niet uit de bekende rode pannen, maar uit gevlochten gedroogde palmbladeren of over elkaar getimmerde houten spaanders. Maar *fayalobi* hing in trossen over geïmproviseerde hekken, kotomisi met lichtroze kopjes piepte uit het struikgewas en paarse japonica reikte met ranke stengels naar de lucht. Het volle gebladerte van manyabomen beschaduwde de erven, waar kippen kakelend rondliepen. Het was zo'n idyllisch tafereel dat ik besloot hier stil te houden om te schilderen.

Eerst zocht ik een plekje uit dat redelijk schoon was om te kunnen zitten en al gauw vond ik een oude boomstronk. Nadat ik mijn bundeltje had ontknoopt, spreidde ik de doek zorgvuldig uit over mijn zitplaats. Vervolgens stalde ik verf, penselen en andere benodigdheden uit. Even later was ik druk bezig met schetsen.

Het duurde echter niet lang of er kwamen kinderen rond me staan die luidruchtig blijk gaven van hun verwondering. Toen ik aan de gang ging met de waterverf kende hun opwinding geen grenzen en al spoedig kwamen er ook volwassenen bijstaan.

Zo had ik nu een klein opstootje veroorzaakt, maar ik hoefde geen toornige meesters te vrezen. Het stadsgedeelte waar ik me bevond, werd bewoond door vrijen. Vrijgelaten slaven en vrijgeborenen, die zelf hun brood verdienden en bij elkaar woonden in deze wijk met kleine huisjes. Frimangron was zonder de praal en luxe van de blanken, maar werd met liefde onderhouden en blijkbaar waren de omgangsvormen er losser. Hier heerste niet de schichtige of krampachtige houding van de zwarten, die me in de stad zo vaak was opgevallen, noch de bittere armoede en verwaarlozing die ik in de buurt van het marktkwartier was tegengekomen. Het was alsof hier, buiten de strenge bemoeienis van de blanken, de creolen opbloeiden.

De menigte was inmiddels zodanig aangegroeid, dat ik besloot mijn laatste schets af te maken en dan weer terug te gaan. Maar toen ik overeind kwam om mijn spullen in te pakken, hoorde ik tussen alle kwetterende kinderstemmen en het gebrom van de volwassenen door, een ander geluid. Engels. Er sprak iemand in het Engels tot mij. Ik keek op van het half dichtgeknoopte bundeltje en ontdekte tussen de omstanders een blanke man.

Ik herkende hem. Het was de man die mij bij het feest op de Sociëteit was opgevallen en die door Van Roepel als verkwistende jongeling was omschreven. Hij glimlachte en zijn sluike blonde haar viel langs zijn gezicht. Opnieuw viel me zijn versleten kleding op, die echter in tegenspraak was met zijn houding; er sprak een soort rustige zelfverzekerdheid uit en toch stond hij daar omringd door de vele zwarte en bruine mensen, zonder dat er van autoriteit sprake was. Integendeel, ook hier leek hij weer op te gaan in zijn omgeving, zich thuis te voelen in een gezelschap dat anders veel meer terughoudend zou zijn geweest.

De man reikte me de hand om me overeind te helpen en stelde zich toen voor. 'James Miller,' sprak hij, 'u bent de verloofde van Reiner Campenaar, is het niet?'

'Dat wordt gezegd,' glimlachte ik. 'Maar zover is het nog niet.'

Hij aarzelde even en zei dan: 'Het is zo warm vanmiddag. Kan ik u uitnodigen bij mij wat te drinken voor u teruggaat? Ik woon hier vlakbij.'

Mijn nieuwsgierigheid naar de vriendelijke man was gewekt. Woonde hij in een wijk waarin normaal gesproken alleen negers hun huizen hadden, en hoe was dat dan gekomen? Was hij zo arm dat hij zelfs geen woning meer in de stad had kunnen vinden? Voor iemand die zijn familiefortuin had verspeeld leek hij niet bepaald beschaamd over zijn omstandigheden, maar daarenboven onderscheidde ik niet de snoeverige roekeloosheid die gepaard gaat met een lichtzinnige aard.

Nu mijn tekenbord was weggeborgen begon de menigte zich te verspreiden. Alleen de kinderen bleven en liepen met mister Miller en mij mee, naar elkaar roepend in hun taal.

We kwamen aan een erf waar een klein, verveloos huis stond. Een smal hek begrensde de tuin, waarin fruitbomen en struiken met bloemen stonden. Op het achtererf blafte een hond.

James Miller deed het hekje open en noodde me binnen. De kinderen bleven op een kluitje bij het hek staan. De Engelsman zei iets tegen hen en met tegenzin gehoorzaamden ze en gingen weg. Mijn gastheer sloeg de voordeur over en liep om het huis heen naar de achterkant, waar de veranda bleek te zijn. Ik volgde hem. Aan de stilte te horen was het huis verlaten. Maar nadat mister Miller me had uitgenodigd plaats te nemen in de schommelstoel op de veranda, liep hij zelf door naar binnen en hoorde ik hem toch met iemand praten.

Even later kwam de Engelsman weer naar buiten met een kruik en twee glazen. Hij zette alles op een tafeltje neer en schonk een glas tamarindestroop in. Ik was werkelijk dorstig geworden en dankbaar dronk ik het koele, zuurzoete vocht op. Intussen maakte mister Miller me complimenten over mijn schilderkunst. Hij schakelde over op Nederlands, doorspekt met Engelse woorden en met een sterk Brits accent.

James Miller vroeg naar Reiners welzijn en zei hem nog te kennen van vroeger, toen ze samen in het leger hadden gediend. Dit verraste me, maar ja, zo veel wist ik ook nog niet van mijn kersverse 'verloofde'. Het stelde me in ieder geval gerust dat ik bij een vriend of kennis van Reiner terecht was gekomen, zodat er geen aanleiding zou zijn tot praatjes of jaloezie.

James Miller vertelde dat Reiner en hij nog aan expedities naar de marrons hadden deelgenomen, al hoefden ze toen niet meer te vechten, want met alle grote stammen was al een vredesovereenkomst gesloten. Het was meer een kwestie van contact leggen om een oogje in het zeil te houden en het gezag van de autoriteiten te benadrukken. Na twee jaar hadden hij en Reiner beiden ontslag genomen om zich aan andere zaken te wijden.

Mijn veronderstelde status van verloofde had me meer zelfvertrouwen gegeven en James Miller was een kalme en sympathieke persoonlijkheid. Ik kwam tot de slotsom dat we vrienden zouden kunnen worden, niettegenstaande het gerucht over zijn onverantwoordelijke gedrag.

Af en toe hoorde ik geluiden in de kamers achter ons, er was iemand in huis bezig. Toen ik echter omkeek was er niemand te bekennen. 'Dat is Miss Marietje, mijn huishoudster,' verklaarde James, die me had zien kijken. 'Nee, u zult haar niet zien, ze is erg verlegen...'

We spraken over de verschillen tussen de kolonie en Europa en toen ik het gevoel had dat we allebei op ons gemak waren, waagde ik het een vrijmoedige vraag te stellen. 'Waarom heeft u zich juist in deze buurt gevestigd?' vroeg ik.

James keek verrast op maar antwoordde zonder schroom. 'U bedoelt dat het een blanke niet past in een wijk te wonen waar de witte vaders hun halfbloed kinderen hebben neergeplant. Wel... ik voel me hier thuis, want in feite ben ik ook zo een nazaat. Mijn... moeder was zwart.'

Hij hief zijn hand om mijn verbaasde interruptie weg te wuiven en ging verder. 'Dat wil zeggen: mijn pleegmoeder. Mijn echte moeder stierf in het kraambed en mijn vader liet Koba komen om mij te verzorgen, een oudere slavin die pas haar kind verloren had. Zij werd mijn min en mijn verzorgster, de enige moeder die ik heb gekend.'

Toen zei James dat hij zich hetzelfde had afgevraagd over mij. Nu was het mijn beurt om verwonderd te kijken. 'Ja,' legde hij uit, 'zoals u misschien al aan alle aandacht buiten had gemerkt, is het niet bepaald gewoon dat een dame zich in deze buurt begeeft. Een blanke dame...'

Daar had ik niet bij stilgestaan, maar inderdaad, hij had gelijk. Waarom had ik deze plaats uitgekozen om te gaan tekenen? Toeval, het was toeval. Ik kende de zeden in Paramaribo niet goed genoeg om een keus te kunnen maken die misschien meer gepast was geweest.

Hij lachte en schudde het hoofd. 'Nee, nee, u begrijpt me verkeerd. Ik geef geen oordeel over uw keus. Maar daarbij geloof ik niet dat het u zou hebben weerhouden hier te komen, als u wél van de gebruiken op de hoogte was geweest, is het niet zo?'

Dat wist ik eigenlijk niet, ik had er nog niet over nagedacht en vertelde hem dat. Maar hij vervolgde: 'U geeft les aan Walther Blackwell. Ik heb gehoord van zijn speech in de Koloniale Raad. Het was een verbluffend staaltje van... moed. Of overmoed.'

Ik verbeet mijn twijfel. Iedereen had gezegd dat Walther met zijn optreden bijna zijn nek had geriskeerd en hij had slechts hoon en woede geoogst. Niemand had het over moed gehad en ja, overmoed was misschien beter uitgedrukt.

Op dit moment dacht ik liever niet na over mijn problemen met Walther en ging daarom niet op zijn opmerking in. Bovendien werd het tijd om terug te keren, de zon zou dadelijk ondergaan. Alsof hij mijn gedachten geraden had, sprong James Miller op en vroeg: 'Wilt u niet blijven om naar de schemering te kijken? Dan begeleid ik u straks wel terug naar huis. Het is helemaal niet waar wat de Europeanen zeggen: in de tropen duurt de schemering niet kort - ze is een waar spektakel!'

Ik liet mijn gewone waakzaamheid varen. James Miller zag er betrouwbaar uit, dus stemde ik in met zijn voorstel. Hij stond op om in een koolpot een vuurtje te stoken, dat met de rook de muskieten enigszins op een afstand moest zien te houden. Rond dit tijdstip vermeerderde het aantal van die kleine kwelgeesten helaas aanzienlijk.

Toen haalde de Engelsman uit het huis een bord gebakken cassave en een schaal met rode peren, die niet naar peer smaakten maar anders, bitterzoet en friszuur, hemels. 'Pommeraks' heetten ze, vertelde hij. En samen etend op de veranda, keken we toe hoe de lucht van stralend helderblauw naar bleekblauw vervaagde, vandaar in donkerblauw overvloeide, met kieren gloeiend oranjerood tussen het dieppaarse dek van de nader sluipende avond. Inderdaad een spectaculair palet. Ondertussen cirkelden zwermen vogels in formatie om hoge boomtoppen, vlogen luidruchtig tsjilpend af en aan, floten elkaar naar huis.

En in het gras ontwaakten de cicaden, die eerst zoet ruisend maar dan steeds krachtiger hun gezang lieten horen, om ten slotte met de kikkers te concurreren, die zich luid brommend en blazend bij het koor voegden.

Na een uur viel de duisternis en was alles plots donker. Muggen zoemden hoorbaar om ons heen, de vogels zwegen. Krekels en kikvorsen verenigden zich in de avondzang.

Ik stond op. James ontstak een olielamp om ons bij te lichten. We gingen op weg naar huis. Toen we Frimangron eenmaal achter ons gelaten hadden, bleken de donkere straten van de stad minder verlaten dan ik had gedacht; slaven mochten weliswaar niet zonder schriftelijke toestemming van hun meester buiten zijn, maar er waren nog genoeg venters die hun snoeperijen aan de man moesten brengen en kopers waren ook ruimschoots aanwezig. Op de hoge stoepen zaten de kolonisten gezellig te babbelen en te kaarten, riepen een groet naar elkaar of noodden een voorbijganger aan te schuiven. Kaarsen en *kokolampu's* verlichtten zacht het idyllische tafereel. Een gevarieerd aroma van wijn, sigaren en versgebakken bananen hing in de lucht en mengde zich met de zoete geur van avondbloemen.

Vanaf de binnenerven klonk kindergejoel en gerammel van keukengerei. De walm die hier en daar uit de rookpotten opsteeg om de muggen te verjagen, dreef door de straat, een prikkelend branderige nevel.

Bij het huis van Walther aangekomen namen we afscheid. Ik glimlachte naar het gezicht van James, dat door het schijnsel van de lamp gelig verlicht werd. 'Dank voor uw gastvrijheid, mijnheer. Het was een genoegen u te ontmoeten.'

Hij hield de lamp nu zodanig dat ik de stoep en de traptreden kon zien, maar waardoor zijn gezicht in het duister verborgen was. Toen hij antwoordde wist ik echter dat hij glimlachte. '*Till next time*, Regina,' zei hij, 'tot ziens.'

'Waarom noemt iedereen mij nu al jouw verloofde?'

Reiner lachte. 'Het is een kleine stad met een nog kleinere blanke gemeenschap. En jij bent hier nieuw. Natuurlijk houden ze elke stap van je in de gaten.'

Ik schudde mijn hoofd. 'En daar dan meteen conclusies aan verbinden... We zouden net zo goed al verloofd kunnen zijn.'

'Dat zou me verheugen,' zei Reiner galant. Toen keek hij me plotseling scherp aan.

'Wat is er?' vroeg ik.

We zaten in de salon van mevrouw De l'Isle. De weduwe zelf bevond zich elders in huis om toezicht te houden op de werkzaamheden van de slaven. Maar ze had ons niet eerder achtergelaten dan toen ze zich ervan vergewist had dat er een chaperon aanwezig was, al was dat in de vorm van een oudere heer, die in een fauteuil zat te dommelen.

'Ben je op herenbezoek geweest.' Reiners vraag klonk meer als een vaststelling.

Onbehaaglijk vroeg ik me af of hij zich bewust was van de kwetsende implicatie van zijn woordkeus, of dat dit een typisch mannelijke uiting van jaloezie was.

'Als je het zo wilt noemen. Ik heb iemand ontmoet, een vriend van jou. James Miller.'

'Ah,' Reiner knikte. 'James. Moederskindje James.'

Ik trok mijn wenkbrauwen op.

'Komaan,' zei Reiner, 'hij zal het je wel verteld hebben, die zonderling.'

'Je hebt het over zijn pleegmoeder. Ik vond het wel ontroerend,' repliceerde ik.

Maar Reiner begon te lachen. 'Ja, James is een rare. We hebben samen in het leger gediend en besloten gezamenlijk dat we eruit zouden stappen. Dat schept wel een band, ja.'

'Hoe was dat?' vroeg ik belangstellend, 'Heb je marrons ontmoet?'

'Ah, Regina, wat is het toch verfrissend om jou te horen. Je bent nog zo vers in de kolonie, alles is nieuw voor je. Waar zal ik beginnen?'

'Ik heb *Voyage à Surinam* gelezen,' antwoordde ik, 'van Pierre Benoit.'

Reiner knikte peinzend. 'Dan denk je dus aan een wraakzuchtig, wild volk? Tja, dat was vroeger zo, toen vielen de bosnegers de plantages aan om te roven en slaven weg te halen bij dier meesters. Daarbij werd soms wraak genomen voor de slechte behandeling die ze eerder als slaaf hadden ondergaan. Brandstichting, plundering en moord, totaal vernielde plantages. Het is zelfs zo erg geweest dat het bijna de ondergang van de kolonie werd...'

Pas na jaren van strafexpedities en strijd is het tot een wapenstilstand gekomen. Dat was lang voordat James en ik in het leger zaten. Al meer dan vijftig jaar is er geen oorlog meer gevoerd met de marrons. De Boni-negers zijn verslagen. We hebben de vredescontracten met de Saramaccaners, Ndyuka en Matuari-negers hernieuwd en om de vier jaar levert het gouvernement een zending geschenken, om de vrede te bekrachtigen. De marrons op hun beurt, verklaren dan weer dat ze het Nederlandse gezag erkennen. Zeker, James en ik hebben de opperhoofden ontmoet. Twee jonge broekies waren we, groen als gras, daar in het diepe oerwoud. Dat viel niet mee. We zaten in het militaire escorte van de gouvernementele delegatie. Twee afgevaardigden van het bestuur, een boekhouder-kassier en een klerk, waren de burgers die wij moesten beschermen met ons bescheiden escorte van twaalf man. Kistenvol geschenken hadden we meegezeuld over de rivier en de rotsen tot aan de ontmoetingsplaats op een *tabiki*, een eiland in de rivier, nabij een vroegere militaire uitkijkpost. In de door ons opgezette tent spraken de vertegenwoordigers van de gouverneur de verzamelde *basya's* en de *granman* toe. Intussen nam ik de gelegenheid te baat de afvaardiging van de marrons eens goed te bekijken. Het gezelschap van opperhoofden uit verschillende binnenlandse dorpen was ongeveer twintig man groot. Nog eens twintig man bevond zich buiten de tent, als geleide van hun gezagsdragers. De negers gedroegen zich als heer en meester, wat ze in feite ook waren want geen slavenmeester kon daar, op de vrije grond van de wildernis, rechten doen gelden.

De voorbije eeuwen hadden weggelopen slaven generaties nakomelingen geschonken, die geen beknotting of vernedering duldden. Hooghartig keken ze neer op de in goudgallon overvloedig zwetende blanken, hun zwijgen veelzeggend.

De marronleiders waren zelf slechts in onderdelen van Europese kledij gehuld: hier een broek, daar een hoed, een enkeling in een kamerjas. Maar de meesten onderscheidden zich nauwelijks van de groep, allen droegen een lendendoek en wat sieraden van ijzer en koraal om armen en benen. Een met bladeren omwikkelde bamboestok voorzien van een gouden knop was het teken van onderscheid voor de *granman*.
Toen was het onze beurt. James en ik openden de meegebrachte vaten en kisten. Dezen bevatten allerlei goederen waaraan in het oerwoud dringend behoefte is. Verschillende soorten messen en bijlen, dozen vol vuurstenen, naalden en vishaken, stapels ijzeren potten, lappen kleurige stof, een ton zout en geweren - nee, van dit laatste slechts drie stuks - ze mochten ze eens tegen onze mensen gebruiken!
De boekhouder-kassier hield toezicht op de overdracht van de geschenken, de klerk pende ijverig al het besprokene neer. De gouvernementele raadslieden hadden hun zegje gedaan en sloegen de gebeurtenissen afwachtend gade. Later, na de uitdeling, zouden nog andere kwesties besproken worden, over de rechten van de marrons als die de stad wilden betreden. Waar de bosnegers konden aanmeren en in welke wijk ze mochten verblijven. Dan zouden de raadslieden moeten onderhandelen met de op erkenning staande marronleiders.
Eerst werd alles bekeken, alle balen, dozen en kisten, elk voorwerp werd grondig geïnspecteerd door de marrons en ik moet bekennen dat hun afkeurend gemompel en intimiderende houding me bepaald niet op mijn gemak stelden. In het verleden had het gouvernement meer dan eens haar belofte gebroken en de zendingen achterwege gelaten of een mindere kwaliteit goederen geleverd. Het wantrouwen van de marrons was duidelijk voelbaar.
Hoewel ik mijn geweer losjes over de schouder hield, was ik op alles voorbereid. Ik kreeg de indruk dat vrede van hun kant een gunst was en eerlijk gezegd verkeerde onze kleine gouvernementscommissie in een veel te zwakke positie om de toorn van de bosnegers te riskeren. Toevallig wierp ik een blik op James en schrok van de aanblik die hij bood. Hij zag doodsbleek en zijn adem ging gejaagd, de hand waarmee hij zijn geweer omklemde beefde. Zweet parelde langs zijn gelaat, dat wel uit marmer gehouwen leek, zo strak en star als ik nooit eerder had gezien, staarde hij naar de marrons. Maar de echte schok kwam van de blik in zijn ogen. Daar brandde het van vurige haat.

Reiner keek op bij mijn uitroep van ongelovige verbazing, maar vervolgde zijn relaas zonder te onderbreken. Verbijsterd luisterde ik naar de onverwachte wending die het verhaal genomen had...

> Verontrust door het ongewone gedrag van mijn doorgaans bedachtzame kameraad, schoof ik ongemerkt naar hem toe en legde een hand op zijn arm. 'James? Wat is er?' fluisterde ik. Hij keek me aan alsof hij me nauwelijks zag. Ogen omfloerst alsof hij te lang naar de nevels op de rivier had getuurd. Ik begon te vrezen dat hij aan ijlkoorts leed, niet ongewoon voor de van malaria en gele koorts vergeven bossen.
> Maar wat als de misleide in zijn koortsige toestand op de opperhoofden zou gaan schieten? Als in trance kwam zijn arm al omhoog, bracht hij zijn wapen traag in stelling.
> Vlug greep ik mijn makker bij de pols en sloot mijn vingers met kracht om de hand die het geweer vasthield. James keek me aan met gloeiende ogen. 'Hou je hoofd erbij, man!' siste ik hem toe. Even leek het alsof de dam van zijn beheersing het zou begeven en opgekropte razernij zich een uitweg zoekend, met de nauwelijks herkenbare rekruut op mij zou storten. Toen draaide hij zich abrupt om en verliet de tent.
> Het was een geluk dat twee jonge soldaten niet van belang waren voor de aanwezigen. Niemand had iets opgemerkt. Ik spiedde onopvallend of hij nog in de buurt rondwaarde, maar hij was verdwenen. Dit stelde me niets gerust, want James had zijn geweer nog bij zich. Ik vervloekte mezelf dat ik hem niet meteen ontwapend had.
> Nooit eerder waren de omringende bossen zo dreigend, als nu het gevaar binnen onze eigen gelederen school. De wirwar van bomen en onoverzichtelijk gebladerte maakte een strategische aanpak onmogelijk. Een brekend takje, geritsel in de struiken, alles kon nu gevaar inhouden, tijd verliep gespannen als een te luid tikkende klok. Elk moment kon vanuit de bosschage een schot knallen, en de tijd zou knappen. Het einde van de vrede in de kolonie.

'Haalde je geen hulp?' kreet ik haast, vervuld van ontzetting over de hachelijke situatie.

'Nee, achteraf heb ik me vaak afgevraagd waarom ik een dergelijk risico nam. Maar op dat moment geloofde ik echt dat het beter was de marrons niet te alarmeren. En James was mijn vriend. Ik hoopte de kerel bijtijds te vinden zodat ik hem kon ompraten of desnoods overmeesteren, voor erger zou geschieden. Bovendien, als de kapitein of de andere soldaten op de hoogte zouden worden gesteld, zag het er voor James niet fraai uit: minstens het cachot en zweepslagen. Ach, ook ik was toen overmoedig, denkend dat ik de situatie in de hand kon houden door enkel soldaatje te spelen.' Reiner zweeg peinzend, overmand door herinneringen.

In de war gebracht vroeg ik me af hoe ik dit beeld van een van haat vervulde James moest rijmen met dat van de vriendelijke man op Frimangron. 'Was het malaria?' suggereerde ik hoopvol. Maar het sprankje hoop werd meteen weggevaagd.

'O nee,' sprak Reiner, 'hij was niet ziek, maar bleef ondergedoken tot de onderhandelingen voorbij waren en de overdracht van de geschenken was geschied. Al die tijd spiedde ik heimelijk rond in barre hoop een catastrofe te voorkomen. Ik moet zeggen dat ik intens opgelucht was toen de marrons ten slotte in hun korjalen vertrokken en veilig op de rivier waren, buiten schotsbereik. Hoe sneller ze roeiden, hoe liever het me was. Toen James weer verscheen kreeg hij een fikse uitbrander van onze commandant, wat hij zonder een woord te zeggen onderging. Het was nog een geluk dat de kapitein geen besef had van James' inzinking en hoe ons lot aan een zijden draad had gehangen. Op de terugreis trok de zot zich terug en zat in zijn eentje te broeden. James heeft nooit gezegd wat hem dreef. Maar als ik hem toen niet had tegengehouden, had hij ons waarschijnlijk allemaal in levensgevaar gebracht. De vrede in de kolonie incluis.'

Geschokt had ik geluisterd. Wat had dit verhaal te betekenen? Wilde ik erachter komen, dan moest ik er James zelf naar vragen. Als zich tenminste ooit de gelegenheid voordeed... Hoe kun je iemand herinneren aan wat op zijn best een met pijn en schaamte vervulde gebeurtenis moest zijn, en op zijn slechtst een laffe en uiterst riskante daad?

Veertien

HALF DECEMBER 1847

Frederik van Roepels geduld had lang genoeg geduurd, vond hij. Van Augusta hoorde ik dat hij het gezag had gepolst over een eventuele voogdij over Walthers erfenis. Sinds Walthers toespraak voor de Koloniale Raad, had het verhaal zoals gebruikelijk in Paramaribo de ronde gedaan, maar was intussen flink aangedikt. Ook bestonden nu diverse versies van de gebeurtenis. Er werd verteld dat de Zwarte Lord de gouverneur had uitgescholden en de raadsleden had bedreigd, en door de wacht overmeesterd, was weggesleept. Een andere, nog losbandiger lezing luidde dat Walther boven op de tafel - een geschenk van prins Hendrik bij diens bezoek aan Suriname twaalf jaar geleden - had gedanst en schuine liedjes had gezongen.

Als het niet zo triest was, had ik erom kunnen lachen. Hoe kon ik mijn pupil nu ooit nog een serieuze entree laten maken in de hogere kringen? Het was om moedeloos van te worden. En geruchten als deze konden voorgoed zijn naam besmeuren. Daar kwam nog bij dat het onderwerp van mijn zorgen allerminst berouw toonde over zijn impulsieve actie. Alsof er niets aan de hand was, was Walther de volgende dag goedgehumeurd de trap af komen lopen en had mijn donkere blik genegeerd. Ik kon moeilijk vertellen dat ik hem gevolgd was naar het gouverneurspaleis, dus verliep de les met vrolijk gebabbel van zijn en veelvuldig gemelijk zwijgen van mijn kant.

Het was nog een geluk dat de Procureur-Generaal Mr. De Kanter op de Raadsvergadering toevallig niet aanwezig was geweest, want naar ik had horen zeggen zou de strenge man Walther meteen in de boeien hebben laten sluiten voor belediging van het gezag. Mijnheer Brammerloo, die mij hierover had geïnformeerd, was daarentegen wel getuige van het spektakel geweest, als secretaris van de gouverneur. Hij kon er maar niet over uit dat baron Van Raders 'die zwarte pias, ijdeltuit van een Blackwell' zomaar had laten gaan. Dan herinnerde de geagiteerde Brammerloo zich kennelijk dat hij het over mijn eerste werkgever had en veranderde snel van onderwerp.

Natuurlijk bereikten de geruchten ook ons huis, maar Walther presteerde het er hartelijk om te lachen, zodat ik, murw geslagen door zo veel onbegrijpelijke zorgeloosheid, met afnemende motivatie onze lessen tegemoet zag. Er was onder deze omstandigheden weinig kans dat de erfgenaam van Wellington een betere positie zou kunnen krijgen in de gemeenschap, behalve dan in materieel opzicht. Hij zou altijd een verstotene blijven, een onderwerp van heimelijke spot.

Maar daarin had ik het mis, bleek een week later. Walther overhandigde me een envelop met de mededeling dat hij verwachtte dat ik zijn gezelschap zou zijn. Nieuwsgierig bekeek ik de inhoud. De envelop bevatte een uitnodiging van de Surinaamsche Maatschappij van Weldadigheid, voor een bal ter gelegenheid van haar twintigjarige bestaan. Voor het eerst zou ik Walther vergezellen naar een feest. 'Nu u bij de blanke sociëteit bent geïntroduceerd, kan het geen kwaad meer ook bij de kleurlingen te komen,' merkte hij droog op.

De Surinaamsche Maatschappij van Weldadigheid was opgericht door de geneesheer Coupijn en de advocaat Vlier, beiden kleurlingen. Het doel was ondersteuning van de armen en onderwijs en opleiding voor arme kinderen, die zo een ambacht of beroep konden leren. Voorwaar nobele doelen, en ik voelde me dan ook vereerd uitgenodigd te zijn.

Op de avond zelf verwachtte ik nu eens veel negers op het feest te zien, maar tot mijn verbazing werd de zaal wederom gedomineerd door mensen met een lichte huidskleur. Sommigen had ik zelfs al eerder ontmoet op het feest van de gouverneur, zonder toen beseft te hebben dat ik met kleurlingen van doen had. Het was een zeer gedistingeerd feest, men bewoog zich met waardigheid en nergens klonk een onbeschaafd woord, zoals op partijtjes van blanken wel geregeld voorkwam. Veel van de aanwezigen hadden een studie in Europa gedaan, waarheen hun blanke vaders teruggekeerd waren.

Ook joden bleken zich bij de kleurlingen aangesloten te hebben, tezamen vormden ze een nieuwe, groeiende elite, nu steeds meer blanken voorgoed naar Europa teruggingen.

Aan Walthers zijde maakte ik kennis met verscheidene voorname burgers - advocaten, onderwijzers, dominees - en werd door iedereen hartelijk bejegend. Zelfs in dit kleurlingengezelschap viel Walther op. Ten eerste behoorde hij tot de donkerste van de aanwezigen. Naast blank kwamen er velerlei tinten bruin en beige voor, maar echt donker was zeldzaam.

Ik zag mijn pupil voor het eerst onder gelijken, en na hem een poos gadegeslagen te hebben, kwam ik tot een onverwachte conclusie. Walther bewoog zich méér gedistingeerd dan de anderen, eleganter, en met een zelfbewustzijn dat de ernst van de notabelen oversteeg. In verwarring gebracht vroeg ik mij af of ik dit aspect van zijn opvoeding over het hoofd had gezien omdat ik dagelijks met hem leefde en aan zijn manier van doen gewend was geraakt. Zijn houding, zijn wijze van lopen was beslist bestudeerd, maar tegelijkertijd zo persoonlijk, dat het typisch Walther was. Zou ik werkelijk in staat geweest zijn hem iets anders aan te leren? Een meer ingetogen benadering, een bescheidener opstelling?

Mijn pupil bewoog zich intussen zwierig, volkomen op zijn gemak door de menigte, steeds een compliment klaar voor mooie dames, die gevleid reageerden, of een snedige opmerking voor humeurige lieden, ongeacht hun functie. Alleen al om zijn verschijning moest hij op partijtjes een graag genode gast zijn, die echter voor nerveuze gastvrouwen een plaag kon betekenen vanwege zijn onvoorspelbare gedrag. Behalve af en toe een glas wijn, dronk hij echter nooit. In dat opzicht was hij een toonbeeld van matigheid. Zeker waardeerde ik hem daarom, een aangeschoten of dronken Zwarte Lord leek me meer dan rampzalig.

Toen ik er eenmaal in berustte dat Walthers verschijning altijd commotie zou blijven veroorzaken, en dat mijn eigen aangeleerde nederigheid de oorzaak was van mijn agitatie, besloot ik mijn bezwaren maar opzij te zetten en van de avond te genieten.

Ik had diverse prettige ontmoetingen, onder andere met Mr. Focke, de auditeur-militair, die mij veel wist te vertellen over indianen en net als ik geïnteresseerd was in botanie.

De voorzitter van het Koloniaal Gerechtshof, Mr. Palthe Wesenhagen was een indrukwekkende man, al scheen hij niet veel met Walther op te hebben. Ik kon het hem niet kwalijk nemen: naast de strenge autoriteiten moest de jonge dandy wel als een speels kind overkomen.

Maar de grote verrassing vormden voor mij de vrouwen. Wat ik in de kolonie tot nu toe had gemist, was de betrokkenheid van zuster Agnes, het mededogen met de armen en gebrekkigen. En eindelijk vond ik hier een groep mensen, die begaan was met het lot van de minder bedeelden en die zich inzette voor de verbetering van dier omstandigheden. Het meeste liefdewerk werd via de kerken gedaan, maar dat gold niet voor de Surinaamse Maatschappij der Weldadigheid, zodat protestanten, katholieken en joden zich gezamenlijk konden inzetten voor het goede doel.

Een aardige dame van middelbare leeftijd, mevrouw Schattevoo, wist mij te strikken voor het maken van kinderkleertjes, die aan de armen zouden worden uitgedeeld. Ik was niet dol op dergelijke priegelwerkjes, maar haar vriendin mevrouw Goodwill verzekerde me dat eenvoud de voorkeur genoot, niet alleen omdat kantjes en lintjes tijdrovend en onpraktisch waren, maar ook omdat de kinderen anders te veel uit de toon zouden vallen bij hun speelkameraadjes. Waar zij natuurlijk gelijk in had.

Slechts eenmaal maakte iemand een opmerking over het incident bij de Koloniale Raad. Planter De la Parra, een gemoedelijke heer met wie ik prettig converseerde, roerde het tot dusver door mij vermeden onderwerp aan: 'Het is de Surinamers een doorn in het oog dat het bestuur van de kolonie uitsluitend in het voordeel van Nederland besluiten neemt. Als wij van de bevolking eens iets willen van straatverlichting, brandweerfaciliteiten of wat dan ook, dan maken we geen kans. De Raad stemt altijd tegen want het mag geen geld kosten. Men wil niets investeren, enkel winsten en belasting innen.'

'Maar hoe kan dat dan?' vroeg ik verbaasd. 'De leden van de Koloniale Raad worden toch gevormd door de belangrijkste grondbezitters in Suriname?'

'Ah, maar de belangrijkste grondbezitters wonen in Nederland,' antwoordde De la Parra. 'Zij worden hier vertegenwoordigd door ingehuurde krachten, tijdelijke directeuren die na enkele jaren weer vertrekken naar het moederland. Zij moeten hun Hollandse werkgevers wel naar de mond praten, willen ze niet voortijdig vervangen worden. Zelfs de gouverneurs hebben het moeilijk om hier een poot aan de grond te krijgen met de Hollandse grondbezitters tegenover zich. Het kapitaal heeft het in de politiek nu eenmaal meer voor het zeggen dan het verstand. Om van het gevoel maar niet te spreken.'

Later, toen we huiswaarts keerden, vroeg Walther me hoe ik de avond had gevonden. Ik kon naar waarheid antwoorden dat het een verademing was geweest.

En, hoewel ik het niet zei, had het mijn oordeel over Walthers optreden bij de Raad beslist milder gemaakt.

Het boekwinkeltje van Herr Konrad was klein, donker en rommelig. In zware kasten lagen boeken opgetast, de hoogste rekken bedekt met een dikke laag stof en spinrag. Een eerste indruk zou zijn van zware verwaarlozing, maar Herr Konrad was zijn boeken juist zeer toegewijd. Op willekeurige plekken had hij tussen en over de boeken notendoppen gestrooid, die de houtluis zouden weren. Volgens hem beschermden de cashewschillen en spinnenwebben zijn geliefde boeken tegen houtluis en schimmel. Met brokjes houtskool trok hij zwarte, poederige lijnen op de boekenplanken of op de vloer voor zijn kasten; de branderige koolgeur zou de muizen afschrikken, meende hij. Soms trof ik hem op zijn knieën achter de toonbank aan, verbeten schuivend en porrend met een lange stok, op zoek naar sporen van ongedierte. Het was voor de klanten beter om niet al te diep in de kasten te neuzen, aangezien alleen de eigenaar wist waar hij zijn muizenvallen had geplaatst.

Herr Konrad was een kleine, gezette man met een brilletje, een korte krullerige baard en een kalend hoofd, immer gekleed in een donkerblauwe jas. Zijn gedrongen gestalte viel nauwelijks op tussen de stapels boeken, waar hijzelf gewoonlijk gebogen over een of ander boek of krant zat, de pagina's lezend dan wel inspecterend op verval. De Duitser was weinig spraakzaam en wekte de indruk voornamelijk in een eigen wereld te leven.

Zijn winkel was allesbehalve aantrekkelijk, maar hij bestierde een van de weinige echt gevarieerde boekhandels van de stad – andere boekenzaken verkochten voor het merendeel landbouwkundige verhandelingen, kasboeken, almanakken of stichtelijke lectuur. Meer variatie vond men bij kruideniers, die de gewoonte hadden van alles in hun winkel uit te stallen. Tussen hun allegaartje van snuisterijen, hoeden en levensmiddelen, kon men dan een kleine voorraad boeken van willekeurige herkomst aantreffen. Dáár een boek kopen hield het risico in van vetbevlekte of ontbrekende, uitgescheurde bladzijden, wat het leesplezier natuurlijk danig vergalde.

Daarom bezocht ik Herr Konrad als ik eens een nieuw boek wilde bestellen of een krant kopen. Het was waar: zijn niet aflatende strijd voor het behoud van zijn boeken moest wel vruchten afwerpen, want hoewel smoezelig, vertoonden de boeken nooit afgeknaagde randen of door bladzijden geboorde, grillige gangenstelsels, voorwaar een prestatie in de voor insecten zo paradijselijke tropen.

Deze keer aarzelde ik tussen drie gedateerde Hollandse kranten en een *Surinaamsche Courant*, toen mijn blik viel op een stoffig werkje, weggestopt in de hoek van de krantenbak, getiteld: *Outalissi; a Tale of Dutch Guiana*, geschreven door ene Lefroy. 'Wat is dit?' vroeg ik mezelf hardop af. De winkeleigenaar, die op dat moment achter de wand van de balie op een verhoogde stoel zat, keek op van zijn papieren.

Als door een wesp gestoken rees Herr Konrad van zijn zitplaats, was in een paar stappen bij mij en griste voor ik erop verdacht was mij het boek uit handen. 'O, het is niets,' zei hij met zijn zwaar Duitse accent, trachtend luchtig te klinken terwijl ik hem verbaasd aanstaarde. Hij borg het werk vlug achter de baliekast en wuifde mijn vragen weg met een weinig bevredigende verklaring. 'Ach,' bromde hij, 'het is maar van een stoker, een negervriend die de slaven wilde opruien. Niks bijzonders.'

'O ja?' vroeg ik, want mijn interesse was juist gewekt.

Herr Konrad keek ontdaan. Nu was hij verplicht er verder op door te gaan, wat hij echter zo beknopt mogelijk deed. 'Die Engelsman beweerde dat de grote branden van 1821 en '25, verzetswerk van slaven zouden zijn geweest. De stad is toen deels in de as gelegd.' Herr Konrad klonk kortademig. In zijn ogen smeulde een ongewoon vuur. 'Heeft u enig idee wat er toen allemaal verloren is gegaan! Meer dan duizend huizen en pakhuizen, de kerken, de schouwburg, de overheidsgebouwen... Ach, als je bedenkt dat ook de particuliere bibliotheken zijn verzengd, vergaan tot as...' Hij schudde somber het hoofd, weer teruggetrokken in zijn eigen beslommeringen. 'Al die antieke boeken en landkaarten, al die archieven, wat een verspilling, wat een zonde, wat een eeuwige zonde...'

Mompelend trok hij zich terug achter de stapels boeken. Notendoppen knersten onder zijn schoenzolen. Ik legde het geld voor de kranten maar op de toonbank en ging weg.

Een vermoeden rees. Kon hij misschien een destijds getroffen archivaris zijn, die de schok nooit te boven was gekomen? Hij had er wel de leeftijd voor.

Reiner was nog op de plantages aan het werk. Ik had niets om handen op mijn vrije dag, maar ik voelde er weinig voor om weer langs Augusta te gaan. Wat, als ik eens een bezoek aan James Miller zou brengen? Waarom niet? De verhalen die ik over hem had gehoord leken zo in tegenspraak met de persoon zelf, dat ik beslist geboeid was geraakt.

Met enige moeite vond ik de weg naar Frimangron terug, ik was er immers pas één keer geweest, en dan nog wel op goed geluk. Toen de huizen langs de weg echter wederom kleiner en eenvoudiger werden en het groen langs de kant van de weg uitbundiger, wist ik dat ik op de goede weg was.

James bleek thuis te zijn en noodde me hartelijk op zijn erf. Ditmaal ving ik een glimp op van Miss Marietje, een magere, schichtige zwarte vrouw met grijzend haar, die wegdook in de bananenplanten zodra ze me in haar richting zag kijken. James Miller bood aan me een rondleiding te geven op zijn grond. Toen we naar de achterkant van de tuin liepen, zag ik nog net hoe Miss Marietje hierdoor de gelegenheid kreeg om snel het huis in te schieten.

Achter in de tuin stonden het kippenhok en een afdakje voor James' honden. Hij had er vier - kleine, bruine, kortharige honden die door indianen voor de jacht waren afgericht. Het woeste geblaf en geruk aan hun kettingen hield op toen James hen daartoe luid bevolen had en de dieren daarna geruststellend beklopte en sussend toesprak. Niettemin was ik blij dat ze goed vastgebonden zaten.

Aan de grachtzijde lag een roeiboot aangemeerd, waarmee James Miller tochten naar het binnenland ondernam voor jachtopdrachten.

Een moestuin, wat fruitbomen en bloemenstruiken voorzagen de eigenaar van het nodige voedsel en veraangenaamden het leven met schaduw en kleur. Maar een echte verrassing wachtte mij in de buurt van de waterput, onzichtbaar vanaf de straatzijde. Daar stond in de beschutting van hoge struiken een groot bad: een Franse badkuip op weliswaar afgebladderde, maar ooit vergulde leeuwenklauwtjes, midden in het Surinaamse landschap! Onder de gietijzeren kuip was een kuil uitgegraven, waarin een laag houtskool lag. Het was dus mogelijk in de tuin een warm bad te nemen. Hoe hedonistisch! Een dergelijke hang naar luxe had ik bij de eigenaar niet vermoed.

Thans lagen er wat afgewaaide bladeren in en verdwaalde insecten kropen over het wit geëmailleerde oppervlak, maar duidelijk was te merken dat de kuip regelmatig geschrobd werd en klaarstond voor gebruik.

Opzij van het bad was een gat geboord dat met een stop kon worden afgesloten. Een bamboegootje zorgde ervoor dat het water gemakkelijk geloosd kon worden in de naastgelegen gracht, zonder de vuurplaats te doordrenken. Ook kon het hemelwater zo afgevoerd worden om een broedplek voor muskieten te voorkomen. Oorspronkelijk, vertelde mijn gastheer, stond er een houten kamerscherm om het bad heen, maar dat bood insecten te veel mogelijkheid op schuilplekken, leverde brandgevaar op en hinderde nog eens het uitzicht vanuit de kuip. Bij regen hield de tobbe zelf de vuurplaats meestal redelijk droog en bruikbaar.

Ik vond het een grappige vinding.

Mijn gastheer beaamde het. 'Op een frisse avond is een warm bad in de open lucht een niet te versmaden genoegen, hoe ongewoon ook. De Regentijd is laat dit jaar, anders kon ik zo in de regen een bad nemen. Daar droom ik soms van, wanneer het erg heet is. U heeft pech dat de Droge Tijd deze keer zo lang duurt. Het valt u zeker niet mee, zo vanuit het koele Europa?'

James Miller leefde van wat zijn tuin hem opbracht en andere aankopen bekostigde hij door nu en dan te gaan jagen. Het was een sober en naar het mij toescheen tamelijk ledig bestaan voor iemand van zijn intelligentie, maar meer leek hij niet te wensen. 'Ik ben tevreden met wat ik heb en hoe ik leef. Hoe zou mijn leven er in *good old England* uitzien? Het zou bol staan van de conventies, voorschriften en verwachtingen. Al die franje waar ik niet meer in pas, nooit in heb gepast.'

'Hoe bedoelt u?' vroeg ik belangstellend en daar hij zag dat ik oprecht benieuwd was naar zijn geschiedenis, begon James Miller te vertellen. Het werd een lang en merkwaardig verhaal.

Mijn ouders arriveerden tijdens de Engelse Tijd in Suriname. Captain Miller was officier in het Britse leger. Hoewel het jaar daarop Suriname na twaalf jaren Engels bestuur weer in Nederlandse handen kwam, besloten mijn ouders er te blijven. Vader meldde zich aan als huurling en trad in dienst van het Hollandse gouvernement in het bataljon van West-Indische Jagers. Hij werd gestationeerd op een post aan de bovenloop van de Marowijne, om met bospatrouilles weglopers te traceren en de rust in het land te handhaven.

Mijn moeder verbleef in de officierswoning in de stad. Acht jaren gingen voorbij en hoewel zij niet gedacht had ooit nog kinderen te zullen krijgen, bleek ik opeens op komst. Helaas sloeg de vreugde bij mijn geboorte al snel om in verdriet; mijn moeder bezweek in het kraambed. Mijn vader liet Koba halen, een slavin die net een baby had verloren. Zij werd mijn pleegmoeder, koesterde mij en droeg me in haar draagdoek overal met zich mee. Vanaf haar warme rug leerde ik als jong kind de wereld om me heen te bezien. Ik wist niet beter of Koba was mijn moeder.

Vader had haar een kamer naast de kinderkamer gegeven - hij was zelf meestentijds in het binnenland gelegerd. Er was weinig wat Captain Miller kon beginnen met een klein, hulpeloos kind, zodat hij me de eerste jaren geheel overliet aan de zorgen van zijn zwarte slaven.

Secondo was een oude knecht, mijn beschermer, die graag ritmisch klappend liedjes voor me zong, in zijn eigen taal doorspekt met Engels. Jeanne, een slavin jonger dan Koba, zorgde voor de huishouding. Haar dochter Joanna, een paar jaar ouder dan ik, was mijn speelmakkertje - als Secondo uitgezongen was, nestelden we ons op zijn schoot en aten we Koba's hete, in kokosolie gebakken bananen of cassave.

Mijn jeugd speelde zich af op dat besloten erf, het domein van de slaven, waar ik in guave- en manyabomen klom om de sappige vruchten te plukken. Onbekommerd bouwde ik in het zand paleizen van takken en steentjes, mijn eigen weergave van de barakken die mijn verblijf bij dag waren.

's Avonds, bij het laatste schijnsel van de dovende koolpot, vertelden de

ouderen grappige *anansitori's* en soms, als ik tegen beter weten in aandrong, spookverhalen - *yorkatori's*, waarna ik griezelend alleen in mijn bed lag, de houten luiken gesloten, ogen stijf dichtgeknepen, luisterend naar de sinistere nachtgeluiden van het grote, krakende huis, slepende voetstappen in het stof op de vliering.
Mettertijd vond vader me oud genoeg om zich met mij te bemoeien. In de perioden dat hij thuis was las hij me voor, onderwees me, leerde me lezen, schrijven, rekenen, dingen die ik uitsluitend met hém deed. Deze ruige, stille man, die zijn genegenheid liet blijken door me bij zich te roepen en dan vroeg om de voordracht van een nieuw geleerde tekst, waarna hij me goedkeurend over het hoofd aaide en glimlachte, de blanke kapitein Miller, was als een geëerde bezoeker. Geliefd maar afstandelijk.
Als hij er was hielden Koba en Secondo zich achter op en werd ik geacht aan tafel in de eetkamer met hem het maal te gebruiken, in plaats van zoals gewoonlijk met mijn bord op schoot bij de kookplaats te zitten met de bedienden. Hoewel ik me in deze nieuwe gang van zaken schikte, duurden de zwijgzame, formele maaltijden met mijn vader me veel te lang. Toch eindigden ze plezierig, als de tafel afgeruimd was en de boeken tevoorschijn kwamen, die zo lang in de hoge kast bewaard waren gebleven en die een andere wereld voor mij openbaarden, een onbekende, vreemde wereld, Europa geheten.
Toen kwam de kwade dag dat mijn vader zwaargewond werd teruggebracht uit het oerwoud. Een groep zwervende marrons had onverwachts zijn post overvallen om aan voorraad en munitie te komen. Volkomen verrast door de bende hadden zijn manschappen bijna het onderspit gedolven. Hoewel de onrustzaaiers allen gevangen genomen of gesneuveld waren, hadden ze kans gezien aan gouvernementele zijde verliezen toe te brengen. De man met wie ik te weinig tijd had doorgebracht om hem te leren kennen, stierf spoedig, zonder nog bij bewustzijn te zijn gekomen.
Voor het eerst in mijn acht levensjaren begon de buitenwereld zich met mij te bemoeien. Er werd besloten Millers bezittingen te verkopen en mij van het geld terug naar *England* te sturen. Als officierskind kon ik daar op een kostschool een opleiding krijgen.
De officierswoning werd teruggevorderd door het gouvernement. Alle bruikbare huisraad werd verkocht, ook de vier huisslaven. Het drong eerst niet tot me door wat er ging gebeuren toen al die vreemde mannen ons huis binnenkwamen: de notaris vergezeld van enige soldaten

en een keurmeester. Ik had wel gezien dat men daags na de begrafenis meubelstukken en kisten met huisraad de woning begon uit te dragen, maar besefte niet dat mijn dierbaarste vrienden eveneens tot de inboedel behoorden.
Pas toen ik de vingers van Koba in het vlees van mijn schouder voelde knijpen, haar greep verstrakkend terwijl ik naast haar stond in het rijtje van huisslaven en de stem van de notaris onbegrijpelijke ambtelijke taal opdreunde, werd ik door een sluipende angst bevangen. De notaris overlegde met de keurmeester en gaf de soldaten enkele opdrachten. Ik trachtte mijn moeder een geruststelling te ontlokken, maar merkte tot mijn schrik dat zij geen stem meer had, verdrongen emoties wrongen slechts een schor geluid haar keel uit. Het besef rees dat er iets verschrikkelijks te gebeuren stond.
De andere slaven stonden er gelaten bij. Tenminste wist Jeanne dat zij en Joanna niet van elkaar gescheiden zouden worden, want dat was een wet die door steeds herhaalde vermanende plakkaten, ten leste door de verkopers werd nageleefd. Een schrale troost.
Maar Secondo was verontwaardigd. Op zijn leeftijd was de kans niet groot dat een koper zo menslievend zou zijn hem een ongestoorde oude dag te gunnen. Bij een meester die hem al lange tijd bezat was die kans nu eenmaal groter. Maar *masra* Miller was niet meer. Iedere nieuwe meester betekende slecht nieuws voor de oude man. Secondo wilde daarom het erf niet verlaten. Onverzettelijk in zijn boosheid weigerde hij met de veilingmeester mee te gaan. 'Kom,'sprak de notaris geërgerd, 'maak niet zo'n stampij, man.' Hij gebaarde naar de soldaten die aanstalten maakten onze hele groep naar de wachtende kar te leiden. Jeanne en Joanna kwamen in beweging, maar Secondo zette zich schrap en de ongeduldige soldaat gaf hem met een stok een paar slagen op het lijf.
De schreeuw kwam van mij, maar voor ik de oude man te hulp kon schieten, voelde ik hoe Koba van mij werd weggetrokken. 'Ma! Maaa!' Mijn wanhoopskreet bracht de soldaten van hun stuk, en ze aarzelden. Tegen een wit officierskind kon men de hand niet opheffen. Secondo spande zijn magere, zwakke armen in verzet en brabbelde onverstaanbaar. Hij bloedde uit een hoofdwond. Jeanne en Joanna begonnen bevreesd te wenen. Met één sprong was ik weer bij Koba, die men begonnen was weg te voeren. Verbeten klampte ik me aan haar vast, in een zeker vermoeden dat ik met haar een hele wereld bij elkaar probeerde te houden, mijn wereld die vanaf nu ophield te bestaan.

Vechtend, krijsend en schoppend weerde ik de mannen af, tevergeefs. In het tumult van huilende slavinnen, gillend kind en vechtende oude man, vloekende soldaten en geschreeuwde bevelen, was er één moment van afscheid. Mijn moeder boog haar betraande gezicht naar mij toe en stamelde: *'Yu na siksi. Yu ben na siksiwan.'*
Toen werd ik met geweld van haar losgesleurd en door de keurmeester in bedwang gehouden. Haastig werd mijn familie de kar op gejaagd, de voerman spoorde het paard aan en de wielen zetten zich in beweging. Een wolk van stof stoof op en verblindde me, ik rukte me los, struikelde en viel, krabbelde overeind om de wagen hobbelend uit de straat te zien verdwijnen.
'Komaan, jongen,' zei de notaris gepikeerd, 'je krijgt nu een beter leven, daar mag je blij om zijn. Hou maar op met dat gegrien.' Hij was zichtbaar opgelucht toen enkele vrouwen verschenen die zich tijdelijk over mij zouden ontfermen. Hoofdschuddend zeiden de dames van de liefdadigheid dat het maar goed was dat wij uit elkaar gehaald waren, dat het niet goed was dat ik zo aan een slavin gehecht was geraakt.
In een waas van verdriet en onbegrip werd ik naar *England* verscheept, een nauwelijks handelbaar kind op de boot, dat alleen voor de kapitein ontzag toonde. Misschien herinnerde de baardige man mij in de verte aan mijn overleden vader, meer door zijn uniform en houding dan door werkelijke gelijkenis. In ieder geval wist hij me door zijn strenge houding uit de mast te krijgen waarin ik onmiddellijk was geklommen, en liet me beloven dat voortaan te laten.
Na aankomst in Londen vervolgde ik mijn reis naar Essex, waar ik op Chigwell School geplaatst werd. Het kille, grauwe Engeland was zo totaal verschillend van wat ik gewend was geweest. Fragmenten van mijn verloren leven doken op in nachten van heimwee: Koba die me troostte als ik was gevallen, Secondo die mij leerde welke slangen gevaarlijk waren en welke niet. Mijn vader die me liet zien hoe een geweer moest worden schoongemaakt, de honden waarmee ik op het erf stoeide.
De mooie herinneringen van fel zonlicht en uitgesproken kleuren vervloeiden 's nachts tot nachtmerries, het roze vruchtvlees van de sappige guave transformeerde in een massa kleine, wriemelende wormpjes en ik wierp het voorwerp walgend weg, mijn uitgestrekte hand dan plots weer reikend naar een andere tijd, een verleden waarin ik opnieuw werd gescheiden van de zwarte familie waartoe ik mezelf rekende. Tegelijkertijd kwamen beelden op van mijn vader, vuil en donkerbebloed binnen-

gedragen, dodelijk gewond door die vreselijke vijand, de marrons.
Het gezicht van Secondo, helderrode druppels sijpelend over zijn gezicht, gestraft omdat hij zich niet als Koba had berust, maar zich verzette tegen zijn verkoop. Alles, ook het uiteenrukken van ons gezin, was geschied door toedoen van de onbekende, wrede marrons.
In *England* was ik een eenling die overal buiten viel. De andere jongens pestten die rare met zijn buitenissige gewoonten, die blootsvoets door gangen en over grasvelden struinde, voedsel met de handen van zijn bord schepte, zonder acht te slaan op het bestek. De leraren bestraften veelvuldig de kleine kolonist, die volgens hen tucht had ontbeerd en neigde tot losbandigheid dan wel lethargie.
Het dieptepunt werd bereikt toen ik in de leszaal verscheen met zwart gemaakt gezicht. Vuil en roet over mijn huid gesmeerd in een poging dichter bij mijn *roots* te komen.
Zonder omhaal werd ik opgesloten. Langdurig verblijf in een kale cel zou de waanzin wel uit die kleine weerbarstige wilde verdrijven. Opsluiting was de gemeenste straf die ik kon krijgen. Hoe koud het buiten ook was, ik verkoos de bossen van Epping boven de onverschilligheid van Chigwell School. Omsloten door zware muren werd ik echter gedwongen mijn ijdele hoop te laten varen. Er was slechts de naakte conclusie. Als ik niet uit mijn schulp kwam, zou ik mijn verbanning niet overleven.
Ik leerde de herinneringen aan mijn zoete, zinderende wereld, mijn verre, wrede wereld weg te stoppen, mezelf te redden in dat kille, liefdeloze land van mijn voorvaderen. Dat ging niet zonder prijs: lang bleef de chaos in mijn hoofd woekeren.
In het duistere oerwoud hadden schimmige strijders, boze geesten als uit de *yorkatori's*, mijn vader en mijn jeugd vernietigd, mij beroofd van mijn moeder, mijn vrienden, mijn huis en mijn land. Ik zon op wraak. Als ik eenmaal oud genoeg zou zijn, zou ik teruggaan en tegen de marrons strijden en mijn gevangen familie bevrijden. Dit was het plan dat me op de been hield.
September, voorheen de verkondiger van het heetste seizoen, van landerigheid, opdwarrelend stof en verblindend zonlicht, werd nu ingeluid met dode vlinders, dorre bladeren en herfstregens. Druppels die traag over de ramen gleden van immense gebouwen, donker en massief. De nooit eindigende kou, zelfs niet verdreven door de lentezon, de onbegrijpelijke massa kleding, voor een kind dat gewend was bijna in lucht gekleed buiten te rennen.
Ik schuifelde samen met de massa leerlingen over de tochtige stenen

galerij van Chigwell, van de slaapzalen op weg naar het schoolgebouw. Zo veel stenen dat ik mijn verhaal van tranen en bloed soms kon vergeten. Het enige wat ik wist was dat ik terug moest gaan om alles weer ten goede te keren. Het motto van de school: *Aut viam inveniam aut faciam*, Latijn voor *'Ik zal een weg vinden of anders maak ik mij een weg'*, werd eveneens mijn motto.

Epping Forest, het woud dat de school omringde, werd ten slotte mijn redding. Het liefst zwierf ik daar rond, en toen ik ouder werd verwierf ik zelfs nog enige faam op school, vanwege mijn prestaties in de veldloop. Sommige van de jongste leerlingen probeerden mijn verschijning zelfs te imiteren en ik moet toegeven dat het een ongewone indruk maakte in Essex: de wilde jongen met zijn te lange haar, blootsvoets over de barre grond en dat in het keurige schooluniform van Chigwell.

Het duurde zeven jaar, maar eindelijk, nadat ik school en de jongere officiersopleiding doorlopen had, mocht ik ten slotte aanmonsteren op een schip dat naar de West voer. Vijftien was ik, een melkmuil nog, tussen de ruwe zeelui en grove soldaten, opgelucht dat ik nu mijn missie ging volbrengen. De geheime wens, gekoesterd in trage, eenzame uren, werd werkelijkheid. Als vissen in de oceaan schoten mijn gedachten vooruit, wilde mijn verlangen de schoener voortstuwen naar tropische wateren. Begraven dromen lagen met mijn *kumbat'tei* in een verre tuin te wachten tot ze konden ontbotten, de wederopstanding van mijn rammelende, gekiste zelf.

Suriname – het was vreemd, opwindend, ten langen leste thuis te zijn. Niemand om me te verwelkomen, maar dat gold ook voor de meeste soldaten, degenen daargelaten die al eerder hier hadden gediend. Hoeren stonden ons al op de kade te wachten, en een enkele wasvrouw, met een kleurlingenkindje, wijzend: daar is je vader.

Ik liep het blijde weerzien voorbij, de feestende dames en matrozen, de joelende menigte. Rechtstreeks ging ik naar het huis dat ik me herinnerde, door straten zo bekend...

Het was natuurlijk verkocht, bewoond door anderen, die zich mijn geschiedenis echter wel herinnerden. Elke vrije minuut besteedde ik aan het opsporen van mijn Surinaamse familie. Ik sprak vroegere buren, wasvrouwen, marktverkoopsters, slaven en vrijen, veilingmeesters, soldaten en kroegbazen, iedereen die maar iets zou kunnen weten over de gebeurtenissen na mijn vertrek uit Suriname.

Uiteindelijk kwam ik achter hun droevig lot. Secondo, al oud, had maar

weinig geld opgebracht. Hij was verkocht aan een zuinige winkelier om in diens magazijn te werken. Een jaar na zijn verkoop was hij gestorven tijdens het werk: voor zijn leeftijd had hij een veel te zware vracht moeten tillen.
Jeanne werkte in Paramaribo als marktvrouw voor haar bazin. Joanna was huisslavin bij dezelfde meesteres en moest daarbij vaak de straat op als koekverkoopster. Ook had ze inmiddels een dochtertje, Siene. Ik was blij de familie uit mijn verleden weer te ontmoeten, al duurde het even voor ze mij herkenden... In hun herinnering was ik natuurlijk nog een *pkinboi*.
Het lot van de eerste drie was relatief gemakkelijk te achterhalen, omdat ze allen in Paramaribo waren verkocht. Maar Koba was moeilijker te vinden. Het lukte me ten slotte, maar ik was te laat. Mama Koba was door een plantersvrouw gekocht en meegenomen naar de plantage, waar ze op de slavenkindertjes zou moeten passen als de moeders op het veld werkten. De vorige *krioromama* was juist overleden. Koba werkte daar nog vijf jaar, maar stierf toen aan de gele koorts.
Graag had ik mijn beide verzorgers weer gezien, en vrijgemaakt, maar ik was te laat. Al die jaren had ik gehoopt, maar ook gevreesd, want de dood had in mijn leven al vaak toegeslagen. De hoop die mij op de been had gehouden, was er nu niet meer. Wat moest ik doen? De slavin die ik op de plantage over Koba had gesproken keek nieuwsgierig naar mijn verslagen gezicht. Vriendelijk vroeg ze wie ik was. Ik legde het haar uit en ze zei meelevend dat Koba nog wel over mij had verteld en ook over haar vijf andere kinderen. Andere kinderen? In mijn kinderlijke egoïsme was het nooit in mij opgekomen wat Koba's verzuchting bij ons afscheid precies had betekend: *'Yu na siksi. Yu ben na siksiwan'*. 'Jij bent de zesde. Jij bent de zesde geweest.'
Ik besloot uit te zoeken wat er met Koba's vijf kinderen was gebeurd. Mijn pleegmoeder had ik niet kunnen redden, maar haar kinderen zouden net zo min in slavernij moeten leven als ikzelf. Hoewel het verboden was een moeder en haar kinderen gescheiden te verkopen, gebeurde dat toch nog al te vaak. Het lukte me te traceren van welke plantage Koba oorspronkelijk vandaan kwam.
Op plantage Hooyland vond ik inderdaad twee van haar kinderen. Ze waren een stuk ouder dan ik en hadden zelf al gezinnen. Een derde kind van Koba was al op jonge leeftijd gestorven. Het vijfde kind was de doodgeboren baby wiens plaats ik had ingenomen.
Maar het vierde kind, Jantje, bleek moeilijk te vinden. Hij was verkocht

aan een andere planter en het duurde geruime tijd voor ik hem had getraceerd. Hij bleek het eigendom te zijn van een wrede planter, genaamd Santvoort. Juist op de dag dat ik op plantage L'Espérance arriveerde, werd ik getuige van de foltering die hij moest ondergaan voor een of andere kleine overtreding. Woedend viel ik de opzichter aan die de straffen uitdeelde, maar werd door de directeur tot de orde geroepen. Ik bood aan om Jantje te kopen, maar de planter weigerde. Uiteindelijk wist ik met dreigementen van het op de hoogte stellen van justitie, het zover te krijgen dat de slaven enigszins gevrijwaard werden van wrede straffen. Maar daarvoor moest ik regelmatig terugkeren naar de plantage, om met eigen ogen te zien of alles goed ging. De directeur moest dit schoorvoetend toestaan, want hij wist dat hij in overtreding was. Maar ik voelde dat ik meer op mijn eigen controle moest vertrouwen, dan op een eenmalig bezoek van de autoriteiten.
Koba's oudste twee kinderen bezocht ik ook vaak. Ik had het plan hen vrij te kopen, maar beschikte niet over voldoende geld voor twee gezinnen. Naast de koopsom voor de planters moest bovendien nog de vrijkoopsom betaald worden, want zomaar een slaaf de vrijheid schenken wordt niet toegestaan. Het verlies van een slaaf als werkkracht voor de plantagearbeid moet aan de kolonie worden vergoed. Ook moet degene die de slaaf vrijkoopt, borg staan voor diens onderhoud. Het gebeurt te vaak dat vrijgemaakte slaven moeten gaan bedelen of stelen omdat niemand hen betaald werk wil geven – Er zijn immers genoeg slaven die onbezoldigd werken.
Door bepaalde eerdere ervaringen wist ik dat ik geen verwachtingen moest wekken die ik niet kon waarmaken. Ik vertelde hun dus niet de reden van mijn belangstelling. Bovendien kon het hen weinig troost schenken dat zij beroofd waren van hun moeder terwijl ik haar koestering had mogen ontvangen. Voorlopig was al wat ik kon doen, hen bezoeken om me ervan te gewissen dat ze het goed maakten.
Later wist ik directeur Small van de plantage Hooyland, die dicht bij de grens van het oerwoud lag, over te halen om de zoon van Koba dienst te laten nemen in de Compagnie Koloniale Guides. De planter zou zich veiliger voelen als een van zijn vroegere slaven in het zwarte leger van het gouvernement dienst deed en hij in geval van nood beroep wilde doen op diens hulp. Simpi heeft lange tijd dienst gedaan op de buitenpost van het gouvernement, in de buurt van de plantage van zijn voormalige meester. Zo wist hij de vrijheid te verkrijgen, zoals alle slaven die in dienst van het Korps traden. Hij woont nu niet ver van mij, hier op Frimangron.

Wat mijn grieven tegen de marrons betreft, daarvan genas ik te zijner tijd. Beetje bij beetje begon ik in te zien dat zij niet schuldig genoemd konden worden aan de dood van mijn vader. Immers, als militair kon hij verwachten in de strijd te zullen sterven en de marrons vochten nu eenmaal voor hun eigen zaak.
Mijn genezing werd naar ik geloof, ingezet toen ik als jonge soldaat voor het eerst deel uit maakte van een delegatie naar het binnenland en daar moest worstelen met de geesten uit mijn verleden. Reiner was er getuige van, maar hij wist niet wat mij toen bezielde. Die tocht had rampzalig kunnen verlopen, als er geen hulp voor mij was gekomen.

Hier zweeg James en staarde in de verte. Na enige aarzeling hervatte hij zijn verhaal, af en toe haperend en naar woorden zoekend. Dat hij het toen tijdens de besprekingen met de marrons te kwaad kreeg en Reiner hem waarschuwend had toegesproken en hij het bos in gelopen was. Nu vond de bijeenkomst op een eiland plaats, zodat James niet echt ver kon gaan. Dat was misschien maar goed ook, want in zijn toestand was hij anders misschien zo ver gevlucht dat hij verdwaald zou zijn. Maar als er door zijn schuld oproer zou zijn uitgebroken, zat de gouvernementsdelegatie hopeloos in de val.

Dat een ramp voorkomen was, was te danken aan een vreemde gebeurtenis.

Nadat James van de besprekingen was weggevlucht, in zijn geest een razende chaos, had hij zich blindelings een weg in de *kapuweri* gebaand om ten slotte hijgend neer te zinken.

Ik probeerde mijn ongeordende wraakplannen helder te krijgen, maar de aanblik van de levensechte marrons, na zo vele jaren gefantaseerd te hebben over mijn onzichtbare vijand, gooide alles overhoop. Op dat moment op Fungu-eiland wist ik het nog niet, maar later zou ik me realiseren dat hoewel ik in mijn kindsheid mij een zwarte vijand had verbeeld, deze het gezicht van mijn witte belagers droeg: onverschillige leraren en wrede leerlingen, onverbiddelijke dames en geschokte priesters. Een kakofonie van vermanende stemmen, geschreeuwde bevelen, dichtslaande deuren, galmde door mijn hoofd.
Toch was ik allerminst van zins mijn wraakplan op te geven. Dat Reiner me had afgeleid betekende slechts kort uitstel. Zwetend en trillend van inspanning trachtte ik mijn beheersing weer te vinden.
Plots schoof er iemand naast me.

Hoe had hij ongemerkt zo dichtbij kunnen komen? Ik zou op moeten springen, grijpen naar mijn wapen.
Maar niets van dit alles deed ik en zwijgend bleven we naast elkaar zitten. Zonder hem aan te kijken wist ik dat een oude marronman mij gezelschap was komen houden. Zijn komst zou mijn strijdlust moeten hebben aangewakkerd, maar het omgekeerde gebeurde, ik kalmeerde. Mijn haat verdween. Een grote rust kwam over mij.
Urenlang moeten we daar in het struikgewas hebben gezeten, niet ver van de bijeenkomst vandaan, het stemmengerucht van de onderhandelingen nog altijd hoorbaar. Pas toen de dag bijna om was, de overeenkomst was bereikt en de geluiden van afscheidswensen en boten op vertrek klonken, verdween hij. Al die tijd hadden we geen woord gewisseld en elkaar niet aangekeken. Al wat ik van hem zag waren zijn dunne, oude benen met de versieringen van enkelbanden. Toch voelde ik me wonderlijk vertrouwd en geborgen.
Ik was niet eens verbaasd toen ik naar de oever liep en zag dat de oude man nergens te bekennen was, niet bij de delegaties marrons. Hoe zou dat ook kunnen? Hij was immers al lang gestorven, mijn oude vriend Secondo...

Die dag vertelde James me alles over zijn nieuwe familieleden, hoe het Engelse weeskind James zijn Surinaamse familie vond.

In het begin hield ik mijn band met hun moeder geheim. Het was immers te pijnlijk dat ze hen in de steek moest laten en ik van haar de moederlijke liefde kreeg die zij hadden moeten missen. Ze wisten niet waarom ik belang stelde in hun familie, hen opspoorde op verschillende plantages en hen trachtte vrij te kopen.
Bij Willem is het gelukt hem en zijn gezin te manumitteren: toen ik eenentwintig werd en beschikking kreeg over mijn erfenis, kon ik de vrijbrieven betalen. Simpi had zich als Guide de vrijheid verworven en zijn familie kocht ik ook vrij.
Maar er is nog Jantje, die mijn bescherming heeft, zolang ik regelmatig op de plantage langskom om Santvoort te controleren. Want verkopen wil de man hem niet.
Geheimhouden wie ik was heeft niet lang kunnen duren. De negers hebben hun eigen informatiebronnen en met de *mofokoranti* deed mijn geschiedenis de ronde. Ik hoefde hen niet meer uit te leggen wat mij bezwaarde.

Ze kwamen er zelf achter welke band ons verbond en omdat we inmiddels de tijd hadden gehad elkaar te leren kennen, namen ze mij niets meer kwalijk en werden ze mijn familie, mijn Surinaamse broers. Ze hebben mij mijn rol in dit geheel vergeven: er is geen guller hart dan dat van de zwarte. In ieder geval van dat van de Surinaamse neger.

Vijftien

EIND DECEMBER 1847
KLEINE REGENTIJD

De regen stortte neer op de daken, joeg door de bomen, liet in vlagen de groene kruinen schudden. Vanaf onze plek bij het raam in de salon zagen we hoe er op straat plassen werden gevormd, die weer veranderden in onregelmatig spetterende miniatuurfonteinen. Eindelijk was de Kleine Regentijd aangebroken, al sinds begin december verwacht, maar seizoenen houden zich nu eenmaal niet aan kalenders, hoezeer de mensen ook smachten naar verkoeling. De *sibibusi*, de tropische hoosbui die in niets leek op de miezerige Hollandse regen, vaagde de stad schoon, bracht verkoeling. En verstrooiing. Ook waar die niet gewenst was.

Walther keek geboeid naar buiten, waar pijpenstelen de bladeren ranselden, roffelden in woest ritme. Terwijl ik de papieren verzamelde die door de plagende wind over de vloer waren verspreid, constateerde ik zuchtend dat het gebeuren buiten veel spannender was voor mijn pupil, dan de lessen binnen.

Zo plotseling als de bui was komen opzetten, zo snel was ze weer over. De zon scheen stralend over de glanzende bladeren en zou weldra alles opdrogen. Alleen de druipende dakgoten gaven nog niet op, het hemelwater stroomde gorgelend door de pijpen, kletterde in zinken emmers en teilen, plonsde in regentonnen.

Hoopvol keerde ik me naar Walther maar zag tot mijn teleurstelling dat hij nu afgeleid door de vallende waterdruppels, opging in de ritmes die hij met zijn vingertoppen op de tafel meespeelde. Zijn vingers bewogen snel, beurtelings tegen het tafelblad tikkend, galopperend over het hout, de roffelende stroom van druppels imiterend. Dan, in onregelmatig ritme de hand over het vlak bewegend, klonk de dans van de regen over de pannen. De vingers plat over de tafel vegend, verkreeg hij nu een dof geluid; water dat wegstroomde in de goten. Verbaasd, maar allengs verrukt, zag en hoorde ik hoe hij met zijn slanke bruine vingers de regen naspeelde, in een duet de afnemende druppelval overtroefde en ten slotte met één middelvinger het laatste overgebleven lek van de dakgoot liet klinken, snel, dan zachter en langzamer om dan geheel weg te sterven.

'Bravo!' Bijna had ik geapplaudisseerd, maar in de beweging verstarrend, bedacht ik nog juist op tijd dat mijn handgeklap geen passende bijdrage kon zijn, meer een anticlimax van het concert waarvan ik zojuist getuige was geweest.

In plaats daarvan schoof ik de boeken terug die Walther in zijn vuur opzij had gestoten. Met een diepe zucht keerde mijn leerling terug naar zijn lessen.

Nu de regentijd begon, werd het eerder donker en iets later licht. De zon brak overdag nog vaak genoeg door, tussen de regenbuien in en koud werd het zeker niet, hoogstens een beetje koeler. Maar nu de brandende hitte van de Droge Tijd voorbij was, dook een nieuwe teistering op: muskieten! Overal waar het lichaam niet met textiel bedekt was, staken ze. De luiken moesten 's avonds al vroeg voor de ramen, om te voorkomen dat de muggen in grote getale naar binnen vlogen. Binnenshuis werden kruiden gebrand in de komfoor om met de geur de insecten te verjagen. Buiten, op het erf, werden in een ijzeren vat planten verbrand die met een rokerige walm de muskieten moesten ontmoedigen.

Buiten tekenen was er niet meer bij - elk moment kon een regenbui losbarsten, die dan langdurig aanhield. Na een paar maal onder een afdakje schuilend te hebben moeten doorbrengen, en met door hemelwater geruineerde tekenbladen, gaf ik het op. Voorlopig zou ik me maar weer binnenshuis met stillevens en portretschetsen bezig moeten houden. En met schrijven, natuurlijk.

Omdat in de avond de hoosbuien het ergst leken, werd niet veel meer gewandeld. Iedereen was vroeg thuis en sloot de luiken. Het vermaak moest nu binnen gezocht worden. Ook Walther was veel vaker 's avonds binnen, en sloot zich dan niet meer op in zijn geheimzinnige kamer. De avonden werden gezamenlijk op aangename wijze doorgebracht, pratend over de lessen die we overdag hadden gehad, of over andere onderwerpen.

Het gebeurde een keer dat Walther de tekenmap zag liggen en mij naar de inhoud vroeg. Ik stalde de portretten van Elena, Coen en hun kinderen uit, stillevens en landschapjes. Walther bekeek alles zeer aandachtig en sprak zijn lof uit over mijn werk. Tot mijn verrassing bleek hij een goed gevoel te hebben voor compositie en lichtval. Toch tekende hij zelf nooit.

Ik haalde een boek met gravures en litho's naar het werk van bekende kunstenaars tevoorschijn en we spraken over de gedrevenheid van Delacroix en Géricault tegenover het behoud van Ingres en David. 'Emotie staat tegenover ratio, dynamiek tegenover balans,' legde ik uit, 'realisme en drama, maar ook sociale betrokkenheid kenmerkt de stroming van de Romantiek, terwijl het Classicisme meer de aardse verworvenheden in historie, filosofie, wetenschap en politiek vertegenwoordigt.'

'Het is dus bloed en zweet versus reinheid en eer. Hm.' Mijn pupil dacht een moment na en vervolgde dan: 'Eer van de gezetelde macht in haar ogenschijnlijke reinheid.'

'Dat is een manier om het te bekijken,' zei ik toegeeflijk. Aanvoelend dat er meer zou komen wachtte ik af.

'Het is hitte tegen kou. Het vuur van de revolutie tegen de kou van het conservatisme.'

Bedachtzaam antwoordde ik: 'Ja, zo zou je het kunnen noemen.'

'Juffrouw Winter, gelooft u dat kunst het volk kan inspireren tot opstand?'

Over deze plotselinge zijsprong midden in onze les esthetiek moest ik even nadenken. 'Eh, wel, Géricault en Delacroix leverden met hun schilderijen *De Medusa* en *Vrijheid leidt het volk* kritisch commentaar op de gebeurtenissen in hun tijd. Misschien leidde hun werk niet tot opstand, maar het inspireerde zeker. In ieder geval maakte hun werk deel uit van de sociale beroering. Een beter voorbeeld is misschien de opera *De stomme van Portici*, die in Brussel tijdens de opvoering de gemoederen zo sterk verhitte dat er oproer uitbrak. Niet lang daarna volgde de Belgische Opstand en sindsdien behoren de Zuidelijke Nederlanden niet meer bij Holland maar vormen een apart koninkrijk: België.'

'Zo!' was Walthers verraste reactie. 'Een opera had dat effect?'

'Ja, het verhaal handelt over de Napolitaanse opstand tegen de Spaanse overheersing. In het stuk spelen eenvoudige mensen de hoofdrol. Arme vissers komen in opstand tegen het onrecht dat de zoon van de Spaanse onderkoning begaat tegen het arme, doofstomme vissersmeisje Fenella.'

'Nee maar!' Walther was onder de indruk. 'Dat het vuur van de revolutie wordt aangestoken door een theatervoorstelling! Dat moet je maar meemaken!'

'Nou, liever niet, als je het mij vraagt,' temperde ik.

Het was een grappige gedachte dat ik in plaats van lessen op te dreunen met kleine jongens en meisjes, nu discussies voerde met de jeugdige en somtijds opstandige Lord. Eentonig konden de lessen in ieder geval niet genoemd worden.

'Dus u denkt dat er niets aan de hand is. Ik zou daar niet zo snel van overtuigd zijn, juffrouw Winter.' Frederik van Roepel schudde zijn hoofd. Ik had hem geen bijzonderheden over Walther te vertellen, maar daar dacht de directeur anders over. De eigenzinnigheid tijdens de lessen interpreteerde Frederik als opstandigheid en de reeds vermoede minachting voor het blanke gezag was zonder meer duidelijk geworden door Walthers gedrag bij de gouverneur.

'Voeg daarbij zijn contacten met lieden die een verleden van onruststokerij en politieke opruiing dragen'

'Wie zijn dat dan?' viel ik Van Roepel onthutst in de rede.

'Ah, die monsieur Carret die zogenaamd Blackwells portret zou schilderen, maar ondertussen zijn giftige ideeën zaait in de jonge en onbesuisde geest van onze pupil. U weet dat Carret een *bagnard* is, verbannen wegens een politiek complot in Parijs. Er waren zelfs geruchten over vervalste handschriften. Het zou me niet verwonderen als die doorgewinterde communist zijn haat op de jongen overbrengt!'

Ik opende mijn mond om iets ter verdediging van de bejaarde monsieur Carret te zeggen, maar bedacht dan ineens dat ik inderdaad nog steeds niets had gezien van een portret, noch had gemerkt dat Walther daarvoor poseerde. Wat was precies de aard van de bezoeken van de oude bagnard?

Frederik ging voort: 'En dan Herr Konrad, die linkse rakker—'

'Herr Konrad?' interrumpeerde ik andermaal. Hoe kon de verstrooide Herr Konrad, dwalend in zijn besloten wereld van boekenkasten nu een gevaar zijn? Had hij niet laatst zelf nog de schrijver Lefroy ervan beticht een stoker en negervriend te zijn? Lefroy, van wie ik naderhand te weten was gekomen dat hij een Engelse rechter was in de tijd van het Gemengd Gerechtshof in Suriname, en een overtuigd abolitionist? Door Herr Konrads reactie op Lefroy had ik bepaald niet het idee gekregen dat de boekhandelaar linkse sympathieën koesterde.

Maar dat werd door Van Roepel weersproken. 'De man doet alsof hij gek is, en met reden! Hij moet in Duitsland al met de autoriteiten in aanvaring zijn gekomen, voor hij naar Suriname vluchtte. En hier heeft hij zich de eerste tijd ook niet echt gedeisd gehouden! Pas toen gouverneur Cantz'laar hem liet oppakken en in Fort Zeelandia opsluiten en afranselen, zat de schrik er bij hem in. Hij lijkt nu wel een lammetje, maar vergis u niet in hem!'

Verbluft hoorde ik de voor mij nieuwe feiten aan, maar Frederik was nog niet klaar. 'En dan hebben we Walthers belangstelling voor scheikunde en zijn bestellingen van zuren en zouten. In relatie met de voornoemde contacten lijkt me dat een gevaarlijke combinatie. Zonder dat we het weten kan hij bezig zijn met het maken van explosieven...'

Ik uitte een ongelovige kreet.

'...want de Rooien zijn niet vies van geweld, dat is u vast bekend. Het is niet voor niets dat zijn geheimzinnige kamer voor niemand toegankelijk is, zelfs niet voor de meid. En dat voor een dandy die alles graag op orde heeft, vindt u dat niet vreemd?'

Ja, ik moest toch toegeven dat het allemaal bijzonder vreemd was. Het kon niet anders, zowel voor Walthers welzijn als voor de rust in de kolonie zou ik hem beter in de gaten moeten houden en niet te goed van vertrouwen zijn.

Maar denkende aan het lot van Herr Konrad drong ik er bij Van Roepel op aan om niet overhaast te werk te gaan. 'Wat hebben we eraan als Walther in de gevangenis komt? Ik zou niet graag hebben dat zijn geest zo gebroken wordt als met Herr Konrad is gebeurd.'

Aan het gezicht van de directeur merkte ik dat hij liever vandaag dan morgen de autoriteiten zou inlichten. Daarom voegde ik eraan toe: 'Bedenk eens wat een figuur we zouden slaan als we het mis zouden hebben! Echt bewijs hebben we immers niet en we zouden beiden op straat komen te staan, wie zou ons nog aannemen, nadat we onze werkgever zo zwart hadden gemaakt?'

Dat maakte indruk. Met tegenzin beloofde Van Roepel dat hij zou wachten tot er meer helderheid van zaken zou zijn.

Met een bezwaard gemoed verliet ik het kantoor, hoe kon ik erachter komen wat Walther verborgen hield?

'As for Fenimore Cooper, the racial diversity in *Last of the Mohicans* is written in a remarkable way, since he doesn't refer to mixed-bloods as being degenerated or weak.'

Ik knikte. 'You mean that miss Cora, whose father is Colonel Munro, while her mother comes from the West Indies, is admirably brave and honourable. Yes, I agree. But after all, why shouldn't she? She descends from a strong race.'

'Yet she is ashamed of her inheritance, in particular of her colour. The white society, where she has gotten her education, has not accepted her. Her chances of getting married are very low. Maybe Cora has no other choice than *being* strong. If she were white, like her half-sister Alice, she would have been so pampered that she would faint at every occasion, just as the younger one frequently does. Just imagine what Cora in civilized society must have been through. Facing death in the wilderness then is more a primal kind of survival, compared to surviving civilization, it might be a relief.'

Ik fronste mijn wenkbrauwen bij die laatste opmerking. Was dit weer bewijs van sluimerende haat jegens het blanke gezag, zoals Van Roepel over Walther zo stellig had beweerd?

'Now you're exaggerating, Walther! Blood-thirsty savages can't be compared to everyday life, even if that's a struggle. At least you can live and make the best of it. There is always a chance of improvement of one's situation.'

Maar Walther gaf niet op. 'One is *allowed* to live. To live in a white system. For a mixed-blood there are indeed more chances. Of getting proper schooling, less chances of fearing hunger, poverty or the whip.' Hij glimlachte wrang. 'Still it's a strange thing, if you think about it. Just depending on a graduation of colour, your situation can be hopeful or hopeless.'

'Yes,' aarzelde ik, me afvragend of hier mogelijk de denkbeelden van monsieur Carret meespraken. Hoe anders kwam de jongen op deze ideeën? Hijzelf was immers nooit als slaaf behandeld en sprak eigenlijk vanuit een geprivilegeerde positie. 'Yes... I suppose you're right. But isn't that the way of the world? In a primitive society one by nature has less opportunity to be learned—'

'Meaning primitive for negroes, advanced for Europeans.' De Zwarte Lord vouwde de armen over elkaar.

Ik schudde mijn hoofd, mijn repliek gereed. 'Well, not exactly, because I found you proven right.'

Geïnteresseerd keek hij op.

Ik vervolgde: 'I found out that in ancient times, Africa *actually did have* kingdoms, like that of Benin, and libraries and universities. In Timbuktu, for example. Still my knowledge is mostly of the pyramids and the sphinx of Egypt. And some bronze portraits from Ifé city I saw on engravings.'

'So? Is it still the way of the world to have black people enslaved and labouring for white?'

'I don't think slavery is right, but there must be some reason why the African civilizations have lost their grip on history and are now nearly vanished.'

'They were not learned enough?'

'There is a difference. Our society has developed itself through enlightenment, while Africa stayed or halted in mid-medieval. No science or literature has been developed since then. So learning is better achieved in Western society.'

'Then why not take education to the black community? Everyone could get the benefit of being learned. I see you doubt this. Why? Because the thought of Africans ever being as educated as white people seems impossible. Don't worry. There is a way to overcome political and historical barriers, not to mention geographical frontiers.' Hij pauzeerde een moment. 'Just ship the strongest ones out of Africa, take care that they get mixed with the whites and give them the precious western education. That should do the trick, wouldn't it?'

'Oh, Walther, you know that can't happen...'

'It's happening now, it has happened already, miss Winter, my people are here, scattered over the America's, serving and labouring, but certainly not being educated. This raises the question of where to find the best opportunity to be educated. For negroes it's not here, that's for sure. Unless one would like to know everything about coconut agriculture – stimulation added by the whip.'

Ik hief mijn handen ten teken van overgave. Ja, het was mogelijk dat hij met linkse idealen in aanraking was gekomen. Via monsieur Carret? Herr Konrad leek nog steeds een vergezocht idee. De mensenschuwe boekverkoper en de flamboyante dandy leken simpelweg niet met elkaar verenigbaar. 'You win! You're right. But let us not forget our subject of this evening: Fenimore Cooper's book.'

'Ah yes! Where were we? Hmm... Cora Munro being ashamed of being of coloured blood... Yes.'

Hij zei opeens niets meer maar staarde voor zich uit. Stond de Zwarte Lord eindelijk eens met de mond vol tanden? Waarom dan?

Ik moest een aanzet geven en begon: 'So Cora is educated, but society will never accept her because of her mixed blood, thus making her ashamed of her inheritance.'

Walthers gezicht verstrakte. '*Should* we be ashamed, then? Because we spoil the white complexion and bring countless flaws of character? As if the white man isn't capable of having vices himself, he hates us for being, and makes us hate ourself.'

'Walther! Natuurlijk bedoel ik dat niet!' riep ik geschrokken uit.

Maar hij hief kalmerend een hand en ging verder: 'Don't worry, miss Regina, I don't hate myself. In fact I am proud of myself. In spite of being half white, I know my heritage from my mother's side. Though I did not pursue to keep my character as black as she did, I certainly learned where my heart is. I can't say I'm white, so I must be black. I should deny my white mixed blood, but since it is of convenience, why not flaunt with it?' Hij lachte breed.

En ik zat met mijn mond vol tanden.

Gelukkig schoot me toen de Leidse geleerde uit de vorige eeuw, Petrus

Camper, in. Opgelucht citeerde ik: 'Wij zijn witte Moren, of beter gezegd: wij zijn mensen in ieder opzicht gelijk aan de zwarten, behalve dat onze middelste huidlaag minder gekleurd is.'

'Werkelijk? Juffrouw Winter, gelooft u dat?' Onderzoekend nam Blackwell me op.

'Wel, gezien de anders onverklaarbare omstandigheden, moet dit wel plausibel zijn,' meende ik. Opnieuw ving ik zijn blik op, een blik die me onze eerste kennismaking in herinnering bracht, de wijze waarop hij me toen van top tot teen bekeken en haast onbeschoft bejegend had.

Was ik nu veel verder gekomen met onze relatie? Enerzijds leek zijn waardering voor mij te groeien, anderzijds was bij mij het zaad van wantrouwen begonnen te woekeren. Wat school er achter de glimlach van de Zwarte Lord?

De honden sloegen aan zodra ik de woning van James naderde. In het middaguur lag iedereen ter ruste, behalve de slaven en opzichters. Ik verwachtte niet dat James op zou zijn, maar hij verscheen aan de poort, een poetsdoek in de hand, daar hij juist met het onderhoud van zijn jachtgeweren bezig was. Hij verontschuldigde zich voor zijn vuile handen en liet mij binnen. Terwijl we het erf over liepen naar de achterkant van het huis sprongen de honden blaffend om ons heen tot James hen wegstuurde. Het was elke keer weer opvallend dat er geen zwarte bedienden tevoorschijn sprongen om mijn parasol aan te nemen, een stoel aan te schuiven, een versnapering aan te bieden. James' huishouden deed het bijna zonder hulp van slaven. 'Helemáál zonder,' corrigeerde hij me toen ik daarover een opmerking maakte. Miss Marietje was geen slavin maar zijn kokkin en huishoudster, een vrije vrouw van een jaar of vijftig, die zich zwijgzaam van haar taken kwijtte en hem zeer toegewijd was. James was duidelijk een abolitionist, hoewel hij niet bij de beweging aangesloten was en zichzelf ook nooit zo noemde.

We namen plaats op de achterveranda, ik in de schommelstoel en James op de traptrede waar hij zijn karwei weer oppakte. Hij gebaarde naar de kan met limonade en het schone glas ernaast, gereedstaand op een blad op de vloer. 'Miss Marietje brengt straks wel een ander glas voor mij. Bedien jezelf maar vast, Reggie.' Het was grappig mijn naam als een soort Engelse koosnaam te horen. Hij was de enige die mij zo noemde, zonder vrijpostigheid, hofmakerij of geflirt. Het gaf me het gevoel een broer te hebben gevonden, iemand die ik kon vertrouwen zonder bijbedoelingen te hoeven vrezen.

Een licht gerucht achter me deed me omkijken en ik zag dat in de vensterbank van het open raam een tweede drinkglas was verschenen, de gordijnen bewogen nog lichtjes. Miss Marietje was om een of andere reden erg mensenschuw en deed haar werk het liefst zonder dat iemand het zag. Ik stond op om het glas te halen en schonk vervolgens voor ons beiden het zuurwater in. Dorstig geworden door de wandeling in het hete middaguur, dronk ik met genoegen het met water verdunde en gezoete limoensap. James staakte zijn arbeid, veegde zijn handen schoon en dronk eveneens met smaak.

Hoewel we elkaar slechts enkele weken geleden hadden leren kennen, was er tussen ons al een grote mate van vertrouwelijkheid ontstaan. Met zijn vreemde geschiedenis lag James mij na aan het hart.

Na bijna vijf maanden wonen in de kolonie had ik wel in de gaten dat de meeste mannen er één of meerdere bijzitten op na hielden. Zou James op Frimangron misschien een vrouw hebben die hij nu en dan opzocht? Het was een onbeschaamde vraag die mij niettemin bezighield, omdat ik graag meer wilde weten over het karakter van James Miller. Ik aarzelde de vraag te stellen, want in zijn armoedige omstandigheden was het niet waarschijnlijk dat hij al aan trouwen dacht, zodat mijn vraag alleen maar betrekking kon hebben op de losse relaties die in de kolonie algemeen werden onderhouden en die door de Kerk werden veroordeeld. Maar ten slotte vroeg ik dan toch: 'James, heb je geen vrouw?'

De vraag verraste hem en ik voelde me al bezwaard dat ik ze gesteld had. Maar hij antwoordde langzaam: 'Wel... nee. Ik heb wel een meisje gehad, vroeger.' Zijn blik dwaalde weg, hij scheen in gedachten verzonken, draaide het glas rond in zijn handen. Ik voelde dat er weer een geschiedenis aankwam. Belangstellend ging ik ervoor zitten, want hij was een goed verteller. James vertelde dat hij bij een bezoek aan een plantage Rosa had leren kennen, een jonge zwarte slavin. 'Ik was net achttien jaar, had het leger vaarwel gezegd en was begonnen als jager te werken. Die dag had ik deelgenomen aan een jachtpartij op de suikerplantage Resolutie. De rijke planter Von Stein bezat er een grote woning en een paar honderd slaven om de rietvelden te bewerken. Von Stein en zijn vrouw waren beiden van middelbare leeftijd doch hadden geen kinderen. De planter was tevreden over de opbrengst van de jacht en beloonde mij rijkelijk. Ook nodigde hij mij uit een paar dagen te blijven. Ik stemde toe, niet vermoedend wat ik mij hiermee op de hals haalde...'

Terwijl de voorbereidingen voor een feestmaal aanvingen, begaf ik mij naar het gastenverblijf, waar men op mijn verzoek een bad had klaargemaakt. Bezweet en bemodderd van de jacht in het bos, verheugde ik mij op een heerlijk bad, me niet realiserend dat dit voor het meisje dat mij toegewezen was een extra taak betekende. Ik was ervan uitgegaan dat men wel een sterke knecht zou sturen om de emmers water naar boven, naar de slaapkamer te dragen. Maar de tengere Rosa had deze taak gekregen. Toen ik haar met de zware emmers zag zeulen kreeg ik met haar te doen en nam de *buckets* over. Zij toonde zich dankbaar en bood aan mijn kleding voor mij te wassen.

Even later had ik mij in het bad laten zakken en begon Rosa mijn rug in te zepen. Toen kwam onverwachts mevrouw Von Stein binnen. Zij stuurde het meisje weg en begon, al drentelend door de kamer, mij te complimenteren met de resultaten van de jacht. Zij voelde er veel voor, sprak zij, om mij voor enige tijd in dienst te nemen opdat de plantagedis met regelmaat van wild voorzien zou zijn. Terwijl ze zo sprak en mij van tijd tot tijd schalks aankeek, vroeg ik mij, daar ik bekend was met de zeden van Europese vrouwen, ongemakkelijk af of zij geen schaamte voelde in de nabijheid van een naakte man. Voorts verwonderde ik mij erover dat ze met deze conversatie niet wachtte tot het aankomende diner. En ten slotte, geef ik toe, wachtte ik met ongeduld de terugkeer van Rosa af, wier nat geworden hemdje meer van haar lichaam onthulde dan goed voor mij was. Maar mevrouw Von Stein bleef maar doorbabbelen en aandringen, zodat ik uiteindelijk toestemde. Het badwater was inmiddels koud geworden en ik maakte aanstalten om uit de kuip te stappen, waarop mevrouw Von Stein met een aanstellerig gilletje eindelijk verdween.

De avond viel en het diner verliep plezierig. De gastheer en -vrouw waren zeer gul en deden hun best het mij naar de zin te maken. Op de plantages kwam door de geïsoleerde ligging nu eenmaal niet vaak bezoek. Diep in de nacht ging ik naar mijn kamer, ik was doodop en verwachtte als een blok in slaap te zullen vallen. Maar net wilde ik mij ter ruste leggen toen de deur openkierde en iemand naar binnen glipte. Zacht gleed ze bij me in bed en in mijn armen.

Van toen af hadden Rosa en ik een verhouding. Als 's avonds het werk was gedaan en ik me met goed fatsoen terug kon trekken, kwam Rosa naar mijn kamer. Overdag hadden wij beiden onze taken en zag ik haar nauwelijks. Zij was gewoon heel vroeg weer uit mijn kamer te vertrekken. Nog voor de haan kraaide stond ze op en verliet heel zacht het huis om op tijd te zijn voor haar ochtendtaken.

Tot ik op een zondag, de vrije dag van de slaven, besloot eens langs haar

woning te gaan om haar een papegaai die ik had gevangen te schenken. Ik had bedacht dat ik meer van mijn vriendin wilde leren kennen dan bij onze nachtelijke ontmoetingen mogelijk was. Van haar belevenissen en gedachten wist ik vrijwel niets.
Terwijl ik het pad naar de slavenverblijven opliep, bemerkte ik aan de reacties van de slaven, en vooral aan de kwade blikken die de *basya* mij toewierp, dat ik iets zeer ongewoons deed. Ik was echter niet van plan mij er iets van aan te trekken en zou blijven zoeken tot ik mijn vriendin gevonden had.
Nu ik het slavenkwartier van dichtbij zag, viel me op hoe armzalig de behuizing van de slaven was. Wrakke houten huisjes, sommige gerepareerd met gevlochten palmbladeren, de vloer van aangestampte aarde of bijeengesprokkelde houtjes. Wie geluk had beschikte over een huisje op neuten, wat meer bescherming bood tegen de nachtelijke kou en wateroverlast.
Rosa was bezig cassave te raspen en toonde zich verheugd en gevleid maar ook bezorgd. Ze bezwoer mij niet meer openlijk van mijn belangstelling voor haar blijk te geven, daar dit voor haar strenge straf zou kunnen opleveren. Ik kon niet geloven dat het zo'n vaart zou lopen en zette me neder op het trapje van haar huis. Rosa's moeder bood mij een stuk cassavekoek aan en om niet ondankbaar te lijken noch hen tekort te doen, brak ik er een klein stukje af en gaf de rest terug. Op de traptree knabbelend op mijn koek en kijkend naar Rosa die met de papegaai speelde, voelde ik me haast weer thuis, zoals vroeger met Joanna en Jeanne op het erf bij Captain Miller.
Maar ondanks hun verlegen vriendelijkheid en blijde gezichten, bemerkte ik bij Rosa en haar moeder de onrust en toen ik opstond om terug te gaan was hun opluchting duidelijk voelbaar.
Diezelfde avond verliep de maaltijd met het plantersechtpaar minder geanimeerd dan anders. Mijnheer Von Stein schraapte een paar keer zijn keel alsof hij iets wilde zeggen maar bedacht zich dan weer. En mevrouw zei weinig en keek nors voor zich uit. Zelfs de slaven die aan tafel bedienden leken gespannen.
Toen zijn vrouw van tafel was opgestaan, nam mijnheer mij mee naar het balkon en vertelde me daar, dat het mij als ondergeschikte niet toegestaan was een relatie met een slavin te beginnen, tenzij ik het geld had om haar vrij te kopen. Voor mijn behoeften had hij als man zijnde vanzelfsprekend begrip, zelf liet hij ook dikwijls een slavin naar zijn slaapstede komen. Maar méér dan een bedgenote kon Rosa niet worden.

Von Stein beschouwde mij weliswaar meer als een vriend dan als ondergeschikte, maar toch... regels waren regels. En niet voor niets. Waar bleef het gezag van de blanken, als ze slavinnen als gelijken gingen behandelen?
Een storm van emoties overviel me en ik wist me met moeite te beheersen. Woede, verontwaardiging en onmacht streden om voorrang maar de laatste wist zich winnaar. Als ik Rosa niet in gevaar wilde brengen kon ik beter mijn mond houden.
's Nachts lagen Rosa en ik in omhelzing in bed toen we opeens voetstappen in de gang hoorden naderen. Rosa klemde zich angstig aan mij vast, ik voelde haar beven. De voetstappen klonken langzaam dichterbij, tot ze voor mijn deur stil hielden. Even gebeurde er niets. Toen begon het weer. Een damesstap met het getik van gehakte muiltjes. Mevrouw Von Stein.
Verbaasd en gespannen luisterde ik naar de heen en weer gaande voetstappen, steeds voor onze deur, zonder dat er iemand aanklopte. Rosa maakte een bang geluid onder de dekens en ik sloeg mijn armen beschermend om haar heen. Na een poos scheen de nachtelijke wandelaarster er genoeg van te hebben en de stappen verwijderden zich. Geruststellend glimlachte ik naar Rosa, maar zij deelde mijn verlichting niet en zei dat ze voorlopig niet meer naar mij toe zou komen. Ik wist haar te kalmeren en over te halen toch te komen.
Maar de volgende nacht gebeurde hetzelfde. Rosa, die licht sliep, schudde me wakker toen de stappen opnieuw klonken. Deze keer hadden de stappen niets vrijblijvends, er was een duidelijk dwingende ondertoon, maar vreemd genoeg leek de dreiging niet direct Rosa te betreffen. Als de plantersvrouw de slavin had willen betrappen en opeisen, zou dat eenvoudig genoeg zijn. Maar er kwam geen confrontatie, alsof het aan Rosa en mij werd overgelaten conclusies te trekken. En dat deed Rosa.
Ze weigerde nog langer naar mij toe te komen, hoe ik haar ook probeerde over te halen, want ik zag er nog steeds geen gevaar in. *'Na suma sa waran mi skin so mindrineti?'* vroeg ik haar plagend. Wie zou mij 's nachts warm houden? Haar gezichtsuitdrukking was zowel bedrukt als berustend, haar antwoord verraste mij. Zachtjes antwoordde ze: 'Misi Von Stein...'
Voor het eerst begon ik over mijn situatie na te denken. Het kwam me voor dat ik me in gijzeling bevond. Ik kon Rosa niet het hof maken, want daarmee werden de verhoudingen verstoord, de verheven positie van de meesters en andere blanken liep gevaar als er geen standsverschil werd

erkend. Rosa behoorde tot de goederen van de plantage, had geen zeggenschap over zichzelf en ik had geen geld om haar vrij te kopen. Zou ik de relatie openlijk willen voortzetten, dan zou Rosa daarvoor boeten. De zweep werd wel voor minder gebruikt!
Anderzijds vonden mijnheer en mevrouw het best als hun bezit door mijn toedoen vermeerderd werd. Het zweet brak me uit. Onze relatie duurde nu een maand en het was puur geluk dat Rosa nog niet zwanger was. (Dat wist ik omdat zij pas haar maandstonde gekregen had en het om die reden niet gepast vond naar mijn bed te komen.) Van nu af aan zou ik er zo goed mogelijk zorg voor dragen, een zwangerschap te voorkomen. De methoden daartoe had ik tijdens mijn verblijf bij de manschappen en matrozen vernomen. Zolang Rosa niet vrij was zouden alle kinderen uit onze verbintenis in slavernij opgroeien. Het idee dat een kind van mij aan de willekeur van een slavenopzichter en diens meester overgeleverd zou zijn, was onverdraaglijk.
Tegelijkertijd was er mevrouw Von Stein, die mij bij absentie van haar echtgenoot in haar bed verlangde. Wat als ik zou weigeren? Het was waarschijnlijk dat ze haar verbittering en woede op Rosa zou botvieren, zonder dat ik er iets tegen kon doen, daar het haar rechtmatig eigendom betrof. Maar hoe zou ik mijn zelfrespect kunnen bewaren als ik haar goedgunstigheid met mijn lichaam moest betalen? Rosa was het onderpand geworden, afhankelijk van mijn bereidwilligheid en de luimen van haar meesteres. Alles in mij verzette zich tegen de onvermijdelijkheid van de situatie. Het verkillende besef geen zeggenschap meer over mijn eigen lichaam te hebben deed me mijn naïviteit en machteloosheid vervloeken. Het was nog een geluk dat mijnheer Von Stein niet zijn oog op Rosa had laten vallen. Deze laatste gedachte was althans bemoedigend, en gaf me weer hoop op een oplossing.
In de volgende dagen bleven de problemen in mijn hoofd malen. Ik was tot de conclusie gekomen dat het mij onmogelijk was aan mevrouw Von Steins verlangens toe te geven en daarmee mijn vrijheid definitief te verliezen. Ik werd in mijn standpunt gesterkt door te redeneren dat toegeven slechts zou bewerkstelligen dat wij beiden manipuleerbaar eigendom zouden worden en pogingen om uit die te verwachten vicieuze cirkel te stappen, zouden voor Rosa des te meer gevaar opleveren. Het was beter er helemaal niet aan te beginnen. Ik moest echter met uiterste zorg optreden om niet de woede van Rosa's meesteres op te wekken. Uiterlijk liet ik dus niets merken en dagelijks zaten we aan tafel en koutten alsof er niets aan de hand was.

Rosa's woning had ik niet meer bezocht, maar zij zocht me nu en dan stiekem op. Van de wasvrouw had ze vernomen dat mevrouw Von Stein haar maandstonde had, zodat we voor enige tijd ongestoord samen konden zijn. Toen ik haar mijn plannen omtrent voorkoming van zwangerschap meedeelde, reageerde ze tot mijn verrassing zeer negatief. Boos en teleurgesteld draaide ze mij haar rug toe en weigerde mijn belofte haar vrij te kopen zodra ik voldoende geld had, te accepteren. Het verbaasde me dat ze haar kinderen liever in slavernij zag opgroeien dan uitstel te betrachten.

Maar Rosa had geen hoop op verbetering van haar lot, of misschien werd haar hoop in dezen gevormd door mijn verbintenis met haar te bezegelen met nageslacht. Door dit verschil van mening begon onze relatie langzamerhand te bekoelen. Ik vertrok van de plantage met de belofte dat ik zou sparen om haar vrij te kopen.

Van tijd tot tijd bezocht ik haar, maar zij had blijkbaar geen vertrouwen in mijn financiële positie of bedoelingen. Zoals de zaken er toen voor stonden was ik inderdaad nauwelijks beter af dan een arme blankofficier, die leeft van wat er van zijn planters tafel overblijft.

Na een poos nam Rosa een nieuwe partner, een der negerslaven. Hij was goed voor haar. Toen heb ik het voornemen haar vrij te kopen opgegeven. In die tijd wist ik dat ik niet genoeg geld zou kunnen sparen om een heel gezin vrij te kopen.

Iets van mijn gedachten moet zichtbaar geweest zijn op mijn gezicht, want na een blik op mij haastte James zich te zeggen: 'Nee, het is niet wat je denkt. Ik koesterde geen wrok tegen haar omdat ze voor een andere man gekozen had. In deze nieuwe situatie zou haar vrijkopen geen daad van liefde zijn geweest, maar van wraak.'

Ik keek James niet-begrijpend aan. 'Het is vrijgemaakte negers verboden met slaven om te gaan of een relatie met een slaaf te hebben. Rosa zou haar man en kinderen moeten verlaten en hen nooit meer terug kunnen zien.' Mijn geschokte gezichtsuitdrukking ziende, legde hij verder uit wat ik inmiddels ook begrepen had. 'Het gezag is bang dat de verhoudingen verstoord raken als slaven en vrijen met elkaar omgaan. Slaven zijn rechteloos en horen dat ook te blijven. Omgang met vrijen zou maar afgunst teweegbrengen en opstand kunnen kweken.

'Kortstondige liefde... kortstondig geluk... Meer verwachtte Rosa niet. Dat was nog het beste wat ze van het leven verwachtte.'

James was opgestaan om de honden te eten te geven en ik zat te peinzen over wat hij had verteld. Een gerucht achter me bracht me weer de andere bewoner van het huis in herinnering. 'En Miss Marietje?' vroeg ik.

Het bleek dat hij Miss Marietje als *malinker* had aangetroffen op plantage Tourtonne, waar ze volgens de eigenaar 'rijp was voor Boniface', de plek waar oude, gebrekkige en gestrafte slaven werden bewaard. Ze zou juist door de opzichter gestraft worden wegens te lage prestatie, toen James de eigenaar overhaalde haar aan hem mee te geven. De zieke slavin kon voor weinig geld in vrijheid gesteld worden. Met behulp van zijn buurvrouw op Frimangron werd Miss Marietje verpleegd. Ze herstelde van haar verwondingen en ziekte, al bleef ze altijd mager en mensenschuw. Wat ze precies had meegemaakt wist James niet, daar de vrouw nauwelijks sprak. Maar na haar herstel hielp ze hem met zijn huishouden, een zwijgende schim die door het huis sloop en zich slechts af en toe buiten waagde.

'Slaven worden slecht behandeld,' overpeinsde ik. 'Gelukkig ken ik ook wel mensen die het anders doen. Sammi, bijvoorbeeld. Hij is goed voor zijn slaven.'

'Bedoel je Lobato, met al zijn halfbloed kindertjes?' vroeg James.

'Sammi? Kinderen?' zei ik verbluft. Het was niet in me opgekomen dat Sammi de vader kon zijn van de vele bruine kinderen in het huis, maar ja, nu het gezegd was, moest ik toegeven dat het zeer wel mogelijk was. Ik had echter nooit gezien dat Sammi zich enigszins als vader opstelde tegenover zijn kroost, zij waren zijn bedienden. Hij was niet slecht tegenover hen, maar als het zijn eigen kinderen waren, gedroeg hij zich toch op z'n minst nalatig, vond ik.

Volgens James huurde Lobato de slavin Judith al jaren van haar joodse eigenares. Judith was met haar zoon bij Sammi komen wonen en niet lang daarna was het ene kind na het andere geboren. Alle nakomelingen bleven echter eigendom van mevrouw De Miranda.

Geschokt had ik het verhaal aangehoord. Te bedenken dat ik daar te eten was gevraagd terwijl de moeder van zijn kinderen ons bediende en niet zelf had aangezeten. En wat had Van Roepel ook alweer gezegd? Dat Sammi een oogje op mij had? Ik was zeer verontwaardigd en schaamde me ook over mijn aandeel, hoewel onwetend, in deze onverkwikkelijke gebeurtenissen.

James trachtte een en ander te verzachten. Sammi en Judith konden geen 'Surinaams huwelijk' sluiten, omdat zij geen vrije vrouw was en Sammi te arm was om haar en hun kinderen vrij te kopen.

Maar daarenboven, overdacht ik, leek Sammi niet erg geïnteresseerd meer in zijn huishoudster en ook niet in zijn kinderen. Dat viel me erg van hem tegen. Van iemand met zo'n dromerige, poëtische natuur had ik echt een beter karakter verwacht.

Hoofdschuddend zei James dat het wel vaker voorkwam en dat misschien juist Samuels dromerij veroorzaakt had dat hij de situatie zo slecht had ingeschat. Met elk kind dat erbij kwam, was de mogelijkheid Judith vrij te kopen verkleind, daar kinderen niet van hun moeders werden gescheiden. En nu zou het een fortuin kosten het hele gezin vrij te kopen, geld dat Samuel ontbrak.

Nou, vond ik, dat mocht wel zo zijn, maar dat sprak hem niet vrij van bepaalde verplichtingen.

Later thuis, nam ik me voor Sammi hierop aan te spreken. Zelfs al kon hij hen niet vrijkopen, hij kon zijn familie een betere achtergrond geven, zodat ze misschien te zijner tijd de mogelijkheid kregen de slavernij te ontstijgen.

Ik begon te letten op dat donkere vrouwtje op de achtergrond, Sammi's huishoudster. Ze was stil en zwijgzaam, maar uiterst attent waar het haar heer betrof. Niet als de luidruchtige, kokketterende concubines, waarover ik de blanke mannen zichzelf zo vaak had horen beklagen. Samuel zelf leek nauwelijks belangstelling te hebben voor zijn huisgenoten. Hij was vriendelijk, maar onverschillig.

December ging voorbij zonder dat het herfst geweest was. Geen bruiner wordende boombladeren, maar een voortdurend groen. Geen hagel en wind, wel eindeloze regenbuien. Soms leek het geroffel op de dakpannen wel op hagelstenen zo hard, het geruis van de regenvlagen door de bomen herinnerde aan de herfstwind. Maar in plaats van een knappend haardvuur wachtte nu een komfoor met brandende kruiden en er was geen anijsmelk met speculaas, maar warme thee met *fiadu*bollen.

Het was vreemd om de winter op deze wijze vervangen te zien. Voor mijn huisgenoten was het echter de normaalste zaak en de enigen met wie ik over mijn heimwee kon spreken, waren de Brammerloo's. Mevrouw deelde mijn mijmeringen grif, maar voor de jonge Margaretha was winter een al haast vervaagde herinnering.

Oudjaar kwam, met vele borrels en gelukwensen. Om middernacht werden de kaartspelletjes onderbroken door het gedonder van de kanonnen op Fort Zeelandia, om het nieuwe jaar in te luiden. De kolonisten kwamen de straat op en schoten met pistolen in de lucht om aan de feestvreugde uiting te geven.

Daags daarna zongen de slaven en meesters in de kerk, vroegen om zegen voor het nieuwe jaar. 1848 was aangebroken.

Deel drie

Zestien

JANUARI 1848

Het nieuwe jaar begon met slecht nieuws: in Europa was na enige tijd rust, alweer een oorlog uitgebroken. Al op twee januari, hoorden we later, was er in de Italiaanse staten een nieuwe regering geïnstalleerd. De onlusten waren begonnen op Sicilië, een opstand tegen het koninkrijk van Napels. Iedereen zei dat het afgezette Huis van Bourbon toch al niet veel meer voorstelde als het om regeren ging.

Gelukkig lag Italië vrij ver van Nederland. Net hadden we weer vrede, na al de oorlogen van Napoleon, die ook in mijn familie levens hadden gekost. Ik nam mezelf voor op de hoogte te blijven door wat vaker buitenlandse kranten te lezen.

Intussen bracht het leven met Walther nieuwe beslommeringen. Mijn werkgever vond het tijd worden om weer naar de plantage terug te keren. Als eigenaar moest hij het werk natuurlijk in de gaten houden. Frederik van Roepel zou terugkeren naar Paramaribo om op kantoor de zaken waar te nemen en ik moest mee naar Lemuel.

'Gekkenwerk,' vonden de kolonisten met wie ik bevriend was geraakt, 'welke blanke vrouw gaat er in de regentijd naar de plantage? Muskieten, slangen en ander ongedierte dat naar een droge plek zoekt in de huizen. Pas maar op!'

Reiner was bezorgd om mijn gezondheid. 'Als je maar geen malaria oploopt. Je bent nog niet zo lang in de kolonie.' Zijn gezicht vertrok spijtig. 'Had ik mijn *bita*-beker maar niet bij mijn laatste plantagebezoek vergeten! Dan had ik je hem mee kunnen geven.'

'Een beker?' vroeg ik verbaasd.

'Jazeker. Het is een *kwasibita*-beker, gemaakt van hout van een boompje dat langs de oevers groeit. Als je er heet water in doet, krijg je een drankje dat helpt tegen koorts. Wordt hier veel gebruikt,' verklaarde Reiner.

'Maak je maar geen zorgen,' antwoordde ik. 'Het is feitelijk een luxe, dat ik de stad eerst nog zo lang heb mogen leren kennen. Immers, Walther Blackwell woont eigenlijk op Lemuel.'

'Was je maar niet in dienst van die Blackwell,' mopperde Reiner.

Ik lachte. 'Dan zou ik niet eens in Suriname zijn! Wees gerust, Walther heeft beloofd dat het niet voor lang is. Tenslotte ben ik op zijn aanraden ook nog bij de familie Brammerloo in dienst.'

Mijn gevoelens over ons bezoek aan plantage Lemuel waren gemengd; ik was benieuwd naar Walthers achtergrond, de plaats waar hij opgegroeid was en hoe zijn houding ten opzichte van zijn slaven was. Want Elena en Coen mochten dan vrije bedienden zijn, op de plantage was Walther nog steeds slavenhouder.

Op zich werd het tijd dat ik eindelijk eens een plantage zag. De plantages, gespreksonderwerp op menige visite, waren middel van bestaan voor de kolonie en bron van winst voor het moederland, de vruchtbare gronden langs de bovenstromen van Suriname, waar iedereen van leefde. Hoe zag het leven daar eruit? Ik was nieuwsgierig en dat hielp me enigszins over mijn weerzin voor de insecten en gevaren van het binnenland heen, de angst voor malaria, gele koorts en wie weet wat voor andere akelige ziekten.

Vroeg in de ochtend vertrokken we. Het was vijf uur en nog donker toen we bij de haven stonden en wachtten tot alle bagage was ingeladen. Walther had op het laatste moment nog allerlei kisten laten brengen die allemaal mee moesten.

Op de Suriname-rivier was het fris, er hing een fijne nevel boven het water. Ik trok mijn omslagdoek wat vaster om me heen en tuurde naar de door mist omfloerste streep waar de huizen van Paramaribo lagen. De roeiers deden zwijgend hun werk. Walther en ik spraken weinig. Het klotsen van de riemen ging in gestadig ritme, de boot kliefde door het water met een spoor van schuim en opspattende druppels, in de verte kraste een uil. Langs de oevers was de zwarte massa silhouetten van bomen zichtbaar.

Na een poos varen begon de zon langzaam op te komen, de donkere hemel verkleurde grijs en dan plots lichter, pastelroze kierde de dageraad. De geluiden om ons heen veranderden. Vogels, loeiende koeien, menselijke stemmen kwamen van de kant. Steeds meer werd de omgeving door het licht onthuld, tot de hemel als het ware met een zwaai haar gordijnen optrok en een overvloed aan zonneschijn over ons uitstortte.

Tegen negen uur in de morgen hielden we een rustpauze op een plantage. Voor de roeiers natuurlijk en ook om te wachten tot we het getij weer mee hadden. Nadat we een tweede ontbijt genuttigd hadden, legden sommigen zich neder in de schaduw om wat te rusten. Door het vroege vertrek en de inspanning van het roeien lagen de meesten al gauw te slapen.

Na de verplichte rust en een middagmaal bij de gastvrije planter voeren we weer verder. Af en toe zongen de roeiers een lied. De koelte was al lang vervlogen en een drukkende hitte daalde neer over het water. Onder het tentdoek werd het benauwd en de zijflappen werden hoog opgetrokken.

Met die hitte kon het niet uitblijven, de lucht betrok en er volgde een wolkbreuk. Pijpenstelen sloegen in op het wateroppervlak en roffelden op het dak van onze tentboot, de tentflappen inderhaast weer neergelaten. De roeiers gingen gewoon voort, er werd niet meer gezongen.

Na een poos veranderde de stortbui in een motregen, die uren aan bleef houden. Ik kreeg medelijden met de roeiers, zouden ze niet ziek worden van de inspanning, het hete zweet weggespoeld door koud hemelwater? Tenslotte zaten ze daar bijna naakt en de weinige kledingstukken doorweekt.

Ook ik voelde me klam en vochtig en hoe langer hoe minder comfortabel. Gedurende de hele reis was Walther zwijgzaam en in zichzelf gekeerd gezelschap geweest. Hij scheen niets te merken van de ontberingen van zijn mannen. Toen ik mijn zorgen om de roeiers met Walther deelde, zei hij dat het nu niet ver meer was. Straks zou iedereen kunnen rusten.

De zon ging onder en de bootsman volgde in de vallende duisternis het schaarse vuurschijnsel afkomstig van gepasseerde plantages, en zijn door ervaring gescherpte instinct. Doodmoe, stijf en verkleumd, kwamen we tegen het begin van de avond aan op plantage Lemuel. De muskieten stortten zich woest zoemend op ons en zo vlug als we konden, legden we aan en klommen aan wal. De voile voor mijn gezicht beschermde enigszins tegen de steken, evenals de lange mouwen en rokken, maar de slaven hadden geen bescherming en grepen vlug naar de kisten en bagage, tilden die op de rug en renden weg om maar zo snel mogelijk onder dak te zijn. We ploeterden door het zompige gras. Spijtig bedacht ik hoe bemodderd mijn reiskleding nu wel zou worden. Een koor van krekels koos dat moment uit om in te zetten en zong samen met de tikkende druppels en zoemende insecten. Voor ons doemde het contour van een landhuis op. De luiken waren gesloten en er drong geen licht door naar buiten. Op de veranda stond een rookpot te walmen, om de muggen weg te houden.

Toen we het huis dicht genoeg genaderd waren, ging de deur open. Een magere zwarte vrouw verscheen op de drempel. Ze was gekleed in een purperen zijden japon en droeg op het hoofd talloze kleine vlechtjes. Ze zwaaide met een brandende lantaarn naar ons. Een fijne motregen daalde neer en in het schijnsel van de lantaarn zag ik de druppels als naalden langsflitsen.

We beklommen de veranda en werden in huis genood. *'Odi M'ma, Fa yu de?'* Walther sloeg zijn armen om de vrouw heen en omhelsde haar. Zij lachte kakelend en antwoordde hem rap in haar taal. Dan keerden ze zich beiden naar mij. *'M'ma, disi na Misi Winter, Regina Winter.* Regina, dit is mijn moeder, Mis' Amajé.'

De magere vrouw nam me scherp op.

Tot mijn verbazing zag ik dat haar gezicht symmetrische littekens vertoonde op wangen en kin en ik dacht aan de plaatjes van Afrikaanse stammen. Blijkbaar waren de huidinsnijdingen als versiering bedoeld. Maar ik hernam mezelf en stak mijn hand uit. 'Aangenaam kennis te maken, mevrouw Blackwell,' zei ik.

Opnieuw begon de vrouw te lachen, geen tinkelend salonlachje, ook geen daverende boerinnenlach, maar meer een kwekkend gegrinnik terwijl ze mijn hand vastpakte en met haar andere hand hartelijk beklopte. Ze grijnsde en toonde ongegeneerd een onvolledig gebit. Daarna trok ze me de kamer in en wenkte ons al pratend naar de tafel. Er werd ons een maaltijd voorgezet, eenvoudig, maar voedzaam. Onderwijl bleven Walther en Mis' Amajé doorpraten in hun taal, waar ik weinig van verstond.

Af en toe liet ik mijn blikken dwalen door de vrij donkere kamer. Op het eerste gezicht zag het ernaar uit dat het huis betere tijden had gekend. Er stonden mooie oude, maar gehavende meubels. De kandelaars op het dressoir waren niet aangestoken, de muren waren kaal. Misschien woonde de oude vrouw de meeste tijd alleen en vond ze het niet de moeite meer licht te maken.

De reis had me erg vermoeid en ik verlangde ernaar me terug te trekken, mijn vuile kleren uit te kunnen doen en wat tot mezelf te komen. Gelukkig werd er niet van ons verwacht dat we de avond babbelend zouden doorbrengen. Na de maaltijd werd ik door een slavin genaamd Mildred, naar boven gebracht waar mij een kamer wachtte die net als de rest van het huis op vergane glorie teerde. Maar ik was blij me ter ruste te kunnen leggen. Het was overal stil en donker, alleen de verre geluiden van onbekende bosdieren waren door de luiken hoorbaar. Ik kleedde me snel uit en waste me bij de waskom, het was te laat om nog een bad te laten maken. Goed beschouwd kon het nog niet zo heel laat zijn, maar de stilte in en rond het huis was onwennig voor een stadskind als ik. Geen buren, en het oerwoud naast de deur. Een raar gevoel.

Plantage Lemuel bleek een 'bevoorradingsplantage' te zijn. Een plantage die groenten, fruit en pluimvee leverde aan de stad en aan andere, grotere koffie- of suikerplantages, waar de slaven naast hun arbeid geen tijd overhielden voor eigen kostgronden en waar elk stuk grond gebruikt werd voor de exportteelt. Zo'n zeventig slaven bewerkten de gronden en leefden al enige generaties op Lemuel. De woningen waren klein, maar netjes en goed onderhouden, en sommige bewoners kweekten zelfs bloemen of hadden een huisdier.

Overdag was er bedrijvigheid alom; in huis, tuin, op het water en op de gronden waren slaven bezig met wassen, koken, schoonmaken, zorgen voor beesten en gewassen, vissen of producten naar andere plantages vervoeren. Moeder Amajé had er de wind goed onder, echter zonder dat er een zweep aan te pas kwam. Een blik van haar scherpe ogen was genoeg om een brutale meid of vent te doen afdruipen. Walther vertelde me dat Ma Amajé's vader nog een echte 'zoutwaterneger' was geweest, wat betekende dat zijn grootvader rechtstreeks uit Afrika was aangevoerd.

Misschien school daar haar kracht in, dat er werd gefluisterd over de geheime magie van haar voorouders, die zij machtig zou zijn. Hoe dan ook, Mis' Amajé wist inderdaad veel van kruiden en werd in ieder geval om die reden ook gewaardeerd. Zij trad op als *dresimama* als er zieken waren, hielp de kraamvrouwen en had middelen voor allerlei kwalen paraat. Zelfs van naburige plantages kwam men wel langs om raad, vertelde een van de huisslavinnen mij.

De slaven van Lemuel waren zich ervan bewust dat ze in een prettiger positie verkeerden dan degenen die werden geëxploiteerd op de grote exportplantages. Op Blackwells plantage verliep het leven arbeidzaam maar vredig, vrijwel zonder inmenging van enige blanke. Een zweep, merkte Walther op, was alleen nodig als je mensen wilde dwingen iets te doen wat ze niet wilden of konden. Hier werd niemand afgebeuld of geterroriseerd, en dus was er ook geen zweep nodig.

Naast de Van Roepels en vroeger Walthers vader, moest ik de eerste blanke zijn die voor langere tijd op de plantage verbleef. Eenmaal hier gekomen, vroeg ik me af waarom Walther mij meegenomen had want hij bleek geen tijd te hebben voor lessen. In de morgen moest hij weg om de gronden te inspecteren, in de middag moest de gang van zaken bij de timmerlui, de vissers en de veeverzorgers bekeken worden.

Met niets om handen liep ik de eerste dagen Amajé maar voor de voeten, die ik – mijn tijd met zuster Agnes in gedachten – had trachtten te assisteren bij haar bezigheden. Maar Mis' Amajé had al spoedig genoeg van mijn geloop achter haar aan en had mij weggebonjourd, letterlijk door mij beet te grijpen en de andere kant op te loodsen en met handgebaren weg te wuiven, aangezien ik haar taal niet verstond. Dus had ik mezelf vermaakt met het schilderen van riviergezichten en plantagetaferelen.

Maar op de vijfde dag kwam Walther met een verzoek. Hier op Lemuel had hij voorlopig geen tijd voor lessen, maar hij wilde inventaris opmaken van de plaats en had mijn hulp nodig. Ik stemde grif toe, want ik zag de verveling al naar mij loeren, als ik hier nog weken moest verblijven.

De volgende dagen ging ik gewapend met pen en papier, kamer voor kamer, kast voor kast langs, om elk meubelstuk en elk voorwerp te noteren. Mis' Amajé hielp me dan met het ontsluiten van de kasten, rammelend met haar sleutelbos en commentaar gevend dat ik niet verstond. Ze scheen mij echter te vertrouwen en liet me vaak alleen met een slavin, die alles na telling weer netjes teruglegde in de kasten. We telden in huis stoelen, bedden, kandelaars, linnengoed, kleding, hoeden, hangmatten, serviesgoed en bestek. In de keuken telden we voorraden voedsel en wijn, kaarsen en zeep, tinnen schotels en aardewerk, Keulse potten en koperen ketels. Alles schreef ik netjes en gedetailleerd op. De spullen verkeerden in goede staat, slechts het huis en de meubels leken verouderd.

's Avonds bekeek Walther de lijsten met mij, mijn werk van de afgelopen dag. Hijzelf was bezig met de inventaris buiten het huis: de werkplaatsen, stallen, gronden, het botenhuis. Soms als ik door het raam keek, zag ik hem bezig samen met een paar slaven, de grond af te meten of de voorraden tellend. Hij en ik waren de enigen op de plantage die konden lezen en schrijven.

Na enige dagen nijver werken waren wij klaar. Walther verzonk plots in een sombere stemming, sprak nog maar weinig en leek vaak hoofdpijn te hebben. Ma Amajé ontfermde zich over hem met haar kruidendrankjes en wuifde mijn voorstellen over kaartspelletjes, pepermuntolie en voorlezen weg.

In de avond klaarde het eindelijk op en ik zag de verstrooide vonkjes van vuurvliegjes in het gras, als de laatste adem van een gevallen ster, een uiteengeveegde komeetstreep dovend in het duister. En weer opduikend op onverwachte plekken, onmogelijk de vlucht te volgen van die menigte knipogende nachtgangers.

Maar de regen keerde terug. Eindelijk, na een paar saaie, druilerige dagen, waarin ik buiten alleen maar modderige voeten haalde en binnenshuis wat zat te lezen of te schetsen, kwam Walther de salon in met een stapel papieren.

'Ik dacht dat de inventaris afgelopen was,' zei ik verbaasd.

'Dat is onjuist,' antwoordde hij kort. Toen zette hij zich bij mij aan tafel neer en schoof me de papieren toe. Ik las wat erop stond. Het was een namenlijst. De namen van de slaven. Meer dan zeventig mannen, vrouwen en kinderen, met achter hun naam soms een bijzonderheid vermeld als een verworven vaardigheid of een lichamelijk gebrek. Weer opkijkend zag ik Walthers wrange gezichtsuitdrukking. 'Ja, ze behoren ook tot mijn bezittingen,' gaf hij te kennen. 'Zelfs mijn moeder, al heb ik haar niet op de lijst gezet. Zij is nota bene de vrouw des huizes.'

Ik was geschokt. Toen, terwijl hij sprak, drong langzaam de omvang van zijn bekentenis tot me door. Moeder, broeder, hoeder, iedereen die hij van zijn jeugd af kende, was overgeleverd aan zijn meesterschap. Zelf slaaf op Lemuel geweest, hoewel altijd in een bevoorrechte positie, was het ondenkbaar dat hij hen slecht zou behandelen, maar zelfs dan nog was het een last als lood. Wie verplicht is zijn familie als slaaf te houden, kan niet gelukkig zijn.

'Ik wilde hen de vrijheid schenken, maar dat weigerden ze, bang dat ze in armoede zouden moeten leven. Vrijen vinden niet gemakkelijk werk. Arbeid van slaven is immers gratis, waarom zou je er dan iemand voor betalen? Liever wilden ze op Lemuel blijven. Voorlopig doe ik dat, maar ooit moeten ze op eigen benen staan. Er zal niet altijd een meester zijn, die voor hen moet zorgen.'

Ruisende rokken en zachte voetstappen kondigden de komst van Mis' Amajé aan. Walthers moeder liep immer blootsvoets. De vrouw trad de kamer binnen en zag ons zitten. Ze voegde zich bij ons en begon te praten in een taal die wel op het Negerengels in de stad leek, maar veel dieper klonk en minder makkelijk te begrijpen was. Walther sprak met haar en richtte zich dan tot mij. 'M'ma wil dat ik voor je vertaal wat ze te zeggen heeft.'

'Dat is goed, Walther,' antwoordde ik, 'ik heb al eerder met haar willen praten.'

Ma Amajé begon te vertellen en Walther vertaalde. 'Ma heet je welkom op Lemuel.'

Ik neeg mijn hoofd ten dank.

'Ze zegt,' vervolgde Walther, 'dat je voorouders ook verheugd zijn met je komst naar Suriname.'

'Ach?' Verrast keek ik op. 'Kende je moeder mijn ouders?' vroeg ik hoopvol.

Maar Walther schudde zijn hoofd, dus meende ik dat het een van die geheimzinnige uitspraken moest zijn waaraan Mis' Amajé haar macht en aanzien ontleende.

'Hoe komt het dat zij niet gelijk met jou is vrijgemaakt?' wilde ik weten.

'Dat is haar eigen keus,' verklaarde Walther somber.

'Wát?' riep ik ongelovig. 'Waarom in 's hemelsnaam?'

Walther aarzelde even. Eerst vertaalde hij mijn vraag voor Ma Amajé, waarop zij met een waterval aan woorden antwoordde, daarna wendde hij zich tot mij en vertelde: 'Om vrij te kunnen worden, moet je eerst lid worden van een kerkgenootschap. Het is een vereiste van de autoriteiten om manumissie te verkrijgen. Mijn moeder weigert echter haar eigen geloof op te geven. Ze zegt dat ze alles aan haar *winti's* te danken heeft, en dat het ondankbaar zou zijn hen te verlaten. Aan de Kerk heeft ze nooit iets gehad. Aan haar voorouders wel.'

Terwijl ik deze haast godslasterlijke verklaring aan het verwerken was, gaf de oude vrouw nog op ferme toon haar mening te kennen.

'Ze zegt,' vertaalde Walther, 'met slavernij kopen ze je lichaam, met manumissie je ziel.'

Hij glimlachte. 'Mijn moeder mag dan als ouwe toverkol gezien worden, ze is wel zichzelf trouw gebleven.' Hierop lachte de oude kakelend, als had ze alles verstaan. Ze zei weer iets, wat volgens Walther bleek te zijn: 'Bij de Secretarij koopt het Gouvernement je ziel op. Wat heb je dan nog aan vrijheid?'

Tegenover zo veel vastberadenheid was ik sprakeloos. Ook al was ik het in het geheel niet met haar eens, ik moest Ma Amajé toch nageven dat ze precies wist wat ze wilde. Via Walther liet ze me verder weten dat ze mij een kruidenbad kon geven, zodat ik meer in harmonie zou komen met mijn voorouders. Maar ik bedankte vriendelijk voor de eer.

Mis' Amajé stond op en klopte me moederlijk op de arm. Toen zei ze tot mijn verrassing in het Engels: *'Anytime, mi gudu, anytime,'* en schreed weg, de purperen rokken deinend op haar bewegingen.

Walther keek haar peinzend na, richtte dan zijn aandacht weer op de papieren vóór ons op tafel. 'Ik ga ze verkopen,' verkondigde hij plompverloren. Even dacht ik dat ik hem niet goed verstaan had, maar hij was serieus, en ogenschijnlijk onbewogen. Onmiddellijk rezen redenen en argumenten in mij op – hoe kon hij zich nu als slavenmeester, erger nog, als verkoper opstellen, na alles wat hij net had gezegd? Na al onze discussies in de stad? Golden hier op de plantage andere wetten, andere normen? Waar was de Zwarte Lord gebleven, de gentleman die enkel vrijen als bedienden had? Zeker, ik wist dat de aanzienlijke kleurlingen en vrije zwarten ook slaven bezaten, dus uitzonderlijk was Walther Blackwell beslist niet, maar had hij zelf zich niet altijd tegen het systeem verzet? Al deze vragen en nog meer nieuwe die prompt opkwamen, verdrongen zich om uit mijn mond gehoord te worden, maar Walther stak bezwerend zijn hand op. 'Stop, miss Winter,' beval hij, 'mijn besluit is genomen. De afgelopen tijd heb ik alles overwogen en alle mogelijkheden bekeken, maar ik zie geen andere oplossing. De autoriteiten zouden zo veel manumissies tegelijk nooit goedkeuren, en het zou een vermogen kosten aan vrijverklaringen. Voor wie zouden ze moeten werken? Wie zou hen aannemen? Hun vrijheid zou hun ongeluk worden, met niets om van te leven.' Abrupt stond hij op en verwijderde zich, voor ik meer kon vragen.

Ik kreeg een groeiende hekel aan die gewoonte van hem, op te stappen voor een gesprek beëindigd was. Toch bedwong ik mezelf mijn pupil en broodheer ter verantwoording te roepen. Want vlak voor hij vertrok ving ik een glimp op van zijn gezicht en ook al had hij het proberen te verbergen, de uitdrukking van pijn was niet te maskeren. De Zwarte Lord keek alsof hij een stuk van zijn ziel was kwijtgeraakt.

In de volgende dagen verspreidde het nieuws van Walthers besluit zich over de plantage. 's Avonds hoorden we een vreemd gerucht, een koor van klaaglijke stemmen dat vanaf de slavenverblijven naar het grote huis toe dreef, een hartbrekend gezang dat Walther zijn verblijf in de salon voortijdig deed afbreken. Het jammerende geluid zwol aan, veranderde van toon, erbarmelijk geween wisselend met rauwe, onbarmhartige aanklacht. Zo gezichtsloos was het of de aarde zong, de bladeren meetrilden en de regen tranen plengde, een lied van dreigende ontworteling.

Iedereen ging vroeg naar bed, maar het weemoedige gezang wist ook door de gesloten luiken te dringen in de donkere slaapkamers, waar de vrijen met een schuldig geweten nog lang wakker lagen.

De sfeer op Lemuel veranderde. De gemoedelijke maar arbeidzame houding van de slaven werd geleidelijk aan trager en norser. Er werd niet meer gelachen en zelfs Mis' Amajé moest soms met dreigementen haar bevelen gedaan krijgen. Walther was gemelijker en zwijgzamer dan ooit, hij leek in een nacht jaren ouder geworden. Op mijn vragen of Lemuel zou blijven voortbestaan en waarvan hij zou leven zonder plantage, weigerde hij in te gaan. Heimelijk overwoog ik om Frederik van Roepel op de hoogte te brengen, maar voorlopig kon ik toch niet weg van de plantage. Misschien dat Samuel of zelfs Reiner ons nog een bezoek zou brengen, dan kon ik een brief meegeven.

Op een ochtend – ik was net aangekleed en bezig toilet te maken – hoorde ik beneden opeens een kreet, gevolgd door veel tumult. Ik haastte me de kamer uit. Op de overloop wierp ik een blik over de trapleuning en zag dat Mildred bij de voordeur stond te schreeuwen en te wijzen, jammerend en zichzelf op het hoofd slaand van agitatie. Meer huisslaven hadden zich bij haar gevoegd en droegen bij aan de consternatie. Mis' Amajé verscheen ten tonele en sprak met scherpe stem, droeg de slavinnen op om weer aan hun werk te gaan en langzaam dropen ze af, nog altijd morrend en angstig omkijkend. Walther kwam bij zijn moeder staan en samen bogen ze zich over iets bij de voordeur en fluisterden lang en indringend met elkaar.

Ik trok me terug in mijn kamer om haastig mijn toilet af te maken en begaf me toen naar beneden. Walther en Ma Amajé waren verdwenen. Een bedremmeld kijkende slavin gluurde op afstand naar de openstaande deur. Op de drempel zag ik een in doeken gewikkeld gevlochten mandje staan. Was dat het voorwerp dat zo veel drukte veroorzaakt had? Nieuwsgierig liep ik erheen en boog me over het onschuldig ogende bundeltje. In de baskiet lagen wat kleinodiën. Een rode zakdoek, een bruin ei en een wit ei, een fles rum, een stuk suikerriet en een paar bananen en koperen munten. Juist bukte ik me om de zaken nader te inspecteren, toen achter me een snerpende gil weerklonk. *'No misi! No du! A ogri!'*

Van schrik bleef ik in mijn handeling verstard. Op dat ogenblik kwamen Walther en Ma Amajé weer tevoorschijn, beiden keken stuurs maar vastberaden. Walther nam me bij de arm en leidde me weg van de drempel. Ma Amajé had een stok en een doek bij de hand. Ze wierp de doek over de mand en met de stok begon ze het voorwerp de veranda af te schuiven, in de richting van het erf.

'Wat was dat, Walther, wat is er aan de hand?'

Hij gaf geen antwoord, zijn gezicht stond grimmig. Pas toen ik bleef aanhouden gaf hij antwoord. 'Dat is een *wisi*-mandje. Iemand wil mij kwaad doen door een boze geest op me af te sturen. Maar mijn moeder is sterker. Zij zal de *wisi* onschadelijk maken.'

Ik staarde hem aan. Probeerde met enige moeite te vatten wat hij zei en ten slotte begreep ik dat er hekserij in het spel moest zijn. Waar was ik terechtgekomen, dat er hekserij tegen ons gebruikt werd? Voodoo, de zwarte magie van de Afrikaanse voorouders, gericht tegen de macht van hun vijanden – sluipend drong de reikwijdte van de problemen tot mijn bewustzijn door. Ik bevond me welhaast in de wildernis, met een overmacht aan slaven wier vijandigheid met de dag groeide. Als men zich tegen de bewoners van het grote huis zou keren, wie zou ons dan kunnen redden? Angst kroop omhoog en kneep mijn keel dicht. Moeizaam ademend overwoog ik de ontsnappingsmogelijkheden. Maar zelfs als ik zou weten te ontkomen, hoeveel overlevingskans maakte ik dan, bijna midden in het oerwoud? Zou ik op mijn eentje de weg kunnen vinden naar een naburige plantage, vele mijlen verderop?

'Walther...' steunde ik, 'Walther, je moet je slaven vrijkopen, of anders gewoon de plantage behouden. Ze zijn toch tevreden over jou, als meester? En feitelijk heb je de plantage ook nodig, voor al je uitgaven.'

Hij gaf geen antwoord. Wat kon ik van hem nog verwachten? Ik wenste dat Frederik of Reiner langskwamen. Misschien konden zij Walther weer bij zinnen krijgen. En anders ging ik meteen weer met de bezoeker mee, met de boot terug naar de stad, de veilige haven van Paramaribo.

Zeventien

EIND JANUARI 1848

'Walther, ik hou dit niet langer uit, leen me de boot en zend me terug naar de stad, alsjeblieft!' Smekend voegde ik eraan toe: 'En kom zelf ook mee, je bent hier niet langer veilig!'

Stiekem hoopte ik dat als de eigenaars afwezig waren, de hele slavenbevolking de benen zou nemen, zou vluchten naar de andere schuilnegers in het oerwoud. Dan hoefde er in elk geval niemand vermoord te worden. De verhalen over slavenopstanden in Berbice, Haïti en Santo Domingo, waarbij vele blanken afgeslacht waren, spookten door mijn hoofd. Weliswaar was dit een eeuw eerder gebeurd, maar ook in Suriname had vroeger gewelddadig slavenverzet plaatsgevonden. Een laatste opstand in Coronie was in de kiem gesmoord in 1832, net vijftien jaar geleden, vóór deze zich had kunnen verspreiden.

Maar wat te denken van het stille verzet? Vergiftiging was een van de mogelijkheden. Negers hadden een grote kennis van kruiden - dus ook van vergiften. Ik durfde haast niets meer zomaar te eten. Pas als ik zag dat Ma Amajé een schotel goedgekeurd had, bracht ik de lepel naar mijn mond.

Op zekere dag waren Amajé en ik in de salon bezig een beschadigd tafelkleed te herstellen, toen opeens gegil uit de keuken klonk. De meiden kwamen in hun meelbestoven schorten binnenrennen en schreeuwden onsamenhangend. Ma Amajé stond kordaat op en begaf zich naar het achterhuis onder bange waarschuwingen van de bevende vrouwen. Omdat de meesteres van het huis zo zonder vrees optrad, besloot ik, nieuwsgierig geworden, haar te volgen.

De deur naar het achtererf stond open en de zon scheen onbekommerd naar binnen. Ma Amajé stond naast de tafel in de schaduw van de gordijnen en keek in strakke concentratie naar iets dat op de grond lag. Ik rekte mijn hals om beter te zien wat er was en plotseling zag ik het. Op de warme keukenvloer lag een grote tapijtslang. Het langgerekte, gespierde lijf half opgerold en de mozaïekpatronen op de bruine schubbenhuid zich verplaatsend met de manoeuvres van het reptiel. Traag maar soepel gleed de slang over de planken, schakeringen van aarde en blad, de geometrische figuren draaiend en kronkelend van de platte kop tot aan de rode staartpunt, een sinistere schoonheid.

Gefascineerd staarden we naar de reusachtige boa constrictor die zich meester had gemaakt van de bottelarie. Als een koning in zijn domein troonde de slang, onaangedaan door met vrees geslagen onderdanen die bij de salondeur samentroepten. Langzaam gleed de majesteit naar het midden van het vertrek waar *bangi* en keukengerei verlaten stonden. Met de platte kop zoekend geheven verkende het beest de inderhaast achtergelaten beslagkom, de gevallen lepel, en bleef toen dralen bij een plas melk. De gevorkte tong flitste vooruit en proefde.

Terwijl de slang afgeleid door de melk dronk, begon Amajé voorzichtig in de richting van de wand te schuifelen. Haar vooruitgestoken hand tastte naar een bezem die tegen de muur geleund stond en een grauwe linnen zak die aan een spijker ernaast hing. Mompelend schoof ze de bezem naar de slang, de lange steel voor zich uit gehouden. Vanachter mijn rug klonken gesmoorde kreten van de meiden.

Toen ze de boa dicht genaderd was, graaide Walthers moeder in de zak die ze om haar nek had gehangen en strooide een handvol blaadjes naar het beest. De zwarte vrouw prevelde vreemde, onverstaanbare woorden, alsof ze een bezwering uitsprak. Een sterke kruidige geur steeg op van de bladeren en de slang begon vooruit te kronkelen, weg van Amajé, in de richting van de salon. Ik stond veilig opzij, maar de meiden bij de deur stoven weg, gillend: *'Papasneki! Papasneki!'*

Ma Amajé aarzelde even maar volgde dan het dier, haar bezwering hervattend. Op enige afstand ging ik haar achterna. De meiden hadden zich in de salon achter de meubels verschanst en gluurden naar de indringer. Een moment was ik bang dat het ondier zich ergens in een hoek of spleet zou kunnen verbergen om later onverhoeds tevoorschijn te komen. Wat zouden we dan kunnen beginnen?

Maar toen werd ik gegrepen door de wonderlijke situatie. Het was een indrukwekkend gezicht de tapijtslang geruisloos over de vloer te zien glijden. Het zware dier verplaatste zich over Walthers verschoten Perzische tapijt, als levend motief in een decoratief veld.

Ma Amajé verbrak de betovering door luid te bevelen: *'Opo a doro! Opo es'esi!'* Haar stem was zo dringend dat de dapperste van de meisjes tevoorschijn kwam en naar de voordeur rende. De slang was nog te ver verwijderd om haar kwaad te kunnen doen. Vlug draaide ze de sleutel om, gooide de deur open en sprong dan opzij, dekking zoekend achter de fauteuil.

Dwars door de woning, van achteren naar voren, was de slang het benedenhuis overgestoken om ons ten slotte door de voordeur te verlaten.

Het bleef niet bij een keer. Een week later zagen we een andere slang op het erf en deze gedroeg zich wel heel erg vreemd. Kronkelend danste de glimmende zwarte slang door het zand, zwaaide zo wild met haar lijf dat ze met een boog de lucht in sprong. In plaats van schielijk in het gras te verdwijnen, leek deze slang over het erf te paraderen – iedereen die in de buurt was moest haar wel zien. Alle bewoners van het huis en een paar tuinknechten stonden op een afstand zwijgend het spektakel gade te slaan. Er was nauwelijks geluid te horen, het stof dwarrelde op onder de zwiepende bewegingen van de slang, haar onheilspellende gang begeleid door het gefluister van de slaven: *'Aisa... Aisa...'*

Met de dag was de dreiging gegroeid. Overdag deed men zijn werk, maar er werd weinig gesproken en de blikken waren niet vriendelijk meer. Iedereen hield zich aan de afgesproken rollen en taken, maar de geest leek eruit. Alleen de simpele Mildred bleef babbelen of er niets aan de hand was. De bizarre situatie vergde veel van mijn zenuwen.

's Avonds kwam de verbittering en onderdrukte woede van de slaven tot uiting in onbeschrijfelijk weemoedige zang. Door het donker kwam hun verdriet naar ons toe geslopen, kroop over de veranda, drong door de kieren tot aan de rand van onze dromen, waar het zich met rafelige nagels een toegang krabde. Dankbaar was ik als de avondbuien losbarstten en het slavenkoor overstemden. Toch bleven flarden van smart waarneembaar, lang nadat de plantage ingesluimerd was en de regen opgehouden, het was alsof het doordrenkte gras mistroostig de treurzang voortzette.

Dit passieve protest miste zijn effect niet op de bewoners van het grote huis. Van de slapeloze nachten liep ik met kringen onder de ogen rond, Mis' Amajé werd kribbig en snauwerig en de huisslaven probeerden ons zo veel mogelijk te ontwijken. Walther, die er in het begin had uitgezien alsof hij een dagelijkse marteling onderging, leek echter langzamerhand weer op te veren, alsof hij niets met de oorzaak van doen had.

Voor mijn gevoel kon de stemming echter elk moment omslaan, van gelaten naar gewelddadig. Wanneer zouden de negers genoeg hebben van hun meesters wispelturigheid, hoeveel zouden ze verdragen? Zelfs Walther kon niet meer ontkennen dat de zaken uit de hand konden gaan lopen.

'Hoe komt het dat ze niet stilletjes weglopen? Het oerwoud lijkt dichtbij genoeg.' Deze meer door angst dan meeleven ingegeven suggestie werd door Walther hoofdschuddend ontvangen.

'Dat gaat zomaar niet. In de vredesovereenkomsten met de marrons is afgesproken dat weglopers door hen teruggestuurd moeten worden. Misschien dat ze een eenling wel zullen opnemen en beschermen, maar een hele plantageslavenmacht accepteren kan voor een marronstam een nieuwe oorlog met de kolonisten betekenen.'

In een hopeloos gebaar spreidde ik mijn handen, maar Walther ging verder: 'Het is ook niet waarschijnlijk dat ze het bos in zouden willen vluchten, want ze zijn hier op de plantage geboren en opgegroeid. Hier is hun navelstreng begraven, zoals dat heet. Ze zijn gehecht aan de grond, alsof die van henzelf was.'

Ik probeerde het te begrijpen. Zelfs in mijn vrees voor een opstand kon ik wel inzien dat het onherbergzame oerwoud geen aanlokkelijke mogelijkheid vormde, maar wat bleef er dan over voor de boze slaven, dan zich van óns te ontdoen?

De plantage-eigenaar leek er echter anders over te denken. 'Regina, dit zijn de mensen met wie ik ben opgegroeid. Ze zullen ons heus niet zomaar vermoorden. Bossoe en Eliëzer, met hen ben ik nog gaan vissen en jagen. Ma Keetje is hier sinds jaar en dag wasvrouw. Papa Lindor sneed nog fluiten voor ons.' Zo somde hij nog een aantal namen op, en de band die hij met hen had.

'Maar begrijp je dan niet dat ze het jou juist daarom extra kwalijk nemen dat je hen wilt verkopen? Dit is voor hen verraad, het negeren van een gedeeld verleden.' Wrevelig bemerkte ik dat ik nu tot advocaat geworden was van degenen die ik, door vertwijfeling overmand, vreesde.

'Heb geduld, Regina. Maak je niet ongerust, ik zorg wel voor een oplossing.' Weifelend keek ik hem aan. Was dit een loze belofte? Maar voor het eerst sinds weken zag hij er meer ontspannen uit, de frons op zijn voorhoofd was weg, de strakke lijnen rond de mond verdwenen. Hij glimlachte naar me en streek even geruststellend over mijn arm. Ik besloot hem nog een kans te geven, maar wel voor een heel korte tijd. Als ik niet gauw verbetering bemerkte, zou ik er hoe dan ook voor zorgen naar de stad of een naburige plantage te vertrekken.

Wat Walther gedaan had weet ik niet, maar de sfeer op de plantage leek te verbeteren. De protestzangen 's avonds hielden op en de gezichten overdag waren vriendelijker. Desondanks kostte het me moeite mij op Lemuel net zo thuis te voelen als in Paramaribo. Zelfs toen de regens geleidelijk aan afnamen, en de slangen en bosspinnen niet langer hun toevlucht in huis trachtten te zoeken – of opzet achterwege bleef? – behield ik mijn waakzaamheid.

Nu de inventaris was gedaan maar de lessen niet hervat werden, vroeg ik me af wat mijn functie was geworden. Die van gezelschapsdame? Om de tijd door te komen hielp ik mee in het huishouden. Maar ik voelde me nutteloos en verlangde naar de stad, waar ik tenminste nog vrienden en lessen had.

Zo feestelijk als de *siksiyuru* in de stad zong, zo triest klonken de cicaden op de plantage. Hun avondzang van gebrom, getjirp, gekwaak, klonk alles aaneengeregen als een lang, rinkelend halssnoer, dat zagend tussen de vingers glijdt, dan breekt met kwaad geraas om weer abrupt te zwijgen.

Toen ik op een dag ook nog het geagiteerde gegons van een glazenmaker hoorde, die per ongeluk in de kamer gevangen was geraakt en zich al botsend tegen wanden en luiken naar buiten trachtte te vechten, werd ik overvallen door een diepe droefheid. Had ik mijn vaderland verlaten om mezelf op te sluiten op een afgelegen plantage? Wat had ik hier nog te doen? Zou ik maar niet liever teruggaan naar Holland? De tranen liepen me over de wangen en ik wentelde mezelf in melancholie.

Juist op dat moment kwam Walther binnen. 'Miss Winter, Regina!' riep hij verschrikt 'Wat is er?'

Snikkend wees ik op de libel die voor de zoveelste maal zijn lijfje stootte tegen de gesloten luiken.

Bevreemd keek hij me aan maar opende het venster zodat het insect vrij naar buiten kon vliegen. Ik beheerste me en droogde mijn tranen. Walther stond er zwijgend bij en zei dan: 'Wees niet bang, Regina. We zullen gauw teruggaan. Er moet een oplossing komen.'

Hoewel ik deze woorden eerder had gehoord, knapte ik toch op, misschien wel door het idee dat ik niet voor lang meer uit de stad verbannen was.

Die avond - de schemering was juist overgegaan in duisternis en ik had net het kippenhok dichtgedaan - liep ik terug naar het grote huis, zwaaiend met de oude pan waarin het kippenvoer had gezeten. Het begon zachtjes te regenen en de druppels sloegen in de open pan met een heldere, welluidende klank, als muzieknoten. Voor het eerst sinds lange tijd voelde ik me weer beter, hoop gloorde voor mijzelf - en misschien ook voor de slaven van Lemuel.

Als je even niet keek, was hij verdwenen. Zo snel kon Bonham opduiken en weer verdwijnen. De jonge neger was misschien al vanaf de eerste dag op de plantage Walthers schaduw, maar mij begon hij nu pas op te vallen. En dat kwam eerder doordat Walther hem zelf naar voren haalde.

'Bonham, mijn goede vriend,' stelde hij de jongeman aan mij voor. Ze waren jeugdvrienden sinds Bonham acht jaar geleden, weggelopen bij een wrede meester, onderdak had gevonden op Lemuel. De slavenbevolking hield hem de hand boven het hoofd en Amajé verstopte hem en stuurde de *basya* van de naburige plantage de andere kant op toen deze hem kwam zoeken. Het kind voegde zich bij de andere slaven zonder dat de blanken het in de gaten hadden. Wellington kon het niet schelen en voor Van Roepel zagen alle negerkindertjes er hetzelfde uit.

Maar zelfs na al die jaren was Bonham nog steeds eigendom van meester Veger, een naam die huiverend werd uitgesproken door de slaven. Geen wonder dat de jongen zo bedreven was geraakt om onder te duiken zodra een vreemde in zicht kwam. En met reden, want Bonham had bij zijn vlucht een boot, een kapmes en wat levensmiddelen van de *masra* gestolen. De boot bleek later lek en was gezonken, zodat Bonham niet verder was gekomen dan plantage Lemuel. Masra Veger had de ontvluchte slaaf diefstal en schade aan zijn eigendommen verweten, maar wat de man het meest dwarszat was dat hij bij de achtervolging in een ijzeren jachtval was getrapt, die Bonham had klaargelegd om zijn achtervolgers te vertragen. De val klapte dicht rond het been van meester Veger en de gevreesde planter, die menige slaaf zonder gewetensbezwaar had doen afranselen, schreeuwde het uit van pijn en woede. Door zijn meester te verwonden was de straf die Bonham boven het hoofd hing wettelijk verhoogd van dwangarbeid naar de doodstraf. Geen wonder dat iedereen op Lemuel in het complot zat bij het beschermen van de jonge slaaf.

Het was een aardig gezicht de twee vrienden gearmd te zien lopen, de een deftig gekleed, geschoeid en gedistingeerd, de ander halfnaakt en blootsvoets. Bonham met zijn gladde, zwarte huid, ernstige ogen en schuwe glimlach, leek zo heel anders dan de vrolijke, extraverte, koffiebruine Walther. Toch moest er tussen beiden, samen opgegroeid als broers, een diepe vriendschap bestaan.

Walther vertrouwde me toe dat dit, naast de kwestie met zijn moeder, een andere grote zorg was: doordat Bonham nog steeds eigendom was van planter Veger, was de kans niet groot dat hij toestemming voor manumissie zou krijgen. Integendeel, hij zou als dit geheim bekend werd zijn gevonden vrijheid op Lemuel verliezen en zeer waarschijnlijk ook zijn leven.

Nu ik over mijn, volgens Walther onredelijke, angst heen was, begon ik met andere ogen te kijken naar de plantage. Het leven van alledag, zo gewoon voor de bewoners, had toch een ongewone oorsprong. Hoe moest het zijn geweest toen Walther zelf nog slaaf was? Hoe was het karakter van mijnheer Wellington geweest? Waarom leken de slaven van Lemuel de plannen van Walther oppervlakkig gezien te accepteren? Het antwoord op de laatste vraag moest bij de twee eerste beginnen, dacht ik. Ik zon dan ook op een manier om Walther hierover uit te horen.

Die kans kreeg ik toen Walther zich op een morgen gereedmaakte voor zijn dagelijkse inspectie van de plantagegronden. Hij had er niets op tegen dat ik hem vergezelde en voorzien van zowel zonnehoed als paraplu, ging ik met mijn jonge meester op weg. De regenbuien waren begonnen te minderen, het einde van de Kleine Regentijd naderde. Overal om ons heen was alles groen en fris, het zonlicht deed de waterdruppels glinsteren op de bladeren en de heldere lucht werd weerspiegeld in de plassen. Al dat hemelwater had de gewassen goed gedaan, de fruitbomen en de moestuinen floreerden na de lange Droge Tijd, vertelde Walther.

Langzamerhand wist ik het gesprek te brengen op de vorige eigenaar van Lemuel. 'Mijnheer Wellington moet wel een goed karakter hebben gehad, dat hij je dit allemaal heeft nagelaten.'

Plotseling stokte Walthers vrolijke uitleg, zijn gelaatsuitdrukking werd gesloten en zijn blik dwaalde af.

Ik ging verder: 'Je vader zou vast trots zijn als hij kon zien hoe goed je het nu doet.'

'Mijn vader?' Zijn stem klonk bitter. 'Sir Wellington, mijn vader, wist nauwelijks wat er om hem heen gebeurde. Het is mijn moeder, die altijd voor de plantage heeft gezorgd. Daarom wordt zij door iedereen hier gewaardeerd.' Hij verzonk in gedachten en we wandelden verder, terwijl hij verstrooid met zijn wandelstok speelde en ik me afvroeg hoe ik meer te weten kon komen.

Na een poos hervatte mijn metgezel op gemelijke toon: 'Hij dronk. Dat was het probleem. Die man kon van de drank niet afblijven. Op het laatst was hij een wrak, een oude zuiplap.'

Terwijl ik nadacht over Walthers woorden, herinnerde ik me ineens de hardhouten boekenkast die ik had geïnventariseerd. De kast stond niet in de salon, maar in een achterkamer, alsof men er geen last of geen omkijken naar wilde hebben, maar niettemin wilde bewaren. De boeken waren oud en in het Engels, maar de moeite van het lezen waard. Ik vermoedde dat met deze erfenis van zijn vader, Walther zijn eerste educatie had gehad. Moed vattend zei ik: 'Maar de man heeft je wel leren lezen en schrijven, hij heeft je onderwezen. Hij wilde dat er wat van je terechtkwam.'

Van opzij keek Walther me aan. Dan richtte hij zijn blik in de verte, als zag hij het verleden voor zich afspelen. 'Ja, dat is zo. Vroeger was hij anders. Vroeger, toen ik nog een klein kind was.' Hij schopte tegen een steentje, alsof het terugdenken aan zijn kindertijd de speelse reflex terugbracht. 'Wellington was een zonderlinge man. In zijn jonge jaren moet het beter met hem zijn geweest. Hij was inderdaad capabel, gaf leiding aan de plantage en kocht deze later van de familie Lemuel. Hij stelde M'ma Amajé, toen al een bekende kruidenvrouw, op de plantage aan als zijn huishoudster. Kortstondig hadden ze een affaire, waaruit ik geboren ben.' Wellingtons zoon vertelde zijn geschiedenis beheerst en schijnbaar zonder emotie. Hij moest al vaak over zijn familieverleden hebben nagedacht. 'Zijn belangstelling voor mij was van wisselvallige aard. Soms nam hij me overdag mee op inspectie, leerde me 's avonds lezen. Maar er waren buien van zwaarmoedigheid, tijdens welke hij zwijgzaam was en zich vaak afzonderde. Welke geheimen hij met zich meedroeg kwamen wij niet te weten. Volgens M'ma had hij last van een boze *foduwinti*, die met rituelen bezworen zou moeten worden, maar daar heeft Wellington nooit iets van willen weten. Op den duur werd het erger, hij werd steeds somberder en begon meer te drinken. Om het huishouden niet te verstoren en om alleen te kunnen zijn, verbleef hij in zijn laatste jaren grotendeels in het kleine huisje, achter op de plantage. Na zijn dood is niemand daar meer geweest, het moet nu overwoekerd zijn door onkruid.' Walther zweeg en ik wist niets te zeggen. Als alles in de kolonie leek ook hier weer de zaak gecompliceerd. 'Wellington...' peinsde Walther hardop, '...mijn vader...' Hij leek zelf verbaasd over deze speling van het Lot.

'Wanneer werd je... vrij?' waagde ik een gevoelig onderwerp.

'Ah...' Amajé's oogappel glimlachte, zijn ogen neergeslagen bij deze persoonlijke vraag. Voor niemand, laat staan een Zwarte Lord, moest het prettig zijn herinnerd te worden aan een slavenverleden. 'De dag dat ik vrij werd... hmm...' Hij vermande zich en rechtte zijn rug, nam een moment om zich te bezinnen.

Opgelucht dat ik hem niet beledigd had, wachtte ik zijn antwoord af. We wandelden door de boomgaard, een paar slavinnen passeerden, manden met fruit op het hoofd balancerend. Een oude slaaf wiedde het onkruid met ritmische slagen van houwer en *tyap*. Er loeide een koe. De stem van het kleine jongetje dat de koe naar een veldje leidde om te laten grazen, klonk hoog en helder. Langzaam begon hij te vertellen.

De dag dat ik mijn vrijheid kreeg... een vrije werd, zoals dat heet... was op mijn veertiende verjaardag. Mijn vader had me meegenomen naar de stad. Ik was bij eerdere bezoeken al lid geworden van een kerk, daartoe aangemoedigd door hem, hoewel hij zelf nooit een kerk bezocht.
Op twaalfjarige leeftijd had ik reeds bewezen leergierig te zijn en meer-

malen trad ik op de plantage op als assistent van mijn vader. Hij moet van mening zijn geweest dat ik het verdiende zijn opvolger te worden. Zijn ziekte was toen reeds begonnen zich te manifesteren, in de vorm van steeds vaker terugkerende periodes van neerslachtigheid. Misschien voelde hij dat het nuttig was iemand te hebben van zijn eigen bloed, om in geval van nood in te springen. Hoe dan ook, over zijn motieven heeft hij nooit iets laten blijken. Onze verhouding leek meer op die van meester en knecht dan van vader en zoon. Toch scheen hij meer aan mij gehecht dan aan ieder ander op de plantage of in de stad.

Het was een mooie dag, Wellington had eerst nieuwe kleren voor mij gekocht, met daarbij een paar schoenen. Ik was daar verbaasd over, want ik wist niet wat hij van plan was. Met de schoenen nog ingepakt onder de arm, gingen we naar de Gouvernements Secretarij om zoals ik dacht, zaken voor de plantage te regelen. Nadat de griffier diverse papieren had doorgelezen, ondertekend en gestempeld, gingen we terug naar de hal van het gebouw. Daar overhandigde mijn vader me de manumissiebrief met de woorden: 'Je bent nu vrij, Walther. Denk na over de naam die je wilt aannemen, dan geven we die straks door aan de secretaris. Trek nu je nieuwe schoenen maar aan.'

Ik was met stomheid geslagen, maar de papieren logen niet. Toen ik van oor tot oor begon te grijnzen verscheen voor het eerst een vage glimlach op Wellingtons gezicht.

De rest van die dag bracht ik in de wolken door. Wij moesten nog verschillende zaken doen en overal waar we kwamen vielen onze relaties mijn nieuwe kleren en vooral schoenen, op. Op het nieuws reageerden ze naar gelang hun kleur en karakter, opgetogen, bedenkelijk, goedmoedig of spottend, maar niets kon me nog deren. Voortaan had ik zeggenschap over mezelf, iets waarnaar ik gesnakt had vanaf ik kon lezen en kennis vergaren. Mijn horizon werd door boeken breder, maar de boeien gevormd door letters van de wet, hielden me in slavernij.

Later in de middag, toen mijn vader naar een café was, had ik wat tijd voor mezelf. De rivier was om die tijd niet meer zo druk als in de morgen. Het was siësta, de zon stond hoog aan de hemel en de straten waren bijna verlaten. De boten met marktkoopwaar waren vertrokken, of dobberden leeg bij de kade in afwachting van de bootslui. Met mijn nieuwe schoenen liep ik onwennig over de natte keistenen aan de oever. Ik wilde het leer niet bederven.

Op een droog plekje spreidde ik mijn zakdoek uit en ging zitten. Achter mij wierpen de brede amandelbomen uitnodigende schaduwen, maar ik bleef zitten waar ik wilde zitten: op de hete, naar opdrogend slik geurende stenen. Met gesloten ogen beleefde ik dit moment zo intens als ik kon: van de rode zon die onzichtbare boeien wegbrandde, ketenen die vanaf mijn geboorte opgelegd waren geweest, niet in het ijzer waarin mijn voorvader zich nog had voortgesleept, maar in inkt, de loden letters van de gouvernementsplakkaten.

Toch was ik vandaag met één pennenstreek vrijgemaakt - en tegen betaling van een zak geld. Nadenkend keek ik door mijn oogharen naar de kabbelende golfslag tegen de zware basaltblokken die de oevers moesten beschermen. Iemand had die blokken ergens in de binnenlanden bij elkaar gerold, getild, opgestapeld in karren, vervoerd naar de stad. Onderweg bleven de karren steken in de modderige weg en moesten de blokken stuk voor stuk uitgeladen en gedragen worden, het hele traject tot de slijkaarde weer vaste grond werd en de pakezels het konden overnemen. Bij de kade moesten de slaven het karwei opnieuw opnemen, de steenblokken van de kar naar het wachtende schip dragen en in het ruim stapelen. Vervolgens reisden de stenen naar Paramaribo waar ze weer moesten worden uitgeladen en naar de rivier gesjouwd. Blok voor blok, kei voor kei, de ene voet voor de andere, brok op het hoofd getorst of tegen de borst geklemd. Om telkens weer blokken graniet in de modder te werpen, elke dag opnieuw onder de zon. De gladde klei was weerspannig, liet blote voeten uitglijden over de spekgladde stenen, botten breken op de van ruwe gesteente gebouwde helling. Het revancherende getij sloeg de rollende stenen weg, voerde ze naar de rivierbodem, sleet de aarde weg rond schijnbaar stabiele keien en liet werkers vallen, sleurde slachtoffers mee in haar slinkse kolkstroming.

Zwoegende longen, geteisterde spieren, ontvelde en gekneusde handen, bloedende blaren, rauw geschaafde huid die geen tijd kreeg om te helen, de zweep die geen rustpauze gunde. De duur van een hard en hongerig slavenleven was destijds niet meer dan zeven jaar, net zo veel als van een hond. Het kostte een onafzienbare reeks schepen aangevoerde Afrikaanse slaven om het land te bouwen. Tot een borstwering van basalt was ontstaan die de eeuwen kon trotseren. Een stomme getuigenis van hen die reeds lang waren gegaan.

Ik weet niet wat er in mij gevaren was, maar langzaam streek ik mijn hand over de keien naast me, bijna liefkozend, een gebaar van troost, vele eeuwen te laat. Warm en nat was de steen, als het bloed dat moet hebben gevloeid.

Toen nam ik me voor om te leven exact zoals ik dat wilde en te gaan waarheen ik maar wenste. Met mijn ogen wijdopen nam ik de brede, golvende rivier vóór me op. In de verte, aan de horizon, lag de groene streep van plantages aan de overzijde, te ver verwijderd om een mens te onderscheiden. Boven mij spande zich de blauwe lucht. Zonder boeien kon ik lopen, rennen en alle richtingen lagen voor mij open, alle windstreken.

Onder de indruk had ik geluisterd, opende thans mijn mond om iets te zeggen, maar Walther was nog niet klaar.

Hij besloot: 'Vrijheid is in de meest letterlijke zin, je voeten te kunnen zetten waar je hoofd heen wil gaan.'

Het stemde me tevreden dat Walther zo veel over zijn verleden en zijn huidige zorgen had verteld. Blijkbaar had de anders zo ongrijpbare Zwarte Lord vertrouwen in mij en dat deed me goed.

De regens waren de laatste dagen steeds verder afgenomen en het leven op Lemuel werd draaglijker. Ik begon me haast op mijn gemak te voelen en raakte zelfs zo ontspannen dat ik weer aan mijn boeken toekwam. Het gaf een behaaglijk gevoel om voor het slapen gaan nog wat te lezen. Volgens Walther zou het niet lang meer duren voor we weer naar Paramaribo zouden vertrekken.

Op een avond was ik in de schommelstoel op mijn kamer al lezend ingedommeld. Ik werd wakker van de drums. Roffelend klonken de slagen, een opruiend, angstaanjagend ritme. Onmiddellijk rees ik overeind, het was al lang donker buiten, in mijn kamer brandde de olielamp nog slechts zwakjes. Wat gebeurde er? Was er een overval van marrons? Kwamen de slaven in opstand? Mijn hart bonsde, maar ik wist de opkomende paniek te onderdrukken. Iets klopte er niet. Ik luisterde scherp.

Van buiten klonk het drumgeroffel en in de verte ook gezang, maar in huis bleef het doodstil. Zou er geen rumoer moeten zijn – stemmen, voetstappen op de trap, dichtslaande deuren, geweren die geladen werden? Het huis was stil alsof er geen leven in was.

Waar was iedereen? Ik wikkelde een omslagdoek over mijn nachtpon en sloop met een kaars de trap af. Nergens in huis scheen iemand te zijn. Als ze al in bed lagen, zouden ze anders zeker wakker zijn geschrokken en naar buiten gekomen.

Op de veranda uitkijkend werd ik een vuurgloed gewaar, ergens tussen de bomen. Het leek er niet op dat we aangevallen werden, eerder moest er sprake zijn van een of andere feestelijkheid.

Terugdenkend aan de afgelopen dag, herinnerde ik me ineens dat er een ongewone bedrijvigheid was geweest, met veel af en aan geloop en gesjouw, dat ik echter geweten had aan de voorbereidingen voor ons naderende vertrek. Maar alle extra kokerij in de keuken was natuurlijk veel te veel voedsel om mee te nemen naar de stad. Zou dit een *du* zijn, een feest dat slaven van tijd tot tijd werd toegestaan, en waar dan gedanst en gezongen werd, zoals ik van de kolonisten had gehoord? Waarom had niemand me iets over een feest gezegd? Ik voelde een steek van afgunst – zo familiair was ik dus toch nog niet met Walther.

Het feestgedruis dreef door de bomen naar me toe en nieuwsgierig geworden, besloot ik stiekem een kijkje te gaan nemen. Uit voorzorg liet ik de kaars in huis achter en ging behoedzaam op het lichtschijnsel achter het struikgewas af.

Vurige tongen verlichtten de nacht. Dreunend sloegen de trommels, handgeklap en gejoel weerklonk, niemand sloeg acht op mij toen ik zachtjes naderbij sloop en door het gebladerte spiedde. Op een open plek was heel de plantagebevolking bij elkaar gekomen en dromde samen rond een vuur.

Tot mijn teleurstelling was er niets te zien van de prachtige kleding en opschik der slavinnen, zoals gebruikelijk zou zijn bij een *du* in de stad waar, naar ik had gehoord, de meesteressen wedijverden wie de mooist opgetuigde danseressen had. In plaats daarvan waren de halfnaakte dansers en danseressen ingesmeerd met witte leemaarde, hun gezicht, bovenlijf en ledematen bedekt met een poederachtige laag. De dansers bewogen zich met eigenaardige, schokkerige bewegingen, sommigen staarden als in trance terwijl ze wild met de ledematen zwaaiden. Drums sloegen onophoudelijk een dwingend ritme, zware geuren hingen in de lucht: houtrook vermengd met het aroma van rum en de bloemachtige reuk van Florida-water. Langs de kant stonden geïmproviseerde lange tafels met schalen voedsel en lekkernijen en flessen drank. Dit was waarschijnlijk een *wintiprei*, een feest voor de oude Afrikaanse goden van de slaven.

Mijn aandacht werd getrokken door twee slavinnen die in de kring een wilde dans waren begonnen, een magere, oudere vrouw met een hoofddoek zwaaide met een houwer naar een andere, jongere en dikkere vrouw, die probeerde het vlijmscherpe mes te ontwijken. Met vlugge, ritmische steekbewegingen maakte de eerste danseres jacht op de andere, terwijl de mensen in de kring meedansten en toekeken. Het tempo werd steeds hoger en ik vreesde dat de jongere danseres ernstig gewond zou raken onder de aanvallen van de jaagster, maar steeds wist zij de uitvallen miraculeus te ontwijken. Het eigenaardige was dat beiden elkaars bewegingen in de messendans leken te zien aankomen en precies wisten hoe uit te wijken. De strijd van de prooi en de jaagster maakte een ingetoomde agressie voelbaar, die door de virtuoos bijna synchroon uitgevoerde bewegingen een vreemde schoonheid uitstraalde.

Opeens ontdekte ik Amajé. Zonder purperen japon, maar omhangen met bontgeruite lappen en bedekt met *pembadoti*. Alleen aan haar karakteristieke gestalte en het ontzag waarmee ze omringd werd had ik haar herkend, want dit was een totaal andere Amajé dan de meesteres des huizes. Haar scherpe gelaatstrekken waren witgekalkt, haar ogen gloeiden vurig. Ma Amajé zong met hoog stemgeluid een bezwerende zang, een koor van slavinnen antwoordde haar. Rammelend met een grote kalebas gevuld met pitten goot zij nu en dan iets uit een *prapi* over een stapel kisten die bij de kring stond. Ik herkende de extra bagage die Walther uit de stad had meegenomen.

De beurtzang bleef zich herhalen in hypnotiserend ritme. Er hing een onwerkelijke sfeer - de gemurmelde Afrikaanse woorden, de durende drums, de onwaarschijnlijk lenige dansers, de walm van het vuur maakten me roezig. Grillig flakkerden schaduwen over de plantagegrond, waar reeds lang de voorouders begraven lagen. Vleermuizen scheerden over de duistere boomkruinen.

Als in een vreemde droom keek ik toe hoe de wintidansers zich in uitzinnige bochten kronkelden. Tussen de dansenden door schoten zwarte flitsen. Knipperend met de ogen schudde ik mijn hoofd, ik moest me vergist hebben of was door de warmte bevangen. Even meende ik kleine, grijnzende wezentjes gezien te hebben die in het feestgewoel meedansten en met snoepgoed strooiden. Maar dat kon toch niet, het zouden wel negerkindjes geweest zijn die zich daar vermaakten.

Toen kreeg ik een nieuwe schok: Walther betrad de kring. In het vuurschijnsel zag hij er haast onherkenbaar uit - weg waren kostuum, schoenen en wandelstok. In plaats daarvan droeg hij een *pangi*, die als een toga om zijn lijf was gedrapeerd en was hij geschminkt als de andere dansers, zijn gezicht maskerachtig van het kaolien, zijn bewegingen verworden van salonwals tot oerdans, hakkend, stampend, springend, zwaaiend, een onbegrijpelijke transformatie. Zand stoof op onder zijn vlugge voeten, soepel bewoog de jongeman, dwaas en op een of andere manier toch sierlijk in de opzwepende dans. De *apinti* commandeerde de dansenden, vuur knetterde en vonken sprongen omhoog, de menigte jubelde.

Daar was mijn pupil, volkomen veranderd, weg was zijn vernis van Zwarte Lord, verdwenen alle verworvenheden van de Europese beschaving. Verbijsterd en met het gevoel verraden te zijn, zag ik Walther Blackwell dansen,

dansen alsof niets hem meer deren kon, alsof er aan het eind van de nacht geen nieuwe morgen zou zijn, wanneer hij zich zou hijsen in zijn dagelijkse vermomming, deze zoon van de afgoden, een barbaar.

Met afschuw wilde ik me afwenden en stilletjes terugkeren naar het huis, het speet me dat ik hiervan getuige was geweest. Toen trof me plotseling iets: Walther had nu zijn hoge hoed opgezet. Net als de anderen bleef hij dansen, maar het onderscheid leek iets te bewerkstelligen wat me nog niet eerder was opgevallen: eindelijk was Walther thuis. Na alle weken van moeizame communicatie op Lemuel, het stille verzet van de slaven, de *wisi* en de dreigende drums, was Walther opeens een van hen. Een Lord in zijn manoeuvres, een danser in de kring van wit gemaskerden, smekeling bij een hogere macht, een macht die bij de negers meer vertrouwen opriep dan welke blanke macht ook.

De dag na het feest begon laat. Bijna iedereen bleef langer in bed liggen, alleen de kinderen waren het eerst op en lieten de kippen uit hun hok, brachten verse koeienmelk naar de keuken. Ik scharrelde wat rond om mijn eigen ontbijt klaar te maken, me afvragend hoe ik me tegenover mijn pupil moest opstellen. Hoe kon hij mij onder ogen komen, had hij werkelijk gedacht dat ik geen lucht van de nachtelijke gebeurtenissen zou hebben gekregen?

Maar uiteindelijk besloot ik te doen of er niets aan de hand was. Als hij mij niets had willen laten weten, dan waren dat niet mijn zaken. Ik zou gewoon mijn werk als gouvernante blijven doen, al was mijn geloof in de onbetwistbare triomf van de Europese beschaving danig aan het wankelen gebracht.

Langzamerhand verschenen steeds meer mensen op het erf en in het huis, de bedrijvigheid keerde enigszins terug, zij het dat de zondagsrust werd aangehouden. Walther gedroeg zich in zichzelf gekeerd, maar leek toch zijn innerlijke kalmte herwonnen te hebben. De nervositeit in de laatste dagen voor ons vertrek uit Paramaribo en de spanning van de eerste tijd op Lemuel, leek geheel verdwenen.

Amajé was haar oude zelf als altijd, commanderend, instructies roepend en het huishouden bestierend met de ogen van een harpij-arend. Haar gang door het huis was druk als een fladderende kolibrie maar tegelijk trots als de lange reigers in het riet. Slechts eenmaal die morgen keek ze me aan met een blik die te kennen gaf dat ze wist van mijn nachtelijke uitstapje.

Enkele dagen later vertrokken we met de tentboot naar Paramaribo. Pas op het allerlaatste moment was ik te weten gekomen wat er in de extra bagage gezeten had. Terwijl ik langs de opgestapelde lege kisten achter het huis liep op weg naar de boot, bleef een papiertje aan mijn schoen vastkleven. Ik bukte me om het los te maken en herkende dan het opschrift; het was een etiket van de zaak van mijnheer De Meza.

Achttien

HALF FEBRUARI 1848
KLEINE DROGE TIJD

Terug in Paramaribo hoopte ik dat het leven weer zijn gangetje zou gaan. Na alle beroering op de plantage verlangde ik naar de routine van mijn gouvernantewerk: 's morgens les met Walther, 's middags bij de Brammerloo's. Misschien was ik gewoon niet avontuurlijk genoeg. Echter: door Walther van een andere kant te leren kennen was mijn band met hem gegroeid. Ik verkeerde in tweestrijd of ik opnieuw verslag uit zou brengen aan Frederik van Roepel.

Ongetwijfeld was het van belang voor het voortbestaan van Lemuel of Walther zijn slaven al dan niet zou verkopen – dus was het iets wat Van Roepel van mij zou moeten horen. Maar hoewel uit zijn normale doen, was Walther in de periode op de plantage meer serieus op mij overgekomen dan ooit eerder. Bovendien had hij vertrouwen in mij gesteld. Het zou verraad zijn als ik de gebeurtenissen doorbriefde. Ondanks dat het onduidelijk was hoe hij zijn problemen dacht op te lossen en hij zich had ingelaten met verwerpelijke heidense rituelen, wekte hij toch niet de indruk van krankzinnigheid.

Of was ook ik beïnvloed geraakt door de mysterieuze sfeer op de afgelegen plantage? Dit baarde me zorgen, want hoe moest ik antwoorden als men mij vragen stelde over mijn verblijf aan de bovenstroom? Het was haast onmogelijk om een luchtige toon voor te wenden, teneinde argwaan te voorkomen.

Maar mijn hoofdbrekens bleken verspilde moeite: niemand vroeg iets over de plantage. Want ook in de stad had de tijd niet stilgestaan. Er was nieuw bloed in de kolonie gekomen en iedereen sprak daarover. Reiner, Augusta, de Brammerloo's, vertelden graag over de Franse theatergroep die de komende maanden voorstellingen zou geven in theater Thalia.

In Theater Thalia traden regelmatig reizende theatergezelschappen op, uit Europa of Amerika. Toevallig was er nog niets opgevoerd sinds ik in Suriname was aangekomen, maar dat zou spoedig veranderen. Iedereen was opgewonden over La Troupe Rouge, die onder leiding stond van ene Madame Akouba.

'Akouba? Dat klinkt niet erg Frans,' merkte ik verbaasd op.

'Ja, dat klopt,' antwoordde Reiner. 'De groep komt uit Frans Guyana maar bestaat voor een groot deel uit mulatten. Ze zijn al vaker in Paramaribo geweest, reizen zo'n beetje heen en weer.'

'Werkelijk, ik ben heel benieuwd,' zei ik en voegde eraan toe dat een gekleurde toneelgroep nieuw voor mij was. 'Zijn ze goed?' wilde ik weten.

Reiner verzekerde me dat La Troupe Rouge heel populair was, en nee, dat het niet ongewoon was dat gekleurde spelers in Thalia te zien waren omdat het eigen toneelgezelschap van Thalia ook uit kleurlingen bestond, ook al ging het om blanke kleurlingen, afkomstig uit de burgerij. 'We moeten er maar eens heen gaan, dan kun je het zelf zien. En het leidt wat af van de misère in Europa.'

Want in Italië roerde het zich nog steeds - een opstand op Sicilië had in Napels een revolutie tot gevolg gehad. Verschillende kleine vorsten probeerden aldaar te redden wat er te redden viel door de bevolking een liberale grondwet toe te staan.

Maar nu kwamen ook uit Frankrijk, dat toch al vanaf de Franse Revolutie nooit meer rustig geweest scheen te zijn, berichten over onrust onder het volk, geleid door opruiende politici en journalisten.

'Eerst koning Louis XVI, dan Napoleon Bonaparte, wie zou er nu volgen?' merkte ik wrang op, denkend aan alle oorlogsellende.

Maar Reiner lachte mijn somberheid weg en noodde me een avondje uit.

En dus gingen we op een mooie avond naar theater Thalia. Het theater bevond zich in de Wagenwegstraat en was nieuw gebouwd nadat eerdere theaters in de jaren twintig waren afgebrand. Het was lang geleden dat ik het theater had bezocht, maar de oude liefde was niet verdwenen.

Het was druk. De zevenhonderd zitplaatsen waren al bijna allemaal bezet toen we arriveerden. Van de zoldering hing een geelkoperen kroon met hanglampen die flakkerend gelig licht wierpen op het opgewonden en rumoerige publiek. De houten vloeren dreunden onder de vele voetstappen, slaven renden heen en weer met versnaperingen. Dames wuifden met hun waaiers, joviale heren riepen elkaar luidruchtig begroetingen toe.

Toen werden de lampen langzamerhand gedoofd en richtte ieders aandacht zich op het toneel, waar de coulissen traag en statig opzijschoven en het verlichte podium onthulden. Een donkere mulattin verscheen en keek de zaal in met ernstige, onderzoekende blik. Haar brede, voluptueuze gestalte was gehuld in een blauwe japon met wijde rok, een laag decolleté toonde haar blote bruine schouders en armen. Ze hield twee toneelmaskers in de hand: een lachende en een wenende kop, die ze met dramatische gebaren langzaam beurtelings voor haar gezicht schoof, ondertussen strak naar ons starend. Van achter de coulissen klonk tromgeroffel.

De vrouw begon te spreken. 'Welkom! *Nous vous souhaitons la bienvenue pour une splendide soirée comme celle-là dans une belle ville comme celle-ci, cette magnifique Paramaribo! Toutes les belles dames et tous les beaux messieurs, écoutez ce que La Troupe Rouge va vous raconter ce soir!'* Vervolgens schakelde de mulattin over op het Nederlands, met een Frans accent: 'Op een schone avond als deze, in een schone stad als deze, mooi Paramaribo! Alle fijne dames, alle goede heren, luister naar wat La Troupe Rouge vanavond vertellen wil! Luister! *Ecoutez!* Er was, nog niet zo lang geleden, een soldaat, fier en sterk, met een hart dat zowel moedig was als teer. Want hoewel hij de vijand onbevreesd in de ogen kon kijken, sloeg hij de blik neer bij de aanschijn van elke jonge vrouw. Ah! Zie je, hij was te bleu om een meisje zelfs maar aan te spreken en toen Cupido eindelijk toesloeg, moest hij zijn toevlucht nemen tot list in plaats van verleiding...'

Na deze inleiding begon het blijspel *De verliefde soldaat.*

Op het toneel waren zowel blanke, zwarte als mulattenspelers te zien. De teksten waren, overeenkomstig het gemengde gezelschap op het podium zowel als in de zaal, een mengelmoes van Frans, Engels, Nederlands en Sranantongo. Met af en toe een blik op mijn programmablad, kwam ik te weten wie welke rollen had. Reiner fluisterde me bovendien nog allerlei bijzonderheden toe over de spelers. La Troupe Rouge bleek niet enkel uit Fransen te bestaan. Een Hollandse arts met artistieke neigingen had zich bij de groep aangesloten. Net als de arts afkomstig uit Suriname, was de zwarte toneelknecht Quaku.

De spelers oogstten veel bijval, ze wisten het publiek dan ook precies te geven wat het verwachtte. Evenals in Amsterdam bleken de gewone kluchten ook hier zeer geliefd. Ik genoot van de avond. Sommige spelers waren heel bedreven in het naar de hand zetten van hun publiek. Gejoel en gejuich steeg op, zodra een rode mulattin verscheen die zonder moeite haar publiek leek te betoveren, vooral het mannelijke deel daarvan.

Dat gold niet voor Christiaan Sijmen. De dokter scheen een groot liefhebber van toneel te zijn, maar bleek een nogal houterig acteur. Maar hij vervulde zijn rollen met kennelijk plezier, vooral in de dramatische scènes, waarin hij desalniettemin blijk gaf van gevoel voor passie.

De ex-bagnard Pierre, een magere blanke man, vervulde de kleinere rolletjes met plichtmatig aandoende bewegingen, wat nog versterkt werd doordat zijn gelaatsuitdrukking niet veranderde bij het wisselen van rol, maar immer nors of gekweld bleef.

De *futuboi* Quaku bespeelde diverse slaginstrumenten en kon met zijn repertoire een keur aan scènes van dramatiek voorzien. Een roffeltje op de trom kon de aankondiging betekenen van een van de sterren van La Troupe. Een doffe dreun of een reeks kletsen van achter het gordijn, werd ingezet bij het spelen van gevechten of ruzies en bleef doorgaans niet zonder effect. Soms ook, kwam Quaku het toneel op in kleine rollen als slaaf of dienaar, en deed dan zonder pretenties wat hij moest doen.

De meest charismatische en talentvolle spelers waren echter de vrouwen Giulietta en Akouba. Zij waren zonder twijfel de sterren van de avond. Het publiek juichte bij de schalkse opmerkingen van de roodharige Giulietta, hing aan haar lippen als ze zong, klapte en floot als ze danste.

Akouba was serieuzer, maar in haar vertolkingen van dramatische heldinnen zeer overtuigend. Haar persoonlijkheid domineerde op het toneel, zelfs in de komedie.

Giulietta had de eer van de afsluiting. Met een fraaie buiging en vrijmoedig zwaaiende wijde rokken die van de hoffelijke reverence een spottende nabootsing maakten, deed ze het slotwoord. Ze toonde haar witte tanden en droeg honingzoet voor: *'Tori switi, ma bari musu tapu!'*

Het applaus, gestamp en gefluit barstte los. 'La Rouge! La Rouge!' werd er geroepen en de rooie Giulietta lachte en wierp kushandjes. Madame Akouba ontving de toejuichingen kalm en waardig. De rest van de groep dromde het podium op en boog. Dokter Sijmen straalde.

Terwijl La Troupe Rouge de ovatie in ontvangst nam vroeg Reiner: 'Heb je zin de acteurs te ontmoeten? Ik ken Madame Akouba goed. Er is straks een feestje op Le Grand, bij de Bloementuin.'

Het grote houten huis dat La Troupe door het bestuur van het toneelgenootschap toegewezen had gekregen, was ruim genoeg om het hele gezelschap te herbergen en bovendien gasten te ontvangen. De voorzaal was door openstaande tussendeuren in tweeën gedeeld, zodat er behalve een ontvangstkamer, ook een kleinere zitkamer was. In de ontvangstkamer stonden een sofa en een tafel met houten stoelen en verder wat tafeltjes en kastjes. In de kleine zitkamer stonden een canapé en een schommelstoel met gevlochten zitting. De wanden van beide kamers werden gesierd door kunstig uitgesneden houten panelen – afkomstig van de marrons, vertelde Reiner me – en er waren indiaanse gebruiksvoorwerpen uitgestald. Tussendoor was een geschilderd landschapje aan de muur te zien. Boven het midden van de grootste kamer hing een batterij groene flessen, bij elkaar gehouden door een metalen kroon. De waskaarsen die uit de flessenhalzen staken verlichtten de kamer, bijgestaan door olielampen die op diverse plekken waren neergezet. Zelfs vanaf het plafond bungelden voorwerpen omlaag. Een vogelkooi zonder vogel, maar waaruit een klimplant slingerend groeide, en hier en daar een beschilderde kokosnoot. Gevlochten rieten matten, vloerkleden en gordijnen voltooiden de inrichting. Deze was waarschijnlijk voor het grootste deel behorend tot de vaste inboedel van het spelersverblijf, maar aangevuld met souvenirs of vergeten spullen door elke nieuwe groep tijdelijke bewoners. Boven de entree van de grote kamer hing nu prominent de Franse driekleur.

Ik bukte me om een aardewerken kruik en een kleine indiaanse verentooi te bewonderen. Daarbij merkte ik de opengespreide Europese waaier en de toneelmaskers op, die nonchalant op een tafeltje achtergelaten waren. In een vaasje brandden enige stokjes Syrische wierook, die een zwoele bloemengeur verspreidden. Toen ik weer overeind kwam stootte ik haast tegen de voorwerpen die dichtbij tegen de muur geleund stonden: een sabel en een oud geweer. Rekwisieten.

Reiner had me verlaten om een kennis te begroeten en de sfeer in de huiskamer was zo informeel dat ik me vrij voelde om verder rond te kijken. Mijn interesse werd gewekt door de hoek waar een kast met glazen deuren stond, die bij nadere inspectie haveloze boeken en toneelbundels in verschillende talen bevatte.

Het was al druk op Le Grand, ik herkende sommige bezoekers van de toneelvoorstelling, maar hoogwaardigheidsbekleders ontbraken. Dat verklaarde misschien de losse, informele sfeer. Anders dan op bijeenkomsten waar de Nederlandse autoriteiten aanwezig waren, hoefden we ons niet aan strenge eisen van de etiquette te houden, die nauw luisterde met de positie van de gezagsdragers. De gasten liepen dan ook onbekommerd van de een naar de ander om een praatje te maken, hingen rond de sofa, of zaten zelfs in de vensterbank.

Madame Akouba vormde als leidster van de groep en gastvrouw het middelpunt van de drukte. Ze was een bruine mulattin van tegen de vijftig. Hoewel zij al wat ouder was, was haar schoonheid niet vergaan, maar eerder gerijpt. Ze lachte weinig, maar haar ogen namen de gasten scherp op en af en toe zei ze zacht iets tegen haar gesprekspartner van dat moment. Haar verschijning was op een merkwaardige manier krachtig en delicaat tegelijk.

Ik hoorde van Reiner dat zij de minnares was geweest van een bagnard, een *déporté politique*, die had weten te ontsnappen uit het vreselijke Bagno, de strafkolonie waarheen de Fransen hun politieke gevangenen zonden. Jean Moroy was een revolutionaire intellectueel, een sociaal-republikein die streed voor een democratische republiek met kiesrechtuitbreiding. Moroy had deel uitgemaakt van het geheime genootschap van Auguste Blanqui, de socialistische agitator die in 1839 in Parijs een coup waagde, die echter mislukte. Als revolutionair werd Jean tot zes jaar dwangarbeid in Frans Guyana veroordeeld. Na twee jaar ontsnapte hij evenwel van Diable, het Duivelseiland, naar Cayenne, waar hij Akouba ontmoette.

Vier jaren waren ze samen gelukkig, maar toen werd hij opnieuw opgepakt. Jean Moroy had het niet kunnen laten en was begonnen pamfletten te schrijven en bijeenkomsten te organiseren in de hoop het volk te mobiliseren. Zijn plan werd echter in de kiem gesmoord. Door slechte behandeling op het bureau van de gendarme stierf hij in 1846 in het hospitaal van Cayenne. Na zijn dood raakte Akouba ondanks haar opvallende gewaden en rinkelende sieraden, nooit meer het voorkomen van rouw kwijt dat haar ernstige verschijning kenmerkte.

Madame Akouba gaf leiding aan een bonte troep individuen, die sterk van elkaar verschilden maar desondanks een eenheid leken te vormen. Er straalde een zekere gedrevenheid van hen af, zelfs bij de meer bescheiden leden zoals Pierre en Quaku.

Pierre was een Franse refugié en beschermeling van Madame Akouba. Zwijgzaam, mager, ongeveer dertig jaar, getekend door de ontberingen die hij gekend had, was hij zijn Madame zeer toegewijd. Ik merkte op hoe hij haar in de gaten hield en telkens als ze iets nodig had bij haar in de buurt verscheen.

De twee zwarte leden van La Troupe waren de toneelknecht Quaku en de slavin Mirre. De jonge neger was de bescheidenheid zelve. Niet al te groot van postuur maar goed gebouwd, zoals de meeste zwarte jongemannen die ik tot nu toe had gezien.

Quaku hield zich ook bij de ontvangst op de achtergrond, in tegenstelling tot Mirre, die tijdens de voorstelling niet zichtbaar was geweest, maar nu blootsvoets en vrijwel naakt rondliep, genietend van de aandacht die ze trok. Want Mirre was mooi. Slechts gekleed in een schaamschortje en een ketting van pitten om haar lange hals, namen haar ogen van onder haar vele zwarte vlechtjes waakzaam, mysterieus en broeierig de omgeving in zich op. Op een of andere manier speelde het meisje het klaar om enkel getooid met haar glanzende huid te paraderen alsof ze de majesteit zelf was. Zij sprak nauwelijks maar glimlachte met haar volle, zwoele lippen naar de toeschouwers. Ze deed me denken aan een zwarte, fluwelige kat, zelfgenoegzaam en zichzelf genoeg. Reiner stelde haar aan me voor.

'Mirre?' vroeg ik glimlachend. 'En je kompanen heten zeker Wierook en

Gowtu?' Ik was gewend geraakt aan de zotte namen die sommige kolonisten bij wijze van vermaak aan hun slaven gaven, zoals 'Chocolade, Koffie en Thee', welke namen overigens duidelijk op de teint van de huid sloegen. Anderen droegen namen als 'Winst' of 'Profit' en gaven daarmee de hoop op fortuin van hun meesters aan. Namen als 'Amour' of 'Joli Coeur' leken weer wat vriendelijker, terwijl namen als 'Kooper Kanon' of 'Onverwagt' weer te denken gaven in hoeverre deze slaven als mens werden gezien, als men hen niet eens een menselijke naam gunde.

Dit was natuurlijk weer ijdel geredeneerd, daar slaven in de eerste plaats handelswaar waren, in de tweede plaats gebruiksgoed, en in de derde plaats – een niet kerkelijk erkende maar algemeen voorkomende opvatting – slaven waren goed ter consumptie. En daarmee werd niet de hulp in de bottelarij aangeduid.

Maar Mirre trok haar wenkbrauwen hoog op, tuitte haar purperen lippen en zei met opgeheven hoofd, de handpalm voor het hart gekruist: 'Is ik heb mezelves zo genoemd. Is mijn naam.' Trots keek het meisje me aan, me uitdagend met haar ogen, tartend naar de reden van permissie en keus te vragen. Ik vroeg niet wie haar voor haar naamskeuze toestemming had gegeven. Bij zo'n besliste houding paste geen kleinering.

'Mirre?' zei ik dus vragend.

Tevreden knikte Mirre en verklaarde: 'Geschenk voor *pikin* Jezus. *Masra* Jezus.' En ze knikte nogmaals, allerminst nederig of bescheiden, ervan overtuigd dat Jezus niet beter had kunnen krijgen.

Christiaan Sijmen was een eind in de dertig, een grote man met een beginnend buikje. De dokter had een plaats weten te bemachtigen in La Troupe en oefende sindsdien zijn beroep alleen nog mondjesmaat uit. Met Madame Akouba deelde hij het socialistisch idealisme, maar bovendien lag de kolonie hem na aan het hart. 'Nederland gunt ons niets, het néémt alleen maar. Nog geen kanaal of goede afwatering, niets! Ze hebben er echt niets voor over!' mopperde hij. Het was moeilijk om dokter Christiaans boosheid serieus te nemen, omdat zijn bolle gezicht onder de tirades goedlachs bleef en zijn ogen achter de brillenglazen vriendelijk op de luisteraar neerkeken.

Giulietta, het laatste lid en tevens de ster van de groep, was een prachtige mulattin met een roomblanke huid en een volle bos rode krullen. La Rouge was als de *fayalobi*, net als de bloem een onstuimige massa weelderig rood, vurig en gewild. De jonge vrouw wist wat ze waard was en maakte daar ten volle gebruik van. Giulietta was een ontzettende flirt, zij lonkte, pronkte met haar halfblote schouders die telkens onder de overbodige rode omslagdoek tevoorschijn kwamen, lachte en grapte en een kring van bewonderaars dromde om haar heen. Dat toneelspelers zedelijk toch al zo'n slechte naam hadden deerde haar niet.

Als fatsoenlijke vrouw voelde ik me op een gegeven moment verplicht een andere plaats op te zoeken en drentelde daarom naar de naastgelegen salon.

Ik trad het vertrek binnen. Meteen klonk een afschuwelijk gekrijs, een vreselijk lawaai alsof de dag des oordeels was aangebroken. Geschrokken deinsde ik terug en nam tegelijkertijd een warreling van bontgekleurde, klapwiekende vleugels waar, een losgelaten furie. Toen het geraas verstomde en de helleveeg gekalmeerd was, zag ik een grote papegaai zitten op een houten standaard, knipogend naar me alsof ze niet net het hele huis op stelten had gezet.

Mirre kwam met een bord aangelopen en begon met lokkende geluidjes de ara stukjes rijpe papaja te voeren. 'Een echte haaibaai is ze, niet?' merkte dokter Christiaan op, duidend naar de vogel die trots haar fel goudgele en turkoois-blauwe veren spreidde.

'Meer een rumoerige paradijsengel,' zei ik met een glimlach.

Verrast deed de dokter een pas achteruit. 'Hoe poëtisch!' riep hij uit. Dan kwam hij weer nader en vroeg op vertrouwelijke toon of ik van theater hield.

Ik antwoordde bevestigend.

'En...' informeerde hij verder, 'is het mogelijk dat u ook schrijft?'

Aarzelend gaf ik toe dat dat zo was. Naast mijn dagboek en reisverslag werkte ik nog steeds aan mijn kleine verhaaltjes, zonder deze echter ooit aan iemand te laten zien.

Dokter Christiaan reageerde verheugd. 'Geweldig! Wij zijn juist op zoek naar iemand die een stuk voor ons zou willen schrijven! Wat denkt u? Zou u dat kunnen doen?'

Beduusd antwoordde ik dat ik erover zou denken.

Toen Reiner me later terugvond, waren Christiaan en ik verwikkeld in een geanimeerd gesprek over toneelteksten. Een nieuwe mogelijkheid, een nieuwe wereld was voor mij opengegaan.

Intussen was ik Frederiks onheilspellende speculaties niet vergeten. Wat moest ik aan met de idee van Walther als anarchist in spe? Het was duidelijk dat zowel de Zwarte Lord als zijn moeder niet veel met de autoriteiten ophadden. Dit zou de jongeman vatbaar kunnen maken voor extreme theorieën.

Frederik werd met de dag ongeduldiger en brandde van verlangen om iets te ondernemen. Ik begreep de angst van de kolonist wel, zeker nu Europa weer een haard van onrust was, zaten we niet te wachten op calamiteiten dichterbij.

Ik was er ondanks geruststellende woorden aan het adres van Van Roepel na mijn terugkeer in de stad, nog niet in geslaagd meer aan de weet te komen of Walthers gangen te volgen. Trouwens, zelfs áls ik dat deed, zoals op de plantage tijdens de *wintiprei*, dan nog begreep ik niet waarvan ik getuige was. Het bleef allemaal erg vaag en raadselachtig.

Er zat maar één ding op. Om zekerheid te krijgen moest ik me toegang verschaffen tot de geheimzinnige kamer van Walther. Ik suste mijn geweten voor deze onbeschaamdheid met het argument dat het voor Walthers bestwil was. Moest ik niet als gouvernante over het welzijn van mijn pupil waken?

Enige dagen later zag ik onverwachts kans mijn voornemen uit te voeren. De deur van de kamer stond open!

Het was siësta en iedereen lag te rusten. Er waren geen bedienden in huis, salon en keuken waren verlaten. Ik had op mijn kamer met een boek bij het raam gezeten, toen ik gerucht in de tuin hoorde. Walther liep naar het privaat achterop. Onmiddellijk kwam ik in actie. Ik wist dat hij zich tijdens de siësta vaak ongestoord met onbekende activiteiten kon bezighouden en nu zag ik mijn kans schoon.

Zo snel als ik kon sloop ik de trap af en liep vlug naar de kamer opzij van de salon. Wat een geluk, de deur was niet afgesloten. Het was nu of nooit. Haastig glipte ik de kamer in.

Eindelijk, eindelijk betrad ik de kamer, die geheimzinnige, altijd afgesloten en geblindeerde ruimte waarin Walther zich zo vaak afzonderde. Het was er donker, het daglicht drong zelfs niet door de zorgvuldig dichtgestopte kieren. Geen wonder dat ik nooit een geluid had kunnen waarnemen als hij zich daarbinnen bevond en ik stiekem buiten de ramen had staan luisteren, oren gespitst op verraderlijk gerucht van het houten plankier.

Een scherpe reuk drong in mijn neusgaten, de zure, branderige lucht kwam me bekend voor. Een inmaakkelder, een rokerij, een apotheek, de geuren die rond Walther hingen als hij terugkeerde van zijn tochten met het vreemde koffertje. Nu zou ik eindelijk te weten komen wat hij zo lang geheim had gehouden.

Er stond een flakkerende olielamp op een grote tafel. Ik pakte de *kokolampu* en liep ermee naar de wand. Er waren nu voorwerpen te onderscheiden in het halfduister, zwarte silhouetten van onbekende apparaten. Op rekken langs de muur stonden rijen donkerbruine en -groene flessen en witte apothekerspotten met etiketten waarop de namen van vreemde ingrediënten stonden geschreven. Ik liep de wand langs en bekeek de in het flakkerende schemerlicht net leesbare etiketten. 'Galluszuur,' las ik binnensmonds, 'lavendelolie, broom, bitumen, salpeter, collodium, zilverzout...'

Wat had dat te betekenen? Hier werd ik geen sikkepit wijzer van. Wat voerde mijn leerling hier uit?

Plots klonken er voetstappen vanuit de salon.

Geschrokken zette ik de lamp neer en keek gejaagd in het rond of er nog een uitweg was. De kamer kon ik niet meer uit want de voetstappen waren nu gevaarlijk dichtbij – ik zou in mijn vlucht op Blackwell stuiten en op heterdaad worden betrapt.

Het was echter een voordeel dat de kamer zo donker was. Ik dook weg achter een paar opgehangen donkere lappen in een hoek. Met ingehouden adem en bonzend hart hoorde ik Walther de kamer binnenkomen en de sleutel omdraaien.

Dat geluid van de knarsende sleutel deed me pas beseffen dat ik goed in de penarie zat. Het was absoluut onmogelijk geworden om ongezien weg te komen – en wat als Walther straks vertrok en de boel afsloot? Elena zou mij niet kunnen bevrijden zonder de sleutel, een dichtgespijkerd raam forceren zou het hele huis alarmeren en de kans dat ik als iedereen vannacht sliep, het slot van de deur zou kunnen openbreken, was uiterst klein. Ik zat in de val.

Er zat niets anders op, ik zou me bekend moeten maken. En nu ik er verscholen zat kon ik ook niet veinzen per ongeluk de kamer binnengetreden te zijn. Hopeloos! Mijn eigen domme schuld.

Maar zolang ik hier verborgen zat, kon ik net zo goed erachter proberen te komen wat Walther uitspookte. Hij zou mij immers niets vertellen, erger nog, zijn vertrouwen in mij zou nu wel volkomen verdwijnen.

Van achter het gordijn hoorde ik Walther rondscharrelen en spullen verplaatsen. Er klonk gerinkel. Was er geen gaatje waar ik doorheen kon kijken? Voorzichtig trok ik de lap een klein kiertje open. Stofdeeltjes dwarrelden op en kriebelden in mijn neus. Ik drukte mijn hand tegen mijn gezicht en wist een nies te onderdrukken. Met tranende ogen sloeg ik Walther gade door de kleine opening van het doek. Hij was druk aan het werk, maar ik kon niet goed zien wat hij precies aan het doen was. Wel waren de geuren sterker geworden. Hij veranderde van houding en nu zag ik hem bezig met iets op de tafel, af en toe roerend in verschillende potjes. Turend door de schemerige ruimte duurde het even voor ik het gekrabbel dichterbij gewaar werd. Er bewoog iets aan mijn voeten. Ik keek omlaag. Rode ogen glansden.

Met een gil sprong ik achter het gordijn vandaan, rukte per ongeluk de lap los, de rat vluchtte weg met schril gepiep en roffelende poten. Zwaaiend met de armen trachtte ik me te bevrijden van de neerstortende doek en tegelijkertijd mijn evenwicht te bewaren. Toen ik eindelijk weer wat kon zien staarde ik in Walthers hevig geschrokken gezicht.

Stotterend begon ik een excuus te stamelen zonder te weten wat ik zei.

Walther zei geen woord. Voor het eerst leek de Zwarte Lord sprakeloos.

Ik realiseerde me opnieuw wat ik me op de hals had gehaald en begon zenuwachtig te verklaren: 'Het spijt me heel erg, Walther. Dit had ik niet mogen doen maar ik was bang dat je... dat je...'

Hij keek me doordringend aan.

Ik schaamde me diep. Haperend vervolgde ik: 'Je vroeg... of ik iets van scheikunde wist... En al je bestellingen bij de apotheek... Ik was bang dat je... dat je... explosieven maakte...'

Twee seconden later volgde de explosie - van Walthers lach. Daverend dreunde zijn lach en hij gooide zijn hoofd in de nek van pret. Beteuterd stond ik erbij terwijl hij schudde van plezier.

Even overwoog ik om er alsnog vandoor te gaan, maar de afgesloten deur verhinderde mijn smadelijke aftocht. Ik was gedwongen te blijven staan tot Walthers vrolijke uitbarsting enigszins tot bedaren was gekomen.

Toen hij de tranen uit zijn ogen had geveegd pakte hij me bij de arm en leidde me naar de grote tafel. 'Dit is mijn werkkamer,' zei Walther met trots en liet het lamplicht vallen over het tafelblad waarop een aantal platen lag uitgestald. Naderbij gekomen zag ik het lichtschijnsel zilverig weerspiegeld in glas en metaal. Maar Walther stak meer lampen aan en zette die neer naast de platen.

En ineens kon ik tekeningen onderscheiden op de koper- en de glasplaten, een wirwar van lijnen elkaar doorkruisend, fijne nerven oplichtend met een metalige glans. Geïntrigeerd boog ik me naar voren om de platen beter te bekijken en na het glimmende oppervlak een poos met toegeknepen ogen bestudeerd te hebben, kwam ten slotte uit de chaos een afbeelding tevoorschijn, een kleurloos landschap, fijn gegraveerd of geschilderd, gemaakt zonder iets weg te laten. Integendeel, elk blad leek tot in het kleinste detail opgetekend te zijn, een hels karwei voor de maker, maar tevens voor de toeschouwer.

'Walther?' vroeg ik vol ontzag. 'Is dit jouw werk?' De nauw bedwongen opwinding in mijn stem was duidelijk merkbaar en Walther lachte gevleid en antwoordde: 'Dit zijn fotogravures, Regina. Ik houd me al een tijd bezig met heliografie.'

Heliografie? Wat was dat ook weer, lang geleden had ik over de nieuwe techniek gelezen in de krant, werd het niet de 'Spiegel met een Geheugen' genoemd? Nooit eerder had ik een dergelijk werk in het echt mogen aanschouwen.

Walther legde uit dat de platen lichtgevoelig waren gemaakt door ze te bedekken met een mengsel van eiwit, kaliumiodide en een zure oplossing van zilvernitraat. Als de plaat vervolgens een halfuur belicht werd door het als een spiegel vóór het onderwerp te plaatsen, een huis of een landschap, dan werd elk detail van het spiegelbeeld bewaard.

Later, in zijn donkere kamer, ging de maker dan aan de slag. De belichte zilverchloride op de plaat werd ontwikkeld door middel van kwikdamp in een speciaal kastje, en gefixeerd door te spoelen met een zoutoplossing. Diep onder de indruk keek ik naar de door zonlicht en chemie gepenseelde landschappen.

'Maar waarom heb je dit geheimgehouden?'

'Ach, Regina, dat deed ik niet, ik wilde alleen maar dat niemand aan deze kostbare, breekbare platen kwam! Alle uren arbeid die het mij heeft gekost om de juiste ingrediënten te vinden, de beste doseringen samen te stellen... het vak te leren, en...' Hij zweeg bedachtzaam.

'Wat, Walther?'

'Wel... zouden de mensen begrepen hebben waar ik mee bezig was? Ik weet dat je denkt dat ik graag de aandacht trek, maar nu en dan stel ik er prijs op mijn eigen zaken te regelen zonder dat iedereen me op de vingers kijkt!'

Terloops had hij mij terechtgewezen. Mijn gezicht kleurde, gelaten onderging ik de verdiende reprimande. Hij had natuurlijk gelijk, zelf was ik bij mijn middagen buiten tekenen ook altijd omringd door een kring toeschouwers en ik kon me goed voorstellen dat een zo delicate techniek als het vastleggen van beelden op chemische wijze, in alle rust geleerd moest kunnen worden.

'Ik moet je vragen dit voorlopig nog geheim te houden, Regina. Net als deze platen heb ik tijd nodig om me te kunnen ontwikkelen, voor ik ermee naar buiten treed. Kan ik op je discretie vertrouwen?'

'Natuurlijk, Walther. Maar de mensen zouden je bewonderen als ze wisten wat je kan!' In stilte vroeg ik me af hoe ik de door mij gealarmeerde Van

Roepel weer tot bedaren kon brengen zonder Walthers geheim te verklappen. Nu was mijn talentvolle pupil door mijn schuld verdacht van anarchistische activiteiten! Ik moest zien de ontkurkte geest weer in de fles te krijgen zonder verdere schade te aan te richten.

Eigenlijk verdiende ik het goed vertrouwen van de Zwarte Lord niet. Juist nu werd de verhouding tussen Walther en mij steeds meer vriendschappelijk, niet alleen spraken we elkaar bij de voornaam aan, maar hij nodigde me bovendien uit mijn vrienden eens langs te laten komen voor een middagdronk. Ik begon me steeds meer schuldig te voelen.

Later, in mijn kamer, dacht ik over de onthullende gebeurtenis na.

Hoe had de jonge Lord het klaargespeeld zijn geheim zo lang te bewaren en vooral: omstanders weg te houden bij zijn escapades? Hij moest bedreven zijn in meer dan enkel opvallen. Ik dacht aan mijn eigen magere poging mij in vermomming onopvallend achter hem te bewegen.

Een nieuw idee kwam bij me op. Zou hij nog een andere verschijning hebben, een die minder goed gekleed was en met een minder vlugge tong? Als dat zo was, had ik hem dan op straat kunnen herkennen? Zou hij van mijn achtervolging op de hoogte zijn geweest, mij zelfs bij andere gelegenheden hebben kunnen volgen in vermomming? En wat zou daarvoor dan weer de reden kunnen zijn?

Ik raakte in verwarring door de wispelturigheid van mijn gevoelens die van sympathie en bewondering naar spijt en schuld sprongen en vervolgens als een dolle trapezewerker naar achterdocht en achtervolgingswaan. Waarom kon ik niet gewoon uitgaan van zijn goede wil? Dat zou het beste zijn.

Maar twijfel bleef knagen, tot ik door slaap werd overmand.

Negentien

EIND FEBRUARI 1848

'Currer Bell,' las Reiner hardop.

'Regina,' zei Walther terwijl hij met zijn wijsvinger op het kaft van de nieuwe roman tikte, 'je zou eens een voorbeeld kunnen nemen aan de toewijding van deze gouvernante. Mij hier alleen in de Waatermolenstraat laten zitten en op stap gaan met die twee schavuiten!' Zijn ogen twinkelden vrolijk. 'Mijnheer Bell heeft groot gelijk wat betreft de deugden en plichten van een gouvernante!'

Hoewel ik wist dat hij mij plaagde zoals een broer zijn oudere zus zou doen, voelde ik mij toch schuldig. Tenslotte bleef hij mijn patroon, had ik mijn plichten de laatste tijd niet te veel verwaarloosd? Ik bleef besluiteloos staan, niet wetend wat te zeggen. Maar de mannen verspilden geen aandacht meer aan Walthers opmerking.

Terwijl Reiner in het boek bladerde legde James de pakjes met inkopen op tafel en zei: 'Volgens mij is die Currer Bell een vrouw.'

Verbaasd keek ik hem aan. 'Hoe kom je daarbij?' vroeg ik.

Reiner bestudeerde al bladerend enkele passages en legde toen het boek neer. 'Nee,' concludeerde hij, 'nee, dat moet een man zijn. Te intellectueel.'

Ik keek naar James en Walther. Allebei haalden ze hun schouders op. We gingen over tot de orde van de dag.

Reiner haalde de *Guiana Times* uit de tas en bladerde de krant door. 'Hmm,' mompelde hij, 'de Britten zullen nooit eens nalaten ons onder de neus te wrijven dat de slavernij bij hen is afgeschaft.'

'Wat?' vroeg James geamuseerd. 'Zijn er weer slaven de grens overgestoken?'

'Ja,' zei Reiner ontstemd. 'Zo gauw er slaven met succes de Corantijn over gaan en in Brits Guyana asiel vragen, wordt dat in de *Times* breed uitgemeten! Alsof het hier een hel is en daar het paradijs! Er zit een zeker leedvermaak in die artikelen!'

James hief zijn handen op. '*Well*, je weet hoe ik erover denk! *Don't blame me!*' Grijnzend liep hij naar het achtererf om een praatje te maken met Coen,

Reiner mopperend achterlatend. De heer des huizes riep Elena om wat te drinken voor ons te halen.

De kranten ritselden toen Walther en ik even later de stapel doornamen, ik had bij Herr Konrad verschillende buitenlandse bladen aangeschaft. De meeste stonden vol met slecht nieuws uit Europa.

Parijs vormde wederom het toneel van rellen en opstootjes. De linkse intellectuelen probeerden de arbeiders, onder wie grote armoede en werkeloosheid heersten, te organiseren. De Place de la Madeleine was door een woedende menigte ingenomen, die eiste dat de regering haar biezen pakte. Overal in de stad waren barricaden opgeworpen. In slechts enkele dagen tijd kwam de ommekeer.

De koning ontsloeg de regering, maar verbetering van de situatie leek niet in zicht, met nieuwe rellen en doden tot gevolg. De dag daarop trad koning Louis-Philippe af en vluchtte naar Londen. In Frankrijk werd de Tweede Republiek uitgeroepen.

Met een diepe zucht liet ik de krant, die ik intensief had zitten lezen, zakken. Het was weer zover. Het leek wel of het nooit lang rustig kon blijven in Europa. Onrust, het woord was eerste in een rij onheilspellende benamingen, die elkaar opvolgden in steeds erger wordende gradaties: oorlog, armoede, honger.

Walther keek op van zijn krant. 'Regina,' zei hij, 'wist je dat er een manifest van de Communistische Partij is opgesteld? Door Marx en Engels. Heb je ooit van die lui gehoord?'

Ik zocht in mijn geheugen. 'Ja, zaten die niet in de Bond der Rechtvaardigen?' peinsde ik hardop.

'Dat schijnt tegenwoordig de Bond der Communisten te heten,' antwoordde Walther.

'O, al dat gedoe elke keer,' verzuchtte ik, 'komt er dan nooit een eind aan?'

'Wie weet,' zei Walther. 'Misschien is het ergens goed voor.'

Nu Christiaan Sijmen me had gevraagd een stuk voor La Troupe te schrijven, ging ik geregeld langs Le Grand om het toneelleven beter te leren kennen. Spoedig werd me duidelijk dat in La Troupe Rouge Jean Moroys socialistische ideeën voortleefden. Hoewel Madame Akouba de leidster was, hadden alle leden gelijke inbreng in de dagelijkse gang van zaken. Iedereen werkte samen zonder onderscheid van kleur. Het kon gebeuren dat ik dokter Sijmen op het achtererf aantrof tijdens het houthakken, terwijl de slavin Mirre haar lijf soepel op de achtertrap had gevlijd, op haar gemak een limoentakje kauwend. Of Pierre en Quaku waren gezamenlijk bezig veranderingen aan decorstukken aan te brengen, waarbij beiden net zo hard zaagden en timmerden en niet de een de ander zat te bevelen.

Met de autoriteiten hadden de spelers niet veel op. Het was dankzij hun contacten met het joodse theaterbestuur (de joden hadden ook niet de warmste banden met de kolonialen) en het feit dat zij als toneelgroep voor het nodige vertier in de kolonie zorgden, dat ze een vergunning om in Paramaribo te spelen hadden gekregen.

Woorden als 'onrecht', 'onderdrukking' en 'klassenstrijd' kreeg ik nu regelmatig te horen. De boeken van de menslievende Proudhon, de geschriften van de organisator Louis Blanc, zelfs de radicale Bakoenin, werden veelvuldig aangehaald en eigenlijk moest ik de bewoners van Le Grand wel gelijk geven. De schrijnende armoede die ik me nog van de arbeiderswoningen in Den Bosch herinnerde en die destijds noodzakelijk en onoplosbaar leek, werd door de felle analyses van Christiaan en Giulietta, en het kalme maar niet minder resoluut betoog van Madame Akouba, herleid tot een kwestie van onderdrukking en moedwillige verwaarlozing, die door middel van een klassenstrijd opgelost zou worden.

Aanvankelijk verzette ik me tegen dergelijke ongehoorde ideeën, maar onder de stortvloed van beschuldigende bewijzen en argumenten moest ik toegeven dat het arme volk de dupe werd van de onverschilligheid en het zelfzuchtige beleid van de heersende klassen. Langzaamaan begon ik iets van de beroering in Europa te begrijpen.

Het was allemaal nieuw voor mij en had ik deze theorieën van anderen moeten horen, dan hadden ze me mogelijk overdreven en bombastisch in de oren geklonken. Maar uit de mond van de leden van La Troupe klonken ze werkelijk gepassioneerd en pijnlijk betrokken.

'Maar mijn schat,' kon Madame Akouba droog opmerken, als ik weer eens met tegenwerpingen kwam, 'het gaat er niet om de wereld te begrijpen, het gaat erom haar te veranderen.'

Met dit citaat van hun geliefde Karl Marx bleek de geest van de arme, overleden Jean Moroy onder zijn volgelingen nog duidelijk aanwezig.

Het was net iets voor Miss Marietje om boodschappen te gaan doen op dit uur van de dag, wanneer de meeste mensen hun middagrust hadden en de straten er stil en verlaten bij lagen. De markt zou wel al gesloten en opgeruimd zijn, maar bij de straatventers, knikkebollend in de schaduw van de bomen, konden nog inkopen gedaan worden. Dit uur was het meest geschikt om op pad te gaan als je liever geen praatjes maakte onderweg, en geen prijs stelde op ontmoetingen met bekenden. James had eens gezegd dat als het mogelijk zou zijn, Miss Marietje liever het huishouden 's nachts zou doen dan overdag, omdat er dan minder kans was op toevallige toeschouwers – alleen het feit dat het dan te donker was om goed te kunnen zien had haar daarvan weerhouden.

De honden kwamen mij niet zoals gewoonlijk blaffend verwelkomen. Ze sloegen wel even aan maar hielden toen weer op. Het geluid kwam van achter op het erf, waar ze waarschijnlijk aan de ketting lagen. Ik opende de poort en liep de tuin in.

Plotseling trof mij iets ongewoons, een gerucht afkomstig van het huis. In de stilte van het hete middaguur had ik het duidelijk gehoord: het zachte snikken van een vrouw. Verbaasd hield ik halt en vroeg me af wat te doen. Behalve Miss Marietje had ik nooit een vrouw in James' woning gezien, en Miss Marietje was ik zojuist tegengekomen. Wie schreide daar zo hartbrekend en waarom? Het waren niet mijn zaken, maar gedreven door zowel nieuwsgierigheid als bezorgdheid besloot ik voorzichtig poolshoogte te nemen. Langzaam liep ik naar het huis, er zorg voor dragend niet op het met schelpen bestrooide pad te komen. Het fijne zand langs de kant dempte mijn stappen, waar de knersende schelpen mij verraden zouden hebben.

Dicht bij de houten wand gekomen kon ik meer horen. Voor het open raam hing een losgemaakt gordijn, zodat de kamer niet direct zichtbaar was. Het gesnik was heftiger geworden en werd plots gevolgd door gepijnigde kreten. Even moest ik denken aan de naargeestige geluiden die soms bij het langslopen van een huis hoorbaar waren, en die de afstraffing van een slaaf betekenden. Maar die gedachte verdween snel want dit klonk toch anders. Daarbij onderscheidde ik thans andere geluiden die ik niet thuis kon brengen. Het was iets als grommen of zuchten, en afkomstig van een tweede persoon. Beiden maakten nu gesmoorde geluiden, alsof ze hun best deden geen lawaai te maken.

En opeens begreep ik het. Het bloed steeg naar mijn wangen. Had ik op het punt gestaan langs de rand van het gordijn naar binnen te gluren benieuwd naar het raadsel en de oorzaak, nu wist ik wat de aard van het gebeuren was. Vol schaamte trok ik me terug, verward omdat ik geconfronteerd was met een mij onbekende intimiteit. Bijna had ik in mijn onwetendheid mijn beste vriend en zijn gezellin bespied bij hun samenzijn.

Stilletjes sloop ik weg, hopend dat ze mijn aanwezigheid niet hadden bemerkt. Maar te oordelen naar het zachte gekerm en gekreun was het paar zich niet bewust van de argeloze bezoekster.

Terwijl ik terugliep naar de poort vroeg ik me af in wiens gezelschap James verkeerde en ik wierp een blik naar het huis. Toen zag ik het op de veranda.

Over de balustrade hing de rode omslagdoek van Giulietta.

'Miss Winter, wij hebben elkaar altijd weten te waarderen. Uw hulp bij de begeleiding van onze pupil is van onschatbare waarde. Wees er dus van overtuigd dat ik het beste met u voorheb.' De directeur wachtte een moment alvorens verder te gaan: 'Daarom acht ik het mijn plicht u te waarschuwen. Niet iedereen is te vertrouwen! U bent afkomstig van goeden huize, ongetwijfeld fatsoenlijk en degelijk.'

'Wat wilt u zeggen, mijnheer Van Roepel?' vroeg ik, niet op mijn gemak door de ernst waarmee hij sprak. Ik wist dat hij teleurgesteld was dat ik de laatste tijd weinig meer losliet over de gang van zaken in Walthers huis. Ik vermeed het naar Frederiks kantoor te komen en hield me zo veel mogelijk op de vlakte als het niet anders kon. Maar vandaag had ik niet kunnen weigeren toen hij een boodschapper naar me toestuurde met de dringende vraag langs te komen. En daar zat ik nu, bedenkend dat zowel Walther als Van Roepel om mijn discretie hadden gevraagd en me afvragend hoe ik daartussen moest laveren. Maar Frederik bleek het om iets anders te gaan.

'Het is lang geleden dat wij elkaar gesproken hebben.' Frederik van Roepel zette zich tegenover mij aan zijn bureau neer en rommelde verstrooid in zijn papieren. 'Juffrouw Winter, ik heb u laten komen om u te waarschuwen. Het is mij ter ore gekomen dat u zich de laatste tijd vaak in dubieus gezelschap mengt.' Ik trok mijn wenkbrauwen op. Van Roepel maakte een minder pompeuze indruk dan gewoonlijk. Hij zag er streng en bezorgd uit.

'Hoe bedoelt u?' vroeg ik.

De directeur gaf niet meteen antwoord maar keek me ernstig aan. Inwendig zette ik me schrap. Hij zou me natuurlijk voor de radicalen van La Troupe waarschuwen.

'Beste juffrouw Winter,' stak hij van wal, 'ik meen dat ik u al had verteld over de heer Miller. De man is nou niet bepaald een achtenswaardig heerschap. Om te beginnen: wie contact met hem wenst te onderhouden, moet zich in de kleurlingenwijk begeven. Dat geeft toch geen pas voor een jongedame! U moet zich wel rekenschap geven van uw positie in deze gemeenschap. Het is hooguit voor liefdadig werk dat dames van uw stand zich op Frimangron wagen, en zeker niet alleen.'

Dat deed de deur dicht. Had ik gedacht dat ik eindelijk zover was dat ik de vrijheid kon genieten zonder chaperonne te kunnen uitgaan, kwam men daar nu weer mee aanzetten! Maar daar kwam niets van in. Ik was niet van plan mijn vrijheid op te geven en daarbij: had Van Roepel nu misschien míjn gangen laten nagaan? De beginnende boosheid maakte plotseling plaats voor ongerustheid, ik herinnerde me dat door mijn schuld Walther verdacht werd van anarchistische activiteiten en dat mijn huidige contacten op Le Grand dat er voor hem niet beter op maakten.

De schuld moet op mijn gezicht te lezen zijn geweest want Van Roepel ging kordaat verder: 'Het gezelschap van zo'n onruststoker kan u een slechte naam bezorgen, mijn goede juffrouw, en u weet dat ik het beste met u voorheb.'

O nee, aanstonds zou hij weer proberen mij een aanzoek te doen. Hij moest inmiddels wel weten dat ik nog in het geheel niet verloofd was, want dat had de nieuwsgierige Augusta tijdens een theevisite uit mij los weten te krijgen. De smoes die ik gebruikt had om Frederiks avances af te weren had ik natuurlijk niet vol kunnen houden, anders zou het verhaal van mijn 'verloving' meteen in de Paramaribose gemeenschap de ronde doen en daar was ik nog niet klaar voor.

Van Roepel vervolgde: 'Ik ken verschillende planters die Miller de toegang tot hun plantage willen ontzeggen, zijn houding en vooral bemoeienis met de gang van zaken verstoort de verhoudingen en dat kan een zeer gevaarlijke situatie opleveren! Bedenkt u eens dat op de plantages de slaven veruit de meerderheid vormen, één blanke op twintig zwarten is het gemiddelde, men kan dan niet voorzichtig genoeg zijn!'

Er viel een stilte. Tja, James. Wat kon ik daaraan doen? Ik peinsde over een antwoord maar Van Roepel was nog niet klaar. 'Weet u wel dat de man die zich aan u heeft opgedrongen, niet te vertrouwen is?'

'Wat, wie, Walther?' vroeg ik in verwarring gebracht.

'Nee, nee, mijn beste, ik heb het over de man die zich uw verloofde noemt, Reiner Campenaar! Weet dat ik u het beste toewens, maar Reiner Campenaar is niet wat hij u voorspiegelt. Hoeveel weet u nu van hem? Wat doet hij als hij de plantages gaat bezoeken? Echt, miss Winter, uw onschuld siert u, maar het gaat me na aan het hart als u bedrogen wordt!'

Met ongeloof had ik geluisterd maar nu had ik er genoeg van. Eerst had Frederik geprobeerd James bij mij zwart te maken en nu Reiner. Had de man dan geen gevoel voor eer? Ik zou hem geen kans geven nog verder te gaan. Van Roepel trachtte nog mij meer uitleg en bijzonderheden te geven. Maar ik wilde niet meer luisteren. Resoluut kwam ik overeind en smoorde zijn waarschuwingen.

'Mijnheer, mag ik u verzoeken mijn zaken de mijne te laten! Ik ben zeer wel in staat te beoordelen wie mijn vriendschap waard is!' Met deze woorden maakte ik aanstalten het kantoor te verlaten. Te laat besefte ik dat mijn impulsieve antwoord tevens een afwijzing van de Van Roepels kon inhouden. Maar ik was te zeer geëmotioneerd om de juiste woorden te vinden en nam nogal uit de hoogte afscheid. Het laatste wat ik zag was Frederik van Roepels grimmige gezicht.

Maar eenmaal op straat sloeg de twijfel toe. Wat had Van Roepel mij willen vertellen? Kon ik op zijn goede bedoelingen vertrouwen of wilde hij eenvoudig mijn relatie met Reiner saboteren voor zijn eigen belang?

'Ik wilde gisteren langskomen, maar ik merkte dat je al bezoek had,' zei ik zo neutraal mogelijk tegen James.

Hij keek me aan en kreeg een kleur. 'Ja,' mompelde hij ongemakkelijk, 'een oude vriendin is door omstandigheden weer in Paramaribo en maakte van de gelegenheid gebruik voor een *visit*.'

Hij vroeg niet waarom ik niet gewoon had aangeklopt. Een privébezoekje tijdens de middagrust, van de wulpse, roodharige toneelspeelster. Ik zei niets. Een poos zwegen wij beiden. Teleurstelling kneep me de keel dicht, ik had gedacht dat James een hogere moraal aanhing dan de meeste mannen in de kolonie. Nu bleek hij niet anders, niet in staat een willige vrouw te weerstaan.

Alsof hij mijn gedachten geraden had zei James na lichte aarzeling: 'Giulietta is een vrije vrouw... in meerdere opzichten.'

Zijn opmerking stak me. Ik begreep dat hij wilde zeggen geen misbruik te maken van onmondige slavinnen, maar wat bedoelde hij met het laatste? Een onredelijk gevoel vergeleken te worden, maakte zich van me meester. En zou ik de vergelijking met haar kunnen doorstaan? De vurige Giulietta. Hoe kon ik me als naïef Hollands meisje meten met die wereldwijze mulattin?

'Giuli...' Ik hoorde de kozing in de naam die James uitsprak. 'Giuli en ik hebben eerder een poos samengeleefd, maar dat werkte niet.' Hij glimlachte weemoedig. 'Zij is vrij,' herhaalde hij en daarna leek het onderwerp voor hem afgedaan.

Terwijl James naar binnen ging om wat te drinken voor mij te halen, dacht ik over zijn woorden na. Ik kon me James en Giulietta moeilijk voorstellen als Shakespeares liefdespaar. *Romeo en Julia* had ik mij altijd als puur en onschuldig voorgesteld; de realiteit was minder poëtisch dan prozaïsch en lag meer in een verstolen herdersuurtje dan in een huwelijksbed.

Eens te meer voelde ik me de grasgroene nieuwkomer in de kolonie, waar de normen en waarden die ik gewend was, voor mijn ogen met voeten getreden werden. Ik kon er niet onder uit, wat zich in Holland in achterbuurten afspeelde, ver uit het zicht van deugdzame vrouwen, voltrok zich hier ongegeneerd midden in de kleine gemeenschap. Geen haan die ernaar kraaide als man en vrouw al dan niet gesanctificeerd uit de band sprongen. De vele kerkelijke stromingen hadden te weinig invloed op hun volgelingen, de slaven hadden nergens zeggenschap over en de vrijen botvierden hun lusten.

Ik bleef niet lang bij James. Het gesprek verliep geforceerd en er vielen ongemakkelijke stiltes, zodat ik besloot te vertrekken, zeer tot ons beider opluchting. Zonder het aan James te zeggen was er nog een andere partij die ik wilde horen.

Gedreven door een vreemde vasthoudendheid vond ik mezelf enige tijd later terug bij de voordeur van Le Grand. Ik aarzelde alvorens aan te kloppen. Deed ik er goed aan hier te komen? En wat wilde ik van La Rouge weten? Waarvoor was ik eigenlijk gekomen?

Maar voor ik me kon omdraaien en de plek met goed fatsoen verlaten, ging de deur open.

De magere Pierre trad naar buiten met een boodschappenmand aan zijn arm, keek eerst verrast op maar noodde me dan naar binnen met de ruwe hoffelijkheid die hem eigen was.

De deur ging weer achter me dicht en ik bevond me alleen in de voorkamer. Opzij stond de deur naar de salon open.

'Ben jij daar, Mirre?' hoorde ik La Rouge vragen en ik volgde de zangerige stem door de zijdeur. Giulietta zat op de sofa met een glanzende japon over haar schoot gedrapeerd. Ze was druk bezig met naald en draad pailletten op de stof te stikken. Haar dikke, lange krullen waren gedeeltelijk samengebonden met een lint en vielen over haar halfblote rug en schouders. Zoals gewoonlijk was ze luchtig gekleed, om niet te zeggen weinig verhullend.

Giulietta keek op en zag me staan. Haar mond plooide zich in een glimlach, ze groette me en bood een zitplaats aan zonder zelf op te staan, wat overigens moeilijk zou gaan vanwege de jurk, waaraan nog niet alle versierselen vastgeregen zaten.

Terwijl ik plaatsnam in een stoel schuin tegenover haar, bedacht ik hoe oppervlakkig ik eerder haar leven beoordeeld had, vóór ik La Troupe had leren kennen. In mijn fantasie vroeger, had een actrice niets anders te doen dan de hele dag op de divan haar rollen te leren, al snoepjes etend die haar door bewonderaars werden gebracht. Maar natuurlijk moesten toneelspelers ook hun kostuums maken, verstellen, hun decors en huishouden onderhouden.

In de deuropening naar de achterkamer passeerde Quaku met uitgestrekte armen. In zijn handen hield hij een groot vel papier waarvan de inkt nog nat was. En affiches beschilderen, voegde ik in gedachten aan het lijstje toe.

De mooie Giulietta glimlachte me vriendelijk toe. Haar gezicht zag er zonder grime meer toegankelijk uit. Toch was de kleur van haar lippen en wangen niet natuurlijk, maar licht aangezet, en mijn afkeer van al te veel zinnelijkheid, door sympathie voor het socialisme eerder getemperd, kwam opeens weer op.

'*Quelle surprise!* Wat brengt jou hier, Regina?'

'Ik heb erover nagedacht en ik wil graag een nieuw stuk voor jullie schrijven,' zei ik.

Giulietta lachte vrolijk en sprak haar waardering uit.

Nadat ik had verteld wat voor stuk ik in gedachten had en haar vragen had beantwoord, veranderde ik van onderwerp. 'Net was ik bij James,' zei ik, zonder te weten wat ik verder moest zeggen. Hoopte ik op een blijk van schaamte of misschien van schuldbesef? Maar De Rooie verblikte of verbloosde niet. Integendeel, met een ondeugende blik keek de vrouw mij aan en knikte alsof ze iets wist waarvan ik niet op de hoogte was. Ik voelde me niet op mijn gemak en vroeg me af of ze koketteerde met hun zondige verhouding. Was het wel verstandig van mij om me met de toneelspelers in te laten? Liever dacht ik niet aan wat soeur Agnes zeggen zou.

Opeens boog Giulietta iets naar voren alsof ze een geheim wilde verklappen en zei dan op vertrouwelijke toon tegen mij: 'Hij is dol op je, weet je dat?'

'Wie?' vroeg ik in verwarring gebracht.

'James!' antwoordde de mulattin schalks en schaterde vervolgens om mijn verbouwereerde gezicht. Met gloeiende wangen en groeiende verontwaardiging verwerkte ik deze onverwachte mededeling. Moest ik de toneelspelster geloven? Was het waar?

Maar waarom dan, waarom vrijde hij dan met haar? Was ze zo moeilijk te weerstaan? Hield hij nog van haar of was hij nog steeds de losbol waarvoor Van Roepel me gewaarschuwd had?

Een storm van vragen en onduidelijke gevoelens woedde in mij. Waar maakte ik me druk over, goed beschouwd ging het me niets aan of de mensen in mijn omgeving zich onzedelijk gedroegen. En waarom kon het Giulietta niks schelen wat haar vrijer over een andere vrouw, over mij, zei? Ik begreep er niets van, de moraal hier was onpeilbaar.

Wat dacht Giulietta wel niet? Dat ik degene die al haast mijn verloofde was ontrouw zou zijn, een slet worden, als zij? Ik had Reiner mijn jawoord al min of meer gegeven. Lust was dit, Satans verleiding, waaraan ik weerstand moest bieden.

Toch, moest ik toegeven, waren er vragen die me plaagden. Vragen die ik nooit aan tante Cornelie of soeur Agnes had kunnen stellen. Beiden waren immers nooit getrouwd geweest. En in de puriteinse standenmaatschappij van Holland had ik wat ik wilde weten niet kunnen bespreken in mijn eigen klasse, noch kunnen vragen aan Geertje en Marie, die immers de meiden waren, en van lagere stand.

Maar hier in de hete tropen, waar het bloed zinderde en niemand zich iets aantrok van stand of positie, kon ik misschien te weten komen wat me sinds die middag bij James' venster had beziggehouden.

Giulietta moest aan mijn gezicht hebben gemerkt dat ik worstelde met vragen en spoorde me aan. 'We zouden zusters kunnen zijn, miss Regina, geneer u niet en beschouw mij als zodanig.'

Die woorden gaven me de moed ter sprake te brengen wat ik wilde weten. Op fluistertoon nam ik Giulietta in vertrouwen.

De Rooie luisterde eerst en lachte dan innemend. Toen sprak ze frank en vrij: 'Voor een man is het zeker en eenvoudig. Hij neukt en hij komt klaar. Voor een vrouw is het lang niet duidelijk of ook zij de vurig verlangde verlossing zal bereiken. Veel hangt af van de consideratie van haar minnaar. En o, die heerlijke koorts, die kwelling, die pijniging, het snakken naar verlossing. Weg van die top waar het genot ondraaglijk wordt en de bundeling van kracht en driften vraagt om bevrijding! En hoe zal het komen, val ik domweg van de top, me afvragend hoe ik beneden ben gekomen en waar toch al die wonderbare gevoelens gebleven zijn, of geraak ik er met horten en stoten, me met moeite een weg banend naar de poort? Of, hemelse verrukking, zal ik ernaartoe glijden, simpel en natuurlijk, zonder zorg of hij er eerder geraakt dan ik, en drijven op een stroom van helder licht? Die versmelting is de meest begeerde, volmaakt, een totale ervaring...'

Blozend had ik geluisterd naar Giulietta's verhaal. Zij had mij vrijmoedig geantwoord en toch had ik het gevoel niets wijzer te zijn geworden. Het was allemaal zo verwarrend dat ik me in een dromerig waas huiswaarts begaf en me naderhand nauwelijks meer kon herinneren hoe ik thuis was gekomen.

Twintig

HALF MAART 1848

Sammi zag er neerslachtig uit. Dat was gedeeltelijk mijn schuld. Zoals ik me al eerder had voorgenomen had ik mijn vriend aangesproken op zijn verantwoordelijkheden. Wat zou er gebeuren met Judith en zijn kinderen als hij er niet meer zou zijn? Wilde hij dat ze in slavernij zouden blijven leven? Ons gesprek bleek indruk te hebben gemaakt - Sammi was gaan nadenken over de situatie waarin zijn gezin verkeerde. Voor het eerst had hij aan hen gedacht als zijn gezin. Het had hem niet vrolijk gestemd. Als hij zijn eigen vlees en bloed van slavernij wilde redden en hen vrijkopen, dan moest er per kind aan het land een brief van manumissie van driehonderd gulden betaald worden, plus onkosten van rond de vijftig gulden en dan nog de koopprijs die tussen de driehonderd en zeshonderd guldens zou bedragen. Wat neerkwam op bijna vierduizend gulden, om vier kinderen en hun moeder vrij te kopen.

'Het was een vergissing om met een slavin een verhouding te hebben,' klaagde hij, 'ik had er nooit aan moeten beginnen.'

Met vier kinderen die nu op de wereld rondliepen leek me deze verzuchting nogal aan de late kant, toch trachtte ik hem op te beuren. 'Maar Judith houdt van je,' pleitte ik. 'Tenminste heb je een goede vrouw.'

'Maar ze heeft *geen keus*,' kreunde Sammi verslagen. Zijn doorgaans al naar melancholie neigende aard leek nu bevangen door de diepste smart.

Aanvankelijk gaf ik mezelf de schuld - als ik hem niet op de omstandigheden van zijn huisgenoten had gewezen, was er niets aan de hand geweest. Maar nee, aan deze situatie had mijn vriend hoe dan ook bijgedragen en het was niet meer dan vanzelfsprekend dat hij zich daar rekenschap van moest geven. Uiteindelijk waren het zijn kinderen die slachtoffer waren. 'Waarom leer je ze geen lezen? En schrijven?' probeerde ik. 'Wellicht zullen ze daar voordeel aan hebben en lichter werk kunnen doen bij een goede meester. In ieder geval zal men hen niet makkelijk voor de gek kunnen houden, ze zullen kranten kunnen lezen. En hun verworven kennis kan hen niet ontnomen worden.'

Het pleidooi leek te helpen. Sammi hief zijn betraande gezicht op. Hoop schemerde in zijn ogen. 'Dat is waar,' zei hij. 'Waarom heb ik daar niet eerder aan gedacht? Kennis, dat kan ik geven. Mijn huis is gehuurd, mijn vrouw en kinderen zijn eigendom van een ander, maar alles wat ik weet, wat in mijn hoofd zit, dat kan ik onderwijzen. Ik zal ervoor zorgen dat hen dat ten minste niet onthouden wordt.'

Hoopvol pakte hij mijn hand. 'Help je me, Regina? Ik mag mijn slavenkinderen niet naar school sturen, maar wat ze thuis leren, gaat niemand wat aan.'

'Natuurlijk,' antwoordde ik, verheugd over Sammi's nieuwe daadkracht, 'ik zal je morgen wat boeken brengen. Je moet vooral geregeld met hen oefenen.' Hij keek me dankbaar aan.

'Geld is het enige probleem. Als hij maar het geld had, kon hij zijn gezin vrijkopen!' Opgewonden vertelde ik Walther over Sammi's grote probleem.

De jonge Blackwell schudde kalm het hoofd. 'Geld is niet altijd het enige probleem,' merkte hij op. Walther zat met zijn benen over elkaar geslagen in zijn leunstoel en keek toe hoe ik in de salon op en neer liep, telkens weer, als de verbeelding van Sammi's cirkelredenering.

Enigszins prikkelbaar over zijn onaangedane houding vroeg ik: 'Wat kan er dan nog dwars zitten? De meester is van goede wil, de eigenaresse van de slaven toont zich welwillend... Maar het geld ontbreekt.'

Hij beaamde: 'Geld is een groot obstakel. Maar geld is niet de enige eis die het gouvernement stelt. Om je vrijheid te verkrijgen, moet je eerst buigen voor hun eisen. Inleveren wat je lief is, wat maakt dat je bent die je bent.'

Ik wist dat hij aan Amajé dacht, zijn moeder, die geweigerd had haar heidense rituelen in te leveren voor het lidmaatschap van een kerk. 'Wat bedoel je?' informeerde ik. 'De overheid vraagt toch geen oneerzame dingen van je? Ze wil slechts dat de inwoners van het land zich goed gedragen.'

'Regina, Regina...' vermaande de Zwarte Lord mij. 'Nu ben je al lang genoeg hier – denk je dat het gezag zich iets aantrekt van ons welzijn? Zolang we ervoor zorgen dat er gevulde koopvaardijschepen vertrekken naar Nederland, maakt het ze niets uit, hoor. En Sammi... hij is maar één van de velen die kinderen maken zonder eraan te denken welke toekomst hun nageslacht wacht, tot het te laat is en hun diensttijd voorbij is. Terug in de mist van Holland vervaagt spoedig de herinnering aan hun gekleurde nageslacht, ploeterend in de tropenzon.'

Ik zweeg.

'Mijn vader zou mij de plantage nalaten. Eigenlijk aan mij en mijn moeder, maar als slavin kon zij veel zaken niet persoonlijk regelen. Aan mij kon hij de bezittingen zonder probleem nalaten en dat gebeurde ook. We gingen naar de notaris waar hij Lemuel en het huis van de Waatermolenstraat op mijn naam liet schrijven. Maar omdat hij de plantage graag aan mijn moeder wilde nalaten, wetende hoeveel het voor haar betekende, hoopte hij dat ze zou bijdraaien zodat ze vrijgekocht kon worden. Eer het zover was, werd hij echter gek.'

'Gek?' vroeg ik ongelovig.

'Ja, hij had altijd al periodes, waarin hij zich afsloot van iedereen en in zwarte somberheid verviel. Om zijn pijn te vergeten dronk hij dan. Maar de alcohol verergerde zijn toestand en ten slotte werd hij gek. Een alcoholistische gek.'

Het bleef even stil.

'Hoe denk je dat ik heb kunnen weten wat ik moest doen om gek te lijken, hoe ik jullie om de tuin moest leiden?' voegde hij er met bittere ironie aan toe.

Deze opmerking bracht mij in verwarring, maar Walther lette er niet op en ging verder: 'De laatste jaren verbleef hij zelfs niet meer in het plantagehuis op Lemuel. Hij was daar niet meer te handhaven. Wellington had zich teruggetrokken in een huisje achter op het land, dicht bij de bosrand. Daar was hij alleen met zijn boeken en zijn drank. Er werd hem eten en drinken gebracht en voor hem gezorgd, voor zover hij dat toeliet. Ik verbleef toen meestentijds in de stad en heb zijn ondergang niet van nabij meegemaakt. Maar als ik hem opzocht en hij was helder, dan zei hij steeds dat ik de plantage moest overnemen en voor mijn moeder zorgen. Natuurlijk beloofde ik dat. Frederik van Roepel had ook al lang zijn oog op de bezittingen van de oude Wellington laten vallen.'

Ik verschoot van kleur. Schuldig, medeplichtig aan verraad.

Maar Walther vervolgde: 'Dat ik alles erfde was een grote teleurstelling voor Frederik, hij had gehoopt de plantage gemakkelijk van Wellington te kunnen overnemen. Sindsdien heeft hij redenen gezocht om mij als eigenaar mijn recht te ontnemen. Tot nu toe is hem dat niet gelukt.'

'Hoe heb ik dat niet kunnen zien?' stamelde ik. 'Hij leek zo begaan met jou, zo behulpzaam!'

Walther leunde tegen de tafel en nam me bedachtzaam op.

'Van Roepel was in jouw dienst, voerde je opdrachten uit en leek je toegewijd.'

Zwijgend hoorde Walther mijn bekentenis aan.

'Hij sprak me aan op mijn plichtsgevoel, als twee oudere employés die hun jonge meester moesten ondersteunen. Ik liep er met open ogen in.' Nu pas drong tot me door hoe naïef ik was geweest.

Walther zei nog steeds niets.

Ik ging verder. 'Frederik vroeg mijn hulp om je in de gaten te houden. Ik moest hem waarschuwen als je lichtzinnige dingen deed, dingen die... O god... hém konden helpen.' Ik zweeg verslagen. Met schuldig gebogen hoofd besefte ik mijn rol in het complot. De vragen over Walthers geheimen, die me sedert de laatste onthullingen van Frederik van Roepel geplaagd hadden, verdwenen naar de achtergrond.

In een paar stappen stond Walther naast me.

Ik durfde niet op te kijken.

Het bleef een tijdje stil.

Eindelijk sprak hij. 'Ik weet wel hoe het kon gebeuren. Regina, je zag een man...' Hij pauzeerde en corrigeerde dan: '...een blánke man, die betrouwbaar leek, sprak met een Hollands accent, die was zoals je er al honderden had gezien.' De jongeman glimlachte. 'En daar was ik. In alles het tegengestelde. Zwart, vreemd, onconventioneel.'

'O, Walther!' viel ik hem in de rede, 'laat me het goedmaken! Wat kan ik doen om je te helpen?'

Hoofdschuddend zei Walther: 'Frederik is slim. Hij wist je in te palmen. Mijn vader wist al dat Frederik het als directeur niet al te nauw nam. Hij wist van Frederiks kleine verduisteringen - geldbedragen, plantagegoederen, verkocht aan derden zonder ons medeweten. Maar omdat Wellington niet meer in staat was veel te ondernemen, liet hij de zaak liggen. Dat veranderde toen ik oud genoeg was om me met de zaken te bemoeien. Frederik werd zo op de vingers gekeken dat hij geen kans meer had voor zijn corrupte praktijken. Dat zette kwaad bloed, temeer daar ík in zijn ogen een ondergeschikte had moeten zijn.' Walther zweeg.

Ik voelde me diep beschaamd dat ik Frederik niet eerder had doorzien.

'Werken voor een zwarte verdroeg hij kennelijk alleen omdat hij op méér hoopte... Hij hoopte blijkbaar Lemuel over te nemen zo gauw ik als plantagehouder incompetent zou worden verklaard.' De Zwarte Lord glimlachte sarcastisch. 'Wel, Frederik had niet voorzien dat zijn plan zou *backfiren*. Ik denk dat hij zijn laatste noot heeft gezongen, het is nu helemaal *gebost* voor hem.'

Reiner was in een verhitte discussie over politiek verwikkeld. De gasten waren langzamerhand Le Grand binnengedruppeld en eisten de aandacht van Madame Akouba. Ik besloot me nuttig te maken en de mooie Goudse kaas die ik bij de Vette Wariër had weten te verkrijgen, eens aan te snijden.

De keuken van Le Grand was groot maar ik zag meteen waar men de kaas gelaten had, op de kaasplank afgedekt met een blauwgeruite doek. Ik deed de deur achter me dicht en het feestgedruis klonk nu wat gedempt, al waren de stemmen nog goed hoorbaar. Mijn hakken klonken hard op de tegels en mijn wijde japon ruiste terwijl ik door de keuken naar de tafel liep.

Terwijl ik de kaas stond te snijden merkte ik Mirre op, die in een hoekje van de keuken achter een kast zat met een bord op haar schoot. Ze was bezig cassave te schillen maar hield daarmee op om naar mij te kijken. Op haar lendendoek en kralenkettingen na, was Mirre zoals gewoonlijk naakt. Blootsvoets, blote benen en armen, een bloot bovenlichaam dat parmantige borsten toonde. Ik werd me weer hinderlijk bewust van het korset dat mijn lijf omsloot en het zweet broeierig vasthield in de stof. Achter de baleinen knorden mijn ingewanden in protest tegen de verdrukking.

Ik vroeg me af waarom het contrast me nu opviel, waar ik inmiddels toch gewend moest zijn aan halfnaakte bedienden, die ik overal in alle huishoudens en op straat tegenkwam. Misschien kwam het door Mirre zelf. Zij had niets van de schichtige, jammerlijke wezens die ik soms tegenkwam, noch van de zorgeloze, luidruchtige vrouwen op straat, die in alles zozeer van ons verschilden dat hun huidskleur welhaast hun kleding leek, passend bij hun aard. Maar Mirre, hoewel zwijgzaam, leek anders. Met haar grote, donkere ogen volgde zij oplettend mijn bewegingen. Haar tengere gestalte zelfbewust, al zat ze op een laag bankje dicht bij de grond en half verscholen achter de buffetkast. Zonder iets te zeggen wist ze mij me ongemakkelijk te doen voelen, alsof ik me op riskant territoir had begeven. Dat was vreemd, omdat Mirre zeker niet de meesteres van de keuken was. Ze was hooguit het hulpje in huis en leek voor zover ik had gezien, doorgaans weinig om handen te hebben. Gehoorzaam volgde ze bevelen, maar zorgde er liever voor uit het zicht te blijven.

De reepjes kaas op een bord schikkend zodat ze in halve cirkels als twee waaiers tegenover elkaar lagen, bedacht ik dat ik haar iets aan kon bieden. 'Mirre, wil je wat kaas?' vroeg ik aan de figuur achter de kast. Vanaf de grote tafel keek ik naar het andere eind van de keuken, waar Mirre overeind kwam na haar bord te hebben neergezet. Op haar gemak kwam ze aangeslenterd en nam een plakje kaas van mij aan.

Ze stak het in haar mond en proefde bedachtzaam. Met volle aandacht kauwend richtte ze haar blik opzij alsof ze niet door mij afgeleid wilde worden bij het ervaren van deze – voor haar nieuwe, besefte ik – voedingswaar. Verbaasd vroeg ik mij af of Mirre nooit eerder van de kaas had geproefd. De meesteres zou het toch niet gemerkt hebben als er een plakje ontbrak. Bleef het meisje echt overal af, kwam ze alleen maar in actie als haar iets werd gevraagd? Hoe strookte dat met de eigenzinnigheid die ik haar toeschreef? Ik wist geen antwoord.

Mirre kauwde en slikte, smakte even met haar lippen en zei: *'Danki, Misi.'* Toen draaide ze zich om en liep weer langzaam terug naar haar bord, haar houding recht en statig, geenszins de indruk wekkend dat ze, klein meisje, een hap van 's meesters bord had gekregen, maar eerder een tamme tijgerin, tijdelijk tevreden gesteld.

Ik wendde me tot Reiner. 'Het verwondert me dat ze de mannen tot nu toe op een afstand heeft weten te houden. Zo'n mooi meisje zou gemakkelijk belaagd kunnen worden. Of hebben slavinnen daar ook zeggenschap in?'

'Wie, Toto?' vroeg Reiner. Verbaasd keek ik hem aan en duidde onopvallend in de richting van de zich verwijderende Mirre. 'O ja,' zei hij, alsof hem een licht opging. 'Mirre. Maar zij is geen slavin.' Ik trok mijn wenkbrauwen op. Vrije vrouwen liepen niet rond in Eva's kostuum, tenzij ze doodarm waren. Maar Reiner vervolgde: 'Althans niet meer. Als kind was zij huisslavin van mevrouw Weyne, een weduwe. Mirre heette toen eigenlijk Toto. Maar de weduwe kreeg vaak pater Grooff op bezoek, en uiteindelijk gaf zij hem toestemming Toto te onderwijzen en te dopen. De zachtaardige weduwe had Toto blijkbaar weinig ontzag voor autoriteit bijgebracht, want het meisje was erg bijdehand. Ze stond erop haar eigen doopnaam te kiezen, hetgeen pater Grooff toestond, al is dat heel ongebruikelijk.'

Ik lachte. 'Misschien herkende hij in haar wel een vrije geest.'

Reiner trok een grimas. 'Het zal hem nu niet bevallen dat ze naakt als een heiden rondloopt. Geen wonder, overigens, met een huishouden als dat van La Troupe.'

Mijn nieuwsgierigheid gewekt vroeg ik verder. 'Hoe is ze dan bij hen terechtgekomen?'

'Wel, mevrouw Weyne was wel goed maar niet gek. Toen zich voor haar een kans voordeed om te hertrouwen, heeft ze zich van Toto, ik bedoel Mirre, ontdaan, om te voorkomen dat haar nieuwbakken echtgenoot afgeleid zou worden door Mirres prachtige vormen. De weduwe was wel heel schappelijk en heeft het meisje niet aan een man verkocht die zijn lusten op haar kon botvieren – en er waren genoeg die daarop aasden – maar ze bood haar aan Madame Akouba aan, een vrouw die haar onder bescherming kon nemen. Na verloop van tijd kocht Madame Akouba haar pupil vrij. Mirre hoort nu bij La Troupe.'

De versprekingen van Reiner waren me niet ontgaan. Ik vroeg me af hoe goed hij haar kende.

Maart was bijzonder woelig verlopen voor Europa. Eerst was door het nieuwe bewind in Parijs besloten de slavernij af te schaffen, wat voor beroering had gezorgd onder de planters in de kolonie en een stemming van euforie bij La Troupe. Er was echter nog geen datum vastgesteld, wat volgens James heel onverstandig was van de Franse revolutionairen.

In Wenen raakten studenten en arbeiders slaags met de keizerlijke troepen en kort daarop kwam Milaan in opstand tegen de Oostenrijkse overheersing. Italië en Oostenrijk raakten dus in oorlog. Venetië riep zichzelf uit tot republiek.

Berlijn kreeg te maken met rellen en in de kleine Duitse staten vonden revolutionaire staatsgrepen plaats, terwijl Hongarije kampte met een beginnende opstand.

Vergeleken met al die brandhaarden leek de dreiging in Nederland bezworen. Koning Willem II was naar eigen zeggen *'in één nacht van conservatief tot liberaal veranderd'* en had besloten tot meer liberale veranderingen in de Grondwet dan de ministers nodig hadden geacht. Verontwaardigd diende de ministerraad ontslag in en niet lang daarna begon een linkse commissie onder leiding van de Leidse hoogleraar Thorbecke aan de wijziging van de Grondwet. De macht van de koning en de adel zou worden ingeperkt, terwijl parlement en burgerij een grotere inbreng kregen.

Maar het nieuws waar men in de kolonie het meest mee ingenomen was, was dat bij Koninklijk Besluit de handel en vaart op Suriname werd opengesteld voor alle volken waarmee het koninkrijk Nederland bevriend was. Eindelijk was het monopolie van Nederland op de Surinaamse handel nietig verklaard. Om eventuele contractuele verplichtingen en administratieve veranderingen wat tijd te gunnen, zou het besluit pas in mei ingaan, maar de vreugde in de kolonie was er niet minder om.

Met een wereld zo in beroering begon ik me te realiseren dat Holland wel eens niet meer hetzelfde zou zijn als ik na afloop van mijn contract zou terugkeren. En hoe zou het er met de werkgelegenheid voor een gouvernante voor staan als de invloed van de adel afnam? Weliswaar had ik tot nu toe emplooi gevonden bij de burgerij, maar als het vuur van de revoluties oversloeg naar Nederland, was het leven in de kolonie dan niet te verkiezen boven een onzeker bestaan waarin armoede, honger en kou op de loer lagen? Het werd tijd dat ik voor mezelf een paar beslissingen ging nemen.

Reiner en ik hielden begin april een klein verlovingsfeest in de salon van zijn hospita. Mevrouw De l'Isle had haar kokkin een mooie taart laten bakken. We hadden enkele vrienden uitgenodigd. Walther en de Van Roepels waren aanwezig en enkele vrienden van Reiner. James was voor een jachtopdracht naar het binnenland en kon er dus niet bij zijn. La Troupe hield zich niet bezig met zoiets bourgeois als een verloving, al was er wel een baskiet met bloemen en gekleurde veren bezorgd van mijn vrienden op Le Grand.

Wat de familie Brammerloo betreft, die was van hogere stand en kon zich niet permitteren in het pension te verschijnen. Wel stuurde mevrouw Brammerloo een prachtige ruiker en een fraaie porseleinen theepot als geschenk.

Terwijl de weduwe De l'Isle het boeket een ereplaats gaf op een standaard in de zitkamer, bekeek Augusta keurend het cadeau van de Brammerloo's. 'Je krijgt de kopjes er vast bij als je trouwt,' merkte ze met nauw verholen afgunst op.

Frederik van Roepel had - net als ik - besloten te doen alsof er nooit sprake was geweest van toespelingen, avances of beschuldigingen. We wisselden beleefde zinnen en glimlachjes uit en meden zo veel mogelijk contact. Ik hoopte maar dat Augusta's koppelgrage vriendinnen haar broer snel aan de vrouw zouden brengen. En dat Frederik zich eindelijk met zijn ondergeschikte positie op Lemuel zou verzoenen.

Deze dag voelde ik me het feestelijke middelpunt van een gebeurtenis waarvan ik vanaf mijn jeugdjaren nooit meer gedacht had ooit de hoofdpersoon te zullen zijn. Hoe miste ik tante Cornelie, wat zou zij blij zijn geweest, dat voor mij nu toch een toekomst als echtgenote en moeder in het verschiet lag!

Als blijk van dankbaarheid voor mijn geluk had ik ook Elena en Coen en hun kinderen wat geld en presentjes gegeven, en de Kerk een kleine schenking gedaan.

In mijn koperkleurige japon, roze *fayalobi* gestoken in mijn kapsel, voelde ik me werkelijk al haast een bruid. Reiner had een annonce in de krant laten zetten om onze verloving aan te kondigen. Ook had hij mij eerder op de dag een klein doosje in de handen gelegd, met daarin de ring die hij tijdens een werkbezoek in het binnenland van een noodlijdende planter had gekocht. Het was een prachtige oude ring van zilver, die waarschijnlijk nog met de eerste Portugese kolonisten naar Suriname was gebracht. Ik was ontroerd door Reiners gift en borg deze in het zijden tasje van mijn jurk, waar mijn vingers af en toe koesterend het kleinood omsloten.

Nadat ik het cadeau aan mijn gasten had getoond, had ik besloten de ring pas te dragen bij ons huwelijk, daarmee mijn verandering van status markerend. Dit besluit leek nogal tegenstrijdig, omdat de verhoging van status van werkende vrouw naar verloofde begeerlijk genoeg was om aan de wereld te tonen.

Maar zonder het aan Reiner te zeggen voelde ik in mijn hart heimelijke spijt over het aanstaande verlies van mijn carrière en onafhankelijkheid. Ik was zo lang onderricht om voor mezelf te zorgen, dat ik dit idee moeilijk los kon laten voor het hogere ideaal van het huwelijk. Bij het huwelijk begon het leven van een vrouw pas echt, al het andere was maar voorbereiding, en die redenering klopte in ieder geval voor de meisjes die mijn pupillen waren of zouden zijn geweest.

Ach, het zou nog wel minstens een jaar duren voordat we werkelijk zouden trouwen, voor Reiner genoeg had gespaard om een kleine plantage te kopen. Intussen zou ik door blijven werken en sparen voor mijn uitzet, een vooruitzicht dat me tevreden stemde.

Het was een mooie dag, in de salon klonk gelach en het geluid van klinkende glazen, de slaven van mevrouw De l'Isle droegen schalen met pasteitjes en koekjes binnen. Iedereen vermaakte zich en ik bedacht dat ik op een dag ook mijn eigen huishouden zou bestieren en gasten zou ontvangen – een gedachte die nooit eerder was opgekomen en me verraste, want zelfs in mijn fantasieën over een eigen huisje in Holland, terwijl ik als huisonderwijzeres de kost zou verdienen, had ik me nooit iets anders voorgesteld dan een leven van werken en kerkgang, zoals ook wijlen mijn tante had gehad.

Peinzend nipte ik van mijn glas wijn, keek naar mijn verloofde, die te midden van een groepje vrolijke vrienden het woord voerde. Voor mij zou het zelfs een nog grotere verandering zijn, omdat ik met deze stap ook mijn land achter me liet. Holland zou me de eerstkomende jaren niet meer terugzien. Misschien als we eenmaal genoeg inkomen hadden, dat we dan een reis overzee zouden maken om Reiners familie en soeur Agnes op te zoeken. Maar tegen die tijd zouden we al een echtpaar met enige kinderen zijn. Een heel andere Regina zou dan terugkeren als mevrouw Campenaar. Wie had dat ooit gedacht?

Walthers vermanende stem bracht me terug naar het heden. 'Regina, je verlaat me niet vóór mijn opleiding voltooid is, hoor!' zei hij half gekscherend, half serieus.

'Nee,' glimlachte ik, 'natuurlijk niet, Walther.'

Eenentwintig

APRIL 1848

April kwam en Marx en Engels togen naar Duitsland om deel te nemen aan de aldaar begonnen revolutie. Ik had mijn krant uitgelezen en gaf hem door aan Reiner, die het papier uitspreidde over zijn gezicht, om eronder ongestoord door het zonlicht een uiltje te knappen. Achter ons zaten James en Walther in de boot.

Vroeg in de morgen was Bonham ons komen halen, de plantageboot en de roeiers waren gereed om ons naar *dedekondre* te brengen, *dead country*, oftewel het schaars bewoonde binnenland, het vrije oerwoud.

Vrij voelde ik mij ook, niet langer beperkt door de alles beoordelende Amsterdamse of Haagse kringen. De gedachte aan een uitstapje met ten minste drie mannen en geen enkele vrouw in het gezelschap, zou Ada Aerdenhouts gelijken tot een appelflauwte brengen. Hoewel we als officieel verloofden konden gaan en staan waar we wilden zonder een chaperonne op sleeptouw te hoeven nemen, was het voor een jonge, ongetrouwde gouvernante beter dat er geen geruchten over haar de ronde deden. Wat voor voorbeeld zou ze anders zijn voor haar huwbare pupillen? En wat mijnheer Aerdenhout zou zeggen bedacht ik maar liever niet.

In de losse Surinaamse samenleving echter, droegen roddels niet die zwaarte, noch de consequenties die mij in Nederland ten deel zouden zijn gevallen. En dus genoot ik onbezorgd van de reis naar de Blauwe Bergen in het zuiden van Suriname.

De zon scheen en het roeien ging gestaag, af en toe zongen de bootslieden in hun taal een lied, dat in ritme samenging met de slagen van de peddels. Als gids hadden we een van James' 'Surinaamse broers' ingehuurd, de vrije neger Simpi. *Brada* Simpi had het atletische postuur van de Koloniale Guides tot welker manschappen hij behoorde. Zijn kroeshaar was wijd uitgekamd en vormde een pluizige zwarte krans om zijn hoofd. Een brede lach sierde zijn gezicht en gaf de reus een vriendelijk aanzien. Hij had zijn jongste zoontje Pedro meegenomen, een kind van een jaar of zes. De kleine jongen zat voor in de boot te spelen en vermaakte de zes roeiers van plantage Lemuel met zijn vrolijke gebabbel. Simpi had zich achterin bij Bonham gevoegd. Voorin, met de *kula* in de hand, zat bootsman Papa Sam.

De passagiers, Walther, James, Reiner en ik zaten in het midden van de boot. Het verbaasde me dat vier zulke verschillende mannen vriendschap hadden gesloten. Het moest wel door de kleine gemeenschap komen, die maakte dat je elkaar steeds weer tegenkwam zodat je ervoor zorgde een goede verstandhouding te bewaren.

En verschillend waren ze. In huidskleur alleen al. Maar dat de nuchtere Reiner bevriend was geraakt met een idealist als James, die vervolgens weer gesteld raakte op de ijdele Walther, wiens persoonlijke slaaf ook zijn jeugdvriend Bonham was... Het kon gek lopen in de wereld.

Als je de huidskleur wegliet, die hun sociale positie het meest bepaalde, hadden ze natuurlijk wel veel met elkaar gemeen. De zwijgzame Bonham kende ik het minst goed, maar de andere drie waren in zekere zin allen buitenbeentjes in de gemeenschap, zonderling om hun opvattingen en gedrag. Bij Walther en James was dit zonder meer duidelijk. Maar zelfs Reiner, die door zijn beroep weinig verschilde van de planters en kooplieden, onderscheidde zich toch door zijn doelgerichtheid en eigenzinnigheid. Maar nee, bedacht ik dan, dat was het niet: de meeste kolonisten kwamen met het doel snel fortuin te maken, en eigengereid waren ze, niet geneigd bemoeienis van het Rijk te accepteren en ze ontdoken de regels van het gezag zo veel mogelijk.

Wat maakte Reiner dan anders - was het de open blik, zijn jongensachtige optimisme, zijn eerlijkheid? Of was dit nu het partijdige oordeel van een verliefde vrouw? Vergeleken met de vele verlopen administrateurs en smoezelige blankofficiers maakte zijn praktische Hollandse houding een frisse indruk. Misschien was hij me daarom opgevallen, was dat het onderscheid.

Langs de wal zagen we de plantages voorbijkomen, suikerrietvelden en boomgaarden, landerijen waar paarden en koeien graasden. Honden blaften als we langskwamen, mensen zwaaiden. Op sommige plaatsen klonk het geklater van de watermolens, op andere stampte de stoommachine. Rook kringelde omhoog waar de suikerketels in het stookhuis borrelden. Overal werd nijver gewerkt en soms werd er luid gezongen.

'Je zou niet denken dat het slaven zijn,' merkte Reiner op. 'Ze lijden er in ieder geval niet onder.'

'Ze houden van werken,' antwoordde Walther neutraal.

'Het hangt ervan af hoe ze behandeld worden,' vond James.

'Vrijheid wordt overschat,' meende Reiner stellig.

En voor hij zijn verklaring met bewijzen kon staven viel ik in met: 'Is het nog ver naar de Blauwe Berg?', hopende de aandacht van zijn boude bewering af te leiden.

Gelukkig antwoordde James: 'Er zijn meerdere blauwe bergen, zo genoemd naar het blauwige graniet waaruit ze bestaan. In het zuiden zijn er verschillende bergketens. Maar vandaag gaan we naar de Blauwe Berg in de buurt van Victoria, voorbij de laatste plantages. Na Reynesberg zijn er geen plantages meer, alles is wildernis, en bijna ondoordringbaar.'

'Ben je daar geweest, met Schomburgk?' vroeg ik, want James had na uit het leger te zijn getreden, zich aangemeld voor de laatste wetenschappelijke expeditie van Robert Schomburgk. Zeven jaren had de Engels-Duitse ontdekkingsreiziger het gebied van de Corantijn verkend en in kaart gebracht.

'Nee,' antwoordde James, 'met Schomburgk hebben we de westzijde van Suriname geëxploreerd. Vanuit de Aramatau zijn we via de Coeroenie getrokken tot aan de monding van de Corantijn. Een mooie tijd was dat...'

Ik was tevreden. Iedereen was afgeleid van het heikele onderwerp dat onze reis had kunnen bederven, terwijl we nog wel dagen op elkaars gezelschap zouden zijn aangewezen. Maar in mijn achterhoofd hield ik wel de gedachte dat ik het hierover nog met Reiner moest hebben.

Vóór onze verloving hadden we zijn toekomstplannen besproken. Reiners opvatting dat hij als plantagehouder de concurrentie niet zou aankunnen als hij zijn arbeiders zou moeten betalen, werd door mij gepareerd met het argument dat het niet nodig was een grote plantage op te zetten. Met een kleine bevoorradingsplantage zouden we genoeg verdienen om een aantal vrijen in dienst te hebben. Maar Reiner voerde weer aan dat vrijen naar de stad trokken en weigerden om nog op plantages te werken. 'Het is beter,' bracht hij naar voren, 'om slaven te nemen, die je dan na een paar jaren goed behandeld te hebben, de vrijheid schenkt. Dan zullen ze uit trouw aan de meester en aan de plantagegrond blijven, en betalen we hen loon, natuurlijk.'

Het was waar dat vrijen er moeilijk toe te bewegen waren plantagearbeid te verrichten. De herinnering aan het slopende slavenbestaan was waarschijnlijk te sterk. Reiners tactiek zou meer succesvol kunnen zijn en uiteindelijk stemde ik toe. Immers, op deze manier zouden er zelfs meer vrijen bijkomen!

Toch betrapte ik mijn verloofde soms op uitspraken die een meer conservatieve gedachtengang weerspiegelden dan de vrijzinnigheid die hij zei voor te staan. Vergoelijkend meende ik dat hij als inspecteur voor de firma gewend was geraakt aan slavenarbeid op de plantages en dat ik hem tijd moest geven aan liberale ideeën te wennen. Eenmaal zijn echtgenote zou ik al mijn invloed aanwenden om hem het lot van de slaven onder de aandacht te brengen. Ik was ervan overtuigd dat het me zou lukken Reiners visie in dat opzicht te verbreden, per slot was hij geen wrede of driftige man, en zijn goede hart zou op den duur zeker spreken.

Aanvankelijk werd de rivier druk bevaren met allerlei vaartuigen - kleine, snelle korjalen, brede ponten beladen met stapels hout of suikerriet, waar op het palmbladeren afdak papegaaien op een kleurige rij zaten. Luxe tentboten voeren voorbij, opgesierd met draperieën en houtsnijwerk, maar waarvan de eertijds rijke beschildering inmiddels afgebladderd en vervaagd was, het koperwerk dof of verdwenen.

Geleidelijk aan zagen de plantages die we passeerden er steeds meer verlaten uit, met vervallen gebouwen, verwaarloosde aanplant en verwilderde tuinen. Sommige waren al zo lang niet meer betreden dat het oerwoud reeds begonnen was terug te nemen wat eer was ontgonnen.

'Een groot deel van de ruim zeshonderd plantages die er waren, is na de Beurscrisis van Amsterdam in 1773 failliet gegaan. Plantage-eigenaren waren door de winsten overmoedig geworden en hadden om als rijke landheren te kunnen leven, grote schulden gemaakt. Toen de economie instortte was het met hun fortuin gedaan,' legde Reiner uit. 'De meesten vertrokken naar Nederland, sommigen naar Brazilië. Er is sindsdien geen poging meer gedaan nieuwe investeringen te doen of vernieuwingen aan te brengen. Wie in Nederland nog land bezit in Suriname, haalt eruit wat er te halen valt en steekt vooral geen geld in verbeteringen. Er is geen hart meer voor de plantage. En als de grond uitgeput raakt, verkopen ze alle slaven en bezittingen en laten de grond aan haar lot over.' Hij zweeg een moment maar hervatte dan opgewekt: 'Maar ík geloof dat er nog toekomst is in de landbouw. Met gebruikmaking van de huidige technische mogelijkheden moet het mogelijk zijn!' En hij wijdde uit over de inzet van stoommachines, verbeterde afwatering en raffinatietechnieken. Met groeiende trots luisterde ik naar zijn plannen, die van een helder inzicht getuigden. Reiner Campenaar was beslist een slimme ondernemer en een veelbelovend handelsman.

We gingen bij een verlaten stuk grond aan wal om te pauzeren. Op de bewoonde plantages zouden we welkom worden geheten, maar dat zou tevens oponthoud betekenen, want de administrateurs kregen niet vaak bezoekers en grepen dan ook de gelegenheid aan om een feestmaal aan te richten. Dat zou ons dan minstens een dag van onze reis kosten en we wilden snel op onze bestemming zijn.

Terwijl de roeiers uitrustten strekten we de benen. Bonham bereidde intussen een picknick voor, geholpen door Simpi. De kleine Pedro rende opgewonden voor ons uit, wij volgden in kalmer tempo.

Deze plantage was nog niet zo lang verlaten, of werd waarschijnlijk regelmatig door mensen bezocht, want het pad naar het huis was nog steeds zichtbaar, al woekerde onkruid over het schelpenzand. Kleine vogeltjes klapwiekten verschrikt kwetterend op uit het hoge gras toen we de stille plantage betraden.

Rond het huis waren de struiken opgeschoten en klimop kroop al over de treden van de veranda. De luiken waren dicht. Reiner en ik wandelden rond het huis, af en toe gehinderd door het oprukkend onkruid dat we met stokken opzijduwden.

'Later,' zei Reiner, 'bezitten wij ook zo'n huis, hebben wij ook een plantage. Een cacaoplantage, dat lijkt me wel wat. Wat denk jij, Regina?'

'Wel, ik heb er geen verstand van, Reiner. Dat laat ik aan jou over.'

We struinden rond en Reiner vertelde wat, waar en hoe hij zich alles gedacht had. Als jongste zoon van een handelaar in Amsterdam had zijn hang naar avontuur het gewonnen van de zekerheid van het kruideniersbestaan. Als kind spelend in de winkel met de zakken kruidnagels en stokken pijpkaneel, had hij gedroomd over de landen van herkomst. De oudste zonen, degelijk en ernstig, erfden de zaak en Reiner, die altijd als de losbol en vrolijke Frans was gezien, mocht bij hen in dienst komen mits hij in het gareel bleef. Maar exotische verten lokten en toen hij soldaat kon worden in de kolonie overzee, talmde hij niet.

Later trad hij in dienst van een firma die plantagebeheerders controleerde voor de eigenaren in Holland. Door zijn ervaring als controleur was hij deskundig geworden in het plantagewezen. Hij had gezien hoe alles reilde en zeilde en hij had vooral ook gezien hoe het níet moest. Reiner gold in zijn familie nog steeds als zorgeloze avonturier en had daardoor grote behoefte zich te bewijzen. Als hij eenmaal een succesvolle planter was, die begeerde tropische producten aan zijn broers en andere zaken in Holland kon leveren, dan had hij het gemaakt. Niemand kon er dan nog omheen dat er meer in de jongeman zat dan enkel kwinkslagen.

Voor mij was het een wonderlijk idee, te praten over landbouw onder een palmboom, midden in de tropen. Mijn zwerftochten met tante over de winderige heide van de Meijerij leken, hoewel in mijn geheugen gegrift, wel een eeuw geleden.

Vanaf de steiger klonk een metalig slagwerk – met een lepel ratelend tegen een pannendeksel, gaf Simpi het sein dat de maaltijd gereed was. We keerden terug naar de steiger.

Ons gezelschap was al verscheidene dagen onderweg. We voeren wanneer we de stroming mee hadden, rustten wanneer het tij keerde. Vandaag wilden we voor de avond viel, plantage Reynesberg gepasseerd zijn. Daar vlakbij moest de Blauwe Berg zijn, waar door het gouvernement een post was uitgezet om in het binnenland de bosnegers en indianen in het oog te kunnen houden.

We waren Klaaskreek reeds voorbij, genoemd naar de leider van opstandige marrons die zich daar vroeger hadden gevestigd. En verder was de reis vervolgd, de Suriname-rivier op naar Berg en Dal, waar het landschap reeds rotsachtiger begon te worden, met grote blokken grijze steen langs de oevers en soms ook verborgen onder het wateroppervlak, zodat de roeiers langzaam moesten manoeuvreren om de boot veilig over de *sula's* heen te krijgen. Schurend schraapten de rotsen onder water tegen de bodem van de boot, die zwaar over de hindernis heen gleed, begeleid door uitroepen van de inzittenden. Maar Papa Sam had geen aanwijzingen nodig, de oude bootsman wist precies waar ons vaartuig heen te leiden.

Eindelijk verrees daar midden in de rivier de blauwe granieten rots, zestig tot tachtig voet hoog en waarlangs zich een zachte nevelsluier slingerde. In de omgeving waren talrijke rotsen met ruisende bronnen als kleine watervallen, zo veel dat er stroomversnellingen lagen zo ver je kon zien. Blauwe *morpho*-vlinders fladderden onwaarschijnlijk glanzend langs de rotsen, verdwenen in de weelderige plantengroei om dan weer op te duiken. Midden in het eindeloze groen en het duister van het oerwoud was deze plek van onverwachte schoonheid.

Maar ook gevaarlijk, vanwege de ongetwijfeld vele onzichtbare *sula's*, en de negers stonden er dan ook op dat we eer bewezen aan de geesten die de plaats bewaakten. Papa Sam goot met zorg brandewijn uit een kalebas in de rivier, onder het uitspreken van vreemde, rituele woorden. Daarna werden we allemaal met wat van de sterk geurende dram besprenkeld en ten slotte dronken de bootslieden het restant uit de kom op.

We legden aan bij de militaire post op de Blauwe Berg. Hier zouden we de nacht doorbrengen, om de volgende dag te voet verder te gaan door het oerwoud, een zware maar avontuurlijke expeditie.

Ons onderkomen was zeer eenvoudig. De militairen hadden weinig voorzieningen en het leven op een buitenpost moest erg eentonig zijn. Al moest dat in het verleden anders zijn geweest, zenuwslopend in tijden van sluimerende onlust van de zijde van de marrons. Drums die in het holst van de nacht door het aardedonkere oerwoud dreunden om geheime seinen door te geven en paniek te zaaien. Iedere man paraat om een overval te kunnen weerstaan.

De redoute was gunstig gelegen door de hoogte en het overzicht op de omgeving, maar tegelijk was er door de isolatie geen goede vluchtroute. Al wat men kon doen was proberen de dichtstbijzijnde post te alarmeren en stand te houden tot er hulp kwam. Vuurwapens waren hierbij het enige middel om de overmacht van de bosnegers te kunnen weerstaan.

De angst voor oplaaiend oproer was nu gezakt, gezien het kleine aantal manschappen op de post. Niet meer dan vijf man in totaal bevond zich op de redoute. De kapitein heette ons welkom, blij met wat afwisseling en gezelschap. Ons geschenk, een fles rum, werd dankbaar aanvaard.

Die avond zou er nog gekaart worden, maar vermoeid als ik was, trok ik me al vroeg terug uit het gezelschap. In een kamertje dat ik voor mezelf had gekregen legde ik me op een brits ter ruste. Niettemin bleef ik nog lang wakker liggen – de stemmen van de kaartspelers waren duidelijk hoorbaar door de dunne wanden. Uiteindelijk zocht iedereen zijn slaapplek op en werd het stil.

In de vroege ochtend schrok ik wakker van een vreemd, ver gezang. Ik spitste mijn oren. Het geluid zwol aan, zwakte af, verplaatste zich. Alsof leden van een groep boodschappen naar elkaar stuurden en weer terug. Het klonk als getrommel, maar het waren geen drums. Sonoor vibrerend leek het bos zelf te zingen. Alle vreemde fluit- en kwaakgeluiden die kikkers, krekels en nachtvogels al maakten, werden overstemd door dit vreemde gezang.

Toen het echter op een gegeven moment duidelijk in geroep eindigde, wist ik ineens wat het was. *Babuns!* Brulapen, de kapitein had het er eerder op de avond over gehad. Wonderlijk, hoe ik daar, slechts beschermd door een laag planken, midden in de jungle naar de wezens die haar bevolkten lag te luisteren. Het had iets onwerkelijk betoverends, bedacht ik voor de slaap mij weer overmande.

De volgende morgen brachten Simpi, Bonham en James alles in gereedheid om het bos in te trekken. Papa Sam en de roeiers zouden ons voorbij de *sula's* loodsen en daarna naar de post terugkeren. Aan het eind van de dag zouden ze ons weer komen ophalen met de boot. Voor het eerst zou de tocht niet over het water gaan, maar over land.

De moed zonk me in de schoenen bij het aanschouwen van het reusachtige woud dat zich voor me uitstrekte. Het was één ding om voorbij de dichtbegroeide oevers te varen, het was totaal iets anders om het land in te trekken! Enorme bomen strekten hun bladerdak boven het struikgewas dat als gesloten gelederen opgesteld leek. Ondoordringbaar, dacht ik benauwd. Aan alle kanten omsloten door het hoge oerwoud voelde ik me heel klein en nederig. De mens, besefte ik, is maar nietig in de natuur.

Maar Simpi, onze gids, wenkte en de kleine Pedro rende naar voren en week niet meer van zijn zijde, hoe steil het terrein ook werd. De avond tevoren was het al een klimpartij geweest om boven op de Blauwe Berg bij de post te komen, maar tenminste bevond zich ter plekke al een pad dat dagelijks belopen werd.

Nu moesten we het doen met smalle, bijna dichtgegroeide paadjes die door het bos slingerden en allerminst een effen traject vormden. De weg ging niet rechtuit, maar omhoog, omlaag, dalend en weer stijgend, steeds steiler en steiler. En onderweg waren talloze obstakels - van omgevallen bomen en slingerende worglianen tot rotsblokken en ravijnen toe. Voorzichtig, maar steeds in marspas, volgden we onze gids, en naast hem draafde de kleine Pedro.

Ik hield mijn reisrok, die praktischer en minder volumineus was dan mijn daagse kleding, met één hand op, om te voorkomen dat de zoom ergens bleef haken. Het was even wennen, maar spoedig raakte ik in het ritme van omlaag kijken waar je je voeten neerzet, en de blik weer opwaarts richten om de omgeving te verkennen. Heel het lichaam bewoog in cadans - benen marcherend, armen wisselend gestrekt voor het evenwicht en vingers geklemd om de rokken om ruimte voor de passen te verkrijgen. Het gezicht neerwaarts gericht en dan weer opwaarts, ogen zwervend over de omgeving. Het bloed bonzend in de oren, de borst zwoegend van inspanning, ademhaling puffend en blazend, zweet in stromen omlaag gutsend, oververhit in de veel te warme en klamme kleding.

En vooraan rende nog steeds het kindje Pedro, vrolijk en onvermoeibaar. De voetjes rap klauterend over boomwortels en keien, het stemmetje helder klinkend door het bos.

Het regenwoud borg vele verrassingen. De vogels, kikkers en cicaden klonken nog veelvuldiger dan in de stad of op de plantage; dit was werkelijk hun domein, nauwelijks betreden door de mens. Soms zorgde dit voor onverwachte ontmoetingen, zoals de papegaai die nietsvermoedend bij een rots zat en krijsend wegvloog toen ze onze nabijheid ontdekte. Apen slingerden boven onze hoofden van boom naar boom, maakten soms duizelingwekkende sprongen. Dichterbij, vóór onze voeten, kropen draagmieren in een lange stoet, dapper hun last van bladloof torsend. Later, op de terugweg, zagen we zelfs in de verte enkele panterjongen met elkaar spelen.

De zware wandeltocht was de moeite waard. Na enkele uren kwamen we uit op een granieten plateau, vanwaaraf een prachtig uitzicht was op de berg die we nog moesten beklimmen en die honderden meters boven het oerwoud uitstak. De Stenen Berg stak als een eenzame zwarte rots tegen de blauwe lucht af, aan de voet omringd door een landschap van groene boomkruinen.

'Eindelijk zijn we boven,' verzuchtte ik.

'Tja, nu zie je pas De Berg,' merkte Reiner geamuseerd op. 'Daar moeten we nog bovenop! Gaat het nog wel, Regina?'

Maar ik liet me niet kennen en na een korte rustpauze gingen we weer verder.

De Granieten Berg was steil en werd naarmate we hoger klommen steeds kaler en heter. De bossen wachtten steeds verder beneden ons, vingers en voeten tastten naar houvast op de steile wand, stekelige reuzencactussen vormden de weinige begroeiing. De tocht begon nu meer van me te eisen dan ik in mijn ongemakkelijke kleding aankon. Ongeveer zestig meter vóór de top gaf ik het op. De anderen kropen op handen en voeten over de hete steen verder, als ijverige mieren naar de top.

Waar ik zat had ik trouwens al een schitterend uitzicht. Het oerwoud strekte zich uit zo ver ik kon zien en ook al krioelde het van leven onder het bladerdak, van hieraf zag het er stil en verlaten uit, ongerept als op de Dag van de Schepping.

Een poos later keerden mijn gezellen terug en begonnen we aan de afdaling. Nu ging het sneller en makkelijker dan op de heenweg, de weg liep immers merendeels omlaag. Tegen de middag kwamen we bij een serie watervallen waar we besloten uit te rusten en kamp te maken. Er stond al een eenvoudig jagershutje bestaande uit een afdakje bedekt met palmbladeren, waarschijnlijk door de soldaten van de militaire post gemaakt.

We besloten in het koude water van de stroomversnellingen te gaan baden. Een eindje van de mannen vandaan, op een door rotsen afgeschut plekje, legde ik mijn reiskleding af en dompelde mijn verhitte lichaam in de frisse stroom. Zorgvuldig manoeuvrerend ging ik in mijn hemd op de gladde stenen bedding in het water liggen en liet met gesloten ogen de heldere stralen over mijn schedel en mijn schouders storten, me vasthoudend aan de keien om niet meegevoerd te worden. Het was een verrukkelijke ervaring, zo schoongespoeld te worden, alsof alle zweet, vuil, angsten en problemen van alledag wegstroomden, als kostelijke beloning voor de afgelopen uren ploeteren.

Daarna zocht ik een plek met minder wild water en vlijde me neer. *Dead country, Dedekondre*, was hier niet het immense, beangstigende woud, maar een koesterende moeder: *Mama Gron*.

Met mijn rug tegen het blauwglanzende graniet, het water vloeiend en bruisend om mijn bijna naakte lichaam en de lucht wijd en licht boven mij, was dit een moment van volkomen harmonie.

Enkele meters verder hoorde ik de anderen plonzen en spetteren. De geuren van planten, vochtige steen en onbezoedeld water vervulden me met een zorgeloos genot. Ik bleef liggen tot mijn hete huid in het zegenend nat door en door koel was geworden.

Geheel opgefrist en met druipende haren zetten we ons aan de maaltijd die door Simpi was klaargemaakt. Hij en de kleine Pedro trokken zich wat later terug om bij de rivier te gaan spelen.

Terwijl we het kamp opsloegen begon ons gezelschap zwijgzamer te worden. Ik merkte dat ik de enige was die nog opgewekt babbelde, om af en toe een gemompeld antwoord te krijgen van een van de mannen. Ze bejegenden elkaar uiterst beleefd, maar zeiden alleen het hoognodige. Ik werd me bewust van de groeiende spanning tussen de vier mannen. Wat was er aan de hand? Ik probeerde James' blik te vangen om hem de vraag te kunnen stellen, maar hij leek me te ontwijken, liep de andere kant op als ik in de buurt kwam, schijnbaar druk met het sprokkelen van hout voor het vuur.

Reiner was bezig de hangmatten op te hangen onder het afdakje. Walther en Bonham waren de bagage aan het uitpakken maar deden er ongewoon lang over. Ik zette me bij hen om hen te helpen. Maar ook hier verliep het gesprek stroef en ik voelde dat er iets aan de situatie was dat me ontging. Toen ik het bundeltje van Bonham wilde overnemen om zijn hangmat naar het hutje te brengen, greep hij het haastig en legde het zonder me aan te kijken weg. Ik begreep er niets meer van. Wat deed ik fout?

Ik keek uit naar Walther om hem raad te vragen, maar hij was verdwenen zonder dat ik het gemerkt had. Ook Bonham verwijderde zich nu, met het bundeltje op zijn rug. Ik wilde hem achterna gaan om te vragen of ik iets verkeerds had gezegd, maar James kwam vlug naar me toe en trok me mee.

'James? Waar gaan ze naartoe? Is er iets?'

'O...' Hij kuchte ongemakkelijk. 'Het is niets... Maak je geen zorgen, Reggie.' Toen werd hij rood alsof hij zichzelf ergens op betrapte, liet me los en liep vlug naar ons onderkomen.

Wat nu weer? Ik keerde me verwonderd naar het struikgewas waar Bonham net verdwenen was, maar Reiner was opgewekt op me toegelopen en stak zijn hand al naar me uit. Ik nam zijn hand aan maar keek toch nog even om.

Hij grijnsde: 'Geef de gelieven ook een kans.'

'Wat?' zei ik niet-begrijpend.

Reiner gebaarde uitnodigend naar het kampje waar de hangmatten gereedhingen. Tussen de schaduwen van gras en gewas zag ik James omlaag lopen naar de rivier, met de viskorf en de hengel. 'Het is siësta, lieveling. Kom, laat ons even rusten.'

We waren alleen achtergebleven. Ik deed mijn schoenen uit. Langzaam drong het tot me door. 'Reiner,' zei ik behoedzaam, 'Waar is iedereen gebleven? Waarom zijn alleen wij hier voor de middagrust?'

'Maak je niet druk, schat. Ze zijn heus wel discreet, hoor. Onze vrienden gunnen een verloofd stel gerust wat tijd samen. Dat begrijpen ze wel.'

Het bloed steeg me naar de wangen. Was dat wat het hele gezelschap had beziggehouden? Maar dat kon toch niet waar zijn!

Het bos was donkergroen en stiller op dit uur, alsof alles ons verlaten had.

Reiner was in de hangmat gaan zitten en deed zijn schoenen uit, knoopte zijn hemd los. Het was allemaal heel normaal voor een man die een dutje wilde gaan doen - of meer - maar waar Reiner volkomen ontspannen leek, raakte ik met de minuut meer gespannen. Het idee dat er van me verwacht werd me in een hut die aan alle kanten open was, over te geven aan intimiteiten en dan naderhand in gezelschap te doen alsof er niets aan de hand was, stuitte me verschrikkelijk tegen de borst. Besluiteloos wachtte ik terwijl Reiner zich in de hangmat nestelde, die wiebelend heen en weer ging en het hutje deed kraken. Het zweet brak me uit.

Mijn verloofde stak zijn hoofd over de rand van de hangmat en lachte bemoedigend naar me. Zijn haar was in de war geraakt en hij zag er ondeugend en charmant uit. Hij stak zijn arm omhoog en toonde een fles wijn. Daarna wees hij naar de grond, waar in een kruik een bos rode *palulu's* stond. 'Aan alles is gedacht, liefste, zelfs de bloemen. Vind je ze niet mooi?'

Ik knikte, maar bleef op afstand, mijn rug half naar hem toegekeerd.

'Regina ...' zei hij zacht, zijn stem had een smekende ondertoon.

Weifelend keek ik naar hem. Had ik een keus? Ik kon me moeilijk omdraaien en de anderen achternagaan. Het zou lijken alsof we ruzie hadden gehad. Aan de andere kant, als ik hier bleef, of ik nu wel of niet met hem zou vrijen, iedereen zou toch denken dat er wat gebeurd was. Maar dat schenen ze ook te verwachten. Ik leek de enige die er een probleem van maakte.

In de stilte floot hoog in de bomen een vogel, melodieus en langgerekt. De hangmat kraakte toen Reiner eruit stapte. Hij had een ontbloot bovenlijf, maar was tot mijn opluchting verder gekleed, al liep hij nu blootsvoets. Ik ging maar op Bonhams kleine bankje zitten.

Reiner zette zich naast me op de grond neer. Hij probeerde me aan te kijken maar ik wendde mijn blik af. 'Ik doe je niets, Regina,' zei hij geruststellend en legde voorzichtig een arm om mijn middel.

Nu merkte ik pas dat ik mijn armen gekruist voor de borst hield. Ik leunde tegen hem aan, onzeker of dat als aanmoediging opgevat zou worden. 'Ik kan het niet, Reiner,' fluisterde ik. 'Het spijt me'

'Shhh...' suste hij. 'Het is mijn fout. Ik heb het verkeerd aangepakt. Ik had kunnen weten dat dit niets voor jou is. Kom.' Hij stond op en trok me overeind. 'We gaan James helpen met vissen.' Terwijl hij zijn hemd aandeed knipoogde hij naar me en merkte op: 'Dan is je reputatie tenminste ongeschonden, hè?'

Een onnoemelijke opluchting doorstroomde me en ik glimlachte naar Reiner, dankbaar voor zijn begrip.

De rotsen liepen steil omlaag. We daalden af naar het plateau waar James in zijn eentje zat te vissen. Hij keek verrast op maar zei niets. Reiner liet me zien hoe de vis schoongemaakt moest worden en ingesmeerd met zout.

Walther en Bonham keerden pas laat in de namiddag terug.

Terug in de bewoonde wereld viel me allereerst het contrast op: het ene moment had ik als het ware midden in Gods Creatie gestaan, bevangen door de overmacht van de natuur. Het andere moment bevond ik me in de besloten salon van de Brammerloo's, waar ik thee dronk uit porselein in plaats van uit een kalebas of gedeukte tinnen soldatenbeker, en waar lieflijke pianomuziek klonk en zijden rokken ruisten.

Mijn canvas reiskleding was onder handen genomen door de wasvrouw en ik was blij het zware linnen te kunnen verruilen voor licht katoen. Toch voelde het anders, ik was gewend geraakt aan het gewicht van de zware stof, dat met regen nog meer toenam, maar wel beschermde tegen muskieten en schrammen. Ook slapen in een hangmat, zoals we onderweg meermaals hadden gedaan, was mijn lijf al helemaal gewend geraakt – omsloten door de ruwe stof, schommelend, zwevend boven de grond en met de armen binnenboord, de benen gestrekt over elkaar geslagen, die houding nam ik nu zelfs nog aan terwijl ik in mijn bed lag!

De beschaafde wereld had echter zijn eigen problemen. Mijnheer Brammerloo klaagde over de houding van de buurlanden.

'De Britse gezant in Den Haag komt voortdurend met klachten en rapporten over de behandeling van slaven in Suriname. Dat is toch verregaande bemoeienis van Engeland met de soevereiniteit van een ander land! De *Guiana Times* bericht ook steeds juichend als weglopers uit Suriname Brits Guyana weten te bereiken, is dat nu een solidaire houding ten opzichte van Europese mogendheden? En dan de Fransen! Evenmin werken die mee om ontsnapte slaven terug te sturen, en daarmee stimuleren ze het weglopen en de marronage! Die oproerkraaier Boni hebben ze destijds zelfs asiel verleend. Wel, vanzelfsprekend sturen we dan ook de bagnards niet terug, hun politieke dissidenten zijn maar wat blij met onze soepele opstelling!'

Ik waagde me aan tegenspraak: 'In Brits Guyana is de slavernij al bijna vijftien jaar afgeschaft, misschien ziet Engeland het als onsolidair dat Nederland dat niet ook doet?'

'Ah!' kreet Brammerloo en sloeg met de vuist op tafel zodat mevrouw Brammerloo ontsteld met haar kopje rinkelde en Margaretha haar pianospel onderbrak. 'Welnee, dat is politieke manipulatie, en slechts gericht op economische belangen! Denkt u dat de slaven hen iets kunnen schelen? Zeker niet! De Engelsen zitten er nu mee dat ze alle vrijverklaarden loon moeten betalen voor hun arbeid! En daardoor worden de kosten hoger en de winst lager. Natuurlijk vinden ze het dan oneerlijke concurrentie, dat wij nog slavernij hebben! Nou, dat hadden ze toch op hun vingers na kunnen tellen, wie zijn billen brandt, moet op de blaren zitten!'

Mevrouw Brammerloo fronste licht bij deze onkiese woordkeus.

Het was even stil, terwijl Brammerloo met driftige slokken zijn thee opdronk, misschien wel wensend dat het iets sterkers was.

Toen opperde ik: 'De Fransen hebben ook al toegezegd de slavernij af te schaffen, dat kan volgens mij niet lang meer duren, denkt u niet?'

Boos schudde mijnheer Brammerloo zijn rode gezicht. 'Ach, die Fransen! Tijdens het Schrikbewind waren ze er als de kippen bij om iedereen vrij en gelijk te verklaren, maar daar zijn ze een decennium later met Napoleon van teruggekomen! Teruggekrabbeld, ja, ja! Was iedereen opeens weer slaaf! Een slordige actie, mag ik wel zeggen. Maar ja, het was een slordige periode, een woelige tijd. En nu, nu de Tweede Republiek is uitgeroepen, willen de revolutionairen wéér de slavernij afschaffen! Wel, ik zeg het ronduit: dát zal niet gebeuren! Kijk maar wat er nu al gebeurt: alle plantageslaven op Martinique zijn in staking gegaan en houden demonstraties in Saint Pierre! De negers éisen nota bene hun emancipatie! De chaos kan alleen maar erger worden als slaven gelijk worden gesteld aan burgers! Dat kan toch niet?'

Mevrouw Brammerloo scheen nu schoon genoeg te hebben van het onderwerp en wilde de conversatie in rustiger banen leiden. Maar ik was benieuwd naar de ontwikkelingen in Holland. 'Onze vorst geeft het volk steeds meer rechten met de nieuwe Grondwet. Denkt u niet dat dan de slavernij in Suriname zal worden afgeschaft?'

De secretaris van de gouverneur keek bedenkelijk. 'Tja, het is niet zo fraai wat er is gebeurd. De koning heeft inderdaad nogal vlug toegegeven aan de liberalen. Maar de situatie in Europa is zeer explosief op het moment. Frankrijk, Oostenrijk, Duitsland, het is als een revolutionaire brand die overslaat van het ene land naar het andere. Willem II moet geredeneerd hebben dat het beter was toe te geven aan de eisen van de burgerij, dan het vorstenhuis ten onder te laten gaan. Het schijnt er heel rumoerig aan toe te zijn gegaan in Den Haag, weet u. Stakingen en opstootjes! Maar ja, het is te hopen dat de grondwetscommissie van Thorbecke met iets goeds op tafel komt. Naar ik heb begrepen is men nu hard aan de slag gegaan.'

'Ja,' waagde ik nog mevrouw Brammerloo's geduld te tarten, 'onze Gouverneur schijnt ook bezig te zijn de planters te bewegen tot betere behandeling van de slaven. Maar de Cabale werkt behoorlijk tegen.'

'O ja...' Mijnheer Brammerloo schudde vermoeid het hoofd. '...de Cabale. Maken altijd kabaal als het gouvernement iets wil veranderen. Die kliek van rijke planters en koloniale families doet alles om het gouvernementele gezag omver te werpen. Alsof ze er met de weifelachtige ministerraad beter aan toe zijn!'

Een slavin kwam binnen met een schaal geurig gebak.

Eindelijk zag mevrouw Brammerloo haar kans en terwijl ze haar man ferm een bord met een flink stuk *keksi* in de hand duwde, hem daarmee de mond snoerend, vroeg ze zoet: 'En hoe was uw reis naar het binnenland?'

Er hing een zware, kruidige geur in de lucht. Een opdringerige geur die aan parfum deed denken, maar die ik niet thuis kon brengen: kaneel, lavendel, kamille... Minder zwaar dan de wierook in de kerk of de pijptabak die ik uit de salons kende. Christiaan en Madame Akouba stopten hun pijpen met bijzonder aromatische kruiden. Het was een geur die hoorde bij het kwartier van La Troupe.

Madame Akouba zat op de sofa, haar wijde rokken vorstelijk uitgespreid, elegant haar zoetgeurende pijp rokend. Haar gezicht was beschilderd, niet zo sterk als wanneer ze op het toneel stond, maar wel weer zo, dat haar gelaatstrekken versterkt werden. Haar japon was van Franse snit, met veel kant en plooien, en volgde haar goede, volle figuur. Om de hals droeg ze diverse snoeren: een bloedkoralen en een lange gouden ketting. Haar haar was bedekt door een op Afrikaanse wijze gewikkelde doek, die haar hoofd als een kroon omsloot. Dame Akouba was de koningin van de avond, dat leed geen twijfel.

Ik keek rond en zag Pierre met een dienblad vol dranken rondlopen. Hij was voor de gelegenheid in een fluwelen kostuum gestoken en had zijn lange haar met een lint samengebonden in de nek.

Christiaan was gedistingeerd als altijd en hield een lange tirade over zijn visie op de kunstzinnige opvoeding van de kolonisten.

Quaku liet zich niet zien. Mirre sloop als gewoonlijk rond, vrijwel naakt en met haar donkere ogen de gasten monsterend. Giulietta kon men niet missen, opzichtig met haar kleurige jurk en haar rode krullenbos, versierd met bloemen. Ze lachte veel en was steeds omringd door mannelijk gezelschap. Vooral de nieuwe officier die ik herkende van het feest bij de gouverneur, de ijverige, blonde jongeman, scheen veel belangstelling voor haar te hebben.

James was er ook. Maar tot mijn verbazing maakte hij geen deel uit van de groep rond de stralende Giulietta. In plaats daarvan zat hij in de kleine zitkamer schaak te spelen met een oudere man, die ik als eigenaar van een groot winkelpand herkende.

Dokter Christiaan kwam me tegemoet. 'Miss Winter!' riep hij. 'Ik heb een idee! Wat denkt u ervan?'

De dokter legde uit dat hij een plan had voor de jaarlijkse herdenking van de inname van de kolonie. Zo'n feest zou erkenning betekenen voor de bevolking, de kolonisten die ver van hun vaderland, Suriname in cultuur hadden gebracht. De jaarlijks terugkerende herdenking zou de ontberingen van de pioniers laten zien en de eenheid onder de verschillende nationaliteiten kunnen bevorderen.

'Maar het probleem is,' zei hij met een pijnlijk gezicht, 'dat men het er niet over eens kan worden op welke datum de inname is geschied. Gaat het om de inname van de Engelsen? De Spanjaarden? De Hollanders?' Hij schudde weifelachtig het hoofd. 'En ik heb al een plechtige tekst geschreven voor de toneeluitvoering,' zuchtte hij, 'in verschillende versies nog wel, maar de autoriteiten noch de kolonisten tonen belangstelling!' Mopperend vervolgde hij: 'Geen historisch besef! Enkel aan geld verdienen denken ze! En dan weer weg met het kapitaal, terug naar zelfgenoegzaam Europa! Bah!'

Ik lachte vriendelijk en zei dat ik het een heel goed idee vond, wat hem enigszins opbeurde. Verder ging ik weer, andere gasten begroetend.

Het was al laat en de meeste gasten waren vertrokken. De avond had een wat melancholieke stemming gekregen. Pierre had de gordijnen dichtgetrokken en de buitendeuren gesloten, zodat de bewoners van naburige huizen, die waarschijnlijk al in bed lagen, minder last van ons zouden hebben. Het feest ging nu binnenskamers voort. Reiner had vrij veel gedronken en ik vroeg me af of we niet eens huiswaarts moesten keren, toen Mirre opeens voor me stond, met haar spotachtige glimlach. Ze hield me een dienblad voor vol kleine gebakjes en daar ik trek gekregen had, was een versnapering mij welkom. Dankbaar nam ik de koek aan en Mirre liep verder. Terwijl ik at speurde ik naar mijn verloofde, die ik het laatst in gesprek met Madame Akouba meende te hebben gezien.

Even later voelde ik me onwel worden. Mijn hoofd begon te duizelen en ik voelde me lichter, licht in de benen, alsof ik zweefde. Ik dacht misschien te veel wijn te hebben gehad en besloot even de buitenlucht in te gaan. Om niet de schijn van dronkenschap over mijzelf bij omstanders op te roepen, probeerde ik onopvallend naar de veranda te bewegen, maar dat viel niet mee. De lamplichten schenen nu eens zo helder en de kleuren van het tapijt leken onder mijn voeten te vervloeien. Ik hoopte maar dat ik nog naar buiten schrijden kon, maar mijn stap was beslist onvast geworden en ik moest steun zoeken bij de muur. Een houten snijwerkje viel van zijn plaats aan de wand en ik trok gauw mijn hand terug, maar raakte helemaal gedesoriënteerd. Alles om me heen werd wazig en mijn ledematen leken niet meer te willen gehoorzamen. Paniek kwam omhoog. Waar was Reiner? Ik moest voorkomen dat ik in publiek dronkenschap vertoonde. Wat een blamage, wat een ramp!

Een hand greep me bij de elleboog, een stem klonk vragend, dan geruststellend. Ik liet me meevoeren in het vertrouwen dat het goed kwam.

Ik zat nu buiten. De koele nachtlucht beroerde mijn zweterige huid en prikte. Boven mij glinsterden duizenden sterren, de een nog helderder dan de ander. Ik stak mijn hand uit en probeerde ze te grijpen. Alleen wilde mijn hand niet mee. Ik begon te lachen, voelde me wonderlijk zorgeloos.

'Reggie...' Iemand hees me overeind.

Nog steeds giechelend merkte ik dat ik in het gras gelegen had. Dat prikte dus! Grappig. Ik giechelde weer. James zat naast me en ondersteunde me. Ik zag dat we in de verlaten achtertuin waren.

'Gaat het, Reggie?'

'Na... natuurlijk, J-James...' Ik kreeg weer een giechelbui.

James trok me omhoog en we strompelden naar de veranda, waarvandaan ik moest zijn weggelopen, toen hij even terug naar binnen was gegaan. We gingen op de traptreden zitten en James sloeg zijn arm om me heen, ik leunde tegen hem aan. Mijn ledematen leken nog steeds van was. Met zijn andere hand zette James een fles aan zijn mond en nam een teug.

'D... drink niet te veel, Jamie. J... je ziet wat ervan komt!' bazelde ik. En in een nuchter moment: 'Waar is R... Reiner? Ik wil n... naar huis!' Ik fronste mijn wenkbrauwen en dacht er even over om te gaan huilen, maar begon dan weer te lachen.

James, die mijn grimassen moest hebben gezien, zei sussend: 'Je bent ziek geworden. We moeten wachten tot je je wat beter voelt, dan gaan we naar huis.'

'Maar James...' snikte ik nu, 'w-wat zal men zeggen... ik... dronken!'

'Welnee,' troostte James, 'je hebt niet te veel gedronken. Het is Madames wonderkoek waarvan je ziek bent geworden.' Na een korte pauze voegde hij eraan toe: 'En Reiner heb ik voorlopig niet meer gezien.'

Om die merkwaardige zin moest ik weer lachen.

We bleven een poos stil zitten. Af en toe probeerde ik een vallende ster die al te dichtbij kwam te grijpen, maar James zei dat het vuurvliegen waren.

Toen ik niet langer geplaagd werd door duizelingen, begon ik me geleidelijk aan bewust te worden van het lichaam waartegen ik geleund lag. Ik voelde de warmte van de schouder onder de laag kleren en de arm die om me heen geslagen was. Door mijn halfgeloken ogen keek ik naar het rijzen en dalen van de borstkas bij elke ademhaling. Mijn hoofd oplichtend snuffelde ik aan zijn hals. 'Mmm... je ruikt lekker...' mompelde ik. In het halfdonker meende ik de lichte schok die hem doortrok, eerder te voelen dan dat ik die zag. Ik keerde mijn gezicht omhoog, het zijne zoekend. 'Kus me...' zuchtte ik. Hij bewoog zich. 'Kus me... Reiner.'

Hij ging rechtop zitten en kuchte. 'Regina... eh... Ik breng je maar naar huis.' Hij stond op en trok me overeind. Terwijl ik wankelend op mijn benen probeerde te staan, nam hij weer een teug uit de fles.

'Wa... wat is er?' protesteerde ik, maar hij antwoordde niet.

Op dat moment ging de achterdeur op de veranda open en een streep licht viel naar buiten. 'Regina?' zei een stem.

Ik draaide me om naar het silhouet in de deur. 'Hé, Reiner...' begon ik opgewekt.

Maar James viel me in de rede. 'Ze is ziek geworden. Breng haar maar gauw naar huis.'

Reiner kwam het trapje af en samen hielpen de twee mannen me het huis binnen. In de verlaten keuken werd ik op een stoel achtergelaten, terwijl Reiner de koets ging halen. James was verdwenen. Ik had nog steeds de gewaarwording dat ik zweefde en voelde me bepaald vrolijk. Waarom moest ik hier in die saaie keuken achterblijven? Elders was vast meer plezier te maken. Ik stond op en me hier en daar vastgrijpend aan wanden en meubilair, ging ik op zoek naar vertier.

De eerste deur die ik tegenkwam openstotend, viel ik meteen naar binnen en veroorzaakte enig tumult. Het was een slaapkamer. Giulietta zat in schaars ondergoed op schoot bij de blonde cavalier. Ze schrokken, maar lang niet zo erg als ik.

'Neem me niet kwalijk' stamelde ik, haastig krabbelde ik overeind en trok me terug, de deur achter me sluitend. Pas daarna ontdekte ik het kralengordijn dat de toegang tot de voorkamer afsloot. De klikkerende strengen opzijschuivend trad ik de zitkamer binnen, wat me opnieuw een schok bezorgde.

In het schemerige licht van de olielampen ontwaarde ik op de sofa's en kussens diverse halfnaakte gedaanten. Mijn overgevoelige oren vingen gezucht en gekreun op. In een fauteuil lag dokter Christiaan half ontkleed in omhelzing met een mulattin. Een eindje verderop zag ik Pierre een voluptueuze, onbekende bruine vrouw kussen. Er waren nog meer personen aanwezig, maar Mirre zag ik nergens, evenmin als Madame Akouba. Het zoete aroma van de tabak was sterker geworden en mengde zich met de geuren van wijn, zwaar parfum, wierook en zweet. Ik sloop door de kamer, op zoek naar de uitgang. Geritsel opzij deed me het hoofd wenden en eerst ving ik een glimp op van een paar enorme billen, dan ontwaarde ik de vrouw die schokkerig op een sofa bewoog. Onder haar blote lijf herkende ik in een flits het in passie vertrokken gezicht van Pierre.

Dit was te veel. Wilde ik dit allemaal van mijn vrienden weten? Waren het wel mijn vrienden? Mijn overprikkelde zintuigen stonden eens zo scherp. 'Ik moet hier weg...' mompelde ik en bewoog me onhandig naar de voordeur, struikelend over kussens en kleren.

Net toen ik de deur bereikt had, ging deze open en werd ik opgevangen door Reiner. 'Kom,' zei hij. 'We gaan.'

'Waar is de gastvrouw?' vroeg ik nogal timide, alsof dit het moment was voor plichtplegingen. Maar Reiner lachte en zei dat het niet uitmaakte of ik haar nog bedankte voor de avond of verstek liet gaan - ze zou ons nu heus niet missen.

Ondersteund door Reiner ging ik het balkontrapje af en liep naar de koets. Vlak voor we instapten boog ik me naar het gras en gaf over.

De volgende dag begon met een flinke hoofdpijn en vage herinneringen. Ik voelde me niet lekker en bleef de morgen in bed liggen. Daar had ik in de loop van de dag genoeg gelegenheid om na te denken over de vorige avond en langzamerhand keerde steeds meer in mijn geheugen terug.

Vooral de laatste gebeurtenissen voor mijn vertrek bleven me bezighouden. Na aanvankelijk getwijfeld te hebben of de wazige beelden in mijn hoofd echt waren geweest of slechts verbeelding, moest ik ten slotte tot de conclusie komen dat de liederlijkheid werkelijk had plaatsgevonden, immers, ik had dit niet zelf kunnen verzinnen.

Wat nu? Moest ik mijn vrienden afzweren vanwege hun daden? Waren zij slecht gezelschap, slecht voor mijn geestelijk welzijn? Zou ik hen na die avond nog onder ogen kunnen komen, zonder aan de losbandige taferelen van die avond te denken?

Met opluchting bedacht ik dat ik James niet in een compromitterende situatie had aangetroffen. Hij had mij gezelschap gehouden. Maar over de afwezigheid van Reiner kon mijn duizelende hoofd geen uitsluitsel geven.

'Zonden?' zei Madame Akouba. 'Dat ligt er maar aan, wat je onder zonden verstaat.' De theesalon van Le Grand stelde niet teleur als het om controversiële meningen ging. Ik had een zelfgebakken cake meegenomen, een kleine verwijzing naar mijn avonturen met Madames fameuze baksel. En het gesprek was van keuken- naar slaapkamergeheimen beland. Madame Akouba schonk thee uit een tinnen ketel. *'Les polissonneries ont du charme, et les petites liaisons amoureuses mettent la couleur dans notre existence.* Ondeugden hebben hun charme, en een kleine liaison geeft kleur aan het bestaan. *Savez-vous?'* Ze lachte veelbetekenend en nam een trek van haar sigaar.

Een deugdzame vrouw zou beledigd moeten zijn over de weg die deze conversatie ging, maar mijn fascinatie voor La Troupe won. En tenslotte was het mijn eigen schuld, ik had het onderwerp aangekaart, durven vragen naar de moraal die in La Troupe gold en die naar mijn mening nogal afweek van wat men onder goede zeden verstond.

'En de Bijbel dan? Gods geboden? Zeggen ze u niets?'

De donkere vrouw blies bedachtzaam een dunne rookkringel uit en antwoordde: 'Je moet ook met je zonden in het reine komen. Als je ze niet kunt afzweren, moet je ze zodanig ontplooien - of in het kwalijke geval beteugelen - dat je tot bloei kunt komen en je rol kan spelen op deze wereld.'

Dat ging me te ver. Een Satans alibi voor het botvieren van lage lusten. Op dat moment ontging me dat de wereldse Française de provinciale miss Winter serieus nam en de moeite nam te antwoorden, waar ze bij anderen het gesprek als onnozele kwezelarij zou hebben beëindigd.

Ik hervatte dus: 'Maar het blijven zonden. Je weet in je hart dat het zondig is.'

Hoewel ik mijn woorden krachtig benadrukt had, leken ze geen enkele indruk op Madame Akouba te maken. In haar lichtgele japon met de wijd uitwaaierende rokken zat ze onaangedaan op de fluwelen bank en tikte terloops de as van haar sigaar. De papegaai achter haar spreidde zijn gekortwiekte vleugels, voorzag de toneelspeelster van een blauwgouden halo. Even trok ze haar schouders op, haar bruine arm nonchalant op de leuning van de sofa gestrekt. Dan plaatste ze haar slotzin zoals ze een voorstelling afsloot: 'Iedere pijn heeft zijn eigen schoonheid.'

Ik had weer genoeg om over na te denken, de audiëntie was over.

Tweeëntwintig

HALF APRIL 1848
GROTE REGENTIJD

De Grote Regentijd brak aan en de hemel werd een ruisend, hozend ruiterpad in de wolken, waar Wodan galoppeerde, zich vermaakte met de ruige donderwolken en de moesson voortdreef. Tot het opklaarde en de morgen opnieuw geboren leek. Zonlicht glinsterde duizendvoudig op begoten bladeren, aarde zoog de laatste herinnering weg aan 's hemelgoden uitbarsting. Vogels zongen, kwamen uit hun schuilplaatsen tevoorschijn.

De zon begon te branden, een hemellichaam zo trots dat niemand haar recht aankijken kon, blinkende keizerin van de tropen. De vriendelijke morgenwarmte duurde maar kort, al snel legde de heerseres de zweep erover en bogen we, geveld door de sleep van haar intense hitte. Enkel in de schaduw bewaarde de donkere aarde haar schat van koelte.

Ik voelde me thuis in de kolonie. In het afgelopen halfjaar had ik de vele eigenaardigheden van het land leren kennen, en vrienden gemaakt. Zelfs stond ik op het punt om nu, zoals gouverneur Van Raders al graag had gewild, deel te gaan nemen aan het culturele leven in de kolonie. Met La Troupe had ik afgesproken een stuk voor hen te schrijven, iets waar ik me erg op verheugde.

De verhouding met Frederik van Roepel was verslechterd sedert ik meer vertrouwelijk was geworden met Walther en me op de koop toe had verloofd met Reiner. Frederik bekeek me met duidelijke argwaan en bleef tamelijk kortaf als ik hem op straat tegenkwam.

'Heren, thans zal ik voorlezen het stuk *De Bruid van de Wind*, een monoloog in drie bedrijven, met een intermezzo voor dans (die ik nu niet zelf zal opvoeren). Mag ik hiervoor uw aandacht?'

Een bescheiden applaus klonk. In de salon van Walther zaten mijn gastheer, mijn verloofde en mijn vriend bijeen om mijn allereerste stuk voor La Troupe aan te horen. Zenuwachtig, maar ook trots stond ik in het midden van de kamer met de vellen papier in mijn hand, gereed om te beginnen. Reiner, James en Walther vormden het eerste publiek en ik was benieuwd wat hun oordeel zou zijn.

'Het is, zeg maar, een Chinees sprookje en het speelt zich af in een vissersdorpje dat aan een rotsachtige kust ligt. Decor en attributen hebben oriëntaalse elementen en er kan gebruikgemaakt worden van kleurige doeken.'

Mijn gehoor knikte ernstig. Reiner straalde van verwachting. Ik begon.

De Bruid van de Wind

1e bedrijf

O Heer, toen men mij naar u toezond, de berg op met de mand met offeranden, hoe kon ik toen weten, Heer, dat ik verliefd zou worden op uw stem? Op de bewegingen van uw ongrijpbare gestalte?
Ik heb u gekend in uw gedaante van welvaart, wanneer u goedmoedig de vissers met hun vangst huiswaarts blies. En ik loofde u om de zaden die u meevoerde en over de aarde verstrooide, zodat wij voldoende voedsel hadden.
En gevreesd heb ik u, in uw gedaante van vernietiger, wanneer de stormvloed woeste golven op de kust wierp en onze huizen dreigde te verzwelgen.
Maar nooit heb ik geweten, Heer, dat uw aanraking zo teder kon zijn.
De mensen van het dorp zien in u de boze krachten van de taifoen, die hutten en huizen wegspoelt en schepen doet vergaan. Vele tranen zijn om u vergoten, Heer. Uiteindelijk kozen de dorpelingen een maagd uit om de God van de Wind te behagen.

De tocht was niet gemakkelijk – de worsteling naar de top van de berg was zwaar. De mand met de kleurige rollen werd steeds meer een last.
Maar nu ik hier sta, op de berg en de linten uiteenrol en mee laat vliegen met de wind, zodat de lucht vervuld lijkt van duizend kleurige vogels en de snippers van de geparfumeerde gebedsstroken dansen en met wonderlijke vasthoudendheid in de lucht blijven ronddraaien, zie ik uw schoonheid en uw vrije aard.
Onze offerandes stijgen op naar de hemel, waar ze door u met onzichtbare vingers worden gevangen en verstrooid. Wij kunnen gerust zijn, uw woede is voorbij. Met zacht sussende stem strijkt u door de bomen en

laat de mensen weten van uw genade. Zij buigen voor u in de tempels en hun dank is groot.

Maar waarom, Heer, verlokt u mij, onschuldige maagd, als ik in devotie buig? Uw lichte vingers strelen mijn wangen en doen mij blozen. En spelend tilt u de zoom van mijn rokken op, zodat ze als vanen wapperen in de wind. Waren de offerlinten niet genoeg, dat u door mijn haren moet strijken en de lokken losblazen rond mijn gezicht? Heer, wat wenst u van mij?
Als mijn vader zeventig paarden had en talrijke landerijen, dan had hij ze mij als bruidsschat meegegeven. Maar ik ben slechts een arme vissersdochter, dus Heer, wat wilt u van mij? Waarom betovert u mij met uw stem, gelijk die door de bamboe fluistert en de zilveren belletjes van de tempel doet klingelen? De zachte tonen die u zo oproept spreken tot mij als in een verzoek, schuchter maar aanhoudend. En de dans die uw aanraking de wuivende struiken en het rimpelende water doet opvoeren, het stuiven van de losgeblazen zandkorrels, lijken een uitnodiging. Heer, wat wenst u?
Is dit iets dat ik niet begrijpen kan, omdat ik niet weet van uw liefde? Heer, al wat ik ken is het lachen en knipogen van de dorpsjongens, en het flirten van de meisjes, dus vergeef me, Heer, als ik u niet versta. Stelt het u misschien tevreden als ik voor u dans?

— Intermezzo met ceremoniële dans —

2e bedrijf

De dans is nu geëindigd, Heer, al twee dagen geleden. Ik ben weer terug in het dorp en vraag u in de tempel: Waarom volgt u mij? De mensen beginnen te fronsen wanneer ik aankom en mompelen achter mijn rug om.
Als ik loop zwieren de rokken rond mijn benen, maar wanneer ik stilsta ook. Altijd ben ik als door de wind beroerd, zelfs als de zeilen van de boten slap neerhangen en de vissers de netten moedeloos binnenhalen, blijft een licht briesje rond mijn enkels spelen.
Soms kom ik de hut uit en blaast u mij tere bloemblaadjes in het gezicht. Op het heetst van de dag beparelt u mij met koele dauwdruppels. Zo ben ik nat wanneer iedereen droog is, en droog wanneer iedereen nat is. Maar het ergst is de geur! Zoete geuren van bloemen, aangevoerd uit de

bergen, of wierook, als was ik een tempeldienares, omhullen mij. Heer, bedenkt u wel dat ik een eenvoudige vissersdochter ben? De geur van vis is bij ons de levensadem, het dagelijks brood en begeleidt de regenmaan. Het boeten van de netten, losse schubben gekleefd aan de handen, voetstappen in de zachte modder, ik wil het niet missen, Heer.
Zo vraag ik u: neem mijn offerandes tot u en laat mij in vrede leven. Ik kan uw liefde niet beantwoorden.

(korte pauze)

Nu, acht dagen verder, maak ik mij gereed. Mijn smeekbeden hebben niet geholpen. De dorpelingen beginnen mij te mijden. Vader is woedend want mijn huwelijkskansen dalen. Wie wil een bruid die reeds besproken is? Zeker, een vrouw die de wind aan haar zijde heeft, zou het geluk moeten zijn van elke visser. En ja, zeker kwamen er vele gegadigden, jongens die het fortuin in het verschiet zagen liggen. Maar u blies ze allemaal weg van ons erf, het zand stoof ze om de oren terwijl ze maakten dat ze wegkwamen, achternagezeten door uw woedende adem.
En nieuwe kandidaten kwamen, mannen op zoek naar avontuur. En meer nog werd uw toorn gewekt. In razende storm moesten ze zien te ontkomen, hun kleren aan flarden gescheurd, hun leden gewond. We hoorden hun vloeken en gejammer nog in de verte terwijl u terugkeerde om andermaal uw post voor onze hut in te nemen.
In de avond, achter de gesloten luiken, bent u het, die klappert aan de ramen en huilt om het huis. Uw geloei is niet meer te verdragen. Buiten zichzelf is vader met een zweep de deur uitgegaan, ranselend naar de wind, de slagen luide klappend in de lucht. Voor even hebt u zich respectvol teruggetrokken. Maar de volgende dag was u er weer.

3e bedrijf – Slot

Hier ben ik! Hier ben ik, Heer! Kom, laat ons dansen, de berg bestijgen en de lucht beklimmen. Neem dit aan, deze offerande, dit liefdeskind, deze vlieger. De reuzenvlieger, gemaakt door de vrouwen van het dorp, gedragen door de kinderen, komt nu naar u toe. Aan de waslijnen rukken de bonte doeken, aan de schepen de zeilen. En hoog in de lucht, opstijgend naar de hemel, over de velden en de bergen, zweeft het dunne lichte bouwsel, kleurig van de lappen en het papier, glimmend van de lijm, glinsterend van het draad.

In sierlijke, cirkelvormige bewegingen, grillige bochten en kronkelingen, balorige aarzelingen, wanneer de wind stilvalt. Ademloos turen we naar de lucht, rukken gespannen aan de touwen om de vlieger op gang te houden, het dalen te verminderen, moedigen u aan.
Ja, kom, het lukt! We rennen mee met de lange gekleurde staart, de slierten aan het eind en zien hoe u hem hoger tilt. Op, op! Wég, wég! Ver van hier, mee naar de einder, de verre horizon. Til hem hoog, voer hem mee, en weet dat ons lachen u vergezelt. En aan de krullen in de staart van de vlieger zie ik dat u lacht. Weet ik uw vreugde, hoog boven ons, bulderend, fluitend, strelend, zacht, zacht, zacht...

(fluisterend eindigen)

Applaus!

Ik boog.

'Prachtig!' riep Reiner

'Mooi, Regina,' zei Walther, 'dat wordt vast een succes.'

'*Good work*,' complimenteerde James me en knikte me toe.

Opgelucht en blij schudde ik de papieren bij elkaar en voegde me bij de heren om te toosten op mijn eerste toneelstuk.

Het begon goed. De schouwburg was druk en elke plaats was bezet. Vanavond ging *De Bruid van de Wind* in première en vol verwachting zat ik vooraan, vergezeld van Reiner en Walther. Ook de Van Roepels zaten in de zaal en James kwam vlak voor de aanvang van het stuk nog binnen om zich bij ons te voegen.

Tromgeroffel weerklonk. Het geroezemoes in de zaal zwol een moment aan terwijl sommigen die onderweg bij kennissen waren blijven dralen gauw hun plaats opzochten. Dan stierf het rumoer weg en de gordijnen op het toneel schoven open. Mijn handen omklemden de armleuningen in nerveuze spanning.

Het podium was versierd met Chinese lampions, die een zacht schijnsel wierpen. Op de achtergrond hing een doek waarop de bruine hutjes van een vissersdorpje verbeeld waren onder een blauwe hemel.

Giulietta verscheen, het gezicht wit geschminkt en de lange haren met linten opgebonden. Ze was gehuld in een wijde kimono met exotische bloemmotieven, in haar hand hield ze een opengevouwen waaier. Een fluit klonk liefelijk van achter het toneel. De actrice begon haar monoloog.

> O Heer, toen men mij naar u toezond, de berg op, met de mand met offeranden, hoe kon ik toen weten, Heer, dat ik verliefd zou worden op uw stem? Op de bewegingen van uw ongrijpbare gestalte?

Smekend klonk haar stem, de vrouw boog bevallig in de nederige houding van het onschuldige dorpsmeisje, haar blik neergeslagen, handen hulpeloos gespreid.

> Ik heb u gekend in uw gedaante van welvaart, wanneer u goedmoedig de vissers met hun vangst huiswaarts blies. En ik loofde u om de zaden die u meevoerde en over de aarde verstrooide, zodat wij voldoende voedsel hadden...

Giulietta gebaarde met de armen alsof ze zaden op de akker wierp en sierlijk handenvol oogst in haar mand deed.

Iemand moest achter de coulissen een grote gevlochten indiaanse waaier bedienen, zoals ook wel bij de vuurketels op de suikerplantages werd gebruikt. Met zacht gedruis kwamen tochtvlagen ritmisch over het toneel en lieten haar kleren wapperen.

> ...En gevreesd heb ik u, in uw gedaante van vernietiger, wanneer de stormvloed woeste golven op de kust wierp en onze huizen dreigde te verzwelgen!

De ogen wijd opengesperd van ontzetting, handenwringend, kromp de toneelspeelster ineen.

Het ging goed, het publiek luisterde muisstil, ik genoot van de voorstelling. Het mooie meisje met de rode haren worstelde met de opgave de Heer van de Wind tevreden te stellen en de nood van haar dorpsgenoten te lenigen.

Opeens echter veranderde de toon. Giulietta draaide zich half om, zodat haar rug en schouder naar het publiek gekeerd waren. Ze schudde haar haar los en liet op hetzelfde moment de kimono iets zakken zodat een blote schouder zichtbaar werd.

Maar nooit heb ik geweten, Heer, dat uw aanraking zo teder kon zijn...!

Schalks gluurde La Rouge over de rand van haar waaier de zaal in.

Wat? Van schrik hield ik de adem in, en met mij de hele zaal, maar dan om een andere reden. Giulietta ging door, haar verleidelijke stem zoet zingend:

...maar waarom, Heer, verlokt u mij, onschuldige maagd, als ik in devotie buig...?

Ze boog onbeschaamd en draaide haar welgevormde achterwerk naar het publiek. Wat was dit? Verstijfd en sprakeloos van verontwaardiging, de hand van ontzetting tegen de mond gedrukt, hoorde ik haar vervolgen met mijn tekst, beslist mijn tekst, maar volkomen anders in nuance en bedoeling. De ster van La Troupe raakte sensueel haar hals en gezicht aan, sloot haar ogen in vervoering.

...Uw lichte vingers strelen mijn wangen en doen mij blozen...! En spelend tilt u de zoom van mijn rokken op, zodat ze als vanen wapperen in de wind...

Ze lichtte de zoom van haar kleed, dat nu geen zedige kimono meer was maar een doek die op zinnelijke wijze om haar lichaam geknoopt was en juist genoeg onthulde.

De onzichtbare bediener van de waaier deed zijn werk met enthousiasme en haar rode haren dansten als vlammen om haar gezicht, de mouwen wapperden en de opwaaiende rok toonde een bloot been.

...Waren de offerlinten niet genoeg, dat u door mijn haren moet strijken en de lokken losblazen rond mijn gezicht? Heer, wat wenst u van mij?

Ik sloot gekweld mijn ogen. O, hoe had ik zo dom kunnen zijn mijn tekst aan La Rouge toe te vertrouwen? Ze zag mij natuurlijk nog als concurrentie voor James. En nu maakte ze mijn stuk belachelijk en boekte tegelijkertijd succes met haar charmes! Wat een duivels plan, mij publiekelijk zo te vernederen!

...Als mijn vader zeventig paarden had en talrijke landerijen, dan had hij ze mij als bruidsschat meegeschonken. Maar ik ben slechts een arme vissersdochter, dus Heer, wat wilt u van mij? Wat wilt u van mij?

De zaal raakte geestdriftig en er werden grove suggesties geschreeuwd. Naast mij onderdrukte Reiner een lach. James mompelde verbluft: *'Uh... it's different?'*

Maar Walther barstte in lachen uit. Zijn schaterlach viel niet eens op in het rumoer van luide voorstellen en aanmoedigend voetgestamp.

Zou ik nu opstaan en vertrekken? Maar nee, ik moest weten hoe het afliep, wat ze precies veranderd hadden aan mijn stuk. Tandenknarsend zou ik het tot het einde uitzitten, haar niet de glorie van een geaccepteerde nederlaag gunnen.

> ...Stelt het u misschien tevreden als ik voor u dans...?

Ja hoor, dat zat eraan te komen. Een verborgen orkestje begon muziek te spelen, viool, tamboerijn en banjo klonken. Gelaten onderging ik de voorstelling, die tot een klucht was verworden, of erger. Het publiek floot en klapte, juichte bij La Rouge's lichtzinnige dans. En zij genoot, daagde uit, wist haar bewonderaars op te zwepen tot de laatste noot eindelijk verstierf.

> ...Hier ben ik! Hier ben ik, Heer! Kom, laat ons dansen, de berg bestijgen en de lucht beklimmen. Neem dit aan, deze offerande, dit liefdeskind...

Gelach in de zaal.

> ...deze vlieger. En hoog in de lucht, opstijgend naar de hemel, over de velden en de bergen, zweeft het dunne lichte bouwsel, kleurig van de lappen en het papier, glimmend van de lijm, glinsterend van het draad...!

Haar vingers gleden strelend langs lippen en hals.

Hoe speelde ze het klaar om zelfs deze laatste woorden zo'n suggestieve lading te geven? Het was ongelooflijk. Ook al begreep ik niet alle schunnigheden en gebaren, de reactie van het publiek sprak boekdelen.

Vanaf het plafond kwam een grote vlieger neerdalen. De toneelknecht trok aan de touwen en zorgde ervoor dat het kleurige gevaarte wiegelde en zwaaide, daalde en rees, de staart van papierlinten flapperend in de wind.

De tranen sprongen me in de ogen. Hoe mooi had dit effect in het slot van mijn stuk kunnen zijn! Een hoogtepunt van vreugde en bevrijding, onderstreept met de lange, fleurige linten. En niet het hapje ná de hoofdschotel, die La Rouge zelf was.

Ja, kom, het lukt! Op, op! Wég, wég! Ver van hier, mee naar de einder, de verre horizon! Til hem hoog, voer hem mee, en ik zie dat u lacht. Zo weet ik uw vreugde, hoog boven ons, bulderend, fluitend, strelend, zacht... zacht... zacht...

Het doek viel, applaus barstte los. Gefluit en voetgestamp en Giulietta die lachend tevoorschijn komt en buigt naar de juichende menigte.

'Het is in ieder geval een succes!' riep Reiner in mijn oor om het lawaai te overstemmen.

'Kom! We gaan!' kon ik eindelijk verlost zeggen.

Drieëntwintig

MEI 1848

Het stuk bleek een groot succes in Paramaribo. La Rouge vierde eens te meer triomfen en ik moest lijdzaam toestaan dat mijn monoloog op deze wijze werd misbruikt.

Meteen de volgende morgen had ik me bij Madame Akouba vervoegd om verhaal te halen. Giulietta deed open, stralend als altijd, maar tenminste had ze na een blik op mijn gezicht het fatsoen zich te verontschuldigen. Madame Akouba verscheen en sloeg met een ernstig gezicht haar arm om me heen, excuses makend voor de verandering van mijn stuk.

'Het zijn moeilijke tijden, mijn kind,' sprak ze, 'de mensen komen voor vertier en niet enkel voor schoonheid. Jouw stuk mag dan poëtisch zijn, het publiek, dat weinig geletterd is, komt daar niet voor. En ook wij moeten eten. Het spijt me dat je daarvoor gebruikt bent. Ik moet wel zeggen dat het een heel geschikt stuk is. We kunnen er heel veel mee.'

'Ja, dat heb ik gezien,' antwoordde ik bitter.

'Ach *mademoiselle* Winter, wees niet boos.' Madame Akouba wendde al haar charme aan. Tot nu toe had ik haar alleen meegemaakt als ongenaakbaar, dominant op het toneel, afstandelijk in de omgang. Maar wel had ik in aanwezigheid van autoriteiten, de leidster van La Troupe haar charme in stelling zien brengen. Ze flirtte dan, wist met haar verleidelijke oogopslag en voluptueuze lichaam zodanig door de ruimte te bewegen dat aller ogen op haar gevestigd bleven. Ongetwijfeld had ze zo menige vergunning of dienst verkregen, waarschijnlijk zelfs zonder dat er onbetamelijkheden aan te pas waren gekomen. Madame Akouba kon haar gesprekspartner het gevoel geven dat hij of zij op dat moment de belangrijkste was die er voor haar bestond. Ik wist het, want ik had het al vaker zien gebeuren.

Toch viel ik voor haar vleiende stem, die bijna smekend pleitte: 'Iedereen is enthousiast, en zo kunnen we langer hier blijven. Er is weer brood op de plank, La Troupe kan zich weer redden. Dankzij jou.'

Haar moederlijke aandacht wikkelde zich als een deken om mij heen, bezorgd over mijn verbolgenheid, sussend dat wij toch vrienden waren en het zeer verdrietig was dat de voorstelling mij pijn had gedaan. Ze had mij naar de sofa geloodst waar we gingen zitten en terwijl ze mijn hand vertrouwelijk in de hare nam, ging ze voort met haar spijtbetuiging.

De voorstelling was een grote teleurstelling voor mij geweest, maar ik was niet ongevoelig voor haar argumenten. In Amsterdam had ik op de Nes gezien hoe moeilijk het leven van artiesten was, soms voor bijna lege tribunes te moeten optreden, en de magere toneelspelers maar vooral hun haveloze kinderen, die figureerden op het toneel, vertelden een verhaal dat in het voetlicht verzwegen werd. Niet zelden zag ik 's avonds, na de voorstelling, de jongedames van het toneelgezelschap verdwijnen met oudere heren uit het publiek. Ook de programma's waren zeer veranderlijk. Ik wist dat er compromissen werden gesloten om de gunst van het publiek, ten koste van de kunst.

De vorige avond waren Reiner en Walther hoewel meelevend, in een vrolijke stemming met me naar huis gewandeld. James had peinzend opgemerkt dat de verbeelding van de fantasie blijkbaar alle wegen openliet. Net als ik scheen hij nog steeds beduusd van de voorstelling.

Van de koele Madame Akouba had ik allerminst medegevoel verwacht. En toch leek zij de eerste die begrip toonde voor de situatie. Ondanks mezelf, onder bekoring geraakt van Madame's innemendheid voelde ik mijn boosheid wegsmelten.

Maar wel zei ik beslist: 'Ik wil graag dat mijn naam van het programma geschrapt wordt!' Een redelijke eis. Het was te hopen dat niet al te veel mensen gelet hadden op de naam van de auteur in het programma. Zo had ik al genoeg voor gek gestaan, zelf geloofde ik niet dat iemand kon denken dat ík een dergelijke lichtzinnigheid had geschreven. Maar die smet moest zo spoedig mogelijk vergeten worden.

'Maar natuurlijk, natuurlijk, *chérie*,' haastte Madame Akouba zich mij te verzekeren. '*Mais bien sûr!* Het spijt me vreselijk dat het zo gelopen is. Vanzelfprekend zullen we dat corrigeren. *Merci, merci*. Kom, eet je een hapje mee, mijn kind?'

Ik bedankte voor de eer. Madame begeleidde me naar de deur onder duizend bedankjes. Terwijl ik de stoep weer afging nam ik me voor dat dit meteen de laatste keer was dat ik iets voor La Troupe of voor welke andere toneelgroep dan ook had geschreven. Het zou even duren voor mijn eergevoel was hersteld.

'Komaan, Regina, het zal je zinnen verzetten en wanneer we terugkomen, is iedereen alles vergeten over je betrokkenheid bij dat theaterstuk!'

Reiner en James probeerden me over te halen met hen mee te gaan naar de kust om naar zeeschildpadden te gaan kijken. 'Het zijn reuzenschildpadden, zo groot dat ze een volwassen man op hun rug kunnen dragen!' zei Reiner opgewonden.

'Bij nacht komen ze aan land om hun eieren te leggen, daarna gaan ze de zee weer in. Het is heel bijzonder!' voegde James eraan toe.

Vragend keek ik naar Walther. Als gouvernante kon ik mijn plichten toch niet zomaar in de steek laten? Over de familie Brammerloo hoefde ik me geen zorgen te maken, mevrouw en Margaretha waren juist voor enige weken als gezelschap van gouverneur Van Raders' vrouw naar een buitenverblijf vertrokken. Walther schonk me een aanmoedigende grijns. 'Ach, miss Winter...' Hoewel we elkaar nu bij de voornaam aanspraken, noemde hij me soms voor de grap nog zo. '...gaat u gerust mee. Ikzelf wilde juist een poos naar De Punt om wat bij te komen van de drukte.'

'Werkelijk?' Ik straalde. 'Dat is bijzonder vriendelijk. Het kuuroord in Nickerie schijnt trouwens heel goed te zijn vanwege de gezonde zeelucht.'

'Dat klopt,' sprak Walther. 'Ik moet even bijkomen van alle drukte de laatste tijd, een beetje rust zal me goed doen.'

'Mooi!' Reiner was verheugd. 'Regina, ga je tas maar pakken, ik zal alles voor ons vertrek regelen!'

Wij vertrokken een dag vóór Walther, samen met zes indianen die ons naar Pruimeboomstrand zouden brengen. Het was het hoogseizoen voor eierleggende *aitkanti*-schildpadden. Ook *krape's* en *karets* kwamen uit de zee, om op het strand gaten te graven waarin ze hun eieren legden.

Urenlang voeren we op de Cottica-rivier en 's avonds legden we aan bij plantage Ephrata, waar we de nacht doorbrachten. De volgende dag gingen we verder op de lange, kronkelige rivier, die met haar talloze bochten de weg dubbel zo lang maakte. Toch ging de reis over het water sneller dan over land. We passeerden vele plantages, sommige verwilderd, andere nog in bedrijf. De tijd doodden we met gesprekken, de mannen vertelden over de schildpadden die we zouden gaan zien.

Ze hoopten een *aitkanti* te zien, de zeer grote lederschildpad, die geen echt schild had maar een lederachtige huid die als rugschild wel twee meter lang kon worden. Zo'n schildpad kon zeker zeshonderd kilo wegen. Op de rug liepen in de lengte ribbels die het schild in acht vlakken verdeelden, vandaar de naam, die 'achtkantig' betekende.

Ook voor *warana's* was het een legstrand, maar voor deze soort was het nog te vroeg in het seizoen.

De tweede avond wilden we overnachten op De Suynigheid, maar de eigenaar van de vervallen plantage bleek niets voor gasten te voelen en verwees ons met norse stem naar een naburig erf. Het werd weer een eind varen terwijl de duisternis viel en de muskieten aanvielen. Het was een marteling en er werd dan ook niet weinig gevloekt op de zuinige planter. Maar eindelijk mochten we aanleggen bij plantage La Paix.

De directeur aldaar ontving ons hartelijk - zij het dat hij wel een sterke jeneverlucht verspreidde. Vrolijk riep meester Zwiep zijn huishoudster erbij, een mulattin, die ervoor zou zorgen dat we kamers kregen voor de nacht. In ruil brachten we enkele goederen uit de stad mee, die we als geschenk aanboden. De huishoudster, misi Lucia, nam de levensmiddelen in ontvangst en nodigde ons uit voor het avondmaal.

Toen we aan tafel zaten met de steeds luidruchtiger wordende *granmasra* en misi Lucia ons bediende, riep de man opeens: 'Ik zal u voorstellen aan mijn kinderen! Lucia! *Pe den pkin dè, dang? Tyar den dyaso!*'

Misi Lucia verliet de kamer en keerde terug met vier kinderen, die tegenover de tafel op een rij voor ons werden geplaatst.

Trots stelde de vader hen aan ons voor: 'Heine, Carooltje, Princes, Augustus!' Toen lachte hij uitbundig en riep: 'Precies hun vader, huh?'

Tijdelijk verstomd van verbazing staarden we naar de kinderen van misi Lucia en meester Zwiep. Zij stonden opgesteld naar lichaamslengte en varieerden in leeftijd van ongeveer zestien tot twaalf jaar. Het waren mooie kinderen, dat was zeker. Maar wat ons allen trof was de verscheidenheid aan tinten van de vruchten die de verhouding van meester Zwiep en misi Lucia had voortgebracht.

Heine was een jongeman met zwart kroeshaar en een lichte huid. Zijn stuurse houding deed vermoeden dat hij de situatie al vaker had meegemaakt. Carooltje hield de blik bedeesd naar de grond gericht. Zij had rood kroeshaar en een bruine huid. Princes, de volgende, keek ons oplettend aan. Met haar bruine huid, grijze ogen en lange bruine pijpenkrullen was ze een opvallende verschijning. Maar het uiterlijk van Augustus sloeg alles. Het jongetje had blond, steil haar en een blanke huid. Ongedurig wipte hij op zijn tenen, alsof hij wenste dat de inspectie gauw achter de rug zou zijn.

Misi Lucia stond terzijde met de armen over elkaar. Ik durfde haar niet aan te kijken en wist zodoende niet of de voorstelling haar trots stemde, verveelde of verdriet deed, of misschien wel onverschillig liet.

Behalve de directeur droeg niemand van zijn gezin schoenen. Er was dus grote kans dat allen slaven waren. De directeur was, zoals hij ons had verteld, niet de eigenaar van de plantage. Slechts een ondergeschikte van de werkelijke eigenaar in Holland, de heer Charbon te Amsterdam. Dat betekende dat het hele gezin van meester Zwiep eigendom was van de Hollandse eigenaar Charbon. De beheerder zag er niet bepaald uit of hij in goeden doen verkeerde, het viel te betwijfelen of hij over de financiële middelen beschikte om zijn concubine en hun kinderen vrij te kopen. Toch scheen hij zich daarover totaal niet bezorgd te maken. Als hij kwam te overlijden of als zijn dienstverband eindigde, wat zou er dan met zijn gezin gebeuren? De verre eigenaar kon hen allen als slaven verkopen, het enige wat de wet garandeerde, was dat moeder en kinderen niet gescheiden zouden worden. En dat was dan de enige schrale troost. Het kon geen opwekkende gedachte zijn, te weten dat de mooie dochters evenals eerder hun moeder, een toekomst als concubine wachtte, waarschijnlijk al op jonge leeftijd. Voor de jongens zou het misschien iets beter zijn. De oudste zoon was te licht van kleur om zelfs maar huisslaaf te worden en als *basya* zou hij onder de plantageslaven geen vertrouwen kunnen wekken vanwege zijn lichte huid. Misschien kon hij timmerman of handwerksman worden op de plantage. Toch zou hij niet gemakkelijk ergens bij kunnen horen, gewantrouwd door de zwarten, geminacht door de blanken.

Voor de jongste, met zijn volledig blanke voorkomen, was het wellicht het beste om als hij oud genoeg was, weg te lopen en in de verre stad door te gaan voor vrije blanke. Of beter nog, te vluchten naar Brits Guyana, waar de slavernij al afgeschaft was.

Of meester Zwiep ooit zijn gedachten hierover had laten gaan, viel te betwijfelen, drank had zijn meest urgente aandacht.

Ach, waarom eisten de Hollandse eigenaars toch dat hun directeurs ongehuwd moesten zijn! Met een echtpaar aan het hoofd van de plantage, in plaats van een vrijgezel, zouden er misschien niet zo veel bastaardkinderen met een tragische toekomst onder de slaven zijn.

Schoorvoetend complimenteerden we de directeur met zijn prachtige kroost, welke gelegenheid hij meteen aangreep om te proosten. De kinderen waren weer stilletjes verdwenen.

's Morgens vroeg gingen we weer op weg. In de boot bespraken we de vorige avond.

'Zag je die kleine blonde?' zei Reiner meewarig. 'Wat een schok moet dat voor het kind zijn, in zo'n gezin te leven!'

'Welnee!' reageerde James heftig, 'je broers blijven je broers, je zus is je zus, je weet niet anders.' Hij dacht een moment na en sprak dan kalmer: 'Behalve als de kinderen geen vrijgeborenen zijn... Dan maakt het uit. Want wie een lichtere huid heeft, maakt meer kans om vrijgekocht te worden, terwijl de anderen in slavernij blijven leven.'

Een poos zei niemand iets.

Dan sprak Reiner: 'Ach, ik weet niet of dat zo veel uitmaakt. Tenslotte zijn de *basya's* ook van hun volk. En die behandelen hun eigen mensen toch ook niet alsof ze van suiker zijn. Onder elkaar zijn ze bijna strenger dan hun blanke baas.'

James schudde zijn hoofd en zei peinzend: 'Hoe krijg je mensen zover dat ze alles doen, alles voor je doen, zelfs een ander folteren, of jacht maken op elkaar? Door hen voor alles toestemming te laten vragen, voor het kleinste ding, voor elke handeling. Geef ze geen verantwoordelijkheid. Dan lijken het ook niet hun eigen daden. Of wandaden.'

'Nou, nou,' reageerde Reiner, 'er wordt toch ook voor de slaven gezorgd? Ze hoeven geen honger te lijden en hebben een dak boven hun hoofd. Dat is in de Europese steden nog wel eens anders!'

Maar James ging onverstoorbaar door: 'Je hoeft niets zelf te bedenken, er wordt voor je gedacht, beslist wat je moet doen, hoe en wanneer, ja, er wórdt voor je gezorgd!' Het laatste met duidelijk sarcasme.

Reiner haalde zijn schouders op. Hierover zouden hij en James het toch nooit eens worden.

En daarbij, weinigen waren het in Suriname of Holland met James eens. In Frankrijk en Engeland zou hij gemakkelijker medestanders vinden, immers daar was de slavernij reeds of bijna afgeschaft. Hij kwam met zijn laatste stelling. 'Wat weten wij van de pijn van de zwarte man?'

Daarop moesten wij, allen blanken, het antwoord schuldig blijven.

Op de derde dag brandde de zon zo fel dat ik de strohoed, die een van de indianen gevlochten had, dankbaar aanvaardde. Het werd broeiend heet op de rivier en iedereen was blij toen uiteindelijk de hemel losbarstte en we tot op de huid natgeregend werden. Daarna werd het heel mistig op de rivier en zaten we flink te bibberen, maar onze bootslui loodsten ons veilig naar de laatste plantage langs de rivier. Vandaaraf zouden we een stuk te voet landinwaarts moeten gaan om uiteindelijk op Galibi te komen, waar enkele indianendorpen waren.

Op plantage Vinkenvries werden we vriendelijk ontvangen. De directeur Oppenheimer was getrouwd – tot mijn opluchting, omdat ik vreesde voor nieuwe discussies die tot een onaangename sfeer konden leiden in ons kleine reisgezelschap.

Mevrouw Oppenheimer was een bruine mulattin, een vrijgeborene, dochter van een onderwijzer. Tijdens de maaltijd zat ze met ons aan, iets wat we op de plantages zelden meemaakten omdat de ongetrouwde directeuren hun concubine immers niet met de gasten mee kon laten eten.

Als onderwijzersdochters hadden mevrouw Oppenheimer en ik het een en ander gemeen en toen zij mij haar boekenkast liet zien raakten we niet meer uitgepraat. Het echtpaar Oppenheimer bleek zeer belezen en we hadden een genoeglijke avond samen, met gesprekken over literatuur en goede wijn.

Tegen bedtijd begaven we ons naar onze kamers.

Reiner begeleidde me galant, maar enigszins aangeschoten met de olielamp op de donkere trap. Ik voelde me aangenaam roezig van de wijn en de vermoeidheid, zodat me niet meteen opviel dat mijn verloofde in gemelijk zwijgen was vervallen. Het was een schok toen hij ineens uitviel: 'Dwazen! Denken ze dat we hen niet doorhebben!'

Ontsteld keek ik hem aan.

'Wat een poseurs! Bedriegers van de beschaving, zielige slappelingen!'

Ik hield mijn adem in van schrik. Nooit eerder had ik Reiner zo fel gehoord. 'Wat is er? Waar heb je het over?' vroeg ik en voegde er op fluistertoon dringend aan toe: 'en praat wat zachter, alsjeblieft!'

Grimmig vervolgde hij: 'Mensen die wel met een kleurlinge zijn getrouwd, maar verder een afkeer hebben van iedereen en alles wat gekleurd is, zijn in feite kleurenblind voor hun eigen relatie! Die partnerkeus is een zwakheid die ze niet konden weerstaan. En nu verwachten ze dat iedereen doet alsof hun eega blank is. Inclusief de vrouw zelf! Ze doet alsof ze zo wit als sneeuw geboren is!'

'Reiner!' Geschokt probeerde ik hem tot de orde te roepen. Hij was rood aangelopen en zweette, haarlokken zaten tegen zijn voorhoofd geplakt. 'Je bent dronken! Ga vlug naar bed voor onze gastvrouw iets merkt!'

'En wat zou dat?' protesteerde hij met dikke tong.

Ik merkte dat het niet gemakkelijk was hem in zijn kamer te krijgen of tot stilte te manen. Haastig opende ik de deur, nam de lamp van hem over en wist hem naar binnen te loodsen. Eenmaal in de kamer plofte hij op bed neer en probeerde me over te halen bij hem te komen liggen. Zonder acht te slaan op zijn halfslachtige pogingen, hielp ik hem zijn schoenen en vest uitdoen. Tegen de tijd dat dat gelukt was, was hij al in slaap gevallen. Zachtjes sloop ik naar mijn eigen kamer, hopend dat niemand zijn dronkemanspraat gehoord had.

De grond was steeds zanderiger geworden. In plaats van gele aarde of schelpenzand zoals in Paramaribo, of de zwarte en rode aarde van het oerwoud, liepen we nu door mul, wit zand dat er schoon uitzag en zeer fijne korrels had. De vegetatie was niet zo overweldigend en massaal als in het oerwoud, maar er waren palmen, struiken en kleine boompjes die verspreid over de savanne groeiden.

Pruimeboomstrand heette zo vanwege de savannepruim die er groeide. Hier kwamen *krape's* en *aitkanti's*, die een lange reis door de Atlantische Oceaan hadden afgelegd, jaarlijks terug om hun eieren te leggen. Bij hoogwater 's nachts kwamen de dieren aan land. We moesten ons dan verborgen houden en geen licht maken om hen niet op de vlucht te jagen. Op het hoger gelegen gedeelte van het strand zouden de wijfjes een nestplaats zoeken, het zware lichaam schuivend over het zand en zo een dubbel spoor van gegolfde lijnen op het strand achterlatend.

We maakten een kampje in de buurt van het strand, uit het zicht van de zeecreaturen. Tot de avond viel vermaakten we ons aan het water, daarna trokken we ons terug in het kamp. Bij het vuur hielden we onszelf bezig met kaartspelletjes om de tijd te doden, maar uiteindelijk lieten we het kampvuur uitgaan tot alleen de as nog nagloeide.

Donkere schimmen van bomen omringden ons, daarboven spande het inktzwarte hemelruim waar duizenden sterren blonken als diamanten speldenpunten. Een tropische nachthemel is als Gods mantel die omhooggolft wanneer Hij neerknielt in het gras om te luisteren naar Zijn nietigste schepsels van allen. Het nederige koor jubelde vol verrukking en zong harder dan ooit tevoren. En toen de kleine zangers ten slotte zwegen, zoemde de stilte van leegte.

Uren verstreken. Tegen middernacht vertrokken we naar het strand, geleid door de indianen, die in het pikkedonker heel goed bleken te kunnen zien. Aldaar stelden we ons verdekt op in het struikgewas. Turend door het duister kon ik de golven eerder horen dan zien. Een poos leek er niets anders dan het terugkerende geklots te zijn, toen plots een van de indianen een gedempte uitroep slaakte: '*Kawana!*'

Een zwarte heuvel kroop langs de kustlijn uit het water en ploegde zich moeizaam naar het droge. Ongezien volgden we de *aitkanti* en hielden haar vanuit de bosschage in het oog. De lederschildpad begon het strand af te struinen, op zoek naar een goede legplaats. Meerdere zeeschildpadden kwamen nu aan land en namen bezit van het strand. Zwarte bollen schoffelden door het mulle zand, gedreven door instinct om een veilige plek voor hun nest te vinden. Eén tot twee meter grote reuzenschildpadden zwoegden log, hun sierlijkheid achtergelaten in verzonken diepten, afgelegd bij het betreden van land, als gestrande meerminnen.

Gebukt strompelden we door de *kapuweri*, trachtend met weinig gerucht door het kreupelhout te bewegen om de zeemoeders niet te storen. Een dunne maan was opgekomen en wierp een vaag licht over het schouwspel van oerdieren die bij tientallen over de vlakte kropen. De indianen maakten ons attent op de verschillende soorten. De meesten waren *krape's* of soepschildpadden, herkenbaar aan hun bruine ruggen - volgens de indianen, want ikzelf kon de kleur in het schaarse licht niet onderscheiden. *Karets* waren iets makkelijker herkenbaar door hun mooie geblokte schild, maar de *aitkanti's* spanden de kroon, door hun omvang en het grote, in banen verdeelde schild.

Na verloop van tijd waren de meeste schildpadden begonnen een nest te graven. Zand spatte op terwijl hun achterpoten een diep, rond gat groeven. Daarna begon het leggen. Tijdens het leggen raakten de dieren in trance en konden we naderbij komen om hen beter te bekijken. We kozen een *aitkanti* die wat verder van de rest een nest had gemaakt, zodat we de schildpadden die nog bezig waren aan land te komen, niet zouden verjagen. Het was een beest van zeker twee meter lengte en anderhalve meter breed. Misschien dat ze vanwege haar enorme lichaam meer ruimte nodig had en daarom wat verder van de rest was gekropen.

Roerloos lag de zeemoeder op haar nest en baarde honderd kleine schatten, verborgen in het warme zand tot de zee zou roepen. Dan zouden de kleintjes, uitgebroed door de felle hitte van de zon, zich dapper uitgraven, uit het ei al gulzig op zoek gaan naar het leven, klauterend over elkaar, de ruggen zwartpaars glanzend met golflijntjes wit. Onweerstaanbaar trok de oceaan en allen zouden zich reppen naar de waterlijn waar ze zich in de branding zouden storten, glinsterende juwelen verspreid over de oceaan, en verslonden worden door roofvissen, verzwolgen door stormen, verdwaald in visnetten, maar alles trotserend de diepte proberen te bereiken, waar in het violette duister een schemerige rust heerst.

De moederschildpad zuchtte, een oerzucht, de tranen liepen uit haar ogen. Voorzichtig aaide ik haar troostend over het lederen schild.

'Haar ogen zijn niet geschikt voor land, ze moet ze nat houden,' legde James uit.

Eindelijk was de *aitkanti* klaar en begon het gat met de leerachtige eieren dicht te gooien met zand. Toen begon ze in de omgeving van het nest het strand om te woelen, om rovers te misleiden. Zo gecamoufleerd werd het hele strand door de moeders omgeploegd. Daarna draaiden de dieren cirkels over het strand, als om hun oriëntatie te hervinden, tot de richting naar zee weer gevonden was.

Onze *aitkanti* was ook begonnen met haar cirkels, waarbij ze zware zuchten liet en af en toe stopte, uitgeput leek door haar verblijf aan land. Wij volgden haar voorzichtig, ze scheen geen angst voor ons te hebben, hoewel ze eigenlijk moeilijk had kunnen vluchten als wij kwaad in de zin hadden gehad. Haar logge lichaam maakte haar kwetsbaar.

Zij draaide haar laatste cirkel in het zand en liet een schildpadspoor achter dat naar de zee leidde. Het water bereikt, tilden de golven haar zware lichaam op en maakten van het zeecreatuur weer een snel en soepel wezen. Voor we het wisten was ze in de golven verdwenen.

We trokken ons weer terug, in de richting van het struikgewas. De dageraad gloorde reeds en de laatste schildpadden kropen naar de zee. Toen het strand verlaten was, liepen de indianen naar een paar nesten die ze in de gaten hadden gehouden om terug te kunnen vinden en groeven daar de eieren uit. Die namen ze in een korf mee om te koken en in zout te leggen.

Vierentwintig

HALF MEI 1848

James had gelijk gehad. Het was onverstandig van het Parijse bewind om geen datum te noemen voor het afschaffen van de slavernij. Ongeduldig geworden kwamen de slaven op Martinique en Guadeloupe in opstand. De negers eisten hun onmiddellijke emancipatie. De plantageslaven gingen in staking en in de grote steden werden demonstraties gehouden. De houding van de Franse plantagehouders verhardde, maar het leek vooralsnog niet te helpen.

In Frankrijk zelf ging het er trouwens niet veel beter aan toe. Ontevreden arbeiders bestormden de Wetgevende Vergadering en riepen een eigen voorlopige regering uit. De Nationale Garde maakte er echter al gauw een eind aan.

Hoewel koning Willem II niet van zins leek de door de nabije revoltes verontruste Hollandse planters op de Antillen hulp te zenden, liet de minister van Koloniën, J.C. Rijk, wel van zich horen. Hij stuurde een circulaire naar de Amsterdamse slavenhouders en maande hen aan tot betere behandeling van de slaven wat betreft voedsel, kleding, huisvesting en geneeskundige behandeling. Ook vroeg hij het straffen van de slaven te beperken en de arbeidsdagen niet langer dan negen uur te maken en de zondag voor hen vrij te houden om naar de kerk te kunnen gaan. Zo hoopte de minister de slaven in Suriname tevreden te houden en een opstand te voorkomen.

Het huis van La Troupe blaakte in de middagzon. De bougainville slingerde langs een pilaar omhoog naar het balkon en haar bloemkelken sierden de oude woning met paarse trossen. Het was siësta maar ik had besloten mijn vrienden op te zoeken. Aan middagrust deed La Troupe niet – de avonden werden bij hen zo laat, als na de voorstelling nog met bezoek gepraat en gekaart werd, dat hun morgens pas begonnen als iedereen al uren op en aan het werk was.

Toen ik de veranda betrad bemerkte ik dat de toneelspelers in vergadering waren. Het raam stond open en ik hoorde hen overleggen over een nieuw programma. Om de groep niet te storen nam ik rustig plaats op een houten bank op de veranda, de mand met schildpadeieren aan mijn voeten. De bewoners hadden mij nog niet opgemerkt en ik besloot te wachten tot ze klaar waren, voor ik mij met mijn geschenk zou melden.

Eerder op de dag had ik Augusta bezocht en haar het visskeletje cadeau gedaan dat ik op Pruimeboomstrand had gevonden, waar het in de zon wit was gebleekt. Maar Augusta had het geschenk tussen duim en wijsvinger aangepakt zonder enig begrip van de schoonheid. Met een viezig gezicht stond ze even besluiteloos en deponeerde het dan maar op het dichtstbijzijnde tafeltje. Met de pot met ingelegde schildpadeieren was ze echter zeer ingenomen.

Het was jammer, bedacht ik, dat ik het visskeletje aan Augusta had gegeven, ongetwijfeld ging de visgraat na mijn vertrek regelrecht op de vuilnishoop. Bij de verzameling curiositeiten van Le Grand had het voorwerp beter gepast.

Achter mij in de kamer klonken vele stemmen door elkaar. De discussie was luidruchtig en werd voornamelijk in het Frans gevoerd. Er scheen iets te zijn waar ze het niet over eens konden worden en opeens hoorde ik Giulietta heftig verklaren: '*C'est trop doux à l'oreille! Du candi dans le vin, oui!* Dit is te zoet voor de oren! Kandij in de wijn! *Ainsi Fenella restera muette, pensons à Portici!* Zo blijft Fenella stom, denk toch aan Portici!'

Er rees een koor van stemmen: '*Oui, commémorons Portici!* Gedenk Portici!'

Het geluid van instemmend getrommel van vele handen op tafel en daarna de stem van Madame Akouba, onverstaanbaar maar herkenbaar door het kalme timbre. Toen verschoof er een stoel, sussende geluiden klonken en het werd stil.

Ongemakkelijk vroeg ik me af of ik moest blijven en luistervink zijn bij een ruzie, maar tegelijk wist ik ook dat discussies bij La Troupe nu eenmaal altijd rumoerig verliepen. Er was vast niets aan de hand.

Opeens hoorde ik de stem van de dokter op declamerende toon en ik spitste de oren. Christiaan droeg voor:

Waar siet men het Fortuyn so blind
Haar gaaven slegts uyt deelen,
Als men in Surinamen vind?
Of men verstand heeft als een Kind,
Maar geld! dan kan 't niet scheelen.

Wat siet men menig kaalen Haan
En ander soort Lantloopers
Voor Adels en Barons hier staan,
Daar hun de honger dreef te gaan
Tot hier, door Sielverkoopers.

'Enzovoorts!' eindigde de dokter nogal abrupt. Als om dat goed te maken voegde er hij nog aan toe: 'Aldus Don Experientia.' Hij liet een plechtige stilte vallen.

'Mais c'est vieux comme le monde!' verbrak Giulietta die meedogenloos. 'Dat is eeuwenoud!'

Arme Christiaan. Hij was geen partij voor La Rouge. Opnieuw sprak iedereen door elkaar. Sommigen schenen daarbij door de kamer te lopen.

Opeens verscheen er iemand in de vensterbank. Het was dokter Christiaan, die, achteruitlopend en pratend tot het gezelschap, van zins leek op de rand van het kozijn plaats te nemen. Hij schrok toen hij mij ontdekte en verloor bijna zijn evenwicht. 'Huh... Miss Winter! Eh, ik wist niet dat u hier zat!'

Binnen was het stil geworden.

Toen dook Giulietta's rood omkranste krullenhoofd op naast Christiaan, zodat hij haast weer omviel.

'Regina! *Quelle surprise!* Kom binnen!' noodde ze hartelijk.

'Stoor ik niet?' vroeg ik. 'Ga gerust door, ik wacht wel - of anders kom ik later terug?'

'Non, non,' wuifde ze mijn bezwaar weg.

De kamer scheen leeg te lopen, de spelers van La Troupe verspreidden zich door het huis om zich aan verschillende taken te zetten. Ergens in een kamer was Pierre begonnen zijn viool te stemmen. Giulietta opende de deur en liep met deinende gardeniaroze rokken voor me uit naar de salon, waar ze de mand met eieren verheugd in ontvangst nam.

Op de sofa lag een kleurige stapel verstelgoed te wachten. We zetten ons neer en pakten elk een kledingstuk om onder het babbelen te herstellen. Ik koos een lavendelkleurig toneelkostuum uit waarvan de ruches loshingen. Giulietta was bezig met de soberder mannenkleding. Haar lange krullen gleden over haar schouders naar voren toen ze zich boog over de naaimand om garenklossen en een satijnen speldenkussen tevoorschijn te halen. We regen de draden en begonnen aan het secure karwei, onze vingers plooiend en stikkend, de regelmatige bewegingen begeleid door ons gebabbel.

Het was een aangenaam gevoel daar in de salon te zitten, terwijl buiten de schaduwen begonnen te veranderen en een motregen het middaguur verkoelde. De druppels tikten tegen de bladeren maar de zon bleef schijnen, de bui maakte geen haast.

'Te bedenken dat de meeste mensen menen dat een huishouden zonder slaven onmogelijk is!' zei ik, de losgeraakte strikken van de rok weer vastrijgend.

'Ja, er zijn zo veel huisslaven dat zij niet eens genoeg te doen hebben! Ze hangen rond in huis en op het erf en verdoen hun tijd als dragers van pruimtabak en waaiers.'

'Dat is waar, hoe komt het dat er zo veel zijn?' mijmerde ik.

'Waarom er zo veel huisslaven zijn?' herhaalde Giulietta. Ze legde het linnen hemd waarmee ze bezig was neer in haar schoot en speelde met haar naald.

Buiten begon de donder te rommelen. De lucht betrok. Opeens viel de regen neer, sissend en suizend zoals alleen in de tropen gebeurt.

Giuletta's blik leek afwezig. Terwijl de hemel tranen stortte, begon ze te vertellen, het vreemde verhaal van haar jeugd.

'We schamen ons ervoor, het negerbloed. We zijn wit, en toch ook weer niet. Mulatten: we zitten ertussenin, een tussenpositie. Wij vormen het bewijs van de blanke geilheid. Product van onbeheerste lusten. *Café crème, café au lait.* Ga nooit argeloos naar de meester. Want hij zal je verslinden, met huid en haar...!'

Ik schrok van de verandering van toon, Giulietta's plotselinge heftigheid. Ze knikte langzaam, haar gezicht uitdrukkingloos.

'Ah, Signor Durante, mijn meester, vuile charmeur. Ja, hij misbruikte mij. En toch was ik niet de enige die dit overkwam. Alle mooie meisjes - en ook de minder mooie, hebben hetzelfde meegemaakt, moesten zich dezelfde smerige handtastelijkheden laten welgevallen van hun meester. Dat gebeurt nu eenmaal, het hoort erbij. Waarom kon ik me er dan niet in schikken, bleven woede en verzet branden in mijn borst, als een kronkelende slang in een kooi van vuur?'

Aan de hemel flitste de bliksem. In de kamer werd het donker. Regen viel ruisend neer.

Giulietta schudde bitter het hoofd.

Ik trok mijn troostende arm terug, een dor verdriet dat geen meeleven kon dulden.

'Misschien heeft mijn moeder mij niet goed voorbereid. Ze heeft me te veel liefgehad om me, zoals sommige slavenmoeders, in mijn jeugd al bar te straffen en voor kleinigheden te mishandelen, opdat ik gehard zou worden voor het slavenleven. Misschien ook vertrouwde ze te veel op de teint van mijn huid, zo romig, die mij een betere toekomst beloofde dan die van de donkere slaven.' Ze plaatste haar blote arm naast de mijne en vergeleek de beige kleur. 'We zouden zusters kunnen zijn,' sprak ze.

La Rouge pakte een van haar rode lokken en hield die naast mijn blonde krullen. Ze glimlachte.

Druppels gleden langs het vensterglas omlaag en spikkelden hun schaduw over onze huid.

Hoewel er geen verwijt had geklonken voelde ik me toch in zekere zin schuldig, al was dat nogal ongerijmd. Toen vertrouwde zij mij met zachte stem een gruwelijk geheim toe.

'Signor Durante, de meester die mij dat aandeed, hij was mijn vader. Maar het maakte hem niets uit. Voor hem was ik niets anders dan een slavin, bezit waarmee hij kon doen wat hij wilde.'

'Maar dat is toch verboden! Dat is bloedschande!' riep ik vol afschuw uit. 'Daarvoor had je hem kunnen laten opsluiten! Heb je hem niet aangegeven?'

Giulietta lachte bitter. 'Wat, hem aangeven? *Impossible!* Hoe dan? Getuigenissen van slaven zijn ongeldig! Alleen een blanke getuige zou hem hebben kunnen aangeven, en wie zou dat doen? Wie zou het iets kunnen schelen? Nee, mijn moeder had ongelijk, mijn mooie uiterlijk bracht mij geen geluk.'

Ongelovig keek ik haar aan, maar het was waar, een slaaf kon geen recht halen, dat hadden anderen met eergevoel voor haar moeten doen.

'Het maakte hem niets uit,' ging ze verder, 'dat hij mij mijn onschuld had ontnomen en mijn dromen vernietigd. Ik beken dat ik tot op dat moment had verwacht dat mijn leven anders zou verlopen dan dat van de slaven die niet zo'n lichte huid hadden. Maar dat bleek een illusie.' Ze glimlachte triest. 'Ik was nog jong toen het begon, maar al spoedig kon ik het niet meer verdragen en ik zwoer dat hij mij niet meer zou aanraken.'

'Hoe... wat is er dan gebeurd?' vroeg ik. Waarschuwend rolde de donder maar ik vatte niet het teken, nog niet beducht voor de reikwijdte van de waanzin.

Vliegensvlug greep La Rouge naar haar kousenband en trok een kleine dolk tevoorschijn. Haar ogen waren tot spleetjes geknepen terwijl ze de vlijm langzaam heen en weer zwaaide voor mijn gezicht. 'Ik heb het hem betaald gezet,' siste ze. 'Hij zal zich nooit meer aan een slavin vergrijpen!'

Onthutst deinsde ik terug, maar La Rouge merkte het niet. In gedachten borg ze het mes onder haar rokken weg. Toen ze opkeek leek ze zich mij weer te herinneren. Kalmer zei ze: 'Natuurlijk moest ik op de vlucht. Een poos leidde ik een zwervend bestaan, liep van dorp naar dorp, verborg me zo veel mogelijk, leefde van wat ik kon stelen. Maar toen ik ver genoeg was gereisd en de grote stad bereikte, realiseerde ik me dat mijn huidskleur me weer van nut kon zijn. In Cayenne deed ik me voor als vrije vrouw, maar onder mijn omstandigheden zou het me niettemin slecht vergaan zijn. Ik had echter het geluk Les Socialistes te ontmoeten. Ik sloot me bij hen aan en enige tijd daarna kon ik me bij de toneelspelers voegen.'

'Dat was een geluk,' beaamde ik, nog steeds haar mededeling over de moord verwerkend. 'Maar was je niet bang herkend te worden?' Tenslotte was ze met haar rode haar een opvallende verschijning.

La Rouge lachte vergenoegd. 'Nee, in het begin wel, maar na een poos begreep ik dat men niet naar mij op zoek was. Het toeval wil dat Signor Durante een verstokte gokker was die grote schulden had gemaakt. Toen men hem dood aantrof tussen de wijnglazen en speelkaarten, namen de autoriteiten aan dat een schuldeiser wraak genomen had.

Hoe het komt dat ik niet gemist werd, daar moet ik naar raden. Misschien dat de andere slaven mij toch in bescherming hebben genomen en gelogen hebben voor mij, al moet ik tot mijn spijt zeggen dat ik het vóór mijn ongeluk nogal hoog in de bol had. Ik weet niet waarom ze mij niet gewoon hebben laten vallen.'

Als de regenboog in de troebele lucht wasemde een spectrum van emoties over mij. Ondanks het schokkende verhaal bedacht ik met een gevoel van vertedering dat Giulietta, hoewel een flirt, zich blijkbaar niet altijd van haar charmes bewust was. Het was niet ondenkbaar dat het jonge meisje de lieveling van de slaven was geweest, zelfs wanneer ze hen commandeerde. En Signor Durante was alles behalve geliefd, de keus was voor hen dus snel gemaakt, veronderstelde ik.

Wat een vreemde wereld was het, dacht ik, het aantal geheimen dat ik moest bewaren leek wel met de dag te groeien! Zelfs moord leek gerechtvaardigd in een door wreedheid en willekeur geregeerde maatschappij.

De situatie op de Franse Antillen was geëscaleerd. Om de stakingen en demonstraties aan banden te leggen waren de planters strenger opgetreden tegen hun slaven. Toen een van de slaven, Romain geheten, ondanks het verbod van zijn eigenaar toch de drums bespeelde, dat instrument zo geëigend aan oproer, werd de man gearresteerd om zijn *dron* te doen zwijgen en zo, het volk tot het uiterste getergd, brak de revolutie ten laatste onvermijdelijk uit.

Een enorme menigte omsingelde de gevangenis en bevrijdde Romain. De tegenaanval werd door de planters ingezet, maar gouverneur Rostolan zag in dat de overmacht te groot was en verklaarde op 22 mei de slaven van Martinique tot vrije mensen.

Op Guadeloupe leidden de opstanden ter plekke eveneens tot de afschaffing van de slavernij, reeds vijf dagen na de emancipatie op Martinique.

Nu begonnen de Nederlandse planters op de Franse eilanden te vrezen, er was geen garnizoen om hen te helpen de slaven in toom te houden en dezen gaven er de brui aan. De negers van Sint Maarten gingen in staking en velen wachtten de onderhandelingen niet eens af maar vluchtten naar het Franse deel van het eiland waar zij meteen vrij werden.

De Franse autoriteiten weigerden de vluchtelingen weer terug te sturen en de Hollandse planters verkeerden in angst voor een algemene opstand, waarin zij zeker het onderspit zouden delven. Nederland maakte echter geen haast maatregelen te nemen. De sfeer raakte steeds meer gespannen, zelfs in Suriname begonnen de planters onrustig te worden.

Men waakte ervoor in het bijzijn van de slaven over de Franse koloniën te praten en de hachelijke situatie bespreken in het Sranantongo moest absoluut vermeden worden. De slaven mochten beslist niet op verkeerde ideeën gebracht worden.

Gouverneur Van Raders trachtte de administrateurs tot een betere behandeling van de slaven te bewegen en wees hen op de recente gebeurtenissen in omringende landen en in Europa, zelfs in Nederland, waar over vrijmaking van de slaven werd gesproken.

Op aanraden van de minister van Koloniën Baud, bracht gouverneur Van Raders een nieuw idee in praktijk: arbeidszin moest bij de slaven niet alleen opgewekt worden door vrees voor afstraffing, maar ook door het geven van beloningen. De minister stelde voor insignes uit te delen aan slaven die dat verdienden. Maar baron Van Raders wilde iets beters. Dus werden aan ijverige plantageslaven schoenen uitgereikt. Schoenen! Het werd een enorm schandaal. Hoe kon de gouverneur het meest in het oog lopende blijk van slavernij zonder meer opheffen? Was er al niet genoeg dat de situatie precair maakte?

Er vormde zich een *cabale* tegen de gouverneur, een groep tegenstanders die middels roddelcampagnes en lasterbrieven diens smadelijke aftocht nastreefde. Het zou niet de eerste keer zijn dat een gouverneur het op die manier moest afleggen tegen de heersende elite.

Tegelijk zorgde het gouvernement ervoor dat er geen 'onbetamelijke' boeken of geschriften in de kolonie werden verspreid. Dat ging vrij gemakkelijk, daar er toch geen bibliotheken of leesgezelschappen waren. De acht in Suriname uitgegeven kranten stonden onder strenge censuur van de Procureur-Generaal en bevatten niets belangrijks, niets dat de slaven- of kleurlingenbevolking tot opruiende ideeën kon brengen. Het boekhandeltje van Herr Konrad werd eveneens streng gecontroleerd, dat had ik inmiddels wel begrepen.

Dat men in Nederland slechts in schijn onverschillig was voor de roerige gebeurtenissen overzee, hoorde ik in vertrouwen van mijnheer Brammerloo. De secretaris liet zich ontvallen dat de minister van Koloniën in het geheim twee schoeners naar de West-Indische wateren had gestuurd. 'God weet of de schepen nog op tijd zullen aankomen,' had Brammerloo verzucht. 'De Adder en De Schorpioen kunnen hier op zijn vroegst half juni zijn. Is dat snel genoeg om onze Antillen te redden?'

Vijfentwintig

BEGIN JUNI 1848

Op Sint Maarten en Sint Eustatius werd de situatie nijpend. Het lukte de planters niet langer de slaven tevreden te houden met het argument dat er gewacht moest worden op het besluit van de koning. Maar Willem II had geen haast met de emancipatie. De toestand werd zo dringend dat de belangrijkste planters op 1 juni in het Raadhuis van Philipsburg bijeenkwamen en besloten hun slaven als vrije mensen te behandelen en arbeidscontracten met hen af te sluiten, tot de Kroon de emancipatie zou afkondigen. Dit besluit werd aan de Koloniale Raad voorgelegd.

De Raad ging snel akkoord en op 7 juni werden de slaven op de hoogte gebracht en werden alle strafwetten voor slaven ingetrokken. Men was er nog altijd niet gerust op en zowel negers als blanken wachtten vol ongeduld op de toestemming van de koning uit Nederland.

Niettemin waren de slaven van Sint Maarten erin geslaagd hun vrijheid af te dwingen. Op Sint Eustatius echter, werd de opstand bloedig neergeslagen.

De negers van Frans Guyana hadden meer geluk – op 10 juni werden ook zij vrij, de beloofde emancipatie was eindelijk doorgevoerd.

De Adder en De Schorpioen kwamen te laat voor de Antillen, maar bleven uit voorzorg voor de Surinaamse kust patrouilleren.

Walther had gezegd weer naar De Punt te willen gaan en gaf mij daarom vrijaf. Nadat ik met de Brammerloo's had overlegd kon ik mij verheugen op de trip die ik met Reiner zou maken. Ik zou hem vergezellen op een inspectietocht langs de Cotticarivier. We zouden de plantages Hamburg, Constantia, De Goudmijn en Courtsvlugt bezoeken.

Vroeg in de ochtend vertrokken we. Na een voorspoedige reis kwamen we bij plantage Constantia aan, het was de eerste keer dat ik een suikerplantage kon bezichtigen. Suiker, het product dat zo belangrijk was voor de Nederlandse schatkist.

Directeur Andree verwelkomde ons. Hij was een waardige, grijze heer, die een jarenlange ervaring had in het plantagewezen. Terwijl hij met Reiner de boekhouding doornam, wandelde ik buiten op het erf rond en bekeek de goed onderhouden planterswoning.

Het plantagehuis was groot en ruim. Het fundament en de neuten waren van baksteen, met voor en achter een stenen trap. Het gebouw zelf was opgetrokken uit kostbare houtsoorten als bruinhart- en wanahout. Houten singels bedekten het dak.

De concubine van meester Andree liet me het huis zien. Op haar blote voeten liep de voluptueuze vrouw van kamer naar kamer en ik volgde haar met kleurige rokken omklede gestalte, mijn hakken tikkend op de houten vloer.

Beneden bevonden zich de galerij, het comfortabel ingerichte voorhuis en nog een kamer, en verder de achtergalerij, waarin de goed voorziene bottelarij en het magazijn. De galerijen en kelders hadden plavuizen vloeren. Alles was goed onderhouden en maakte een welvarende indruk. Suiker bracht nog altijd veel geld op en dat was aan het plantagehuis goed te zien, maar stellig was dat bij de woning van de eigenaar, de heer Van Schaak in Amsterdam, nog veel meer het geval.

De bovenste verdieping had vier prettig ingerichte kamers, twee kleine en twee grote. Reiner en ik zouden als gasten in de kleine kamers verblijven. Omdat deze plantage zo groot was, meer dan 3 500 akkers met 290 slaven, had Reiner bijna een week nodig voor zijn inspectie en verslag voor de firma. Daarna zouden we enkele kleinere plantages aandoen en ten slotte weer een grote suikerplantage, alvorens terug te keren naar Paramaribo.

Wat later vergezelde ik Reiner en *Gran Masra* Andree naar de rietvelden. Dat was een geheel nieuwe ervaring. Nog niet eerder was ik op de velden geweest die zo'n belangrijke factor vormden voor de Nederlandse economie. Met grote belangstelling deed ik dus mijn waarnemingen, die een diepe indruk op mij maakten.

De slaven hier in het binnenland zagen er anders uit dan die in de stad. Donkerder, meer authentiek. De nakomelingen van zoutwaterslaven, onvermengd, zonder het bloed van de blanken in hun aderen. In de stad waren alle schakeringen te zien, van roomwit en beige, via alle tinten van koffie met melk tot aan het purperglanzende ebbenhout. Maar hier waren alleen enkele huisslaven een teint lichter dan de rest van de slavenmacht, wier huid deed denken aan de donkerviolette schil van rijpe vijgen.

De hele dag was men bezig een stuk land op het bos te veroveren. Bomen werden omgehakt en gerooid, struiken werden gekapt. Alle houtafval moest worden versleept, de resten zouden later worden platgebrand. De zwarte lichamen glansden van het zweet, voeten zetten zich schrap om de zware, gevelde boomstronken te verplaatsen, spieren spanden zich. De zweep klapte om de inspanning nog te verhogen, kreunen en hijgen weerklonk terwijl de woudreus puur door mankracht langzaam over de drassige bodem werd geschoven. De blakerende zon brandde fel op de huid, tot regenwolken samenpakten en het hemelwater omlaag stortte op de zwoegende lichamen. De zon kwam weerom en verdampte water, droogde zweet en bloed op. De lucht was heet en vochtig, muskieten staken ongenadig. Dorst plaagde, honger knaagde, maar de rust liet verstek. Een bos bananen werd doorgegeven en de slaven aten, al werkende. Een kruik water leste, maar de vermoeide spieren ontspanden zich niet.

Vogels vlogen op, knaagdieren vluchtten uit hun holen, slangen kropen weg – het kreupelhout werd in brand gestoken. Rokend, walmend vatten de bosjes vlam, smeulend brandde de aarde. Meter voor meter zou het land in cultuur worden gebracht, maar elke centimeter verzette zich, vocht terug met zwermen bosmieren, met opschietend onkruid dat sneller groeide dan elk gewas, met insecten die de zorgvuldig geteelde bladeren wegvraten. Weggejaagd was het oerwoud, maar elke dag kroop ze terug, dreigde weer te overwoekeren wat gewonnen was. Het zaad van winstgevende gewassen ontkiemde in vijandige bodem en zodra de jonge loot door het aardoppervlak sneed, begon het gevecht met de jungle. De gretige horden hongerige beesten, van bladluizen en rupsen tot aan vogels en herten toe, betekenden niets, niets vergeleken met het razendsnel groeiende en onuitroeibare onkruid, dat man en macht vereiste om bedwongen te worden.

De blanken zaten te paard, de *basya's* schreeuwden bevelen, de mensenmassa werd opgezweept. De slaven deden wat hen was bevolen, werktuiglijk, zonder lust of plezier. Mannen en vrouwen hakten in de velden de manshoge, vuistdikke stengels suikerriet. Ze zwoegden zonder het vooruitzicht van loon of persoonlijk gewin, enkel gedreven door angst. Angst voor de striemende zweep aan het eind van de dag, als de opzichter vond dat er te weinig was gepresteerd. Angst voor verhongering, opsluiting en pijniging. Angst was de enige drijfveer voor hun onbarmhartig zware veldarbeid.

De donkere gespierde lichamen glansden in de zon, sterke armen tilden de zware bundels suikerriet en torsten ze op het hoofd naar de molen, het zweet gutsend van het strakke gezicht.

Plotseling werd ik bevangen door een verstikkend gevoel. De overweldigende zwarte massa slaven die ons blanke viertal omgaf, het omringende ondoordringbare oerwoud, de hitte, het leek allemaal een val waaruit geen ontsnapping mogelijk was. Wat als de ebbenhouten figuren die zwijgend hun taken in huis verrichtten of in het veld zwoegden, tot leven kwamen? Als ze tot het besef kwamen dat ze in aantal vele malen meervoudig waren aan ons, de witte meesters?

Gruwelijke gedachten benamen me de adem. Op elke honderd slaven was slechts één opzichter, en die was in veel gevallen zelf ook zwart. Met hooguit tien blanken, maar meestal minder, per slavenmacht van honderd man, was het werkelijk onbegrijpelijk dat de eersten nog steeds de baas waren. Wat kon daar toch de oorzaak van zijn? Wat maakte dat de slaven zich in hun lot hadden geschikt, en de vrije bevolking hoegenaamd niets vreemds in de situatie zag?

Natuurlijk, elke brutaliteit of zelfs maar een vermeende uitdagende blik, werd onmiddellijk ruw afgestraft en bij een collectieve opstand kwamen de gouvernementstroepen onmiddellijk in actie. Op wrede wijze werden vervolgens de schuldigen terechtgesteld, zodat de schrik er voor de anderen goed in zou blijven, voorgoed.

Misschien dat er daarom liever voor een individuele oplossing gekozen werd. Weglopen. Vluchten en de gevaren van het oerwoud verkiezen boven het leven in slavernij.

Een nieuw idee sloop mijn bewustzijn binnen. Ik sloot mijn ogen en probeerde de gedachte te grijpen, de beelden duidelijker te krijgen. Wat als de daarbuiten zwoegende, halfnaakte en met littekens en striemen overdekte figuren wit waren? Gruwend schrok ik terug voor het beeld van de bleke, verminkte en vernederde massa. Waarom was het idee van blanke slaven verschrikkelijker dan zwarte? Alsof het feit dat blauwe plekken en rode striemen op een zwarte huid minder goed zichtbaar waren, veronderstelde dat men dan ook minder leed. Nee, ik kon er niet onder uit, er zat in de theorie van de slavenarbeid een wezenlijk element van rassenwaan, het dogma van een zich superieur wanend ras.

Toen ik later aan het souper mijn zorgen tegenover de directeur uitsprak betreffende de overmacht aan slaven, stelde deze mij dadelijk gerust. Met twinkelende ogen vertelde hij mij dat er sinds jaar en dag een goede manier bestond om te voorkomen dat slaven zich tegen de blanken zouden verenigen. Het was een simpele, maar doeltreffende methode: per plantage werden slaven ingekocht van rivaliserende Afrikaanse stammen, of van stammen die elkaars taal niet verstonden. Hierdoor was het moeilijk om zich te organiseren en mogelijk onderwierp men zich nog liever aan de blanken, dan te leven onder het gezag van de ander.

Ik verwonderde mij over hetgeen ik hoorde.

Terwijl ik deze informatie nog liet bezinken, nam de directeur nu met een zorgelijke trek op zijn gezicht, opnieuw het woord. 'Wel is het zo,' zei hij, 'dat sedert de slavenhandel bij verdrag tussen Nederland en Engeland is afgeschaft, het moeilijker is om aan zoutwaterslaven te komen. De afgelopen jaren hebben andere methoden bewezen meer effectief te zijn. Ten eerste is een goede behandeling van de slaven noodzakelijk. Niet alleen omdat zieken en zwakken niet voldoende kunnen presteren, maar ook opdat er nageslacht komt, nu er geen verse arbeidskrachten meer kunnen worden aangevoerd.' Zijn vinger voor mijn onthutste gezicht schuddend, ging de *Gran Masra* verder: 'Maar daarmee zijn we er nog niet! Een plantage besturen is niet slechts een kwestie van cijfers of grond bebouwen. Hoe de slaven aan de arbeid te houden en oproer te voorkomen, daar zit 'm de kneep. Wees als een vader voor je werkers. Voed ze, verzorg ze, wees streng maar rechtvaardig, dan doen ze alles voor je. Zorg ervoor dat je de oudere slaven te vriend houdt door te vragen hoe het met hen gaat, geef hun nu en dan wat tabak of een ander presentje. Ze zullen je waarderen, en de jongere slaven ervan weerhouden tegen jou op te staan. Daar de jongeren de ouderen raadplegen en respecteren, is de kans klein dat er ongeregeldheden zullen uitbreken. Geef ze af en toe de gelegenheid te feesten, hun rituelen uit te voeren. Laat hun de vrije zondag voor eigen gebruik, opdat ze kunnen vissen, jagen, hun erf beplanten en geef hen toestemming de opbrengst te verkopen en de inkomsten voor zichzelf te houden. De slaven zijn gehecht aan hun geboortegrond, de plaats waar hun *kumbat'tei*, hun navelstreng begraven ligt. Geen enkele tevreden slaaf heeft er baat bij dat zijn leven door een opstand overhoop gehaald wordt. Voorkom chaos, stel regels en hou je eraan. Zorg ervoor niet te verslappen, want al te veel goedheid zullen de negers als zwakte zien.' Hij leunde achterover en bestudeerde belangstellend mijn reactie.

Hoewel wat hij zei beslist zinnig en humaan was, knaagde er toch onzekerheid aan mij over zijn redenering. Denkende aan mijn gemoedstoestand op de velden, waagde ik het te betwijfelen of de slaven van Constantia werkelijk zo tevreden waren als Gran Masra Andree meende.

Mijn gelaatsuitdrukking ziende, sprak hij toegeeflijk: 'Het is waar dat er te veel slavenhouders zijn die misbruik maken van hun macht. Die te veel vragen van hun slaven en te weinig geven. Die onrechtvaardig of wreed straffen. Zulke lieden vormen niet alleen voor hun eigen have een gevaar, maar voor de hele kolonie!' Grimmig keek hij voor zich uit, maar dan klaarde zijn gezicht op en hij pakte de karaf en schonk ons nogmaals in. 'Vrees niet, juffrouw,' sprak hij geruststellend. 'Hier in ieder geval, en op dit moment in de hele kolonie niet, hoeven we een opstand te verwachten. We hebben vredescontracten gesloten met alle belangrijke stammen van de bosnegers. Die voormalige haarden van onrust zijn geblust. De marrons zullen ons niet lastigvallen, de slaven zijn tevreden, wij kunnen gerust slapen.' Hij hief zijn glas.

Later op de avond, toen we ons voor wat vermaak in de salon ophielden, vroeg Reiner me iets op de piano te spelen.

'Daar ben ik niet goed in, Reiner,' wierp ik tegen.

'Ach, Regina, niet zo bescheiden, elke gouvernante kan toch piano spelen?' vond hij en opende de klep van het instrument, gebaarde uitnodigend naar de kruk. Met tegenzin ging ik zitten en begon na enig zoeken in de muziekbladen, te spelen.

De klanken kwamen onwennig, het was lang geleden dat ik me met muziek had beziggehouden maar zelfs toen tante Cornelie, mijn muzieklerares, nog leefde had mijn houterig spel haar niet kunnen bekoren.

Na een paar minuten van mijn geworstel met de toetsen riep Reiner: 'Ho, stop maar!' met een gepijnigd gezicht.

Abrupt brak ik mijn spel af. 'Ik zei toch dat ik er niets van kon,' zei ik gemelijk. Vlug stond ik op van het klavier.

Maar meester Andree wuifde mijn excuses weg. 'Geeft niets, juffrouw Winter! Zal ik u mijn gedichten eens laten horen, ik heb pas een spotdicht geschreven op onze gouverneur, baron Van Raders. Ik denk erover het naar de *Surinaamsche Courant* te sturen. Of misschien naar die nieuwe krant, het *Koloniaal Nieuwsblad*. Wat denkt u, zal ik het eens voordragen?' En directeur Andree stond op, schraapte zijn keel en begon met af en toe een blik op de beschreven vellen in zijn hand, te declameren. Het lange rijm ging over het idee van de gouverneur dat de toekomst van de kolonie bij de kleurlingen lag. Een belachelijk plan, volgens Gran Masra Andree, hetgeen hij met grote gebaren onderstreepte.

Tien coupletten lang hekelde de directeur de eigenschappen van de negers en kleurlingen, die niet het inzicht, organisatievermogen en talent voor de landbouw en economie zouden hebben, zodat de gouverneur ten slotte met een lege kas zou zitten en de kolonie tot wildernis zou vervallen. Met een buiging eindigde hij zijn voordracht.

Beleefd applaudisseerden we.

Toen vroeg ik: 'Maar denkt u dan dat de slavernij altijd zal blijven bestaan? In onze beide buurlanden is ze reeds afgeschaft.'

'Haha!' lachte meester Andree. 'Laat die daar maar rustig afgeschaft zijn!

Des te meer kansen voor ons om winst te maken! Klagen ze nu in Brits Guyana niet al steen en been dat er arbeidsloon betaald moet worden? En in Frans Guyana zal men dat ook al gauw merken. Nee, dan zijn wij beter af!'

'En toch,' weerstreefde ik, 'zullen de slaven op een gegeven moment hun vrijheid willen. Kijk maar wat er op de Franse Antillen is gebeurd! Daar kon men er echt niet meer omheen, en willen we dan dat er bloed vergoten wordt?'

'Mijn beste juffrouw,' sprak Andree ernstig, 'vrijheid is iets dat verdiend moet worden. Eerst moet bewezen worden dat men een beschaafd en arbeidzaam leven leidt. Men moet geduldig de tegenslagen van het leven kunnen aanvaarden en het geloof dienen—'

'Dan pas is men de vrijheid waard?' viel ik onze gastheer in de rede.

Reiner, de frons op mijn gezicht ziende, kwam ertussen en wendde zich tot meester Andree. 'Och, een glas van uw *jamun*-wijn zou nu goed smaken!'

Prompt schonk de directeur ons nog een glaasje zoete wijn, en er werd geproost op een goede oogst.

Het was al laat maar ik wilde Reiner spreken. Kon ik hem opzoeken in zijn kamer? De directeur had ons vanzelfsprekend twee verschillende slaapkamers toegewezen. Het was mijn bedoeling mijn kuisheid te bewaren tot we getrouwd waren en ik wist dus niet zeker hoe Reiner mijn bezoek zou opvatten. Ofschoon ik gewend was geraakt aan de zeden en opvattingen in de kolonie en de vrijheid waardeerde die ik hier als vrouw had, wilde ik de normen van mijn katholieke opvoeding niet prijsgeven.

Ik besloot me toch naar zijn kamer te begeven. Als mijn toekomstige echtgenoot zou Reiner mijn wensen toch zeker respecteren, en ik hunkerde ernaar mijn gevoelens over het plantageleven met iemand te delen. Als dat met mijn aanstaande niet kon, met wie dan wel?

Toch mocht ik geen aanleiding geven tot geroddel en daarom sloop ik zachtjes de overloop op naar zijn kamer toe. Het huis was aardedonker. Alleen uit mijn kamer, waarvan ik de deur op een kier had laten staan, viel wat kaarslicht naar buiten en verlichtte schaars de gang. Tastend langs de wand om niet te struikelen, schuifelde ik vooruit tot ik zijn deur genaderd was.

Toen hoorde ik de stemmen. Reiner zei iets. Een vrouwenstem antwoordde. Ik vroeg me af of hij nog een meid gevraagd had om zijn vuile wasgoed op te halen of zijn laarzen te poetsen, maar besefte tegelijkertijd wat het vragen om hulp op een dergelijk tijdstip voor een slavin kon betekenen. Het was alsof een steen op mijn borst gedrukt werd. Ik kon niet goed meer denken en bleef bewegingloos afwachten.

Er waren geen stemmen meer te horen, maar maakte dat de situatie niet des te verdachter? Moest ik naar binnen gaan of terugkeren naar mijn kamer en proberen te slapen? Ik bracht mijn hand naar de deurknop, aarzelde toch. Als er binnen niets aan de hand bleek, had ik niets te vrezen en bovendien zou er nog een soort van chaperonne voor mij zijn. Maar in het andere geval zou ik ons beiden onnoemelijk in verlegenheid brengen. Tenslotte was de keuze mijn maagdelijkheid te bewaren tot ons huwelijk, niet Reiners keuze, al respecteerde hij die. En in dit land waren de zeden zo anders... Ook al gebeurde in Europa precies hetzelfde en hadden mannen, vrijgezel of getrouwd, een maîtresse of bezochten ze bordelen, alles leek zich daar meer in het verborgene af te spelen.

Er klonk een gesmoord gekreun uit de kamer. Reiner. Ik draaide me om en sloop terug. Rillend kroop ik in bed en blies de kaars uit, maar liet de deur enigszins openstaan. Niet de nachtkoelte maar de schok had me doen beven. Bestormd door gedachten lag ik in het donker te luisteren of ik Reiners deur nog hoorde opengaan.

Mocht ik hem dit overspel kwalijk nemen? Wás het wel overspel, of betrof het een noodoplossing van mannen om hun driften te botvieren? Een verontrustende gedachte stak de kop op en bezorgde me nieuwe rillingen. Wat als hij hiermee wilde doorgaan als we getrouwd waren?

Nooit had ik erover nagedacht, argeloos als ik was had ik aangenomen dat mijn verloofde nog net zo onbekend was met de vleselijke liefde als ik. Nee, dat was onjuist. Van James had ik al wel begrepen dat mannen niet zo lang maagdelijk bleven als van vrouwen werd verwacht. Maar ik meende vanzelfsprekend dat Reiner sinds hij mij het hof maakte, van dergelijke avontuurtjes had afgezien en kuis de huwelijksnacht afwachtte. Een diepe teleurstelling welde op en ik liet mijn tranen stilletjes de vrije loop. Het beeld dat ik van de integriteit van mijn verloofde had brokkelde snel af. Zijn respect voor mij en zelfbeheersing zag ik nu in een ander licht. Dat hij mij altijd correct en galant behandelde en tegelijk zich zo zedeloos kon laten gaan! Hoe moest ik dat rijmen? Het was alsof hij uit twee verschillende personen bestond, waarvan één mij tot nog toe onbekend was.

Op de overloop werd een deur geopend. Mijn kamer lag tegenover de trap. Als er iemand omlaag zou gaan zou ik dat merken. Ik lag doodstil met gespitste oren en probeerde door de openstaande kier iets op te vangen van de passerende figuur.

Het flakkerende schijnsel van kaarslicht viel door de deurkier op de wand. Een schaduw passeerde. Iemand daalde voorzichtig de trap af. Ik kon niet zien wie het was, maar aan de lichte tred te horen moest het een tengere vrouw zijn die Reiners kamer blootsvoets verliet. En door het feit dat ze zich naar beneden gaf, moest het wel een slavin zijn die terugging naar de slavenverblijven.

Ik trok de dekens tot aan mijn kin en wachtte tot het beven afnam. De vrees die al eerder was opgekomen maar meteen verdrongen, keerde terug. Er was nu geen twijfel meer dat hij mij al eerder tijdens onze relatie ontrouw was geweest. Was dat in de kolonie niet zowat de gewoonte voor alle blanke mannen? En waarom zouden ze niet, met alle slavinnen die aan hen overgeleverd waren, en een samenleving die hen niet ter verantwoording riep voor hun daden, maar deed alsof er niets aan de hand was?

Morgenochtend zou er aan hem niets blijken van het gebeuren gedurende de nacht. Dat ik er nu iets van had bemerkt kwam doordat dit de eerste keer was dat hij en ik samen op reis waren. Zou hij zich in een reisgezelschap ook zo hebben laten gaan? Naast de schrik en de teleurstelling kwam een gevoel van spijt. Verdrietig voelde ik dat ik afscheid moest nemen van de Reiner die ik eerder had gekend, had ménen te kennen. Met de nieuwe Reiner, of beter gezegd de oude, zou ik moeten leren leven.

De tranen waren gestopt maar ik bleef piekeren tot de ochtend gloorde en ik uitgeput in slaap viel.

De volgende morgen begon met hoofdpijn en ik bleef langer in bed liggen, terwijl het huishouden al in gang was gezet. Met een zacht klopje kondigde Reiner zijn komst aan. Hij trad - uit fatsoen - de kamer niet binnen maar bleef op de drempel staan, de deur op een kier.

'Ik hoorde van de meid dat je je niet goed voelt. Blijf maar lekker liggen. Vandaag gaan Andree en ik de suikerrietvelden inspecteren. Dat zou toch veel te vermoeiend voor je zijn. Er is daar geen schaduw en de zon is moordend. Het is beter dat je wat uitrust. Het meisje brengt je ontbijt wel boven. Tot vanavond, Regina.' Hij wierp me een kus toe en sloot de deur.

Pas toen ik zijn voetstappen op de trap hoorde wegsterven, waagde ik van onder de deken uit te komen. Mijn gezicht was nog gezwollen van het huilen van de vorige nacht en ik voelde me verre van fit, maar ik had besloten vandaag eens rustig de zaken te overdenken. Het kwam goed uit dat de mannen de hele dag weg waren.

Na mijn ontbijt en een verkoelend bad zat ik op de veranda in de schommelstoel naar de tuin te kijken, onderwijl nadenkend over de gebeurtenissen. Reiner had mij diep gekwetst door mij ontrouw te zijn met een slavin. Op een of andere manier had ik aan onze verbintenis dezelfde betekenis gegeven als in Nederland gebruikelijk was. Waarom had ik me verbeeld dat voor mij, Regina Winter, uit het moederland afkomstige, begeerde blanke vrouw en hier door de mannen op een voetstuk geplaatst, een ander toekomstperspectief zou gelden dan voor de in Suriname geboren vrouwen, die lijdzaam ondergingen dat hun echtgenoten overspel pleegden, zelfs nageslacht verwekten bij slavinnen of vrije mulattinnen? Sommigen hadden zelfs geprobeerd de ongewenste concurrentie uit te schakelen door verleidelijke slavinnen onaantrekkelijk uit te dossen in wijde, uitstaande kleding die de lichaamsvormen verborgen hield. Anderen slaagden erin de rivale tijdig te verkopen, maar de ergste vormen van jaloezie openbaarden zich in mishandeling, vernedering, verhongering of verminking van een mooie slavin.

Als toekomstige Surinaamse echtgenote zou ik mezelf geestelijk moeten beschermen tegen dergelijke oplaaiende emoties. Ik zou enerzijds moeten kunnen genieten van mijn status en genoegen moeten nemen met de liefde van mijn man en hem wederzijds liefde schenken, en anderzijds zijn liefde en aandacht moeten delen en doen alsof mijn neus bloedde. Een positie die eveneens voorkwam in Holland, maar daar minder openlijk plaatsvond en bovendien publiekelijk veroordeeld werd.

En hoe zat het met mijn gevoel voor zedelijkheid en mijn godsvruchtigheid? Kon ik de voor mij nieuwe normen accepteren zonder mijn eigenwaarde en katholieke beleving te verliezen? Zou ik Reiner in mijn bed kunnen ontvangen, als ik wist dat hij bij een andere vrouw had geslapen? Mijn hoofd tolde van de tegenstrijdige gedachten.

Ik zou de verloving moeten verbreken. De zuiverheid die ik van de huwelijkse staat verwachtte zou zich nooit manifesteren in een verbintenis met Reiner. En de liefde dan? Hield Reiner minder van mij als hij zich met andere vrouwen onderhield? Ik wist het niet. Zijn genegenheid voor mij leek immers niet minder. Ik kwam er niet uit. Mijn verstand zei me de relatie onmiddellijk op te geven. In de kolonie waren genoeg andere mannen die mij graag zouden willen huwen, en waarschijnlijk hielden niet alle mannen er een promiscue levensstijl opna.

Maar mijn gevoel leek zich nog aan Reiner vast te klampen. De hoop dat een gesprek met een geestelijke, bisschop Grooff misschien, Reiner tot inkeer zou brengen en uitkomst zou bieden, de redenering dat een trouwe echtgenote (en dat was ik door mijn verloving al bijna) vergiffenis moest schenken aan haar zondige, maar berouwvolle man...

Wat zou Reiner doen als ik hem met mijn ontdekking zou confronteren? Half en half hoopte ik hem te bekeren. Maar wat als zou blijken dat hij beloften van trouw niet kon nakomen? Chaotisch bleven gedachten en emoties door mijn hoofd malen. De heftigheid van gevoelens die ik sinds mijn komst in de kolonie ervoer, van geluk, vrijheid, verontwaardiging of walging, leken nog eens zo versterkt, alleen leek ik nu van de toppen van het paradijs naar het dal van verstoting te zijn gevallen. Het liefst was ik meteen naar de stad terug vertrokken. Het vooruitzicht nog bijna een week op de plantage te moeten doorbrengen en de nachten te vrezen, was te veel.

Ik stond op en begon te ijsberen over het balkon, toen ik beneden stemmen hoorde. Mij over de balustrade buigend, zag ik een paar negers die manden met kippen, knollen en vruchten droegen, waarmee ze naar de waterkant liepen. Met een schok besefte ik dat dit mijn kans was. Vlug rende ik naar beneden en riep de meid om me te helpen.

Even later was alles geregeld. De meid had de mannen gevraagd mij mee te nemen op hun maandelijkse reis naar de markt in Paramaribo. In alle haast pakte ik mijn spullen, geholpen door de verbouwereerde meid. Reiner liet ik een kort briefje, waarin ik vertelde mij niet wel te voelen, maar dat hij niet bezorgd hoefde te zijn en gerust zijn verblijf kon voortzetten. In Paramaribo zouden we elkaar weerzien. Het briefje liet ik achter op het dressoir in zijn kamer. Hoewel Reiners kamer intussen opgeruimd was en er keurig uitzag, kon ik het niet verdragen daar lang te vertoeven.

Beneden controleerde ik nog even de bagage en ging toen met de mannen mee zonder acht te slaan op de huishoudster en de voorman, die me bezwoeren nog een paar dagen te wachten, opdat ik een comfortabeler reis zou hebben. De sjofele vrachtboten waren immers niet geschikt voor het tere gestel van een blanke vrouw. Er waren geen ruime zitplaatsen voor de wijde damesrokken, geen gordijnen voor de felle zon.

Maar het kon me niets schelen. Klauterend over de zanderige jutezakken met cassave, bundels kleverig suikerriet en bananen, zocht ik me een plek om te zitten. Mijn kleren werden vuil en ik wist dat mijn gedrag onbegrijpelijk was voor de bedienden en slaven. Maar onverzettelijk nam ik plaats tussen de vracht en stak mijn parasol op. De huishoudster gaf haar geklaag om mijn goeie goed en mijn welzijn op, en bleef meewarig aan de kant staan kijken hoe de boot door de mannen werd afgezet en naar dieper water geduwd, waarna de duwers aan boord klommen en begonnen te roeien. Vanaf de boot zag ik de plantage snel kleiner worden.

Een gevoel van opluchting overviel me. Ik hoefde Reiner en degene die hij had uitverkoren vanavond niet meer onder ogen te komen. Na het ontbijt was een meisje in mijn kamer verschenen om het bed op te maken en ik had mij afgevraagd of zij degene was die 's nachts bij Reiner was geweest. Maar ik had geen aanwijzingen en voelde er allerminst voor dat verder uit te zoeken.

Reiner was de persoon die ik verantwoordelijk hield voor het gebeurde.

Nu ik van de plantage was verlost, keek ik pas goed om me heen. We voeren met drie boten, elk met vier roeiers, de eigen oogst van de slaven vervoerend om in de stad te verhandelen. De mannen spraken in hun zangerige, af en toe door korte kreten onderbroken taal. Ze namen me nieuwsgierig op, maar zeiden niets tot mij en ik wist niet of ze Nederlands verstonden. Zonder begeleider was ik eigenlijk aan hen overgeleverd, maar ik werd te veel door mijn gedachten in beslag genomen om me onveilig te voelen.

Toen we een paar uur gevaren hadden, bood een van de mannen mij een kruik met water en een uitgeholde kalebas aan. Dankbaar laafde ik me aan het koele vocht uit de kalebas. Daarna gaf ik de zware kruik terug aan de oudere man, bedankte hem en keek hem daarbij in het vriendelijke gezicht. Ik werd getroffen door zijn blik, waarin ik merkwaardig genoeg medeleven meende te lezen. Hoe konden deze mannen iets weten van mijn wedervaren, laat staan meeleven, temeer daar een hunner door mijn verloofde was misbruikt?

Maar dan bedacht ik dat het mogelijk het nagelaten vertoon van gezag was, dat hun waardering opwekte. Een blanke, nota bene een vrouw, die geen eisen stelde aan comfort of diensten, was blijkbaar zeldzaam. Het feit dat ik zonder klagen tussen hen en hun vracht in zat, me niet bekommerend om mijn kleding, was voldoende om hun sympathie te winnen. Op mijn beurt schaamde ik me, dat ik hun werk verzwaard had door ongevraagd met mijn bagage aan boord te komen zonder verder iets nuttigs te kunnen doen. Ik nam me voor hen elk aan het eind van de reis een klein bedrag te betalen. Dit was eigenlijk niet gebruikelijk, aangezien slaven niet in loondienst waren. Maar directeur Andree had al verteld dat zijn slaven hun zelfverdiende geld mochten houden en dus zou hij het vast niet erg vinden als ik de roeiers voor hun moeite wat toestopte, al hoefde dat uit oogpunt van de plantagegastvrijheid niet.

Ik realiseerde me dat de angst die me op de velden van Constantia overvallen had, geheel was verdwenen. Ik voelde dat de mannen mij niets zouden aandoen, maar mij daarentegen juist zouden beschermen. Zonder hun hulp zou ik de reis trouwens onmogelijk kunnen maken.

Met krachtige, regelmatige slag dreven de roeiers de boot vooruit, we schoten flink op en zouden tegen de middag de stad bereiken.

Als ik had gehoopt bij Walther op medeleven te kunnen rekenen, kwam ik bedrogen uit. In eerste instantie had men verrast op mijn onverwachte thuiskomst gereageerd. Walther bleek niet meer naar De Punt te zijn vertrokken. Verward en verfomfaaid was ik de woning aan de Waatermolenstraat binnengelopen en had vervolgens in de huishouding een ommekeer van lome landerigheid naar een stroom van activiteiten teweeggebracht. Mijn bagage moest door Coen worden afgehaald aan de haven bij de Platte Brug. Elena sjouwde met emmers badwater zodat ik me kon gaan opfrissen en zette daarna iets te eten voor me klaar. Ondertussen waren er nieuwsgierige blikken van de meid en onuitgesproken vragen van Walther. Zelfs de kinderen keken om het hoekje van de keukendeur.

Pas nadat het middagmaal voorbij was en de meid met mijn nog halfvolle bord naar de keuken vertrokken was, kwam de gelegenheid mijn hart te luchten. Mijn ogen nog steeds gezwollen van de afgelopen nacht vergoten tranen, deed ik haperend mijn beklag over Reiners gedrag.

Uiterlijk onbewogen hoorde Walther mijn verhaal aan. Zijn arm op de leuning van de stoel, zijn hoofd rustend in de kom van zijn hand, luisterde hij, zonder me te onderbreken. Hij was inmiddels ouder geworden, gegroeid van kwajongen naar jongeman. Onze verhouding van leerling en lerares, die de laatste maanden reeds meer was gaan neigen naar een vriendschappelijke band, was in dit moment van nood geheel naar de achtergrond verschoven.

Ik schrok toen Walther na mijn relaas onverwachts losbarstte.

Hij stond op en liep met driftige stappen door de kamer op en neer. 'Jullie zouden maar wat graag willen dat we je vergaven, en vragen om onze liefde. Om jezelf schoon te kunnen wassen, vrij te pleiten, je onschuld terug te kunnen vinden. Of erger: om ongestoord van je rijkdom te kunnen genieten, met een gesust geweten te kunnen gaan slapen. Vergeet het maar! Waarom zouden we jullie onze ontvoering, knechting, ontwrichting, onze slavernij vergeven? Zonder bezwaar scheiden jullie families en geliefden, bestraffen karakter, verzet en zelfs angst, breken botten en hanteren de zweep genadeloos. Waarom zouden wij van jullie houden? Maar bij God, we dóen het. We hebben jullie lief, verzorgen jullie kinderen als was het onze eigen kroost, nee, beter nog, want onze kinderen kennen wij niet, die groeien op bij de creolenmama, die ze bij het gros verzorgt. Waarom denk je dat we er het liefst het zwijgen toedoen? Wat zouden we er niet allemaal uitbraken, als de zweep en de beul niet bestonden! Als je ons zou kunnen verstaan! Maar voor jullie is de taal ongevaarlijk, en je hebt gelijk: wat kunnen onze beschuldigingen jullie doen? Nee, je hebt ongelijk, de taal ís gevaarlijk, ze kan het gezag doen ontsteken in razernij, in blinde woede, de tong doen afsnijden van de brutale opstandeling. En toch, de taal is zwak. Wat kan ze, wat kan ze zeggen tegen haar witte vader als die niet luistert?'

Verbouwereerd door de onverwachte uitbarsting wist ik niets anders uit te brengen dan een gestameld: 'Maar ik heb geen slaven! Ik heb nooit slaven gehad!' Het lag me al op de lippen om te vragen naar zijn eigen slaven, maar de gekwelde uitdrukking op zijn gezicht weerhield me nog juist.

Op dat moment drong ten volle tot me door wat de betekenis van Walthers woorden was. Zijn betoog tegen het misbruik van zijn ras, zoals mijn verloofde misbruik had gemaakt van de slavin van plantage Constantia en van wie weet nog hoeveel andere plantagedochters, was gericht tegen mij, tegen Reiner, tegen vader Wellington en heel het blanke ras, dat een situatie had gecreëerd waarin zij God konden spelen tegenover een zwijgende meerderheid.

Een verward gemompeld excuus van mijn kant deed mijn aanklager smalend lachen.

'Hoe kun je deze zotternij uitleggen aan een blanke, het is alsof een ziende aan een blinde verklaart hoe je je ogen moet gebruiken. Zwijgen. Zwijgen betekent niet onze instemming, noch onze nederlaag. Zwijgen is ons wapen, onze dekmantel. Onder het rookgordijn van onbewogen gezichten, van een nietszeggende glimlach, schuilt datgene wat jullie vrezen: wat denken de zwarten van ons? Wat denken die dienaars, die alles zien en niets zeggen? Ze zwijgen, ze denken niet, ze geven nooit een mening, ze zouden niet weten hoe. De blanke zou niet weten wat hem overkwam als de stomme knecht zijn mond opendeed. De meester zou niet weten hoe snel hij hem met de zweep weer moest doen sluiten. Als de doos van Pandora moet alles verborgen blijven, een geheim tussen slaaf en meester. Zij verzwijgen onze zonden om hun huid te sparen, maar wat zeggen ze onder elkaar? Ben je daar benieuwd naar? Dat zou gemakkelijk zijn, Regina, als je ogen had in je nek. Achter je rug om is er gefluister, maar draai je om en er is niets meer te bekennen, geen besmuikt gezicht, geen verholen haat. Wat zou het ze baten? Slechts slaag en vernedering. Ze hebben geleerd te lachen om pijn, leed van anderen. En bij henzelf bestaat het niet, een fantoompijn die in de verbeelding van het leven bestaat. En is leven iets anders dan pijn?'

De tranen liepen over mijn wangen. Tranen om mijn verdriet en hun smart, de wanhoop van de grote, zwarte, naamloze massa op de plantages en in de stad. Ik had er geen woorden voor.

En hij, hij zweeg, eindelijk uitgesproken wat altijd tussen ons, tussen hem en de anderen speelde. Tussen hen en blanken. Er zou geen verlossing of toenadering komen, hoe konden wij de geschiedenis veranderen? Een machteloos, hopeloos gevoel overviel me en ik snikte het uit.

Opeens waren zijn armen om me heen. En ik huilde uit tegen zijn schouder terwijl hij troostende woorden sprak. Troost, onverdiend, zoals de straf van Reiners bewezen ontrouw. Het was vreemd dat ik steun moest vinden juist bij de meest onrecht aangedane partij. Onbewust had ik al geweten dat ik niet terecht zou kunnen bij de plantagehouder of bij Augusta. Die zouden het gebeuren wegwuiven als ware het de loop van de natuur, zonder erkenning van het blanke falen.

Toen het snikken bedaard was, werd ik me zijn lichaam gewaar, dat tegen het mijne aandrukte, de tederheid van zijn omhelzing en zijn gezicht zo nabij. Voorzichtig hief ik mijn hoofd en keek hem aan.

De toornige uitdrukking op zijn gezicht was verdwenen, de bittere trek om de mond had plaatsgemaakt voor een kwetsbaarheid die ik niet van hem kende. Weg was de spot van de Zwarte Lord, de woede om het onrecht, de boosheid van de miskende zoon. Zijn ogen waren bruine poelen waarvan ik de diepte probeerde te doorgronden. Langzaam streek ik mijn hand over zijn wang en zag iets in zijn houding veranderen. Een flikkering in zijn ogen alsof ook hij iets gedurfds wilde ondernemen, iets dat onze beide gekrenkte zielen misschien kon genezen... Onze gezichten naderden elkaar en plotseling gedreven door de noodzaak om recht te verkrijgen, trok ik hem naar me toe en drukte mijn lippen op zijn mond.

Zijn lichaam verstijfde, met schrik besefte ik de grens overschreden te hebben die een fatsoenlijke gouvernante bij haar pupillen zo streng diende te bewaken. En dan zelf de overtreedster te zijn was ondenkbaar - ware het niet dat dit juist was geschied. Het schaamrood steeg naar mijn wangen toen we ons ongemakkelijk van elkaar losmaakten.

In een poging onze houding terug te vinden, begonnen we onze kleren met krakend geritsel glad te strijken. Terwijl ik een losse haarlok terug in mijn kapsel streek, maakte een gevoel van mislukking zich van mij meester. Gefaald als gouvernante, mislukt als wettige vrouw. Opnieuw sprongen de tranen me in de ogen. Schaamte en zelfmedelijden brandden als een merk op mijn huid. Ik durfde mijn leerling niet aan te kijken, het was een grote fout geweest hem in vertrouwen te nemen over mijn persoonlijke problemen. Dat had de verhouding tussen ons op zijn kop gezet. Hoe zwaar het me ook viel, ik moest dit meteen rechtzetten.

Pas toen ik mijn hoofd naar hem ophief, bemerkte ik Walthers pijnlijke gelaatsuitdrukking. Ondanks alles voelde ik weer de gewonde trots in mijn vrouwelijkheid te zijn afgewezen, nu tweemaal in een etmaal, dacht ik onredelijk. Teleurstelling over alles en vooral over mezelf wegduwend, begon ik me stamelend bij hem te verontschuldigen.

Walther onderbrak me echter: 'Nee, nee, Regina, het is niet wat je denkt...'

In verwarring zwegen wij beiden.

Met een ongelukkig gezicht hernam hij dan: 'Nee, dat is het niet. Het is... Bonham is mijn beste vriend...'

Ik staarde hem aan. Het was heel attent van hem om me de schaamte te besparen en van onderwerp te veranderen, maar wat ik me had veroorloofd, ging voor een gouvernante echt te ver.

De emoties op mijn gelaat ziende, sprak hij vriendelijk tot mij: 'Trek het je niet aan, Regina.' Schuld versmolt onder de klank van medeleven in zijn stem. Hij leek zichzelf weer volledig onder controle te hebben. 'En bovendien... Er zijn nog andere goede mannen.' Hij keek veelbetekenend.

Maar hier kon ik hem niet goed volgen. Ik had mijn belofte al aan Reiner gegeven. Die kon ik toch niet bij de eerste de beste tegenspoed verbreken? Dit was een moeilijkheid die we zouden overwinnen. Ik zou met hem praten.

En over welke andere mannen had Walther het trouwens? Frederik? Sammi? James? Het bleef toch allemaal hetzelfde. Alle mannen hadden hun liefjes, hun zwakheid. Reiner verruilen voor een ander zou maar lood om oud ijzer zijn.

Zesentwintig

JUNI 1848

La Troupe had een nieuw lid erbij. Zijn naam was Vincent en hij was een gedoopte indiaan van de Arowak-stam. Bij onze reis naar Pruimeboomstrand had ik nader kennis gemaakt met indianen en hun kennis van de natuur leren waarderen. Op hun kalme wijze hadden ze ons tijdens de tocht gegidst en bijgestaan, hun aanwezigheid haast onopvallend, maar onontbeerlijk. Niet zelden had ik me verbaasd over de kwaliteiten waarover deze natuurmensen beschikten. In het pikkedonker konden ze moeiteloos hun weg vinden, zowel in het bos als op de rivier. Onze kostbare levens waren veilig in hun handen.

Al liepen onze gidsen vrijwel naakt, het adamskostuum was volledig in harmonie met de omgeving zodat de mannen er niet eens bloot uitzagen. Zij vormden als het ware een eenheid met de natuur.

Maar Vincent was anders. Als katholieke jongeman liep hij niet naakt rond, maar droeg een kuitbroek en een hes. Zijn haar droeg hij schouderlang en de bamboefluit die tussen zijn riem stak, was zijn lievelingsinstrument.

Vincent was door Madame Akouba aan La Troupe toegevoegd na een bezoek aan de Marktplaats. Zij keerde van de Combé terug met een mandje fruit op haar hoofd, statig als altijd. Achter haar wijde rokken volgde Vincent, in zijn armen de rest van de boodschappen. Toen hij het vaatje wijn en de kruik palmolie in de bottelarie had gezet, liep hij naar het achtererf en begon de verwaarloosde tuin schoon te maken. Na een paar uren werken met houwer en *tyap*, snoeimes en palmbezem, was de tuin weer toonbaar. Er liep zowaar een pad doorheen, dat met schelpen was bestrooid. De indiaan klom in de sinaasappelboom en bracht een zak vol vruchten naar beneden. Madame Akouba besloot een paar kippen te kopen en Vincent bouwde een hok. Hij was al snel onmisbaar.

Ik was geïnteresseerd geraakt in de indiaanse cultuur en nu ik de gelegenheid had informatie te krijgen van iemand van het volk dat oorspronkelijk Suriname bewoonde, werd ik geïnspireerd tot het schrijven van een nieuw stuk. Avonden zat ik met Vincent aan tafel bij de olielamp aantekeningen te maken en ondervroeg hem over het Arowakse pantheon. Hoewel gewoonlijk weinig spraakzaam, antwoordde hij steeds beleefd op al mijn vragen. We waren al enige avonden bezig toen Vincent opeens opmerkte dat hij mij al eens eerder had gezien.

'Je bedoelt vóór je bij Madame Akouba kwam?' vroeg ik verwonderd. 'Waar dan?'

Tot mijn verrassing antwoordde hij: 'Weet Misi Winter niet meer? Bij de Gouverneur. Op het feest.'

Met een schok keerde de herinnering in mijn hoofd terug. Het tableau met de indianen! Vincent was een van hen geweest. Natuurlijk had ik hem niet herkend, in traditionele dracht en beschildering zag hij er heel anders uit dan in zijn Europese kleding. Grappig, dat hij mijn gezicht wel onthouden had. Hij moest wel een erg goed geheugen hebben. Met enige weemoed dacht ik aan het feest terug. Het was de avond waarop ik Reiner voor het eerst had ontmoet. Wat was ik toen nog puur en onwetend over wat de toekomst mij zou brengen...

Maar ik vermande me en keerde terug naar het heden. Vincent noemde me juist enige Arowakse benamingen en ik schreef alles op.

Oriejo = watergeest
Ogojoeno = watergodinnen
Awadoelli = de wind
Belleliroe = de bliksem
Haddalli = de zon
Janoeale = de regenboog

De melodieuze namen inspireerden me om mijn idee verder uit te werken. Ik zou een nieuw stuk schrijven voor La Troupe, een stuk dat ook geschikt zou zijn voor kinderen. Een sprookje over de watergeest Oriejo leek me een goed idee.

Schrijven voor La Troupe gaf me afleiding van mijn problemen met Reiner. Ik wenste dat ik wat meer wist van mannen. Tante Cornelie en soeur Agnes hadden mij beiden raad betreffende mannen en het huwelijk gegeven, maar geen van beiden was ooit getrouwd geweest. Hoe moest ik de kwestie aanpakken? Ik had wel gehoord dat mannen moeite hadden hun lusten te bedwingen. Een zedig leven scheen voor het mannelijk geslacht te veel gevraagd te zijn, al knaagde wel de vraag van het waarom. Wat maakte dat mannen, ongeacht of het hoge heren betrof of werklui, een vrouw wensten te bezitten, ongeacht de huwelijkse banden?

Het idee dat mijn verloofde bevrediging moest zoeken in de armen van andere vrouwen, van slavinnen, was afstotelijk. Tot voor kort zou ik het zelfs niet voor mogelijk hebben gehouden dat Reiner tot zulke ontrouw in staat was en had ik Frederik van Roepel nog geminacht om zijn insinuaties.

Maar sedert ons bezoek aan de plantage was het een bewezen feit. Ofschoon mijn ogen niets hadden waargenomen, konden mijn oren mij niet bedriegen.

Beelden doken op uit mijn geheugen: Reiner die zijn ogen niet van Mirre af kon houden, Mirres uitdagende houding en de lichte spot toen ze mij de wonderkoek aanbood op het feest. Waarom waren beiden hierna verdwenen? Hadden ze de tijd dat ik uitgeteld in de tuin lag, samen doorgebracht?

Pijn begon weer te kloppen bij mijn slapen. Ik sloot mijn ogen en wreef over mijn voorhoofd terwijl de gedachten bleven malen.

Deed ik er verstandig aan mijn aanstaande man af te wijzen? Maar zou zijn honger gestild blijven met mijn overgave? Alle keren dat hij voor zijn werk naar de bovenlanden moest en op de plantages overnachtte...? De gewillige armen die hem tot nu toe altijd hadden gewacht waar hij ook kwam – zou dat veranderen door ons huwelijk?

Als ik heel eerlijk moest zijn had Reiner nooit enige spijt getoond over zijn ontrouw. Nimmer had ik iets van schuld of berouw aan hem gemerkt over zijn avontuurtjes in binnenland of stad. Zijn humeur bleef opgeruimd en zorgeloos, zijn geweten onbezwaard. Ook zijn gevoelens voor mij leken onveranderd. Ik zou tevreden moeten zijn over het feit dat ik, eenmaal getrouwd, de constante in zijn leven zou zijn, zijn huis en haven, de beheerder van zijn goed, de moeder van zijn kinderen. Degene die zijn naam en eer zou dragen.

Mijn hart deed zeer in mijn borst. Bijna wenste ik onwetend te zijn gebleven over de escapades van mijn aanstaande. Maar mijn gezond verstand wist dat iets dergelijks nooit eeuwig verborgen zou blijven. Het had er zelfs de schijn van dat Reiner me dit opzettelijk had laten weten. Als een waarschuwing voor wat me te wachten stond, want hij zou zijn leven op dit gebied zeker niet beteren.

Al mijn ideeën over het huwelijk waren omvergegooid. Het romantische ideaal van de brave huisvader, waarmee ik Reiner onbewust geassocieerd had, was wreed verstoord. Alleen als ik mijn ogen kon sluiten voor wat er gebeurde, zou dit beeld bewaard blijven en zou ik Reiners constante zijn. Wilde ik dit wel?

En wat was het alternatief? Ongetrouwd in Nederland, of de kans op huwelijk en moederschap in Suriname? Andere mannen zouden net zo goed problemen geven: Sammi met zijn huishoudster en halfbloedkinderen, Frederik, die mogelijk op zedelijk gebied dezelfde ondeugden had als Reiner...

Ook James was niet vies van een avontuurtje met een toneelspeelster en met wie weet welke anderen nog.

En Reiner bleef Reiner: charmant en goedlachs, galant en geïnteresseerd. Wie zou niet smelten onder de aandacht van die vrolijke bruine ogen?

Liggend op bed probeerde ik de gebeurtenissen te ontrafelen, pijnigde mijn hoofd over de rol die mij was toebedeeld. Eén ding wist ik zeker: nooit meer zou hij mij onder hetzelfde dak bedriegen. Mij een nieuwe vernedering besparen, zoveel was hij mij wel verschuldigd.

Maar als ik Reiners vrouw zou worden, als ik kon accepteren wat hij buiten ons huwelijk deed, dan wachtte mij toch nog het echtelijk bed. Zou ik daar zijn wat hij verwachtte? En wat verwachtte ik daarvan? Een droevig gevoel besloop me. Ik had geen verwachtingen. Mannen wilden niets liever dan vrouwen in bed krijgen, maar wat hadden de vrouwen daaraan, afgezien van het moederschap?

Nee, het spel waar Giulietta van had gesproken, het genot dat zij met James had gedeeld, bleef voor mij onbekend en vooralsnog ongewenst. Toch, als ik met Reiner verder wilde, moest ik leren wat tot nog toe verboden was geweest. Ik zou moeten proeven van Eva's appel.

Mevrouw De l'Isle had de tafel door haar slavinnen laten afruimen en trok zich terug na mijn verzekering dat ik zelf wel thee zou schenken. Even had ze geaarzeld en een blik geworpen op de schommelstoel, misschien had ze een borduurwerkje overwogen, waar ze zich al chaperonnerend mee bezig zou kunnen houden. Maar mijn besliste houding had het gewenste effect en ze vertrok, zij het schoorvoetend.

Het kon me niet schelen wat de vrome hospita van me zou denken en of er over mij geroddeld zou worden. Als de zeden hier al losser waren, ontkwam ik er toch niet aan, het voornoemde drong zelfs al mijn leven binnen. En ik wilde weten waar ik mee te maken had.

Reiner had het zich gemakkelijk gemaakt op de *dyarususturu*, de 'jaloeziestoel', zoals het sierlijke zitmeubel genoemd werd, omdat er nét plaats was voor twee personen, maar niet voor een derde. Hoe toepasselijk, dacht ik ironisch, maar ik ging er toch bij zitten.

'Ben je niet boos meer?' vroeg Reiner en de tederheid in zijn stem was als balsem voor mijn gewonde hart. Hij sloeg zijn armen om me heen en trok me op zijn schoot. 'Ik ben blij dat je niet meer boos bent, Regina.' Zijn lippen liefkoosden mijn wang. De gordijnen bij de balkondeur bewogen licht door de luchtstroom. Van buiten klonken stemmen, een poortdeur sloeg en de geluiden stierven weg.

Ik leunde tegen hem aan en al mijn moed verzamelend stelde ik de vraag: 'Reiner, ik wil weten wat er gebeurt tussen man en vrouw - nee, niet dát, pas als we getrouwd zijn...' haastte ik me te zeggen, zijn verraste gezicht ziende. 'Maar... kun je me niet wat leren?' Ik wist zelf niet wat ik van hem verwachtte - of toch wel, ergens vaag was er de herinnering aan Aerdenhouts onzedelijke betastingen. Het was geen prettige gedachte. Ongemerkt was ik rechtop gaan zitten. Een beetje stijfjes plukte ik aan mijn rok.

'Lieveling...' Reiner was verguld. 'Weet je het zeker? Ben je niet bang voor je reputatie?'

Ik schudde mijn hoofd. 'Iedereen kent mij toch al als je verloofde. Maar denk eraan, we wachten tot we getrouwd zijn.'

'Natuurlijk, Regina, maak je geen zorgen. Ik heb toch nooit iets tegen je zin gedaan?'

Iets meer ontspannen leunde ik weer tegen hem aan. We kusten elkaar een poos en Reiner liet zijn handen over mijn lichaam dwalen. Ik kon niet zeggen of ik het prettig vond of niet. Behalve de druk en de warmte van zijn handen voelde ik niets. Zou hij wel iets voelen over alle lagen kleding heen?

Maar het volgende moment had hij mijn rok van opzij wat omhoog getrokken en liet zijn hand eronder glijden. Onwennig huiverde ik toen zijn vingers over de huid van mijn benen en knieën dwaalden. 'Niet zo bang kijken,' fluisterde Reiner, 'ontspan je nu maar.' Hij glimlachte en zijn ogen schitterden. 'Ik zal het fijn voor je maken, Regina.' Weer kuste hij me. Zijn hand gleed naar mijn dijbeen. Ik dacht aan wat Giulietta had gezegd: voor vrouwen scheen het niet zo eenvoudig te zijn als voor mannen. Maar te oordelen naar haar gesmoorde kreten die middag...

Haastig ging ik overeind zitten.

'Regina?' Reiner klonk verontrust. 'Wat is er? Heb ik je pijn gedaan?'

'Nee hoor.' Ik stond op. 'Ik heb het alleen zo warm.'

'Ik ook.' Hij glimlachte alweer. Voor ik het wist was ook hij opgestaan en begon mijn japon los te knopen.

Nu ging het me toch te ver en ik hield zijn handen tegen. 'Nee, Reiner. Zo is het genoeg.'

Teleurgesteld hield hij op en keek me gekwetst aan. 'We zijn nog maar net begonnen.' Hij liet zich weer op de bank zakken en keek toe terwijl ik mijn lijfje tot aan de hals dichtknoopte.

Onder het balkon hoorde ik het grind knerpen. Mevrouw De l'Isle drentelde door de tuin, ongetwijfeld nieuwsgierige blikken naar boven werpend.

Reiners vrolijke aard won het van de teleurstelling. Plagend zei hij: 'Jij bent niet de enige die het warm heeft gekregen...' en vervolgens knoopte hij zijn hemd los. Terwijl hij het hemd op de grond liet vallen strekte hij zijn arm naar me uit.

Opeens voelde ik me opstandig jegens mevrouw De l'Isle en alle anderen die me zouden veroordelen omdat ik mijn verloofde beter wilde leren kennen. Mijns ondanks kwam ik weer bij hem zitten. Deze keer was ik degene die voorzichtig aftastte wat nog zo nieuw voor me was. Zachtjes liet ik mijn vingers over zijn borst gaan, voelde de krulletjes haar, betastte de huid van zijn armspieren, rook behoedzaam aan zijn hals.

Reiner zei niets meer, alleen zijn adem ging wat sneller.

Ten slotte nam hij me in zijn armen en drukte me tegen zich aan. Zwijgend bleven we een poos liggen. Ik lag met mijn hoofd tegen zijn borst, hoorde zijn hart kloppen. En voor het eerst sinds dagen voelde ik me weer gelukkiger.

'Juffrouw Winter, ik weet dat het een hele poos geleden is dat we bij elkaar kwamen, maar ik heb uw medewerking nodig.' Frederik van Roepel keek me van over zijn bureau aan. Het was inderdaad bijna vier maanden geleden dat we onze laatste bijeenkomst in onenigheid beëindigd hadden. En sinds ik Walther mijn bekentenis had gedaan, had ik geen rapport meer uitgebracht. Ik wist nu immers van Frederiks boze plannen. Het verbaasde me dat Van Roepel mij na zo'n lange tijd toch weer had laten komen. Wat zou de man te zeggen hebben?

De relatie met Walther was na mijn zwakke moment van de verboden kus, gelukkig vrij snel genormaliseerd. Aanvankelijk waren we beiden wat ongemakkelijk in elkaars bijzijn, maar mijn gepieker over Reiner en Walthers eigen beslommeringen over de plantage maakten dat we niet lang bij het incident waren blijven stilstaan. Sinds ik de Zwarte Lord steeds beter was gaan begrijpen, deelde ik niet meer Frederiks wantrouwen en bezorgdheid. Ik zou directeur Van Roepel ervan moeten overtuigen dat Walther zich wel redden kon. Maar dat viel niet mee. Mijn argumenten over Walthers vorderingen bij de lessen en zijn groeiende verantwoordelijkheidsgevoel stelden de directeur geenszins gerust.

'Weet u nog wat er deze maand in Europa is gebeurd?' bracht Van Roepel me in herinnering. 'De drie bloedige dagen van Parijs? Meer dan twintig duizend arbeiders en schooiers hebben op de barricades tegen het Franse leger gevochten. Men zegt dat er duizenden doden en gewonden zijn gevallen. Nog eens duizenden zijn gearresteerd en gevangengezet.'

Ik streek met mijn hand over mijn voorhoofd, waar ik een opkomende hoofdpijn voelde. Wat was er aan de hand met Europa? Overal was het gezag aan het wankelen, was er oorlog en opstand, vloeide er bloed. Zo veel onrust en overal tegelijk, van Sicilië tot aan Hongarije, van Denemarken tot aan het Osmaanse Rijk. Duitsland, Frankrijk, Oostenrijk, Italië. Zelfs Nederland bleef niet gespaard van hervormingen. Alleen Engeland en Rusland schenen de dans te ontspringen.

'Mijn beste,' sprak Van Roepel, 'het is niet meer alleen in Europa. Ook hier in het Caraïbisch gebied, denk maar aan de Antillen en Martinique, hebben we nu bloedige revoltes. We moeten aan onszelf denken. De situatie is veel te hachelijk om nog langer werkeloos toe te kijken. Ik heb dan ook besloten te handelen. Blackwell moet gestopt worden vóór hij onherstelbare schade aanricht. Een kwaadwillige in het bezit van kapitaal is nu eenmaal een uiterst riskante factor voor de rust van de kolonie!'

Geschrokken keek ik op. 'Mijnheer, u vergist zich! Het is mijn schuld als u denkt dat Walther Blackwell zich bezighoudt met anarchistische activiteiten. Ik kan u echter verzekeren dat dat niet zo is!'

Koortsachtig dacht ik na hoe ik Walthers bestellingen van chemicaliën kon verklaren zonder zijn geheim prijs te geven.

Maar Van Roepel ging daar niet op in. 'Juffrouw Winter,' sprak hij gedecideerd, 'u bent niet zo goed op de hoogte als u denkt. Weet u wat Walther uitspookte toen hij zogenaamd voor rust in het kuuroord op De Punt in Nickerie verbleef?'

Mijn veelzeggende zwijgen werd door de man met nauwelijks bedwongen triomf ontvangen. Hij haalde diep adem alsof hij een aanloop moest nemen en onthulde dan: 'Mijn informant wist me te vertellen dat Blackwell in het geheim meerdere ontmoetingen heeft gehad met uitschot van de haven, matrozen, mogelijk marrons van óver de rivier. Uit Brits Guyana!'

Kalm keek hij me in de ogen om mij ervan te doordringen dat ik slechte keuzen maakte, wat vriendschap en trouw betrof.

Ik was verslagen. Sinds Brits Guyana vijftien jaar geleden de slavernij had afgeschaft, was het inderdaad verboden om contact te hebben met Berbice. Een patrouilleboot waakte zelfs op de grensrivier de Corantijn, om te voorkomen dat slaven de vrijheid zouden zoeken door de oversteek te wagen, of dat onruststokers uit Brits Guyana zouden overkomen. Nu ik met Walther bevriend was geraakt en we elkaar zelfs gevoelens en geheimen hadden toevertrouwd, had ik niet verwacht dat Walther nog geheimen voor mij had. Maar hierin bedrogen besefte ik dat ik nog steeds de naïeve miss Winter was, nog niet veel wijzer dan toen ik uit Holland vertrok.

Mijn gelaatsuitdrukking ziende, vervolgde de directeur: 'Weet u wat de straf is voor het smeden van een complot? Samenzweerders komen er bij het gezag niet mals vanaf, dát kan ik garanderen.'

Een gevoel van paniek rees in me op. 'Wat... wat bent u van plan?' wist ik uit te brengen.

Er gleed een trek van voldoening over Van Roepels gezicht. 'Beste juffrouw,' zei hij, 'ik heb u reeds eerder gewaarschuwd voor het gezelschap waarin u verkeert. Het is nog niet te laat. Zoals u ziet hebt u nog steeds mijn volle vertrouwen, en terecht, denk ik.'

Ik bloosde vanwege mijn opzettelijke nalatigheid Walthers openbaring aan de directeur door te brieven.

Van Roepel kwam dicht bij mij staan. 'Regina, het is nog niet te laat. Kies voor het juiste! Samen kunnen wij die zwarte nep-Lord zijn fortuin afhandig maken. Hij verdient het niet en vormt een gevaar! Laat die rooie vriendjes achter je, ze zullen je in problemen brengen. Trek desnoods in bij Augusta en mij, we zullen je van harte een thuis bieden!'

Ik staarde hem aan. Zijn gezicht was rood en bezweet. Hij wiste zich het voorhoofd af met een zakdoek en vervolgde: 'Met jouw en mijn getuigenis en alle informatie die ik heb, kan ik de autoriteiten vragen om het beheer van de plantage op mij over te dragen. De Koloniale Raad bestaat uit de belangrijkste planters van de kolonie. Deze heren vinden het niet prettig om hun gezag ondermijnd te zien door zo'n zwarte nar!' Gespannen keek hij me aan.

Ik stond op. 'Het spijt mij, mijnheer, maar ik kan u geen medewerking verlenen. Mijn taak was een heer te maken van mijn pupil, niet hem te beroven van zijn erfdeel. Als Walther Blackwell verkeerde ideeën koestert, is het onze plicht hem weer naar het juiste pad te leiden.'

Frederik werd nog roder dan eerst. De aderen op zijn slapen zwollen op en zijn ademhaling ging gejaagd. Met stijgende woede had hij mij aangehoord en begreep dat onze wegen zich nu definitief zouden scheiden. Bovenal realiseerde hij zich dat hij veel te veel had losgelaten tegenover iemand die zijn vertrouwen niet waardig bleek te zijn. Met opeengeklemde tanden beet hij me toe: 'Dit zal u berouwen! Mijn zuster en ik hebben u met niets dan goedheid overladen en u steeds trachtten te waarschuwen. U bent niet te helpen. Pas maar op! Ik zou niet in uw schoenen willen staan als de autoriteiten zullen afrekenen met de ongewenste elementen in hun midden!'

Zonder verder een woord te zeggen liep ik naar de deur. Voor ik deze achter me sloot ving ik nog een glimp op van Van Roepel. Hij stond met zijn armen strak langs zijn lichaam met gebalde vuisten naast het bureau. Zijn toegeknepen ogen wierpen me een blik vol haat toe.

Zevenentwintig

JULI 1848

Walther en ik waren enige weken op Lemuel geweest. Op de plantage gaf ik hem nu ook les, zij het korter vanwege zijn verplichtingen ter plekke. Om Margaretha Brammerloo echter niet te lang op haar lessen te laten wachten zou ik eerder vertrekken.

Walthers taak op de plantage was verzwaard sinds hij Frederik ontslagen had. De directeur had de eerder geleden nederlaag niet kunnen verkroppen. Het feit dat hij zijn slinkse plannen niet had kunnen uitvoeren en ook mijn medewerking kwijt was, had hem roekeloos gemaakt en in een vlaag van frustratie had hij Walther uitgescholden op kantoor en gedreigd Blackwells plantage door de Raad te laten onteigenen. Natuurlijk had Walther hem ontslagen.

Reiner en James arriveerden op Lemuel. Ze hadden beiden een week op een plantage aan de bovenstroom gewerkt, Reiner als controleur en James als jager. Op hun terugweg naar de stad kwamen ze mij ophalen, waarna we nog één plantage voor Reiners werk zouden aandoen. Mis' Amajé gaf ons een stuk *boyo* en wat sinaasappels mee voor onderweg. We zouden overnachten op de koffieplantage Perou, waar meester Schuller administrateur was.

Het had geregend onderweg, maar toen we bij Perou aanlegden, was de lucht weer opgeklaard. Terwijl Reiner met de administrateur en zijn grootboeken aan de slag ging, besloten James en ik de benen te strekken in de nog vochtige plantagetuin. De geharkte paden waren met wit schelpenzand bestrooid, zodat er geen modderplassen waren blijven liggen. Na een regenbui leken de bloemen en planten altijd nog uitbundiger dan anders, frisgewassen en met parels bedroppeld.

Het was een mooie tuin, uit de rozenperken rezen stenen beelden op van met bloemenkransen getooide blanke nimfen die gulle hoornen des overvloeds torsten. Struiken met oranjegele *krerekrere*-bloemen, volumineuze, dieprode bollen *fayalobi* en tere trossen roze bruidstranen dongen om het hardst naar de gunsten van de zoemende bijen en de fladderende kolibries. Trage vlinders wiekten naar de lonkende bloemen, dronken uit bonte kelken.

Toen we het eind van de achtertuin bereikt hadden, maakte James plotseling een gebaar van verrassing. Hij liep naar de heg en zocht tussen de struiken, trok aan ranken die van achter de natuurlijke omheining tussen de heesters door groeiden. Even later had zijn speuren resultaat en trok hij een tros van de slingerplant tevoorschijn, die zich van buiten het erf aan de heg omhoog had gewonden. Tussen de groene bladerpracht vertoonden zich bloemen met platte, ronde kelken. James reikte ernaar en plukte twee kelken, gaf mij er een en hield de andere in zijn handpalm om te bestuderen.

Het was een lief bloempje, dat geen opvallend aroma bezat, maar wel een bijzondere vorm. Ik bekeek de bloem, die uit twee purperen schulpen gevormd was, de fijne nerven als minieme aders vertakt vanuit de kloof in het midden, waar de kleur lichtgeel was en de lichte uitstulping van de lavendelkleurige stempel als een klein accent oprees.

'Wat een mooie bloem,' merkte ik op, 'hoe heet ze?'

Zonder op te kijken antwoordde mijn metgezel: 'Ze heet "meisjespoentje". Vanwege de gelijkenis met het lichaamsdeel wordt ze gewoonlijk door brave ouders uit de tuin verwijderd.'

En toen, met een dromerige uitdrukking op zijn gezicht, liet hij zijn vingers langzaam strelend over de tere bloembladen gaan, liefkozend over de fluweelzachte huid.

Terwijl tot me doordrong wat James had gezegd, voelde ik mijn gezicht rood worden. Het was alsof ik aan de grond was vastgenageld. Onwillekeurig stokte mijn adem. Met neergeslagen ogen poogde ik mezelf onder controle te krijgen, wat tot mijn schaamte alleen maar resulteerde in een van moeizame ademhaling zwoegende boezem. In mijn verwarring leek het of de zachte bloem in mijn geopende hand in gewicht toenam, ofschoon ze natuurlijk even licht bleef. Eer ik weer durfde opkijken, was James verder geslenterd. Ik had niet eens gemerkt dat Reiner achter mij opgedoken was.

'Ha, ben je hier,' zei hij opgewekt. Tot mijn geluk wist ik mezelf vlug te hernemen en borg de bloem in mijn hand om haar later ongemerkt in het gras te kunnen laten vallen. Ik voelde me betrapt, al had ik feitelijk niets onbetamelijks gedaan. Reiner gaf me een arm en terwijl hij vrolijk vertelde van zijn gesprek met de administrateur, liepen we terug naar het huis.

Ik stond weer met James in de tuin. Opnieuw hield hij de bloem met de provocerende bloeiwijze in zijn hand en bestudeerde haar aandachtig. Maar deze keer bracht hij haar voorzichtig naar zijn gezicht, als om het parfum in zich op te nemen. In plaats daarvan echter, hield hij de kelk bij zijn mond en drukte met zijn lippen teder een kus op de zachte kroon.

Met een schok werd ik wakker. Mijn hart bonsde terwijl ik me ervan bewust werd dat ik me in de donkere slaapkamer bevond, de tuin nog helder in mijn geest. En niet slechts de tuin.

Ik kwam overeind en liep naar het raam, opende de luiken. Dit gevoel was volslagen onbekend voor mij. Het was alsof ik uit een winterslaap was ontwaakt en de wereld plots in een nieuwe, bloeiende lentegedaante aanschouwde. Ik voelde me in staat naakt in de tuin te gaan dansen, die baadde in het maanlicht. Terwijl ik over de zacht verlichte tuin uitkeek, bedwong ik deze romantische opwelling met de gedachte aan de muskieten en ander ongedierte, dat ongetwijfeld in het gras verborgen zat.

Maar de ongewone drang iets te doen bracht me op een ander idee. Ik ontstak een kaars en liep naar de zijkant van de klerenkast. Daar stond de grote spiegel die ik bij mijn entree in de mij toegewezen kamer had aangetroffen, nog steeds met de rug naar de kamer gekeerd. Ik tilde de spiegel op en plaatste deze voor de kastdeur, nu met de spiegelende zijde naar mij toe.

Toen trok ik mijn wijde nachthemd over het hoofd en liet het op het bed vallen. Naakt stond ik voor de spiegel en bekeek voor de eerste keer mijn hele lichaam werkelijk, mijn blote benen, mijn buik, mijn borsten, mijn rug en billen. Al draaiend voor de spiegel voelde ik zowel schuld om mijn ijdelheid, als verrukking om wat ik zag. Ik geleek op de Eva van de vrome schilderijen en gravures, of op de Venus, zo vaak uitgebeeld in marmer of brons. Alleen voelde ik mij noch heilig, noch heidens.

Of toch: zondig, maar zonder de wanhoop die Eva overviel, eerder met de kiemen van het hedonisme, onvermoed in mijn zwarte ziel. Mijn lange haar viel los omlaag en schoof met mijn bewegingen mee over de naakte rug. Nooit eerder had ik dit ervaren, gewend als ik was mij steeds met mijn hemd aan te wassen of te kleden. Zonder de belemmering van het linnen vloeide mijn eigen haar zacht prikkelend over mijn huid. Langzaam liet ik mijn handen over de vormen van mijn lichaam gaan, met verwondering vergelijkingen makend met de lijven van de halfnaakte slavinnen die ik had gezien. Ik wist door het beeld van de oudere vrouwen hoe mijn lichaam eruit zou gaan zien als ik oud werd, slap en gerimpeld, misschien nog in toom gehouden door een korset. Maar opstandig bedacht ik dat ik niet wilde verschrompelen zonder ooit te weten wat Giulietta had bedoeld.

En voor het eerst begreep ik dat ik dat gevoel nooit zou ervaren bij mijn verloofde. Ik was niet verliefd op Reiner, zijn aanraking deed me niets. Ten onrechte had ik mijn ongevoeligheid aangezien voor zuiverheid. Mannen, en vrouwen als Giulietta, mochten dan de lust omwille van haarzelf kunnen volgen, ikzelf voelde dat het smachten bij de liefde hoorde.

Misschien moest ik dan mijzelf veroordelen, dat ik zou trouwen in wederzijds respect, maar niet uit liefde. Zoals ik mijn persoon eerder nooit met een bruiloft had geassocieerd, zo had ik romantiek en passie niet als noodzakelijk voor het huwelijk beschouwd. Een huwelijk was *fatsoenlijk*, de juiste weg voor een meisje, en moederschap was de bestemming voor de vrouw. Door de Kerk bezegeld, bij wet bevestigd en door vele dichters en sentimentele schrijvers bejubeld.

Nee, als ik mezelf nu moest veroordelen, dan was dat om wat een andere man in mij opriep terwijl ik trouw aan mijn verloofde behoorde te zijn. Mijn woord was al gegeven en mijn hand geschonken, aan het hart kon geen gehoor gegeven worden. De plicht was wat telde. Ik zou deze gevoelens diep wegstoppen. Dat zou niet moeilijk moeten zijn, mijn hele opvoeding was immers al gericht geweest op dienstbaarheid en zelfopoffering. En ik had nu al meer dan ik ooit van het leven had verlangd.

'Masra Frederik voor Misi.' Elena's zachte stem bracht de boodschap terwijl ik boven in mijn kamer zat te lezen.

Walther was op Lemuel. De middag was net aangebroken, de tijd na de siësta, wanneer de burgers een wandelingetje gingen maken, elkaar opzochten, de tijd voor visites met een kop thee of een glas wijn. Maar de laatste keer dat ik Frederik had gesproken was niet bepaald de opmaat voor een gezellig bezoekje geweest, dus fronsend vroeg ik me af wat de oud-directeur van Walther kwam doen.

In de salon zat Van Roepel te wachten, zijn ene been nerveus wippend. Zijn houding veranderde echter op slag toen hij me in het oog kreeg. Hij ging rechter zitten en zijn buik puilde naar voren, met zijn loerende blik leek hij een pad die de vlieg opwachtte.

Na de vormelijke begroeting gingen we tegenover elkaar zitten. Frederik schraapte zijn keel en begon: 'Juffrouw Winter... Is u iets bekend over uw ouders?'

'Mijn ouders?' zei ik stomverbaasd, ik had van alles verwacht maar niet een dergelijke vraag. 'Waar doelt u op? Heeft u iets met hen van doen?'

Hij bleef zwijgen.

Ik voelde me onrustig worden terwijl hij me tartend aan bleef staren. 'Mijnheer, als u een boodschap hebt, zou ik die nu graag horen,' zei ik ten slotte. 'Ik heb nog meer te doen...'

Frederik keek me hoofdschuddend aan en stak plotseling van wal: 'Het is moeilijk te geloven, maar als ik goed kijk, zie ik het wel: u bent een kleurlinge. Om precies te zijn: een mesties.'

'Wat?' vroeg ik in verwarring gebracht. 'Waar heeft u het over?'

Frederik ging verder, zijn gezicht glimmend van genoegen. 'Ik heb navraag gedaan naar uw vader, Adriaan Winter, die dertig jaar geleden op de katoenplantage Pietersburg kwam werken als huisleraar van de jonge Abraham Vieira. Bij een bezoek aan de naburige plantage Dageraad, ontmoette hij de slavin Jozina, op wie hij verliefd werd. Het lukte hem met zijn leraarsinkomen niet haar vrij te kopen en om meer geld te verdienen nam hij ontslag en ging goud zoeken in de binnenlanden. Dat leverde ook niet het gewenste bedrag en de twee besloten weg te lopen. Ze vluchtten en het duurde geruime tijd voor men erachter kwam waarheen het paar vertrokken was.' Frederik wachtte even en bestudeerde me.

Ik was met stomheid geslagen en staarde hem aan.

Tevreden vervolgde de oud-directeur: 'Adriaan en Jozina waren vertrokken naar de plek die later vrijstaat Columbia werd, een stad aan de oever van de Saramacca-rivier, later speciaal gemaakt voor vrije negers. In die periode was dat echter nog niet zo, er woonden wel vrijlieden, maar er was nog geen politiepost, zodat er geen controle was over wie er kwam en ging. Enige jaren woonden ze daar in afzondering tot ontdekking dreigde. Voor een ontsnapte slavin en haar medeplichtige zijn de straffen niet mals, bovendien was Jozina zwanger. Ze wisten weer te ontvluchten en niemand hoorde ooit meer iets van hen. Tot u hier weer opdook. Wat een vreemd toeval!' Geamuseerd keek Van Roepel me aan.

Ongemerkt was ik begonnen te beven. Wat vertelde hij daar? Een of ander verzonnen verhaal over iemand anders dan mij. Ik voelde me beslist niet betrokken bij de onzin die hij had uitgekraamd.

Of toch wel? Twijfel knaagde bij het horen van de namen van de hoofdrolspelers, mijn vader Adriaan Winter en de mij onbekende moeder Jozina van Halm.

'Ze heette Jozina van Halm!' bracht ik uit. 'Ze had een achternaam, dan moet ze wel vrij geweest zijn!'

Met geveinsd medelijden schudde Frederik van Roepel zijn hoofd en weerlegde het argument. 'Kijk, juffrouw Winter, de vluchtelingen moesten natuurlijk een andere identiteit aannemen. Het heeft me dan ook veel moeite gekost de geschiedenis van uw ouders te achterhalen. Jozina's achternaam is verzonnen. Haar eigenares is de gravin De Pagès te Soetermeer!'

Dat was de druppel, meer kon ik niet verdragen. Onbeheerst riep ik uit: 'Wat insinueert u mijnheer? Er kan geen sprake van zijn dat dit verhaal ook maar op enige waarheid berust!'

Ik had hem nu weg kunnen sturen, maar iets in mijn achterhoofd zei me dat het nog niet voorbij was, dat ik meer informatie moest hebben.

En die kwam ook, helaas. Met een triomfantelijk gebaar haalde Frederik een papier tevoorschijn. 'Hier is een brief van meester Brak, blankofficier op de plantage Dageraad waar uw moeder slavin was. Het bevestigt mijn verhaal.' Hij rommelde in zijn tas en haalde nog meer papieren tevoorschijn. En hier is de brief van de heer Vieira, die als kind is onderwezen door Adriaan Winter. Hun getuigenissen bevestigen mijn bewering en leiden tot de conclusie, mijn beste Regina, dat jij niet lang meer vrij zult zijn!' Hij produceerde een duivelse glimlach. Terwijl Frederik zijn blikken onbeschaamd over mij liet dwalen en ik als versteend zat, schoof hij me de papieren toe. 'Houd u deze afschriften maar, als u me niet gelooft. De originelen bewaar ik, vanzelfsprekend.' Hij stond op en voegde er grijnzend aan toe: 'Voor de zekerheid!'

Toen ging hij weg.

Een storm raasde in mij, boosheid, angst en verwarring joegen door mijn aderen, onzekerheid en twijfel sloegen toe. Beurtelings warm en koud, zat ik bevend met de brieven in mijn handen. Mesties? Eén kwart negerbloed? Hoe kwam hij erbij?

De letters dansten voor mijn ogen terwijl ik de documenten trachtte te ontcijferen. Fragmenten drongen door tot mijn half verdoofde brein. Ten slotte lukte het me de brief van meester Brak te ontcijferen.

> De huisleraar Winter werd tijdens een bezoek aan onze plantage verliefd op de slavin Jozina en vroeg directeur Perrin toestemming haar te mogen kopen. De directeur weigerde; het was duidelijk dat de heer Winter niet over voldoende fortuin beschikte om een jonge, waardevolle slavin, die zou bijdragen aan het slavenbestand op de katoenplantage, te kunnen vergoeden.
> Hierop besloot Winter naar de goudvelden te trekken. Enige jaren zocht hij in de rivierbeddingen van het oerwoud naar goudklompjes. Van tijd tot tijd keerde hij naar Dageraad terug om Jozina nog immer het hof te maken.
> Perrin had uit goedheid de slavin Jozina al die tijd bewaard, maar zijn geduld raakte op. Het was duidelijk dat het Adriaan Winter niet zou lukken het vereiste bedrag bij elkaar te krijgen en Jozina zou een van de slaven als man toegewezen krijgen om voor kinderen op de plantage te zorgen. Dit was aanleiding voor het paar om te vluchten.

Het verbaast en verheugt mij zeer dat u hun nakomeling hebt weten op te sporen. Voor zover ik kan bedenken, komt zij plantage Dageraad en haar eigenares gravin De Pagès te Soetermeer rechtens toe, daar Winter het ontstolen bezit nooit heeft vergoed.

Met de meeste hoogachting,
Alphons Brak
destijds blankofficier op de Dageraad

Nee, dat kon niet waar zijn! Ik kon mijn ogen niet geloven. Werd daar werkelijk over mij gesproken alsof ik iemands bezit was? Dat was absurd. Een onwerkelijk gevoel maakte zich van mij meester, terwijl allerlei beelden in razende vaart door mijn hoofd schoten: mijn vader die mij als peuter over mijn bol aaide, tante Cornelie die met mij op schoot het medaillon van mijn ouders liet zien.

Het medaillon! Ik schoot overeind en holde de trap op naar mijn kamer. In de ladekast zocht ik gejaagd naar het sieraad.

Met het kleinood in mijn hand plofte ik op het bed neer en staarde naar de portretten. Mijn vader kon goed tekenen, ik had zijn talent geërfd. Met intense concentratie bestudeerde ik de afbeeldingen, alsof ik de overledenen wilde dwingen zich uit te spreken.

De beide portretten eens zo vertrouwd, leken nu haast van vreemden. Te veel wat verzwegen was in het verleden, te weinig wat ik wist. Maar waarom zou ik mijn hoofd pijnigen om te proberen me iets te herinneren wat mij nooit verteld was? Ik wist zeker dat nooit iemand in mijn omgeving iets over de afkomst van mijn moeder had verteld of betwijfeld. Was dat mijn vaders geheim geweest? Zijn droevige ogen op de vergeelde tekening staarden mij aan.

Mijn blik dwaalde naar het fijne portretje van mijn moeder. Ronde wangen en elegante Franse krulletjes, als van Joséphine de Beauharnais, de vrouw van keizer Napoleon. Maar... was ook Joséphine niet afkomstig van de Caraïben, van Martinique? Een Creoolse, alleen had zíj wel blank bloed. En mijn moeder? Aan haar lieve gezicht was niets te zien dat aan Suriname herinnerde, geen getinte huid, vollere lippen of kroezig haar. Maar dergelijke kenmerken...

Ik stond op en liep naar de spiegel. Langzaam haalde ik de spelden uit de wrong op mijn hoofd. Mijn lokken vielen over mijn schouders, het uitbundig krullende, blonde haar. Blond zoals geen Hollandse was. Blond als het bruine vlas van het koren, blond gemengd met zand. Een nieuwe kleur.

Ongelovig plaatste ik mijn vingers tegen mijn gezicht, de goudbruine teint van mijn handen contrasteerde met de rozige gloed op mijn wangen. Een nieuwe teint.

Mijn grijze ogen, mijn volle lippen, het was alsof ik mezelf voor het eerst zag. Zelf blank, maar haast onzichtbaar getekend door één kwart negerbloed.

Ach, mijn vader. Dat ik daar niet aan had gedacht. Hij had mijn moeder afgebeeld als de Romeinse evenknie van een slavin, als een Romaanse schone.

Achtentwintig

EIND JULI 1848

'Belachelijk! Het is zijn woord tegen het jouwe!'

Ik had Samuel nog nooit zo opgewonden gezien. Met gefronste wenkbrauwen tuurde hij door zijn brilletje naar Van Roepels papieren, alsof ergens een uitweg te vinden was. Een blos kleurde zijn anders bleke gezicht rood.

'We moeten je afkomst en je gelijk zien te bewijzen,' zei James.

Meteen nadat ik weer bij zinnen was gekomen had ik al mijn vrienden bij elkaar getrommeld. Alleen Walther was nog op de plantage en zou het nieuws later te horen krijgen.

'Heb je geen geboorteakte? Een manumissiebrief van je moeder?'

Iedereen had hoogst verbaasd op Frederiks aantijgingen gereageerd, Reiner en Samuel geloofden er zelfs niets van, alleen James scheen Walthers vroegere werknemer in ernst te nemen.

'Een manumissiebrief? Het idee!' Reiner verwierp James' voorstel met een verachtelijk gebaar.

Maar James ging door: 'We moeten een advocaat nemen!'

'Jazeker!' zei Reiner misnoegd. 'Een advocaat om die kwaadspreker eens snel de mond te snoeren! Zulke geruchten kunnen iemand nog lang achtervolgen en het leven zuur maken! Ah! Ik wou dat ik erbij was geweest, dan had ik die vent zonder pardon de deur uitgegooid.'

'Nee, maar kijk eens,' wees James. 'Die brieven zien er geloofwaardig uit en tenslotte weet je vrijwel niets over je vaders doen en laten in Suriname, daar heeft hij je mee, Regina. We moeten de zaak serieus aanpakken.'

'Laten we dat vooral doen,' zei Reiner sarcastisch. 'Alles wat we ter verdediging ondernemen zal slechts voeding geven aan de geruchten. We moeten in de aanval gaan, die snoodaard op zijn eigen terrein ervan langs geven, dát zal de mensen overtuigen!'

'We moeten het Hof van Politie overtuigen,' pleitte James weer. 'Enkel een verbaal offensief helpt Regina niet aan haar papieren. Zie je niet dat ze in gevaar verkeert?'

Ernstig keek James ons aan. De uitdrukking op mijn gezicht ziende voegde hij er vlug aan toe: 'Daarom moeten we haast maken met het verzamelen van bewijzen! Er zal nu echt niets gebeuren, maar we moeten die schurk vóór zijn, voor de Koloniale Raad weer bij elkaar komt. Daar moeten de vertegenwoordigers van Nederlandse bezitters beslissen over wat er in Suriname gebeurt. Als het gaat over bezit van gravin De Pagès te Soetermeer, dan kan deze zaak ter sprake komen. Maar het kan nog twee maanden duren voor de Raad weer bij elkaar komt. Intussen kunnen wij aan de slag. Het zal heus wel lukken.' Zijn woorden stelden me niet gerust, maar toonden wel een weg uit de chaotische toestand waarin ik me bevond. Uiterlijk gedroeg ik me zo kalm mogelijk, maar nog steeds voelde ik me alsof dit alles me niet aanging en ik van buitenaf naar mezelf keek. Mijn handen schonken thee en mijn mond beantwoordde vragen, maar mijn hoofd bleef leeg en verdoofd.

Bezorgd vroeg Samuel: 'Wat kunnen we dan doen? Er zijn geen archieven meer, de Grote Brand van '32 heeft alles vernietigd. Het is allemaal langer dan twintig jaar geleden gebeurd, niemand zal nog precies iets weten, misschien zijn de betrokken ambtenaren wel al dood!'

'Des te beter!' Reiner sloeg met de vlakke hand op tafel en deed de kopjes rinkelen. 'Dat bewijst eens te meer dat we met leugens van doen hebben! Hoe eerder we dat sujet ermee confronteren, hoe beter. Daarmee lijkt me de kwestie afgedaan!' Hij schoof zijn stoel achteruit en stond op.

'Reiner?' vroeg ik onthutst.

'Campenaar!' James' stem klonk geërgerd. 'Zie het nu eens onder ogen, dit kan een flink probleem worden! We moeten voorbereid zijn, op onderzoek uitgaan.'

'Wel, vriend, als jij die zot van Van Roepel gelooft, moet je dat zelf weten. Ik verspil geen tijd meer aan deze dwaasheid.' Hij boog zich naar mij toe en gaf me een kus op het voorhoofd. 'Regina, laat al die onzin toch! Het is nergens goed voor. Ga maar wat rusten. Morgen zien we wel verder.'

Ook Samuel en James stonden op.

'Maak je geen zorgen, Reggie,' sprak James, 'we zullen het wel uitzoeken.'

'Hou het intussen wel stil,' opperde Samuel, 'je weet maar nooit.'

'Ik ben bang dat Frederik het niet stil zal houden,' mompelde James.

'Dat moet er nog bij komen!' riep Reiner uit.

Het werd een vreemde, slapeloze nacht.

Mijn verleden was niet duister, het was blanco. Blank, vanwege de invulling ervan. Wit, vanwege de leegte, de leemten erin. Ik kon me er geen voorstelling van maken. Mijn wortels waren een witte verdoezeling, het zwarte houtskool weggeveegd op het blad van mijn leven, mijn jeugd in wit krijt bijgeschreven. Het resultaat was een staat van voortdurende onwetendheid, een bestaan gebouwd op wankele, onzichtbare basis.

Af en toe sluimerde ik in en schrok dan weer wakker, de vragen spokend door mijn hoofd. Had tante Cornelie ervan geweten? Of zuster Agnes? Koortsachtig zocht ik in mijn geheugen naar aanwijzingen, tekenen van een stil geheim. Maar het leek niet waarschijnlijk dat zij mijn afkomst verborgen hadden gehouden. Soeur Agnes zou mij anders stellig afgeraden hebben naar Suriname te gaan, dat zou veel te gevaarlijk voor mij zijn.

En tante Cornelie zou de soeur toch heus in vertrouwen hebben genomen, zeker met haar sterfbed in het vooruitzicht, ook al was er destijds nog geen sprake van dat ik naar het buitenland zou gaan. Nee, mijn vader moest zijn geheim in zijn eentje hebben gedragen, en met reden. Hij wilde niet gevonden worden en mij af moeten staan. Tot die althans vertroostende conclusie gekomen, overmande mij eindelijk de slaap en ik zakte weg in vergetelheid.

De volgende morgen ontwaakte ik met het gevoel in een nachtmerrie te zijn beland. Lusteloos kleedde ik me aan. Van het ontbijt dat Elena had klaargezet kon ik niets door mijn keel krijgen.

Terug in mijn kamer bleef ik Frederiks papieren bestuderen en bracht de uren piekerend door. Het was een opluchting toen ik Walthers stem beneden hoorde. Hij was terug van Lemuel. Misschien dat hij mij kon overtuigen van de dwaasheid van Frederiks aantijgingen.

'Regina?' vroeg Walther verbaasd toen hij mijn bleke verschijning zag. 'Wat is er? Ben je ziek? Ik zal Coen wel sturen om de Brammerloo's af te zeggen, je moet gaan liggen.'

Dankbaar voor zijn bezorgdheid glimlachte ik, maar ik wuifde zijn maatregelen weg. 'Ik moet je iets vertellen,' sprak ik en overhandigde hem de brieven van Frederik.

Met een vragende blik nam hij de brieven in ontvangst en ging ermee aan tafel zitten. Tijdens het lezen hief hij af en toe zijn hoofd op en keek naar mij. Gespannen wachtte ik zijn reactie af, alsof mijn redding ervan afhing. Verrassing, afkeuring en grimmigheid wisselden elkaar af op zijn gezicht, maar ongeloof hoorde er tot mijn teleurstelling niet bij.

'Hm. Dus toch...' mompelde hij toen hij alles had gelezen.

'Wat?' riep ik vertwijfeld uit. 'Wist jij hier iets van?'

'Nee, nee, natuurlijk niet,' haastte hij zich te verklaren, 'maar...' Een korte stilte volgde. Toen zei hij: 'Ik wist het meteen die eerste dag dat ik je zag in de salon. Maar toen je begon te bewegen, kreeg ik twijfels. Je bewoog je als een rasechte Hollandse.'

'Wat, hoe dan?' vroeg ik confuus.

'Wel, eh, snel. Vlug, als om de kou te ontvluchten. Sneller dan in de tropen goed voor je is.'

Toen ik hem met opgetrokken wenkbrauwen aan bleef kijken voegde hij eraan toe: 'Maar je scheen je niet van enig gemengd bloed bewust. Dus heb ik er geen aandacht meer aan geschonken.'

Het duizelde me. Dat anderen hadden gezien waar ikzelf niets van had geweten!

Walther kwam ter zake. 'Je positie is nu riskant geworden. We moeten gaan uitzoeken wat ervan klopt en wat te doen.'

'Ja, ik denk dat James al daarmee bezig is.' Ik hernam mezelf. Treuren en twijfelen had op het ogenblik geen zin. Misschien dat ik op een later tijdstip gelegenheid kon vinden om mijn verwilderde gevoelens van misleiding en ontworteling de vrije loop te laten, maar nu was er werk aan de winkel. Wat Walther kon zien, zou spoedig door iedereen opgemerkt worden, dankzij Frederik van Roepel. Ik opperde: 'We kunnen de wetten bestuderen, over hoe het zit als een slaaf of diens nakomeling uit het buitenland komt. Het recht zal toch wel regels hebben hieromtrent?'

'Het recht!' riep Walther uit. 'Sinds wanneer staat het recht aan onze kant?'

Geschrokken pleitte ik: 'Maar in Nederland bestáát geen slavernij! Die is sinds tien jaar afgeschaft. Alle mensen die in Nederland wonen zíjn vrije mensen!'

'Maar niet de zwarten, Regina. Ja, ze kúnnen wel vrij worden, als er na zes maanden verblijf in Nederland met hun meester, geen verlenging van hun verblijf wordt aangevraagd. Maar omdat de slaaf bezit is, beslist de rechter doorgaans in het voordeel van de eigenaar. Rechters beslissen ook wel dat voor een slaaf niet het recht in Nederland geldt, maar het recht van de kolonie. Het is tot nu toe slechts een enkele slaaf gelukt om via de Nederlandse wet vrij te komen.' Haast meesmuilend zei Walther: 'Jij hoefde daar in Holland niet vrijverklaard te worden, vanwege je kleur. Je hoefde zelfs niet onder te duiken.'

'Verwijt je me dat?'

Walther kreeg spijt van zijn uitval en bond in. 'Neem me niet kwalijk, Regina. Je kunt er niets aan doen. Laten we ons concentreren op wat wel kan. Maar ik heb er een hard hoofd in. Als het om slaven uit de kolonies gaat, beslist de rechter meestal in het voordeel van de bezitter. Immers, de kolonie zorgt voor geld door middel van slavenarbeid. Het oordeel van de rechter is dus niet onpartijdig. De grootste plantages hier in Suriname zijn in bezit van Nederlandse aandeelhouders, die hun inkomstenbron niet graag in gevaar zien komen. Wie een slaaf naar Holland mee wil nemen moet eerst toestemming hebben van diens eigenaar, in jouw geval van de gravin De Pagès in Soetermeer.'

'Dat klinkt niet erg bemoedigend,' zei ik met een zucht.

Hij haalde de schouders op. 'Overschat de rechtvaardigheid van wetboeken niet. Het lood van drukinkt weegt zwaarder dan de boeien van de meester.'

Die avond kwamen we allemaal bij elkaar. Reiner weigerde nog steeds iets van het geval serieus te nemen. Mijn verloofde probeerde me ervan te overtuigen dat het allemaal onzin was.

'Ga je dan echt Frederik aanklagen wegens belediging?' vroeg ik hem.

'Nee, een steen in een poel gooien geeft alleen maar modder,' bromde hij en zuchtte vermoeid: 'Het is echt ongelófelijk dat de man met zoiets komt aanzetten! Iedereen zal denken dat hij gek is! Het is beter er geen aandacht aan te besteden en hem hartelijk uit te lachen als mensen met toespelingen komen.'

'Ja, daar zit wat in,' peinsde ik.

'Toch moeten we dit uitzoeken,' hield James aan, 'ook al is het ondenkbaar dat Perrin Regina komt opeisen als bezit...'

Reiner maakte een smalend geluid.

James ging onverstoorbaar verder: 'Er kan een groot schandaal ontstaan. Het zou de eerste keer niet zijn dat de kolonie zich laat meeslepen door roddelpraktijken.'

'Ja, dat is waar,' zei Sammi mistroostig, 'zelfs gouverneurs hebben door roddelarij het veld moeten ruimen.'

'En wil je het zelf ook niet weten, Regina?' vroeg Walther. 'Ben je niet nieuwsgierig naar de waarheid?'

'Ja,' moest ik toegeven, 'natuurlijk wil ik weten wat er waar is van mijn afkomst, wie mijn moeder is...'

Reiner hief zijn handen in wanhoop en riep: 'Ik geef het op! Als jullie hiermee door willen gaan, ga je gang! Ik heb er schoon genoeg van!' De poten van zijn stoel schraapten ruw over de vloer toen hij aanstalten maakte om te vertrekken.

Met een schok werd ik uit de verdoving gewekt die sedert Van Roepels onthulling had toegeslagen. Ik voelde hoe mijn bloed koortsachtig begon te stromen toen ik mijn hand op zijn arm legde en Reiner de vraag stelde of hij niet om mijnentwille wilde blijven.

Een moment aarzelde hij, nam dan een besluit en liet zich onwillig weer op de stoel zakken. 'Vooruit dan maar, laat maar horen wat jullie willen gaan doen.'

Verschillende plannen werden op tafel gelegd. James stelde voor naar vrijstaat Columbia te reizen om te kijken of daar nog getuigen waren die mijn zaak zouden kunnen steunen. 'Tenslotte hebben daar altijd vrijen gewoond. De kans is groot dat Frederik en de planter inderdaad liegen en je moeder reeds vrijgekocht was door mijnheer Winter, je vader. Hun vertrek naar Holland was dan slechts toeval en geen vlucht.'

Hoop bloeide op door deze woorden, ik voelde me beter in staat de problemen het hoofd te bieden. Het zou ook betekenen dat mijn vader niet over mij gelogen had, ik was geen weggemoffeld kind, maar de vrucht van liefhebbende echtelieden.

Samuel deed een duit in het zakje: 'Is de brief van de politiefunctionaris wel echt? Hoe kan die diender weten dat er twintig jaar geleden een bepaalde slavin is weggelopen? Een groot deel van de griffie van Politie is immers tijdens de tweede Grote Brand verdwenen?'

'Dat klinkt allemaal al beter!' merkte Reiner waarderend op.

Walther zei nadenkend: 'Er zijn verschillende gevallen van rechtspraak in het buitenland, over slaven die in het buitenland verbleven en hun vrijheid trachtten te verkrijgen.'

'We kunnen het geval van Jonathan Strong proberen,' opperde James. 'Die had in Engeland op vrije grond gewoond. De abolitionist Granville Sharp nam het voor hem op.'

Reiner sneerde: 'Maar hij verloor de zaak.'

James negeerde hem en vervolgde: 'Een andere mogelijkheid is de manumissiebrief. Waar zouden we die kunnen vinden?' Vragend keek hij me aan.

Ik moest het antwoord schuldig blijven.

Zo niet Reiner. 'Manumissie... Welja! Ga je er dan van uit dat Regina... wel... niet blank is, dan? Dat is toch belachelijk! Puur Hollands, zelfs nooit eerder in de tropen geweest, wat wil je nog meer?'

Het bleef een moment stil.

Toen zei Walther: 'Reiner, als Frederik straks zijn gang gaat, maakt het niets uit of Regina een zwarte moeder had of niet. Iedereen zal hem toch geloven, of op z'n minst twijfels hebben over haar afkomst.'

Reiner vloekte hartgrondig.

Opeens werd Samuel kwaad. Samuel, de zachtaardige, die nog nooit in opstand gekomen was tegen Frederiks baasspelerij, richtte zich tot Reiner: 'Campenaar! Ieder van ons hier aan tafel weet door persoonlijke ondervinding hoe het is een partner of familie in slavernij te hebben! Jij misschien niet, maar je doet er goed aan om je in te spannen de waarheid boven tafel te halen! Het helpt niks om zo te jeremiëren.'

'Goed, dan gaan jullie je gang maar, ik heb het hier bekeken!' Met een ruk kwam Reiner overeind en beende woedend de kamer uit.

Ik maakte aanstalten om hem achterna te gaan, maar James legde een hand op mijn arm en sprak: 'Laat hem nou maar. We zijn beter af zonder al die discussies. Hij draait wel bij, intussen gaan wij aan de slag.'

Inderdaad waren we het gezamenlijk snel eens. James en ik zouden zo gauw mogelijk naar vrijstaat Columbia afreizen om te proberen meer aan de weet te komen. Walther en Samuel zouden een advocaat voor mij zoeken en de blankofficier die voor Frederiks getuige speelde, aan de tand voelen.

De manumissiebrief hield me bezig. Nog dezelfde avond schreef ik soeur Agnes over mijn treurige lotgevallen en verzocht haar om alles wat ze wist te vertellen. Het meest dringend was wel de manumissiebrief. Had zij mogelijk nog papieren van tante Cornelie ergens bewaard?

Het zou bijna twee maanden duren voor ik antwoord kon verwachten. Hoewel ik dagelijks brandend van verlangen langs het postkantoor liep, had het geen zin naar binnen te gaan en te informeren naar brieven voor mij. Ik moest afwachten en hoop, vertwijfeling en radeloosheid wisselden elkaar in de uren dat ik wakker was voortdurend af.

Ook het medaillon onderzocht ik, maar tevergeefs. Er bevond zich geen geheim vakje met een verborgen boodschap. De realiteit was minder romantisch dan mijn verbeelding.

Zolang ik geen zekerheid had kon ik vasthouden aan mijn Hollandse afkomst. Ik deed mijn werk bij de Brammerloo's met meer dan normaal enthousiasme, alsof ik zo de band met Nederland kon verstevigen. Misschien had Reiner gelijk, doen alsof er niets gebeurd was gaf je de mogelijkheid vast te houden aan het bekende, dat ook altijd het eigene was geweest. En wie weet, was dat de simpele waarheid en had Van Roepel slechts leugens verkondigd. Dan hoefde ik me toch ook nergens druk om te maken?

Het alternatief, het dreigende niemandsland van de onbekende afkomst, was te schrikbarend om onder ogen te zien. Nee, ik zag mezelf beslist niet als slavin. Net als Reiner eerder had verkondigd leek me dit een onmogelijkheid. Maar wat als ik een kleurlinge was? Welke positie wachtte me dan? Ik kon me geen voorstelling maken van de nieuwe identiteit die me wachtte.

Die moeite werd me bespaard. Al een week na Frederiks bezoek begon ik de tekenen te zien. Kennissen die me op straat spraken over koetjes en kalfjes, maar ondertussen hun ogen heimelijk lieten dwalen over mijn haardos, mijn gezicht, mijn lichaam. Dapper doorstond ik de keuring, veinzend dat ik niets opmerkte. Het leek trouwens alsof er meer mensen dan anders met mij wilden praten, maar het onderwerp dat mij en hen bezighield werd angstvallig vermeden. De *mofokoranti*, in gang gezet door de Van Roepels, deed zijn werk goed, de geruchten over mij deden merkbaar de ronde. Mijn zelfvertrouwen, dat sinds mijn komst in Suriname door de nieuw ontdekte zelfstandigheid flink was toegenomen, begon weer te slinken.

De praatjes hadden de Brammerloo's tenminste nog niet bereikt en dat was een verademing. Er was gelukkig nog een plek waar ik kon doen alsof er niets aan de hand was en ik mijn oude vertrouwde zelf kon zijn.

Het is vreemd hoe de manier waarop anderen je bekijken jezelf verandert. Ik had rustig door kunnen gaan als juffrouw Winter, de gouvernante uit Den Bosch. Hoe zou ik anders kunnen zijn? Ik zou het niet weten.

Maar al die stiekeme blikken leerden mij spoedig hoe me te voelen. Schaamte groeide onder de durende en allengs brutalere inspectie. In de ongemakkelijke gevoelens die in mijn borst klopten begon angst door te sijpelen die de pas deed versnellen, de nek stijf hield en de rug strak, de ogen op een onzichtbaar punt vooruit gericht.

Want als ik dat niet deed, wat zou mijn lichaam dan weerhouden om de schouders te laten zakken, het hoofd te buigen en de ogen neer te slaan? Over mijn schuldeloze hoofd heen velden nieuwsgierige omstanders hun oordeel reeds en trokken me naar de poel van het gevreesde onbekende.

De geschiedenisboeken waren opengeslagen op tafel, papieren lagen verspreid. Walther zat in hemdsmouwen onderuitgezakt en leek mij niet te horen. Ik keek over de rand van mijn boek heen naar mijn leerling. Diens gezicht vertoonde een frons en zijn mond stond strak. 'Walther?' herhaalde ik ongeduldig. Naast alle zorgen die mij plaagden kon ik onoplettendheid tijdens de les er slecht bij hebben.

Zonder enige waarschuwing barstte Walther plotseling los: 'Het is hier een rotzooi en het blijft een rotzooi! Ik hou het niet langer uit!'

'Wat?' vroeg ik onthutst. Hij had zich opgericht en leunde nu naar voren, zijn lichaam nerveus gespannen in de stoel, een hand omklemde de leuning.

'Het land!' riep hij uit. 'Wanneer zal er iets veranderen? Maken we het nog mee dat de slavernij hier verdwijnt? Nee, ik geloof er niets van! De *bakra's* hebben er geen baat bij, dus waarom zouden ze slavernij afschaffen? Ze vinden het best zo! En wat kunnen wij doen?'

'Maar Walther...' begon ik sussend en stak een hand uit om hem te kalmeren.

Doch hij sprong op en begon gejaagd door de kamer heen en weer te lopen. 'Ik heb al veel eerder weg willen gaan, maar deze keer is het menens. Niets houdt me nu nog tegen.'

Ik was ook opgestaan en probeerde zijn opmerkingen te doorgronden. 'Walther,' zei ik bezorgd, 'gaat het wel?'

De laatste tijd waren er veel spanningen geweest. In gedachten ging ik na hoelang geleden het was dat hij een rustkuur had gehad op De Punt in Nickerie, misschien was het weer tijd voor een trip om tot kalmte te komen.

Toen kwamen uit het niets Frederiks woorden in mijn hoofd op: *Hij heeft contacten gehad met negermatrozen uit Brits Guyana...* Ik moest gaan zitten. In één klap vielen de stukjes van de puzzel op hun plaats. Hij ging weg, Walther ging weg...

Mijn pupil zag mijn gezicht en staakte zijn doelloze gewandel. Terwijl het me nog duizelde hurkte hij naast me neer en sprak nu zachter: 'Begrijp je het, Regina, ik kan niet meer. Ik moet weg.' Half fluisterend vertelde hij van zijn plan. 'Ik was al eerder van plan te vertrekken maar dat was toen niet zorgvuldig genoeg gepland. Weet je nog, van het diner dat ik zogenaamd zou geven, vorig jaar?'

Zogenaamd? Wat bedoelde hij?

'Je weet wel,' vervolgde hij zonder acht te slaan op mijn verwarring, 'dat het diner niet doorging, zodat al het eten opgeslagen, ingemaakt of gerookt moest worden. Dat was allemaal bedoeld als proviand voor onderweg, op onze vlucht.'

Mijn verbijstering maakte me sprakeloos.

Walther beende weer op en neer terwijl hij vertelde: 'En alle mooie kleren die ik had gekocht voor Lemuels slaven, zodat ze goed gekleed als vrije mensen een nieuwe start konden maken...'

Het begon me te dagen. De extravagante Lord was niet zo'n dwaze dandy als gedacht.

'Maar het liep anders dan ik had gepland. De bewoners van Lemuel wilden niet mee. Ze wilden blijven waar hun navelstreng was begraven, hadden geen vertrouwen in een toekomst in een ander land.' Hij zuchtte. 'Dat bracht een flinke kink in de kabel. Ik had erop gerekend met de verkoop van de plantage voor ons allen een nieuw bestaan te kunnen financieren, ver weg van de Nederlandse autoriteiten. Maar zelfs het dreigende vooruitzicht van een nieuwe eigenaar kon hen niet vermurwen. Ik kan het ze niet kwalijk nemen, op Lemuel hebben ze het goed en buiten dat kleine wereldje van de plantage is alles natuurlijk onwennig en boos. Zeker voor zwarte slaven.' De Zwarte Lord stond stil bij de tafel en bladerde in een atlas. Hij sprak alsof hij hardop dacht. 'Ik moest dus mijn plannen veranderen. Maar ik ga weg, mijn besluit staat vast. Bonham gaat ook mee en een aantal jongeren van Lemuel die een ander leven willen.'

'Maar... maar... je moeder... Lemuel...' stamelde ik verward.

'Maak je geen zorgen,' sprak Walther zelfverzekerd. '*M'ma* zorgt voor de plantage, zij is wel de laatste die weg wil. En ik heb voorzorgen getroffen, ik laat hen niet aan hun lot over.'

'Hoe...' begon ik weer.

Maar Walther staarde in de verte alsof hij de toekomstige gebeurtenissen al voor zich zag. Ten slotte zei hij: 'Ik heb voor een klein schip en een bemanning gezorgd. En nu niet de hele plantagemacht meegaat hebben we ook niet zo veel mondvoorraad nodig. We gaan in het holst van de nacht met de stroom mee en proberen dan zo snel mogelijk buiten de territoriale wateren te komen. Naar open zee te koersen...'

Eindelijk kon ik de situatie accepteren. Begrijpend zei ik: 'En dan door naar Afrika.'

Walther keek geschokt, met een pijnlijk gezicht reageerde hij: 'Afrika? Nee, wat heeft het voor zin te gaan naar een continent dat weliswaar van mijn voorvader is, maar waar ikzelf geen binding mee heb? Hoe zou ik mezelf daar een plek moeten maken? Ik zou er geen idee van hebben wat te doen! Nee, mijn hoop is gevestigd op de Nieuwe Wereld. Ik ga naar Amerika, natuurlijk!'

Eens te meer had ik de verkeerde conclusie getrokken en me een beetje dom voelend mompelde ik: 'O! Eh... ja, natuurlijk.'

Walther verklaarde: 'Ik heb het gevoel dat de tijd stilstaat in Suriname. Ik moet hier weg. Het zal een eeuw duren voor er iets verandert. Misschien is Amerika gevaarlijk. Maar er gebeurt tenminste iets en ik kan verder. Steeds verder. Als de pioniers naar het Westen. Als ik hier blijf zal ik me niet verder kunnen ontwikkelen. Alles is ingeperkt, verdeeld naar kleur, de hele gemeenschap. En alles, de hele omgeving, is omringd door oerwoud. Je kunt hier niet ontsnappen aan jezelf. Waarom denk je dat zo veel planters gek worden, hier? Het is een krankzinnige gespleten situatie, waarin we allemaal gevangen zitten, zwart en blank!'

Wat kon ik zeggen? Ik bevond me immers zelf in een krankzinnige situatie. 'Maar wat ga je doen? Je bent dan geen planter meer?'

De jongeman slaakte een zucht. 'Mijn fotografie. Ik ben me al een tijd aan het bekwamen in een vak dat ik kan uitoefenen. En ik denk dat ik er aardig goed in ben geworden.'

Nu moest ik zijn ondernemingslust toch bewonderen. Dit was geen vlaag, hij had het allemaal al lang gepland.

Maar toch was er ook een stemmetje in mij dat protesteerde: en ik dan? Het was misschien egoïstisch van me, maar Walthers besluit overviel me. Ik had net de helft van ons lescontract achter de rug en zou onverwachts zonder betrekking en op straat komen te staan. Teruggaan naar Nederland zat er niet meer in, ik was immers verloofd met Reiner en echt op straat gezet was ik dus niet. Maar het was wel een onaangenaam idee dat mijn leven ineens dubbel op zijn kop stond.

Ik was geen dappere pionier die naar de rimboe was vertrokken, maar een onzekere en vertwijfelde jonge vrouw, die zich wanhopig had vastgeklampt aan haar laatste sprankje hoop op een arbeidzaam bestaan en een eerzaam leven.

En nu, juist nu ik op de drempel van het avontuur stond en alles achter me gelaten had, mijn eenzaamheid, armoede en verdriet, stonden de herinneringen in mij op en vertelden hun verhaal, drongen naar voren om zich te laten bekijken, dwongen me mijn jeugd en afkomst onder ogen te zien.

In hoeverre speelt een onbekende afkomst een rol? Het antwoord kwam nog vóór de middag. Een der slaven van mijnheer Brammerloo kwam langs met mijn loonzakje en een korte brief: de Brammerloo's stelden geen prijs meer op mijn lessen en zegden mijn dienstverband op.

Negenentwintig

HALF AUGUSTUS 1848
GROTE DROGE TIJD

De minister van Koloniën, Julius Constant Rijk, die in 1842 nog gouverneur was geweest in Suriname, had destijds bij zijn vertrek uit Paramaribo reeds diverse aanbevelingen gedaan ter verbetering van de behandeling van slaven. Nu, zes jaar later, was daar nog steeds niets aan gedaan en de minister had in mei weer met ernst aangedrongen op veranderingen, gezien de huidige spanningen in het Caraïbisch gebied.

Dus vond er eindelijk een samenkomst plaats in Paramaribo, van aldaar wonende plantage-eigenaren en zaakwaarnemend administrateurs. Men nam de voorstellen van minister Rijk aan en zegde toe deze geleidelijk aan door te voeren. Er werd na enige vergaderingen een commissie benoemd die erop zou toezien dat slaven behoorlijke voeding, kleding, behuizing en medische behandeling zouden krijgen. Ook zouden lijfstraffen verminderd worden en werkdagen niet langer dan negen uur mogen zijn en de zondag zou vrijaf gegeven worden.

Men prees de wijze en menskundige bedoelingen van de minister alom, maar na de veelbelovende start bleek de commissie alles liever bij het oude te laten. Waarschijnlijk was het te veel gevraagd om de financieel belanghebbenden zichzelf te laten controleren op de gewoonlijk schraperige zuinigheid waar het de zorg voor slaven betrof.

Op zondag reisden James en ik af naar Columbia om op zoek te gaan naar informatie over mijn ouders. Onze bootreis, met acht sterke indianen aan de roeispanen, verliep voorspoedig. We hadden de stroom en de wind mee.

Vrijstaat Columbia was een ontworpen stad aan de linkeroever van de Saramacca-rivier. Tijdens het Engels Tussenbestuur in 1801 werd de grond voor het eerst in kavels verdeeld en werden er stroomafwaarts zo'n dertig plantages aangelegd voor de productie van koffie, cacao en suiker. Verder aan de bovenloop van de rivier waren er houtgronden.

Onder gouverneur Abraham de Veer begon men in 1827 met de in

Suriname steeds groeiende groep vrijlieden aan te moedigen zich hier te vestigen.

De plek was net als Paramaribo op een hoge zandvlakte gelegen, met grote klippen van samengedromde schelpen. Het land aan de rivier was in vierenvijftig even grote stukken verdeeld waar men voor zichzelf een erf kon schoonkappen en een eigen huis zou kunnen bouwen. Er werden vijf lange straten aangelegd, die net als in de hoofdstad met oranjebomen werden beplant. Wie zich hier wilde vestigen werd bovendien door het gouvernement ondersteund met werktuigen en levensmiddelen.

Columbia zou de stapelplaats moeten worden van producten die het gebied zou leveren: hout, koffie, cacao en suiker van de plantages verder stroomopwaarts. Een nieuwe stad, waar vrijen volop werkgelegenheid zouden hebben en eenmaal uit het zicht van de parvenu's van Paramaribo, niet langer zouden neerkijken op handenarbeid.

Want daar het normaal was dat slaven alle werk deden, was onder de vrijen een grote afkeer ontstaan van werken. Iedereen had slaven en wie daarvoor te arm was, moest zelf sloven als een slaaf en was aldus slechter af omdat hij geen meester had die voor onderdak en voedseluitdeling zorgde, zo ging het verhaal. Vrijlieden waren trots op hun vrijheid maar vonden moeilijk werk omdat ze betaald moesten worden terwijl slavenarbeid gratis was of een geringe vergoeding kostte.

Het onderscheid tussen een armoedige vrije en een slaaf was goed beschouwd nauwelijks te zien, of het moest zijn dat de eerste op schoenen liep. Dit onderscheid luisterde zo nauw, dat arme marktvrouwen in Paramaribo zorgden dat ze schoenen aanhadden, maar eenmaal buiten de stad hun schoenen uitdeden en bewaarden om slijtage tegen te gaan en zich van een kostbare nieuwe aanschaf te vrijwaren. Op blote voeten liepen ze net zo prettig, gewend als ze dat al waren. Maar verbeeld je dat mensen in de stad zouden denken dat ze met een slavin van doen hadden! Daarom kochten ze van hun karige spaargeld die lastig zittende, knellende, onhandig de pijnlijke voeten omsluitende tekenen des onderscheids, schoeisel genaamd. Blanken en rijke kleurlingen lachten om de potsierlijke ijdelheid van de arme marktvrouwen, maar ik begreep hen. Wat zou ik moeten doen als mij straks verboden werd schoenen te dragen omdat mijn moeder slavin was?

Columbia zou een prachtige onderneming zijn voor wie ernaar snakte eigen huis en haard te bezitten en dat door noeste arbeid zou kunnen bewerkstelligen. Niemand zou bespot worden als hij schop en *tyap* ter hand nam, zou schoffelen en bewerken, timmeren en bouwen. Alle bewoners zouden gelijk zijn: vrijgelatenen, vrijgeborenen, arme vrijlieden.

Maar het gouvernement had buiten de *mofokoranti* gerekend. Nog voor het project goed en wel van de grond was gekomen, was het in Paramaribo alom bekend dat wie zich in Columbia zou vestigen maar een arme sloeber was. Veel vrijgelatenen wisten misschien zonder meester niet wat ze moesten doen, getraind als zij waren om alles op commando te doen en omdat het voorheen toch al veel te riskant was om zelf te denken. Misschien werkte het idee dat ze in Columbia geheel op zichzelf aangewezen zouden zijn verlammend. Feit was dat er nauwelijks belangstelling was voor het project.

Het gouvernement had echter goede moed dat het tij zou keren en zette het plan door. Een politiepost van het nabijgelegen Groningen hield een oogje in het zeil om te voorkomen dat de vrijplaats een toevluchtsoord zou worden voor ondergedoken criminelen of weggelopen slaven.

Twintig jaar lang sukkelde het stadje door, alleen de meest ondernemende vrijen durfden de verhuizing aan van veilig en comfortabel Paramaribo naar de eenvoud en eentonigheid van het harde bestaan in Columbia. Maar ten slotte gaf ook het gouvernement het op. Het stadje wilde niet groeien en steeds meer bewoners trokken weg. In de kolonie heette het dat werklust en ijver nu eenmaal onbekend waren onder de zwarte bevolking.

De straten waren verlaten. Op de verwaarloosde erven stonden restanten van woningen, zwaar overwoekerd door onkruid. Hier en daar dook tussen de wirwar van plantengroei een bewoonde open plek op, waar wasgoed aan de lijn te drogen hing en kinderen tussen de kippen op het erf scharrelden. Enkele volhouders bleken de vrijplaats Columbia nog niet zat te zijn. Maar wie nu nog niet weggetrokken was, was dan ook niet erg op gezelschap gesteld. Vanuit de deuropening staarde men ons vijandig aan en de blaffende honden die ons grommend te lijf zouden zijn gegaan als James niet een stok ter verdediging had gezwaaid, werden met tegenzin door de eigenaars tot de orde geroepen.

De moed zonk me in de schoenen. Hoe zouden we nog aan gegevens over mijn ouders kunnen komen? Schuw draaiden vrouwen hun hoofd weg als ze zagen dat wij hun richting op keken. Ten slotte hakten we de knoop door en spraken een man aan die een kruiwagen met mest langs de weg voortduwde.

De zon was heet en het zweet liep de man langs het blote bovenlijf, groene aasvliegen streken gonzend neer op de stinkende mest. James bood de man wat tabak aan. Gelukkig hadden we eraan gedacht enige kleine geschenken mee te nemen. Misschien dat dat de mensenschuwe bewoners van Columbia wat milder kon stemmen.

In het takitaki begon James een gesprek met de man. Ik ving de naam 'Adriaan Winter' op. De man schudde echter ontkennend het hoofd en vervolgde zijn weg. Hij was nog jong. Een vluchtige blik op de enkele huisjes en de weinige zichtbare bewoners gaf voeding aan mijn angstige vermoeden. Er waren geen oude mensen bij. Wie zou iets kunnen weten over wat langer dan twintig jaar geleden gebeurd was? Wie zou herinneringen hebben aan Adriaan Winter en Jozina? Zelfs als we de mensen aan het praten konden krijgen zouden ze ons niet kunnen helpen.

James sprak me moed in en we besloten alle erven te bezoeken waar we langs de waakhond konden komen. Nadat we een paar woningen bezocht hadden en cadeautjes hadden uitgedeeld werd het gemakkelijker bij de overige huizen binnen te komen. *Mofokoranti* in de vorm van rappe kindervoetjes had het nieuws over de gulle vreemdelingen al rondgestrooid.

Tegen het eind van de dag hadden we alle huizen gehad en de meeste bewoners gesproken.

De armoede van de plaats trof me. De bouwvallige woningen, eigenlijk nauwelijks meer dan donkere hutjes, de rommelige erven met magere honden en slechts hier en daar wat schaarse kippen of een eenzame geit. De bewoners staarden nors voor zich uit en gaven met tegenzin antwoord op vragen, de teleurstelling over hun lot was hen van het gezicht te lezen.

Columbia had een rijke en levendige stad moeten worden, een doorvoerhaven, maar was op sterven na dood. Wat had de mooie droom van een stad voor vrije negers in de weg gestaan? In de kolonie sprak men er slechts hoofdschuddend over.

In de tijd dat mijn vader en moeder zich op Columbia bevonden, bestond de vrijstaat nog niet. Er moesten toen al wel mensen op de plek hebben gewoond, vanwege de gunstige ligging en vooral door de aanwezigheid van een bron met stromend drinkwater. Hoe moest het leven er geweest zijn, vroeg ik me af. Omringd door wildernis en op de vlucht en in angst voor de autoriteiten uit de stad. Het leek me niets voor Adriaan Winter om dit geïsoleerde gebied als thuis voor zijn gezin te kiezen. Waarschijnlijk vormde het feit dat dit gedeelte langs de rivier vrijwel verlaten was, een aantrekkelijk punt. De plantages lagen óf meer naar de monding, óf verder stroomopwaarts in het binnenland. Fort Groningen bemoeide zich niet met dit stukje niemandsland.

Toch moest Adriaan al die tijd in Columbia geprobeerd hebben om in het geheim een overtocht naar Nederland te realiseren. Een en ander maakte het wel veel meer waarschijnlijk dat mijn moeder inderdaad een gevluchte slavin was. Dat wil zeggen als mijn ouders écht op Columbia hadden gewoond. Daar kwamen we maar niet achter.

Terneergeslagen begonnen we aan de wandeling naar de politiepost waar we zouden overnachten. Onze indianen waren al eerder met de boot naar Groningen vertrokken en zouden daar een kampje voor zichzelf opslaan.

Van verre zagen we al de spits van de kerk en het vijfhoekige fort dat er sinds vijftig jaar stond. Uit het kerkgebouw klonk gezang. Hier stonden er meer huizen en ik kreeg weer hoop.

De kerkklok begon te luiden en er kwamen mensen uit het gebouw naar buiten. Even dacht ik dat mijn ogen mij bedrogen. Boeren en boerinnen in klederdracht. Kinderen op klompjes. Blonde vlechten van onder de gesteven kapjes, vrouwen met schort voor, de mannen in het zwart. Holland op z'n zondags. Een bizar tafereel onder de palmbomen.

Groningen bleek een zuiver Hollands dorpje vlak naast het vervallen Columbia. Toen realiseerde ik me met een schok dat de schorten van de vrouwen niet proper waren en de mutsen smoezelig oogden. De neuzen van de mannen waren roodverbrand van de zon, hun ruggen gebogen, de handen eeltig. De vrouwen liepen met strakke gezichten, velen zeulden een peuter of een baby op de arm. Alleen de kinderen gaven blijk van levenslust, eindelijk vrij na de kerkdienst, riepen ze naar elkaar met een duidelijk Gronings accent.

Hoe kwam er hier, midden in de tropen een Gronings boerendorp? En - heel opvallend - zonder dat er een enkele zwarte slaaf te signaleren viel? Geen *futuboi* om een beschermende parasol te dragen of een *nene* om zich over de kinderen te ontfermen. Deze blanken zagen er niet anders uit dan de arme boeren die ik mij uit Nederland herinnerde. Maar voor Suriname was het beeld van onder de tropenzon op het veld zwoegende en ploeterende blanken bijna ondenkbaar.

Om me heen kijkend bemerkte ik de schamele woningen, die nauwelijks beter oogden dan die van Columbia. De grond was weliswaar bewerkt voor de landbouw, maar de kale bonenstaken op de schaars begroeide akkers geleken dorre, reikende vingers. De kwijnende aanplant deed het ergste vrezen voor de voedselvoorziening.

Toen we de kerk met de begraafplaats passeerden, viel me het grote aantal vers gedolven graven op. De nieuwe immigranten hadden duidelijk met veel tegenslag te kampen.

De boeren en hun kroost waren intussen in de huizen verdwenen. De avond viel en we hadden het fort bereikt, de politiepost waar we te gast zouden zijn.

Het Kommandantshuis achter de zandstenen muur zag er keurig uit en was twee verdiepingen hoog. De commandant Jan Tijm heette ons welkom. Hij droeg een zwart uniform en probeerde tevergeefs zijn jeugdige leeftijd te compenseren met een dun snorretje. De zwarte huishoudster Celly, een oudere vrouw, zorgde ervoor dat we ons in het officiers-badhuis konden opfrissen. Men had van de stroom van het bronwater gebruikgemaakt door er twee badhuizen aan te leggen. Zodoende konden we ons in het heldere, ijskoude water baden.

Na het bad kwam ik James weer tegen in de salon. Terwijl de tafel werd gedekt probeerde James me op te beuren. '*You know*, een blanke man moet wel opgevallen zijn in deze omgeving. Als niemand zich kan herinneren je vader te hebben gezien, dan was hij hier zeer waarschijnlijk niet en waren je ouders normale passagiers van een schip en geen vluchtelingen...'

'We moeten ook nog afwachten wat Sammi en Walther te weten zijn gekomen,' gaf ik bedrukt ten antwoord. Normale passagiers... vrije mensen dus. Toch gaf dat nog geen antwoord op de vraag of mijn moeder een kleurlinge was geweest.

Tijdens de avondmaaltijd trachtten we bij commandant Tijm informatie te winnen, maar tevergeefs. De jonge commandant was nog niet lang op deze plek gedetacheerd. Het gesprek ging over op de boerenfamilies die we bij aankomst hadden gezien. Het bleek inderdaad om nieuwe immigranten te gaan, kersvers uit Groningen in Holland, en geëmigreerd naar de plek waar Fort Groningen stond, al eerder in 1790 zo genoemd naar de geboorteplaats van de toenmalige gouverneur Wichers.

Commandant Tijm sprak hoofdschuddend over de boerenonderneming. 'Het is een drama. Drie jaar geleden kwamen ze hier aan met het idee dat Nederlandse boeren de landbouw toch gewend waren en er al veel van af wisten. Dus zouden arme boeren hier werk vinden en een bestaan opbouwen, en tropische landbouw zou zonder slaven worden gerealiseerd.

Wat een vergissing! Al in het eerste halfjaar stierven er tweehonderd kolonisten, de helft van het aantal immigranten. De grond die ze hadden gekregen was ook niet goed afgewaterd zodat het drinkwater besmet werd en de tyfus uitbrak.

De plek leek toch al vervloekt. Voorzorg, waar de boeren eerst terechtkwamen, was twintig jaar eerder een nederzetting voor melaatsen geweest. De vervallen hutjes die er nog stonden werden door de overheid tot noodwoningen vertimmerd. Maar de beloofde gereedschappen en huisraad, kippen, vee en voedsel ontbraken. Er was gewoon niets dan moeras, hitte en muskieten. De arme drommels moeten gedacht hebben in de hel te zijn beland. Het was een verstandig besluit van de overlevenden om maar naar Groningen te verhuizen, al is de grond hier wel minder vruchtbaar.'

Met afgrijzen hadden we geluisterd naar het treurige relaas, maar opeens rees bij mij een vermoeden op. 'Wat verbouwen de boeren?' wilde ik weten.

'Tja,' schokschouderde de commandant, 'ze kunnen onmogelijk concurreren met de suiker-, koffie- of cacaoplantages, daarvoor is hun mankracht te gering. En wat de verkoop van groenten en vruchten betreft, de reis naar Paramaribo duurt veel te lang. Zij hebben niet zoals u beschikking over indiaanse roeiers of over slaven. Men is enige dagen onderweg. Tegen de tijd dat ze de stad bereiken, is de oogst al bedorven. Een vetpot zal het voor hen dus nooit worden.'

Mijn gezicht betrok. Juist alle producten die de commandant opsomde, hadden uit de streek bij Columbia geleverd moeten worden. Maar natuurlijk hadden de vrije negers ook niet over voldoende mankracht beschikt om met de plantages te kunnen concurreren. En net als de Groningse boeren konden zij de overige landbouwproducten aan de stad niet kwijt vanwege de verre afstand. Maar waar de boeren tenminste nog medelijden ten deel viel, werd de zwarten slechts luiheid en nalatigheid verweten. Columbia was net als Groningen gedoemd te mislukken zolang er slavernij bestond.

De huishoudster schonk ons wijn bij en haalde de lege soepborden weg. Er kwam wat warme spijs op tafel.

'En krijgen de boeren nog hulp?' vroeg James.

'Juist dit jaar is iedere vorm van hulp gestaakt,' antwoordde Tijm. 'Ik verwacht dat het niet lang zal duren voor men naar Paramaribo trekt. Of terug naar Holland.'

Ik snapte het helemaal. Gram gistte in mijn binnenste. Als de overheid zonder enig bezwaar bereid was blanke boeren te laten creperen, hadden de pioniers van Columbia destijds dan werkelijk alle toegezegde hulp ontvangen waarop men prat ging? Het was maar wat gemakkelijk om de schuld op zogenaamd luie zwarten te schuiven.

James scheen een gelijke gedachtengang te volgen. 'Het is ook niet erg slim van de autoriteiten om zo een ongezonde omgeving als Voorzorg te kiezen voor de kolonisatie. En dat zonder medische hulp. Je zou haast denken dat er opzet in het spel is.'

'Ja, ja,' zuchtte Tijm meewarig, duidelijk niet van plan kritiek te leveren op zijn meerderen.

'O!' zei ik en legde mijn vork neer. Nu begreep ik het. Zowel de stad van vrije zwarten, als de stad van blanke landarbeiders moest mislukken, dat was de opzet. De slavernij moest blijven bestaan om van de kolonie de winsten te kunnen opstrijken. Van arbeiders die voor zichzelf werkten, konden de Nederlandse grondbezitters niets verdienen en voor de overheid zou een klasse van vrije zwarte of blanke arbeiders maar onrust onder de slaven geven. Die zouden dan weigeren nog langer gratis voor een ander te sloven of werk te doen dat blanken blijkbaar zelf ook konden. Het was de superieure positie die gevaar liep. Het geheel was van een doortrapte kwaadaardigheid en dat zei ik ook ronduit.

Onze gastheer keek me verbaasd aan. James nam me aandachtig op. Mijn gezicht was rood aangelopen en mijn adem ging snel. Ik sprak met ongewone heftigheid en gebaren. Zelfs de huishoudster die de koffie binnen bracht, keek naar me. Er was een boosheid in me gevaren die ik niet eerder beleefd had. Zeker, meelij en gevoelens van onrechtvaardigheid had ik al sinds mijn komst in de kolonie gehad. Maar deze woekerende woede was nieuw en ik moest opeens denken aan de blikken van haat die ik soms bij geketende en gestrafte slaven had gezien, als ik op mijn wandelingen langs de Waterkant Fort Zeelandia passeerde.

Naar dit fort in Paramaribo werden stads- en plantageslaven gestuurd als zij wegens vergrijpen zwaar gestraft moesten worden. Ik herinnerde me nu weer de hijgende, bezwete, met bloederige striemen overdekte lijven, de gebogen ruggen en de gezichten waarin de ogen brandden. Wie niet onder de bestraffing was bezwijmd, straalde nog steeds een niet te doven vechtlust uit, tijdelijk ingetoomd en in boeien geklonken, maar klaar om te rennen als daar de gelegenheid was. Wat een moeite moest het kosten om zo'n overmacht van sterke, zwarte slaven in de kolonie onder de duim te houden, en om de meest eigenzinnigen onder hen proberen klein te krijgen door marteling, verminking of wrede doodvonnissen!

Dit alles ging door mijn hoofd en stond misschien op mijn gezicht te lezen, want James stond op en legde zijn arm op mijn schouder. 'Regina,' sprak hij sussend, 'gaat het?'

Met een ruk stond ik op en schoof mijn stoel achteruit. 'Laat me maar even,' prevelde ik met neergeslagen blik om niet de toorn in mijn ogen op onze gastheer te richten. Ik hees de zoom van mijn rokken een stukje op om sneller uit de voeten te kunnen en verliet haastig de kamer. Achter mij hoorde ik James excuses mompelen tegen de onthutste commandant. Ze waren weer gaan zitten.

Razernij bonkte in mijn hart, tegen mijn ribbenkast, zwoegde door mijn longen, golfde door mijn bloed. Ik was naar buiten gelopen, de donkere tuin in. Mijn hakken boorden in het droge gras, muskieten stortten zich met hoog fluitend gegons op mij. Het kon me niet schelen. In de tuin van het fort banjerde ik driftig rond, niet wetend hoe ik mijn woede moest uiten.

Waar kwam deze kolkende drift vandaan, plotseling en onaangekondigd? Zelfs toen ik de murw geslagen slachtoffers bij Fort Zeelandia was tegengekomen waren mijn gevoelens van afschuw, medelijden en verontwaardiging niet zo diep geweest.

In onmacht trommelde ik met mijn vuisten tegen een boom. De ruwe schors schaafde mijn knokkels. Bloed welde op. Zwaar ademend staarde ik naar mijn pijnlijke handen.

Opeens bemerkte ik dat mij iemand was genaderd. In het maanlicht lichtte haar blauwgeruite *koto* op. Het silhouet van haar stijf gevouwen *angisa* stak af tegen de avondhemel. De huishoudster die ons had bediend.

Voor ik iets kon bedenken om te zeggen begon zij aarzelend, terwijl ze me onderzoekend aankeek: '*Misi?* Aan tafel... ik hoorde dat u vroeg... naar een man... man van lang geleden...'

Mijn hart en mijn gedachten stonden stil. De draaikolk van mijn emoties werd zo abrupt een halt toegeroepen dat ik wankelde.

De vrouw greep me bij de arm en leidde me naar een stenen bank. Ze kwam naast me zitten en legde een gerimpelde hand op haar boezem. 'Celly Harris,' stelde ze zich voor. Toen begon ze te vertellen in traag Nederlands, alsof ze zich moest inspannen de juiste woorden te vinden en met nadruk sprekend, als om de betekenis te onderstrepen. 'Ik woon al lang hier, al heel lang zelfs... nog vóór Columbia! Mijn ouders, ze waren vrije mensen, maar zij hadden geen zin hun leven op een plantage of in de stad door te brengen, *I sabi*, daar... waar *den sma...* men... zich telkens weer vergiste... in hun vrije statuus. *Is nie op me voorhoofd geskreven*, mijn vader zaliger, hij zei dat altijd, *maar waaróm ik kan niet vrij man zijn, zoeen die gewoon werkt fo loon, dan hoef ik toch niet slaaf te zijn?* Om hun trots te bewaren... en hun kinderen vrij te laten zijn, *iya*, vrij laten opgroeien, verhuisden ze naar Saramacca, dat wat later Columbia heette. 't Was niet de meest gewilde plek, *I sabi*, er was een leprozenkolonie aan de overkant... *abrasei* rivier en mensen kwamen daarom niet graag deze kant op.' Ze schudde haar hoofd. 'Maar het land lag hoog en lekker droog, en het water: zo schóón! *Iya*, stromend water en het belangrijkste: *Fri!* Vrij! Je was vrij! Geen controles meer als je 's avonds nog voor een *waka* ging, een wandeling maakte terwijl de avondklok voor slaven al was ingegaan. Stel je voor! Geen bevelen hoeven opvolgen van wélke blanke of kleurling dan ook, alléén omdat je *sosofutu*, blootsvoets ging! Niet opzij hoeven springen als er een blanke naderde, ruim baan maken. *Baya!*

Rivier, grond en bos, zij gaven ons alles wat we nodig hadden. De rest leerden we van onze ouders. *Iya baya*. Tot hun dood zijn zij in Saramacca blijven wonen. Mijn broer en zus zijn toen ze ouder werden weggegaan, naar Brits Guyana, waar we nog familie hebben. Ik ben altijd hier gebleven, heb zo een lange tijd op de politiepost gewerkt. Mijn vader zou dat niet goed gevonden hebben, nee, hij wou altijd eigen baas blijven. Maar ik heb altijd ervoor gezorgd dat ze me op de post met respect behandelen! Vele commandanten heb ik gezien. Ze komen en ze gaan. Columbia heb ik gezien, en Groningen. Ik ken iedereen.'

Het bleef stil, Celly Harris leek in gedachten verzonken. Rivierwater klotste zachtjes tegen de oeverstenen, in het gras riepen onzichtbare kikkers.

Ik schraapte mijn keel. 'U zei dat u mijn vader kende, Adriaan Winter?' Naar mijn moeder durfde ik nog niet te vragen.

De oude vrouw glimlachte en vatte me bij de kin. '*Ai baya*, ze waren een mooi paar. *Masra* Adriaan, *iya*, en Joosje. *Mi gudu*, je lijkt op haar, maar je hebt de kleur van je vader.'

Ik barstte in tranen uit.

Dertig

BEGIN SEPTEMBER 1848

De insecten van Maria Sibylla Merian uit Sammi's platenboek leefden hun leven sereen en zorgeloos. Van ei naar larve, van pop naar vlinder. Knabbelend aan blaadjes, nippend van nectar. Ik wenste dat mijn leven ook zo eenvoudig kon zijn.

Een jaar geleden kwam ik naar Suriname, vers van de boot, een blozende Brabantse, en nu was ik een creoolse met een lichte teint en een Bossche tongval. Een metamorfose als bij de rupsen, maar pijnlijk. De schurende harde schilden van mijn vorige identiteit, onbruikbaar geworden, verschrompelden, vervelden en gleden af, een nieuwe, tere, kwetsbare huid onthullend.

Het nietige paradijs dat de waterverf op het perkament geschetst had kende niet de fysieke en geestelijke pijn die ik ervoer bij het afscheuren van mijn beschermende cocon. Dat ging niet soepel, als bij de nieuwgeboren vlinder die benieuwd naar het daglicht haar vleugels ontvouwt. Mijn hergeboorte ging vechtend, tegenstribbelend en protesterend, maar onvermijdelijk kwam mijn naakte zelf tevoorschijn.

Alles wat ik eerder van mijzelf wist was in een ander perspectief komen te staan. Er was nu geen twijfel meer mogelijk. Celly Harris had mijn ouders gekend. Ze wist niet dat Jozina of Joosje, zoals ze haar liefkozend noemde, een weggelopen slavin was, maar voor mij had het er alle schijn van. Immers, waarom zou mijn vader haar naar zo'n afgelegen plek hebben gebracht en pas de oversteek naar Holland hebben gewaagd toen zij al zwanger was en daarmee meer risico liep voor haar gezondheid?

Het antwoord lag voor de hand: zij waren ondergedoken in Columbia. Door de nabije leprozenkolonie zouden eventuele achtervolgers niet erg happig zijn hen die kant op te volgen. En toen ik enkele jaren later op komst was achtte mijn vader het beter toch maar te vertrekken.

Mijn ouders waren anders dan ik altijd gedacht had. Maar ze hadden van elkaar gehouden. En ze hadden van mij gehouden. Genoeg om de oversteek te wagen naar Europa, ondanks de moeilijkheden die ze daar ongetwijfeld zouden ondervinden. Mijn vader met een bruine vrouw zonder verleden en mij, een kleurlingenkindje.

Tangi fu tonton
Tangi fu brafu
O ja jaa, O ja jaa

Buiten op het erf waren de kinderen bezig een spelletje te spelen. Hun handgeklap en gezang kwamen door het open raam naar binnen en wekten me uit de sluimer van de middagrust. Ik rekte me uit en bemerkte daarbij dat de dunne chemise die ik ter vervanging van de flanellen Hollandse nachthemden droeg, in mijn slaap omhoog was geschoven en mijn naakte dijen toonde. In plaats van schielijk de stof naar beneden te trekken, strekte ik me nonchalant en de stof schoof nog verder omhoog.

Het was vreemd dat naaktheid een andere betekenis had gekregen sinds ik dagelijks omringd werd door halfnaakte vrouwen en mannen, en omhuld werd door de warmte, de plakkerige hitte die bloot lopen legitimeerde, initieerde.

Ik draaide me op mijn zij om mijn lichaam wat verkoeling te gunnen, de wind die naar binnen kwam, zo zacht dat we in Holland van 'tocht' zouden spreken. Een welkome tochtvlaag die het zweet deed verdampen.

Ik draaide me weer terug en verhief mijn rug zodat mijn boezem omhoog bolde. De chemise gleed open en onthulde mijn borsten. Met verwondering bezag ik mijn lichaam. Dit lijf, waarvan de afkomst maar pas onthuld was, leek vreemd maar toch vertrouwd. Voorzichtig liet ik mijn handen over mijn lichaam dwalen, betastte mezelf.

Tangi fu tonton
Tangi fu brafu
O ja jaa, O ja jaa!

Het gezang en geklap was steeds sneller geworden tot een der spelers het ritme verloor en het spel afbrak onder lachend gejoel.

Sedert mijn komst in de kolonie leek ik wel transformatie op transformatie te hebben ondergaan, niet langer als de onschuldige vlinder uit de cocon, maar meer als de slang die telkens een oude huid aflegt. De slang van de onwetende Eva. De slang van de ontwakende Eva.

Maar in de besloten kamer van mijn ziel was geen schuldgevoel of schaamte te bekennen, wel de overmoed van een wier verleden was weggevaagd en op een schone lei opnieuw geschreven. In zo'n solitair bestaan was mijn lichaam het enige wat ik nog van mezelf had.

Van verre was het rumoer al te horen, de donderende drums die hun ritmes door de nacht zonden, door de bomen daverden, de uilen verjoegen en dier prooi – de rauwe klanken van de *du*.

We zouden erheen gaan – dit vertier dat de slaven van tijd tot tijd werd toegestaan was nieuw voor mij. Ik had er al veel over gehoord en me er veel van voorgesteld. Het leek erop dat de dagelijkse omgang met de zwarte, meegaande slaven, die weinig spraken tot de meesters, mij had beroofd van een meer exotisch beeld dan dat van de zwijgende schimmen die zich in huis en buiten bewogen, bezig met de hun opgedragen taken.

Alleen wanneer hun gedragingen niet door strenge blanke bazen of potige *basya's* in de gaten werden gehouden, leken zij hun wijze te veranderen en werden de stemmen luider, het gelach luidruchtig, de daden overmoedig. Daar, op de markt of onder elkaar, kon ik me een voorstelling maken van hoe hun baljaren zou zijn. Een bal voor negers, ik was benieuwd.

Arm in arm met Reiner, die met zijn gedachten elders leek, liepen we vergezeld door groepjes deftige blanken, kleurige *kotomisi's* en uitgedoste slaven, naar de plaats waar de *du* gehouden zou worden. Walther was al vooruitgegaan met zijn koffer. Hij wilde proberen foto's te maken. De laatste tijd was hij vaker naar buiten gekomen met de koffer om openlijk fotografische tekeningen te maken, de nieuwsgierige omstanders negerend, of hen zonder omhaal inzettend als model. Ook experimenteerde hij nu met andere technieken, gebruikmakend van papier dat met chemicaliën lichtgevoelig was gemaakt, in plaats van de zware glas- of koperplaten. 's Nachts proberen te fotograferen leek echter de goden verzoeken. James, die ook zou komen, gaf Walther geen schijn van kans dat het experiment zou lukken.

Sammi en Judith hielden sabbat en kwamen dus niet. Sinds Samuel zich had voorgenomen de situatie van zijn gezin te verbeteren, was hij serieus bezig met zijn kinderen les te geven, Judith bij de plannen te betrekken, zelfs de religie had hij weer een plaats in zijn leven gegeven. Jammer dat zij vanavond afwezig waren, maar de meeste van mijn vrienden kwamen en ik verheugde me op dit verzetje, afleiding van de sombere en heftige gebeurtenissen van de laatste tijd.

Aan de rand van de stad was een grote open plek gemaakt, de struiken waren gekapt en het gras was gewied, de plaats verlicht met *kokolampus*, olielantaarns en kaarslampen. Hoe dichter we naderden, hoe duidelijker de stemmen klonken bij voorgedragen gezangen.

Het land der blanken is goed
Het is gelijk een konijnenhol
Het heeft vele gaten
Suriname heeft maar één gat
Waar wij niet uit kunnen
Men houdt ons gevangen

Een gewaagd lied, werd dat zomaar toegestaan? Baljaren, de *du*, was een uitlaatklep, de autoriteiten lieten het toe opdat de slaven lucht konden geven aan hun ongenoegen en zich verder in hun lot zouden schikken. Nu de Grote Droge Tijd was aangebroken, kon men de hele avond in de openlucht feesten zonder door regenbuien te worden weggejaagd.

Een enorme manyaboom was vanuit de verte al te zien. Haar grote kruin was een donker silhouet tegen het heldere maanlicht. Achter de boom flakkerde het licht op van een groot vuur. Daaromheen dromde in een grote kring een menigte feestelijk geklede toeschouwers. Het was een schilderachtig gezicht om de vele zwarten in bonte doeken gehuld te zien, dansend, wervelend met de wijde rokken.

Ik haalde een klein takje dat ik van Elena's limoenboom had geplukt uit mijn zak en begon erop te kauwen. De frisse smaak van de *lemkitiki* beviel me goed. Men zei dat de geurige vezels de tanden schoonhielden en de adem aangenaam maakten.

Reiner keek me van opzij aan. 'Wat doe je?' vroeg hij kortaf.

Ik nam het sprietje uit mijn mond om te kunnen antwoorden. 'Wat bedoel je, Reiner?' vroeg ik.

'Dat!' beet hij. 'Je lijkt wel een negerin, met die *tiki* in je mondhoek! Wat zullen de mensen denken?'

Meewarig schuddend borg ik het takje weg. Er waren wel ergere dingen om aanstoot aan te nemen, maar ik wilde onze avond niet bederven. We konden nu de muzikanten zien.

De muziek kwam van een *langadron*, een met de blote handen bespeelde drum, een *podya* en een *kwakwabangi*, waarop met twee trommelstokken de maat werd geslagen. *Dawra*, twee messen die raspend langs elkaar werden getikt en een gitaar gemaakt van een halve kalebas met snaren bespannen, completeerden het orkest. Maar de *maraka's* van de danseressen droegen eveneens bij aan de muziek en de zangeres was zeer dominant aanwezig. Als de vrouwen zongen stopte de drum om plaats te maken voor hun hoge stemgeluid, dat de nacht doordrong van haar aanklacht.

Blanken keken toe maar hielden zich op afstand. Aan de rand van het gebeuren stond een forse wachter met een zweep klaar, gereed om in te grijpen bij tekenen van opstand. Maar het scheen dat diens optreden nooit nodig was, hooguit als een dronkaard te lastig werd. Toch was het in het verleden wel voorgekomen dat slaven de dag na een *du* allemaal verdwenen bleken te zijn, massaal weggelopen na eerst hun afscheid met een nacht van dans en spotliederen te hebben gevierd, zonder dat de opzichters in de gaten hadden gehad wat hen de volgende dag te wachten stond.

Masra tamara yu no sa syi wi moro

Morgen zijn we weg, meester
De thee wacht op het vuur
De poes zit aan de melk
Miauw!

Ik schoot in de lach om dit verhaal, waarin de blanke superieuren flink te kijk werden gezet.

'Waarom lach je?' vroeg Reiner.

Ik vertelde het hem.

Tot mijn verwondering lachte hij niet maar keek mij onderzoekend aan. 'Je bent anders geworden, je bent veranderd,' merkte hij op.

'Wat bedoel je?' vroeg ik luchtig.

'Wel... vroeger zou je toch gevonden hebben dat men niet zomaar het werk in de steek kon laten en de meester met de brokken laten zitten.'

'Wát!?' riep ik verbaasd uit. 'Hoe kom je daarbij? Heb ik dat ooit gezegd?'

'Jazeker,' hield Reiner vol. 'Vroeger was je zo'n verantwoordelijke harde werkster, iemand tegen wie men opkeek.'

Daar keek *ík* van op. Vleiende woorden, maar het leek alsof er heel iemand anders werd beschreven dan mijn persoontje. En waarom sprak hij in de verleden tijd?

'Reiner,' zei ik fronsend, 'ik ben niet veranderd. Misschien ken je mij nog niet goed genoeg.'

Mijn verloofde bleef staan, de hoed in de hand, zijn mooie witte pak smetteloos gesteven door de wasmeisjes van weduwe De l'Isle. Hij had mijn arm losgelaten. 'Regina...' begon hij aarzelend en zweeg dan.

De plotselinge onderbreking van de wandeling en van ons gesprek werd door de durende stilte steeds meer onheilspellend. De drums leken ver weg, de zang verstomd.

'Wat is er Reiner, wat wil je zeggen?' vroeg ik met kloppend hart.

Reiner antwoordde zonder me aan te kijken. 'Het gaat niet, Regina. Je bent niet meer dezelfde. Ik heb mijn best gedaan, maar het lukt niet. We moeten de verloving verbreken.'

Ik was geschokt. Wat waren dat voor loze argumenten die mij van mijn toekomst met hem beroofden? Mijn plannen voor een eigen gezin, een huis en haard, eindelijk een vaste plek. En in plaats van de dienstbaarheid aan een werkgever, een positie in de maatschappij te verwerven aan de zijde van mijn man, zijn steunpilaar te zijn, dat alles gooide hij met een paar achteloze zinnen weg?

'Hoe bedoel je? Wat heb ik dan gedaan?' In verwarring liep ik op hem toe.

Maar Reiner deed een stap naar achteren en gooide de striemende woorden eruit: 'Hoe denk je dat ik terug zou kunnen naar Nederland, met een zwarte vrouw? Ik zou voor gek staan! En mijn kinderen, die zouden geen toekomst hebben. Nee, mijn nakomelingen moeten zuiver zijn, ik kan me geen smet permitteren. Dat ben ik aan mijn familie verplicht. Het spijt me, Regina, maar hiermee houdt het op.' Hij draaide zich om en liep weg.

Even had ik nog zicht op zijn rug, toen was hij in het donker verdwenen.

De manyaboom was al zo oud dat z'n wortels de grond onder hem ruim in beslag namen. Grote, knoestige, kronkelige, dikke wortels waaierden uit aan de basis van de stam, boden overdag een zitplaats voor vermoeiden die schaduw zochten en vormde 's nachts een toevlucht voor kleinere, schuchtere dieren en wezens.

Zonder te bedenken wat zich verschool in de holtes en inhammen van de wortelarmen zette ik me neer op de houtige zetel. De boom ontfermde zich over mij, strekte zijn zwarte gebladerte over mij uit, nam mij op schoot.

Een poos zat ik daar ineengedoken met de armen gekruist over de borst. Ik wenste in de aarde te kunnen verdwijnen en zo deel te worden van boom en gebladerte, onwetend van pijn en verlies. De schok van Reiners wrede woorden had me verdoofd achtergelaten, en een illusie armer.

Op de achtergrond klonk nog steeds het hoge gezang van de voorzangeres, een vrouwenkoor volgde. Het publiek moedigde de zangeressen aan, handgeklap klonk. Voeten stampten, enkelbellen van de *kawai* rinkelden ritmisch, mensen juichten.

In het duister zou niemand mij zien en dat kwam me goed uit. Niet alleen was me zojuist een begeerde toekomst ontnomen, maar ook mijn verleden zoals ik het kende was verdwenen. Wat bleef er eigenlijk van mij over? Opnieuw wenste ik te verdwijnen, verzwolgen te worden door de aarde.

Op dat moment begon de grote drum te spreken. Het zingen was gestopt en de drums namen het over. De donkere tonen dreunden door de nacht, trilden in mijn borst als was dat een klankkast, lokten mijn geteisterde geest. Het was alsof ik uit mijn apathische toestand werd gewekt. Ik stond op, wankelend, hervond mijn balans. Voorzichtig probeerde ik een pas, en nog een pas. Mijn lichaam wiegde voorwaarts, achterwaarts, voet stampte, schouders bewogen mee.

Ik danste met gesloten ogen. Eerst langzaam, aarzelend, ritmisch wiegend en bewegend. Dan fermer, met stampende voeten. Ik schopte mijn schoenen uit en voelde de aarde. Ja, dat was het! Dit moest het zijn! Zwaaiend met de armen, maaiend, hakkend, steeds wilder. Dit was het ritme van mijn moeder. De drums, de hartslag. Mijn moeder. *DOEMDEDOEMDOEMDOEM* – voel me, moeder, hier is je dochter. *DOEMDEDOEM DOEM DOEMDEDOEM DOEM* – Moeder Aarde, *Mama Aisa*, je dochter is thuisgekomen. Ik zwaaide mijn hoofd van links naar rechts, wild, zoals ik de *du*-dansers had zien doen. De drum leidde me en even was er niets anders dan het gedreun van de hartenklop, de seinen die mijn hartzeer begeleidden. Het geroffel culmineerde in een hoogtepunt en eindigde dan met één enkele harde slag.

Het geroezemoes klonk zacht van deze afstand. De vuren flakkerden. De stem van de voorzangeres klonk weer luider. Ze begon haar geïmproviseerde dichtregels en spoedig zouden de anderen haar in koor antwoorden, in een ritme zo vast en zelfverzekerd, alsof niets aan slavernij herinnerde, alsof slavernij slechts een mantel was, die de negers konden afzetten om hun eigen aard te weervinden. Tot de meester de mantel weer als een juk zou opleggen en alles verbergen wat vanavond werd geopenbaard.

Kleiner slagwerk werd aangesproken en bracht een licht, ratelend geluid voort, anders dan de machtige stemmen van de grote drums. Ik wist dat de mannen en vrouwen nu gebogen wiegend en lichtvoetig balancerend, over het zand zouden schuifelen in een kring, zingend, klappend en buigend.

Ik deed mee. Opnieuw dansend, op en neer bewegend, hijgend van het ingehouden snikken. In het halfdonker struikelde ik, viel tegen de grote manyaboom en zocht steun tegen de ruwe stam. Onder mijn vingers meende ik nog de warmte van de zon te voelen en ik legde mijn wang tegen het reliëf van de gegroefde stam. *DOEDOE DOE DOEDOE DOE* – de grote drums waren weer begonnen. *DOEDOE DOE DOEDOE DOE* – het trilde mee in de stam, tegen mijn huid. *DOEDOE DOE DOEDOE DOE* – dit was moeders hartslag. Ik snikte, bewoog langzaam mee in het ritme van de allesoverheersende drums.

Tegen de romp, tegen de buik van mijn moeder liet ik mijn tranen de vrije loop, rouwde ik om de moeder die ik nooit gekend had, om mijn vader, om mijn eigen lot.

En zo, nog altijd bewegend op de verre muziek, in een waas van tranen, trof James mij aan. Hij kwam door het donker naar mij toe, met een fles in de hand. Juist toen ik uitgeput van het dansen en van verdriet neerzonk, voegde hij zich bij me en liet zich naast me op de grond zakken. Tussen de boomwortels zaten we geleund tegen de hoge stam. Boven ons strekte het door duisternis onzichtbare bladerdak zich uit. Vleermuizen cirkelden, op zoek naar rijpe *manya's*.

James sloeg zijn arm om me heen en mompelde: 'Laat ze toch, die bloedzuigers, *those dogs*. Laat ze je niet uitschelden. Geloof hen niet, als ze je kleur veroordelen, of je bloed. Wat maakt het uit?'

Hij reikte me de fles aan en ik nam een slok van de wijn. Beurtelings namen we een teug. Samen zaten we een poos naar de muziek en de zangeressen te luisteren. Ik bedacht dat ik James moest vertellen dat Reiner onze verloving had verbroken. Maar ik zweeg. Ik had nog geen zin erover te praten. Er was zo veel dat nu mijn aandacht opeiste en me zorgen baarde, dat Reiners reactie er maar één van de vele leek. Ik had altijd voor mezelf gezorgd, ik had Reiner niet nodig.

De zangeres hief een lied aan voor *Mama Aisa*. Met betraande ogen keek ik mijn metgezel aan. 'O, James, ik zal nooit weten hoe mama was. Ik heb geen enkel idee.'

Getroffen wendde hij zijn hoofd af. Dan sloeg hij een arm om me heen en trok me naar zich toe. 'We zijn maar kleine mieren in het heelal. Niets en onbetekenend. Soms voelt het geweldig, om te bedenken dat alle pijn niets is, en onbetekenend, te ver weg om je er druk over te maken. Nietig in het universum.' Hij strekte een arm en gebaarde naar de eindeloze nachthemel. De prikkelende geuren van rook en tropische planten omringden ons. Alsof de grond zich wilde doen gelden vervlogen James´ woorden als de uit elkaar vallende staart van een komeet. De stem van de voorzangeres klonk dringend, dwingend, klagend.

Ik begreep niets van James' woorden, wreef met mijn vuisten in mijn ogen als een klein kind dat ontroostbaar is achtergelaten.

'Reggie,' fluisterde hij, 'niet huilen. Ze zijn het niet waard.' Hij drukte me dichter tegen zich aan.

Ik rook zijn adem, de wijn die hij gedronken had, voelde zijn baardstoppels tegen mijn wang prikken.

Hij legde de fles opzij en vatte mijn gezicht. Toen boog hij zich voorover en drukte zijn mond op de mijne, kuste me.

Eenendertig

SEPTEMBER 1848

Ik werd wakker doordat ik een deur hoorde slaan. Vlug opende ik mijn ogen en keek verdwaasd om me heen. Ik lag alleen in Walthers zitkamer op de sofa, geheel gekleed. De luiken waren nog dicht maar het daglicht kierde door de spleten en vanuit de keuken klonk gerucht. Het sterke aroma van zwarte thee drong in mijn neusgaten.

Beelden van de *du*-nacht kwamen boven en ik herinnerde me James, met wie ik wijn had zitten drinken. Enigszins duizelig kwam ik overeind. Zo veel wijn was ik niet gewend. Mijn haar hing los, mijn kleren waren smoezelig en gekreukt, maar alle knopen waren dicht en ik had zelfs mijn schoenen nog aan.

Het werd me vreemd te moede. Het was heel attent van James geweest om me naar huis te brengen, maar dat hij aan mijn reputatie had gedacht terwijl ik voor anderen geen eer meer leek te hebben, gaf me verwarrend genoeg geen voldoening. Eerder werd ik door een lichte teleurstelling bevangen.

In het schemerdonker van de salon probeerde ik mijn evenwicht te hervinden, mijn gedachten te rangschikken, terwijl ik tegelijkertijd mijn haar trachtte te fatsoeneren. Ik besloot me naar mijn kamer te begeven. Zachtjes sloop ik de trap op, hopend dat ik niemand tegen zou komen.

Boven in mijn kamer kleedde ik me uit en waste mijn gezicht in de waskom. Vanuit de spiegel staarde een allerminst florissant uiterlijk terug. Een bad zou helpen, maar ik schaamde me nogal voor de wijze waarop ik thuis moest zijn gekomen. Niets aan te doen, ik moest toch naar beneden met het risico Walther of Elena tegen het lijf te lopen. Ik gluurde door het gordijn naar het achtererf en zag Elena bezig in het kookraam. Vlug schoot ik naar beneden en wist de badkamer te bereiken.

Later, schoon en fris zat ik alleen aan de ontbijttafel, maar het eten smaakte me niet. Dat was geen wonder, sprak ik mezelf toe, ik had net de vorige avond te horen gekregen dat mijn verloving werd verbroken. Maar dat was het niet, merkte ik ongerust op terwijl ik zonder eetlust met mijn vork speelde, Reiner mocht naar de maan lopen, hij verdiende mij niet.

Met een schok realiseerde ik me dat ik dat eerder gehoord had. Van wie? James? Zou ik hem vannacht toch iets verteld hebben? Tobbend verwenste ik de wijn die mijn geheugen had vervaagd, maar kwam dan weer terug op het punt dat ik mijn kleding intact had gevonden. Het stoorde me dat ik daarover teleurstelling voelde. Wat wilde ik eigenlijk? Dat James me oneerbaar had benaderd? Natuurlijk niet! Of toch wel?

Ik begreep niets meer van mezelf. Vol afkeer duwde ik mijn bord weg en stond op. Het leven ging door, met of zonder Reiner. Zonder of met zwart bloed.

Nu de Brammerloo's de lessen hadden opgezegd was ik 's vrijdags vrij. In mijn kamer kleedde ik me voor een wandeling, legde de kledingstukken klaar – de jurk, de onderrokken, de kousen, het korset. Het korset. Weifelend hield ik het door baleinen verzwaarde kledingstuk omhoog. De stof zag grauw en vertoonde ondanks het feit dat ik ze in Nederland nog voor mijn vertrek gekocht had al slijtageplekken. Europese kleding had in de tropen veel te lijden – het overvloedige zweten en de schimmels die op dikke, vochtige stof gedijden, de wasvrouw die de ongerechtigheden met bleek en borstels te lijf ging. Ik moest eigenlijk een nieuw korset aanschaffen.

Maar waarvoor? Onverschillig liet ik het korset op de grond vallen. Wat zou ik me druk maken over het keurslijf, als zo veel negerinnen zonder konden? En hadden ze niet gelijk? Het was veel beter in losse lappen te lopen in deze hitte.

Zo liep ik dus even later buiten in de zon zonder korset, rijglaarsjes en kousen. Er bleef voldoende kleding over, nog steeds waren mijn armen bedekt, mijn kraagje hoog, de zoom van mijn rokken haast tot op de grond. Maar crinoline en onderrokken ontbraken en mijn lichte schoentjes deden het zonder kousenvoeten. Wat een verlichting, letterlijk en figuurlijk! Geen ballast meer mee te dragen van baleinen of hoepels, eindelijk bewegingsvrijheid.

Opgewekt en overmoedig liep ik naar de markt, zwaaiend met mijn rieten mandje. Het achterwege laten van de crinoline en het rijglijf maakte mijn gang zwieriger, minder statig. Het voelde als een bevrijding en ik werd bijna uitgelaten. Hoelang was het geleden dat ik zonder die verplichte kledingstukken liep? Ik kon het me bijna niet herinneren, ik moest nog een kind geweest zijn. Raar hoe lossere kleding je kon doen voelen, vrijer, nieuw, herboren. Ik begon haast te rennen, spreidde mijn armen en maakte een pirouette. Eindelijk zo sierlijk als de Merveilleuses in hun flinterdunne gewaden. Gelukkig was de weg buiten de stad op dat moment verlaten.

In de buurt van Combé kwam de ommekeer. Daar zag ik weer de kolonistenvrouwen, te zwaar aangekleed, toegewuifd met waaiers en met parasols beschaduwd door hun slavinnen. Zij zagen mij ook en begonnen meteen druk te fluisteren, zelfs de slavinnen keken afkeurend.

Ik stak mijn neus in de lucht en deed of ik niet merkte dat ik werd aangestaard. Waar zouden ze het over hebben? Mijn zwarte moeder? De verbroken verloving? Of het feit dat ik niet volledig gekleed was? Het zou wel alle drie kunnen zijn.

Weer was het zover. Ik paste er niet bij. Maar deze keer leek het minder erg. Iedereen in Paramaribo leek buiten zijn of haar stand te zijn getreden. Iedereen was en gedroeg zich anders dan de regels voorschreven. Ik wist dat er achter mijn rug om geroddeld werd, maar waarom zou ik me er iets van aantrekken? In mezelf grinnikte ik, ik dacht al net als de leden van La Troupe, overal lak aan! Opgemonterd door mijn eigen optimisme wandelde ik over de markt. Ik zou mezelf maar eens een beetje verwennen. Bij de goed voorziene marktvrouwen kocht ik een knapperig cassavebrood, een puntzakje tamarindekoekjes en een handvol *inginoto*, vettige oerwoudnoten in een harde bast. Toen keerde ik huiswaarts.

Het was op de terugweg dat ik haar zag. Een beetje opzij van de zandweg, bijna in de bosjes, merkte ik Madame Akouba op. Ze was minder opvallend gekleed dan anders, met soberder kleuren en een eenvoudiger japon. Mij zag ze niet, er stonden een paar gespierde, in lendendoeken geklede negers bij haar, met wie ze druk in gesprek was. Het gezelschap scheen ergens over te onderhandelen. Er kwam een ezelkar aangehobbeld en door de hotsende wielen stoof het droge zand op en kwam in mijn gezicht. Mijn ogen begonnen te tranen en ik zag niets meer. Eer ik de zandkorrels uit mijn ogen had gewreven, was Akouba met de negers verdwenen.

Ik zette koers naar de Heerenstraat. In mijn zak had ik het doosje met de ring van Reiner. Die zou ik hem teruggeven. Maar Reiner bleek aan het werk in het binnenland. Ik gaf het pakje in bewaring bij mevrouw De l'Isle.

De weduwe keek me medelijdend aan. 'Het is jammer,' sprak ze hoofdschuddend, 'heel jammer. Mannen zijn niet wijs. *Mi gudu*, verlies de moed niet, hoor. Alles zal weer goed komen. Je zult het zien.'

'Ik denk het toch niet, mevrouw,' antwoordde ik beleefd. Maar haar vriendelijkheid deed me goed. Toch sloeg ik haar aanbod om een glas limonade te drinken af, want ik voorzag dat ik naast haar medeleven ook vele nieuwsgierige vragen te verduren zou krijgen.

Nog niet uitgewandeld besloot ik langs het kantoor van Lemuel te gaan, sinds Van Roepels ontslag was Walther vaker op kantoor om Sammi voor te bereiden op meer verantwoordelijkheden. Onverwachts had Samuel dus promotie gemaakt.

Maar bij de haven aangekomen trof ik tot mijn onaangename verrassing niet mijn vrienden, maar Frederik van Roepel aan. De man zat niet zoals vroeger pontificaal achter zijn bureau, maar had genoegen genomen met een bezoekerszetel.

'Wat doet u hier?' vroeg ik wantrouwig terwijl ik snel de kamer opnam. Zo te zien had hij niet aan Walthers papieren gezeten, alles was opgeruimd en de kasten waren dicht.

'Neem plaats, juffrouw Winter,' noodde Frederik, alsof er niets aan de hand was. 'Lobato en Blackwell komen zo terug. Ze zijn even een boodschap doen.'

Met tegenzin nam ik op de andere bezoekersstoel plaats. Ik kon maar beter erbij blijven, Van Roepel was in staat om alles te doorzoeken en wie weet wat hij dan over Walthers plannen zou tegenkomen. De man had bewezen over talent te beschikken waar het spionage betrof.

Terwijl ik me afvroeg waar Walther en Sammi heen waren, bemerkte ik dat Frederik mij bestudeerde. Een ongemakkelijke situatie. Ik stond op en wilde naar het venster lopen, maar voor ik daar was hoorde ik Frederiks stoel achteruitschuiven en zijn zware stappen op de vloer. Ik draaide me om, maar te laat. Voor ik erop bedacht was had Frederik zijn dikke armen om me heen geslagen en drukte me stevig tegen zich aan.

'Wat mankeert u? Laat me los!' Geschokt probeerde ik mij uit zijn omhelzing te bevrijden, maar hij was te sterk.

Zijn rode gezicht was dicht bij het mijne, hij grijnsde: 'Ah! Geen korset! U bent een wulps wezen, juffrouw.'

Voor hij me verder kon betasten haalde ik uit en gaf hem een venijnige schop tegen zijn schenen. Met een uitroep van pijn liet hij me los en zonk op een stoel neer. Ik deinsde achteruit maar was nog steeds in het nadeel, hij zat tussen mij en de deur.

Frederik maakte echter geen aanstalten meer om mij te grijpen. Woedend keek hij naar mij terwijl hij over zijn pijnlijke been wreef. 'Denk je dat je beter bent dan de volbloed negerinnen?' snauwde hij. 'Geloof dat maar niet, juffie Winter! Wacht maar tot de rechter heeft gesproken, dan zal je blij zijn als ik je opkoop om je tere huid voor het harde plantagewerk te sparen. Beter in de stad dan op het veld, zeggen de slaven, en dat zal je merken als je het nog niet wist! Je zult me nog smeken om jou in mijn huis te nemen!' Hij kwam overeind en strompelde naar de deur.

Met een klap sloeg de deur achter hem dicht.

Het was waar dat de rechter erover zou kunnen beslissen als mijn advocaat geen uitweg zou vinden. Mr. Vlier was door Walther ingeschakeld om mijn belangen te behartigen. Het feit dat de jurist zelf ook een kleurling was, stemde me hoopvol. Hij zou tenminste begrijpen wat ik doormaakte. Anders dan Reiner.

Nadat Van Roepel de aftocht had geblazen was ik zelf ook maar naar huis gegaan. Ondanks zijn wrede woorden voelde het alsof ik een overwinning had behaald. Net als de roddelende vrouwen op de markt kon hij me niet deren. Strijdlustig bedacht ik dat ik me niet zou laten kleineren. Ik had me nooit een slavin gevoeld en zou dat ook nooit laten gebeuren. Mijn vader had me niet voor niets gered. Tante Cornelie en soeur Agnes hadden niet voor niets gewerkt om mij een opleiding te geven. Zelfs als slavin zou niemand om mijn capaciteiten heen kunnen, wie weet, zou ik zelfs op meester Vliers kantoor kunnen werken.

Met een zucht streek ik de krant glad waarin de marktvrouw het cassavebrood had gewikkeld. Mijn oog viel op de krantenkoppen. Knabbelend op een stuk beboterde *parakoranti* begon ik de berichten te lezen. Dikke zwarte letters riepen dat Osmaanse troepen het gezag in Boekarest hadden hersteld, en dat in Frankfurt de opstand was bedwongen. Maar Keulen was in staat van beleg en er werden arrestatiebevelen uitgevaardigd tegen Wolff en Engels, twee redactieleden van Marx' socialistische krant, dus was de uitgave gestaakt van de door de autoriteiten gehate *Neue Rheinische Zeitung*. In Pruisen werd de censuur zelfs weer ingevoerd.

Het oproer was nog niet voorbij in Europa, slechts hier en daar leek de rust terug te keren. Het enige leuke nieuws was de oprichting van een nieuwe kunstenaarsgroep in Engeland, de *Pre-Rafaelitische Broederschap*, door de schilders Rossetti, Hunt en Millais. Wat leek het lang geleden dat ik kunstwerken met Walther besprak...! Ik vouwde de krant dicht.

James. Ik kon er niet omheen, hij had mij gekust. Hoe vaag de rest van de *du*-nacht nog in mijn geheugen was, dit herinnerde ik me nog heel goed. Zelfs al probeerde ik het al weken te vergeten.

Ik had James intussen weer ontmoet tijdens de voorbespreking van mijn zaak bij Mr. Vlier.

Walther en Sammi hadden verslag gedaan van hun onderzoek naar Frederiks getuige, de blankofficier van plantage De Dageraad, Alphons Brak. Na een speurtocht die leidde door de kroegen van de stad bleek dat deze Brak inderdaad bestond – een verlopen en onbehouwen kerel die lang geleden op De Dageraad gewerkt had, maar een tamelijk verward verhaal had over de gebeurtenissen aldaar destijds. Het leek er sterk op dat het keurige verhaal dat wij van Frederik op schrift hadden gekregen, door hem aan de dronkenlap was gedicteerd.

Maar al was de bewuste brief dan niet volledig correct, de boekhouding van plantage De Dageraad liet inderdaad een vermiste slavin zien. De toenmalige directeur Perrin was intussen jaren eerder gestorven aan malaria, de nieuwe directeur wist van niets en gravin De Pagès te Soetermeer nog veel minder.

'Als Van Roepel de zaak niet aan het rollen had gebracht had er geen haan naar gekraaid,' zei James. 'Slaven en slavinnen lopen wel vaker weg en keren niet terug. Het is niet tegen te houden. Af en toe wordt er geweld gebruikt om de weglopers terug te halen en anderen te ontmoedigen de benen te nemen.'

'Maar was de weggelopen slavin wel Jozina? Stond in de boekhouding niet dat er ook een slavin is vrijgekocht?' drong ik aan.

'Helaas,' zuchtte Walther, 'de boekhouding van al die afgelopen jaren was niet volledig. De houtluis heeft een groot gedeelte van de kasboeken vernietigd.'

Verslagen liet ik het hoofd zakken. Nog steeds was er geen sluitend bewijs in mijn voordeel en het had er alle schijn van dat ik mijn vrijheid zou verliezen, een ondenkbare gedachte.

'Verlies de moed niet, Regina,' sprak Sammi, 'Mr. Vlier is er ook nog. Die zal de wetboeken napluizen. Er moet toch een kansje zijn!'

'Zeker wel,' zei James optimistisch. 'Er zal de rechters veel aan gelegen zijn om deze zaak uit de rechtszaal te houden. Geroddel is tot daar aan toe, maar niemand uit de blanke gemeenschap zit erom te springen een andere blanke te laten vervallen tot slavernij. *So much for white supremacy.*'

'Wie zou denken dat een dergelijk denkbeeld ooit van voordeel zou kunnen zijn?' merkte Walther wrang op.

De mannen stonden op om naar huis te gaan. Ik volgde hen met Walther naar de deur om hen uitgeleide te doen. Al die tijd had James uit niets laten blijken dat hij zich nog iets bijzonders herinnerde van de avond van de *du*. En net als altijd had hij het vermeden mij aan te raken. Ik vroeg me af wat ik ervan moest denken. Maar voorlopig nam de in het verschiet liggende afspraak met Mr. Vlier me geheel in beslag.

Tweeëndertig

BEGIN OKTOBER 1848

Advocaat Vlier was een oudere man, een creool met een donkere huid, zijn kroezende haar werd al een beetje grijs. Door zijn ronde brillenglazen keek hij me vriendelijk aan. 'Wel, juffrouw Winter, uw zaak is wel een heel ongewoon geval,' begon hij. 'Wie zou dat gedacht hebben - zo nieuw uit Holland,' voegde hij er verontschuldigend aan toe. 'Maar laten we bij het begin beginnen.'

We namen plaats, hij in zijn zwarte pak achter zijn imposante bureau, Walther, James en ik aan de andere kant. De klerk, een jonge neger, zette een stapel papieren op het bureau neer. De zon scheen door de vensters en kanten gordijnen naar binnen, het donkere interieur oplichtend. De zware mahoniehouten meubels waren glanzend gewreven, hier en daar was een porseleinen vaas neergezet met gedistingeerde witte rozen. Aan de wand hing een kundig geschilderd stilleven. Mr. Vlier was een man van stand.

Toch vergat de advocaat de armen niet. Samen met de geneesheer Coupijn had hij de Surinaamsche Maatschappij van Weldadigheid opgericht, die liefdadigheid betrachtte. Ik kon me nog herinneren dat ik er vorig jaar een bal had bijgewoond ter gelegenheid van het twintigjarig bestaan.

'U heeft bericht ontvangen uit Nederland?' informeerde de advocaat.

Ik haalde soeur Agnes' brief tevoorschijn. Helaas, ook zij wist niets, had niet geweten van mijn moeders achtergrond. Soeur Agnes was hoogst verbaasd geweest over het nieuws en twijfelde er dan ook niet aan dat tante Cornelie niet op de hoogte was geweest van de vroegere gebeurtenissen in Suriname. Ik was teleurgesteld dat er geen bewijsstukken gevonden waren, maar Mr. Vlier liet zich niet door het ontbreken van een manumissiebrief van de wijs brengen.

'Wel, u bent als vrije opgevoed, u komt uit Holland, u heeft een eerzaam beroep en ziet er blank uit. Spreekt allemaal in uw voordeel.' Hij zocht in zijn papieren en informeerde mij: 'Wat betreft de erfenis van uw vader hoeft u zich geen zorgen te maken. Ook slaven kunnen per testament erven, zelfs grote bezittingen als een huis.'

Ik bewoog nerveus op mijn stoel, het was nog niet eens in me op gekomen dat mijn bezittingen misschien niet van mij waren, maar die zorg bleek gelukkig ook niet nodig.

'In het uiterste geval kunt u zichzelf dus vrijkopen, de kosten zijn rond de duizend guldens en u zou waarschijnlijk met enige moeite, over voldoende kapitaal kunnen beschikken. En het is toegestaan, het is vaker voorgekomen dat een slavin zichzelf vrijkocht.' Hij rommelde nog steeds in de papieren en ik werd ongeduldig. 'Maar ter zake, u wilt natuurlijk weten of gravin De Pagès u toestemming zou geven uw vrijheid te kopen.' Hij zette zijn bril recht en keek op. 'Voor we mevrouw de gravin die vraag kunnen stellen moeten we eerst weten of zij werkelijk rechten kan doen gelden.'

Ongemerkt was ik rechter gaan zitten.

'Tot nu toe wijzen alle tekenen erop dat Adriaan Winter, uw vader, Jozina van Halm, uw moeder, wederrechtelijk heeft meegenomen van plantage De Dageraad, ontvreemd dus.'

Het hart klopte me in de keel.

Mr. Vlier glimlachte me bemoedigend toe. 'Welke mogelijkheden bieden zich nu aan?' Hij bladerde in een dik wetboek. 'Hmm. Volgens de wet van 1816 mogen vrijgelatenen pas *een jaar en een dag na* vrijlating de kolonie verlaten. Eerder zal aan hen geen pas worden afgegeven door het Hof van Politie.'

Vrijgelatenen? In verwarring keek ik toe hoe Mr. Vlier zijn bril afzette en met een doekje schoonpoetste.

'Uw ouders vertrokken in 1822 naar Columbia. Begin 1824 gingen zij scheep naar Holland.' Hij hield de bril turend op en plaatste deze vervolgens terug op zijn neus. 'Een jaar en een dag. Zij vertrokken twee jaar later. Dit zou kunnen betekenen dat Jozina inmiddels een vrije was geworden. Enige tijd na haar vlucht moet zij zijn vrijgekocht, illegaal weliswaar, dat wil zeggen dat de beambte niet op de hoogte was van het feit dat uw vader niet Jozina's wettige eigenaar was.'

De opflakkerende hoop doofde snel weer.

'Daar men bij de aanvraag tot manumissie echter een bewijs van inschrijving in het slavenregister moet hebben, moet Jozina óf toestemming van Perrin hebben gehad, óf zij is onder een valse naam vrijgekocht. Of, derde mogelijkheid, zij is gewoon nooit vrijgekocht.'

De moed zonk me in de schoenen.

Mr. Vlier ging verder: 'Ook dient bij een verzoek tot manumissie driemaal in de openbare dagbladen te worden geadverteerd, en wie meent recht op de slaaf te hebben, kan binnen drie weken na de eerste advertentie bezwaar maken bij de algemene secretarie van de kolonie.'

James viel in: 'De bewijzen moeten dan te vinden zijn bij de Gouvernements Secretarij, bij het Hof van Politie en in de dagbladen!'

Met mededogen in zijn stem verklaarde Mr. Vlier: 'De tweede Grote Brand in 1832 heeft veel van de archieven vernietigd. Mijn assistent heeft de verklaringen uit de periode '22 tot '24 niet kunnen vinden. En de Burgerlijke Stand is pas vijf jaar geleden ingesteld. Men heeft daarvoor wel de doopregisters tot 1828 van de kerkgenootschappen opgevraagd, maar die beslaan niet per se de gehele slavenbevolking.'

'Maar dan is dat de oplossing!' riep Walther. 'Er is geen bewijs dat Jozina nog slavin was, zij kan heel goed al vrij geweest zijn!'

Twijfel stond op het gezicht van advocaat Vlier te lezen. 'Of,' vulde hij aan, 'er was nooit een bewijs, met andere woorden, Jozina was al die tijd op de vlucht en ondergedoken.'

'Maar dat maakt toch niets uit?' vond James. 'Als er geen bewijs is moet men haar nakomelinge met rust laten!'

'Helaas,' antwoordde Mr Vlier, 'zonder bewijs gaat men uit van het voordeel van de planter. De kolonie mag geen kapitaal verliezen. En slaven die de kolonie zijn ontvlucht kunnen nooit gemanumitteerd worden.'

'Betekent dat,' vroeg ik langzaam, 'dat omdat mijn moeder bij haar vlucht slavin was, ik dus ook nooit vrijgekocht kan worden?'

Mr. Vlier knikte verontschuldigend, maar voegde snel aan de bevestiging toe: 'Dit is een heel uitzonderlijke situatie. Slavenkinderen met zo'n lichte huid als u, worden gewoonlijk al jong vrijgekocht. Men vindt het niet gepast hen slavenarbeid te laten doen. Daarbij bent u in vrijheid opgegroeid. Het zou een groot schandaal worden als iemand rechten op u zou willen doen gelden.'

'Laat dat maar aan Van Roepel over,' mompelde Walther.

'Dat wil Frederik dan wel,' zei James, 'maar het zal hem vast niet lukken dit van de grond te krijgen.'

Meester Vlier knikte weer. 'Ik adviseer u om uzelf zo snel mogelijk vrij te kopen. Dan kan niemand u meer lastigvallen.'

'Maar... maar...' begon ik perplex, daar ging mijn spaargeld van twee jaar lang hard werken! Mijn reis naar de tropen zou voor niets zijn geweest. Ik zou er financieel weer net zo slecht voor staan als eerst, zo niet slechter. Geen eigen kamerwoninkje meer, maar inwonen en verkommeren in het Moederhuis! 'Dat is toch niet eerlijk!' barstte ik los. 'Moet ik dan zomaar die gravin nog rijker maken, terwijl ik al mijn verdiende loon kwijtraak? En dat terwijl mijn moeder mogelijk een vrije vrouw was!'

De advocaat keek me ernstig aan. 'Een andere mogelijkheid is de kolonie vlug en voorgoed te verlaten. De autoriteiten zullen u door de gevoelige aard van de zaak rustig laten gaan en u bent van de dreiging af zonder extra kosten.'

Walthers gezicht klaarde op en hij leek ergens over te peinzen.

Maar James was bleek geworden. 'De Van Roepels hebben nog familie in Nederland,' stelde hij. 'Zij kunnen Regina daar ook zwartmaken!'

'Letterlijk,' mompelde Walther.

Meester Vlier legde zijn laatste troef op tafel. 'U kunt - liefst meteen vandaag - een klacht wegens smaad indienen. Die stap kan als gevolg hebben dat de mensen uw gelijk accepteren en uw vrijheid verder niet wordt aangetast.'

'Frederik laat het er vast niet bij zitten,' merkte Walther op, 'die begint een roddelcampagne *à les cabales*!'

'Maar het is beter dan met de staart tussen de benen vluchten of het kapitaal van anderen willoos spekken,' meende James.

'U staat er beter voor dan u denkt,' sprak de jurist. 'Laat het maar aan mij over. De heer Van Roepel heeft in zijn haast u dwars te zitten, buiten de waard gerekend. We kunnen het zo spelen dat hij in zo'n kwaad daglicht komt te staan dat hij van verdere eisen afziet. Zijn staat van dienst is tenslotte niet vlekkeloos. Wat vindt u daarvan?'

Het begon me te duizelen. Ik streek over mijn voorhoofd, waar ik de hoofdpijn voelde opkomen, en zei: 'Ik moet erover nadenken.'

'Zeker, zeker. Doet u dat gerust. Ik verneem het wel als u stappen wilt ondernemen.'

We stonden allemaal op en de advocaat begeleidde ons naar de deur, mij nog moed insprekend. Er was veel om over te beslissen.

In mijn kamer lag ik geheel gekleed op bed na te denken. Iedereen was weer aan het werk gegaan, ik had van Walther vrijaf gekregen. Terwijl door het raam geluiden kwamen van buiten, getok van de scharrelende kippen, het hakkende geluid van de houwer van Coen, die onkruid aan het wieden was, Elena, die in het kookraam bezig was met pannen en potten, ging ik de mogelijkheden na.

Mijzelf vrijkopen was een bizarre gedachte. En een aanklacht wegens smaad zou veel onrust brengen in de gemeenschap en veel ongewenste aandacht voor mij. Ik was niet zo zeker van de goede afloop als Mr. Vlier. In ieder geval zouden beide opties mij een kapitaal kosten en ik zou slechter af zijn dan een jaar geleden.

Teruggaan naar Nederland leek nog de beste keuze. Ik zuchtte. Hoe ging het thuis, in Europa? Volgens het laatste nieuws waren er weer rellen in Berlijn, alhoewel de uitgave van Marx' *Neue Rheinische Zeitung* in Keulen weer hervat was. Maar een zeer bloedige opstand in Wenen waarbij duizenden mensen waren omgekomen, moest me wel somber stemmen. Niet alleen vanwege het vele bloedvergieten, maar ook omdat mijn lot daar op een of andere manier mee verbonden was.

Er zouden weer vluchtelingen zijn. Net zoals tijdens de vorige oorlogen zouden Franse, Duitse, Weense refugiés hun toevlucht zoeken in Holland en België, waar het nog relatief rustig was. De dames van adel en half-adel, officiersdochters, allemaal zouden ze om te kunnen leven, op zoek gaan naar emplooi. Het schaarse werk dat bij hun stand paste zou al snel vergeven zijn. Waar zou ik nog werk vinden als gouvernante of gezelschapsdame?

Mij zou het lagere werk ten deel vallen: als kinderjuffrouw, verstelmeisje of kleedster zou ik nog wat kunnen verdienen. Strijken, naaien en verstellen, zorg dragen voor de garderobe of het kroost van rijke dames. En misschien, als ik veel geluk had, af en toe een portret maken of een landschapje verkopen. Ik zou mijn leven verder leven tot ik een oude vrijster zou zijn en dan hopelijk terecht zou kunnen in een opvangtehuis voor bejaarde gouvernantes zonder familie.

En wat als Frederik zijn lastercampagne in Nederland zou voortzetten? Waarschijnlijk zou dat niet veel effect hebben. De koloniale situatie was nagenoeg onbekend bij zowel het gewone volk als bij de dames van de hogere kringen. Zij zouden zich geen voorstelling kunnen maken bij Frederiks insinuaties, juffrouw Winter met haar Brabantse tongval was immers volkomen Hollands?

Maar Van Roepel zou natuurlijk wel van alles kunnen verzinnen om de vooroordelen die er heersten over losbandige creoolsen uit de kolonies, met gretigheid te zien bevestigen. Met een huivering dacht ik aan onze laatste ontmoeting, toen hij wellustig geconstateerd had dat ik geen korset droeg. Wat voor scandaleuze verdraaiingen zou hij niet kunnen bedenken om mij te schande te maken?

Maar Frederik en Augusta hadden hun eigen leven in Suriname. Het leek onwaarschijnlijk dat de man mij naar Nederland zou volgen om me het leven zuur te maken. Uit het oog, uit het hart en opgeruimd staat netjes, zou wel hun motto zijn.

Het leven in Europa leek nu allerminst aantrekkelijk, maar als ik een betrekking kon vinden en geen last van roddels zou hebben, zou het toch draaglijk zijn. Een groot deel van mijn leven was ik niet anders gewend. Het verschil zat hierin, dat ik een jaar geleden verwacht had na mijn terugkeer uit de tropen in een verbeterde positie te verkeren, niet in een slechtere.

Waar zou ik het beter hebben? Als Mr. Vlier gelijk had zou ik zonder ingrijpen van de autoriteiten in Suriname kunnen blijven. Ik zou een moeilijke tijd tegemoet gaan, maar uiteindelijk geaccepteerd worden en mijn draai vinden in de gevarieerde en complexe koloniale samenleving.

Eer ik de beslissing om te blijven of te vertrekken zou nemen was er echter iets belangrijks dat ik moest weten. Vlug stond ik op en streek mijn kleren en kapsel glad. Voor het bezoek aan de advocaat had ik mij net aangekleed, compleet met korset en handschoenen. De handschoenen liet ik nu achter, maar met de haastig op het hoofd gedrukte hoed en de parasol onder de arm, ging ik vlug de trap af en naar buiten. Ik moest James spreken voor hij vertrokken was naar de binnenlanden.

Onderweg naar Frimangron verzamelden allerlei beelden van de afgelopen tijd zich in mijn hoofd. James, die verbleekte toen de advocaat mijn definitieve vertrek uit de kolonie voorstelde. De vriendschap die nu al een jaar duurde, onze gesprekken en vertrouwelijkheid. Zijn kus op de avond van de *du*.

Geen enkele keer had hij naderhand laten blijken dat er iets tussen ons veranderd was. Giulietta had weliswaar verteld dat hij dol was op mij, maar dat konden evengoed broederlijke gevoelens zijn. Nu was het moment gekomen dat ik moest weten wat ik kon verwachten. Walther zou vertrekken en wat bond mij dan nog aan Suriname?

Op Frimangron leek het erf al verlaten, al blaften de honden nog. Ik riep enkele malen om James en het geblaf werd luider. Juist wilde ik weer omkeren toen James verscheen. Hij had het nette pak dat hij bij Mr. Vlier aanhad, verwisseld voor zijn gewone werkkleding en droeg een zinken emmer en een viskorf.

Verrast deed hij het hek open. 'Ik ga krabben vangen,' vertelde hij. 'En jagen als het meezit. Ik stond op het punt te vertrekken.'

Impulsief vroeg ik: 'Mag ik mee?'

Verbaasd keek James naar mijn mooie kleren. 'Je bent er niet op gekleed. En krabben vangen is niets voor dames.'

Dat gaf de doorslag. 'Dat maakt me niet uit. Ik wil graag mee,' zei ik beslist.

James wilde nog iets tegenwerpen maar zag dat ik vastbesloten was. 'Nou, vooruit dan maar. Maar zeg niet dat ik je niet gewaarschuwd heb.'

Even later stapte ik in het bootje dat al in de kreek lag naast James' erf. Op het laatste moment had ik nog wat sinaasappelen gekocht van een passerende verkoopster, die het fruit opgetast in een baskiet op haar hoofd droeg.

Nu schilde ik de vruchten terwijl James roeide. Ik moest me op een of andere manier nuttig maken, maar ik had me niet goed voorbereid.

Toch genoot ik van het tochtje, we voeren de Drambrandersgracht af naar de Suriname-rivier. Eenmaal op de rivier hadden we het getij mee en ons bootje ging vlot stroomafwaarts.

'We leggen aan voorbij Bukudan,' riep James. 'Kunnen we krabben zoeken bij de steiger!'

We voeren langs de markt van Combé, langs de plantages Rainville, Geijersvlijt, De Morgenstond. In de boomgaarden waren slaven aan het werk, manden torsend op het hoofd, houwer en *tyap* hanterend. Sinaasappel-, cacao- en bananenbomen tekenden zich af tegen de heldere lucht. Witte plantagehuizen kwamen in beeld en verdwenen weer tussen het groen terwijl we verder voeren. Af en toe kwamen er honden blaffend naar de waterkant of zwaaiden er mensen naar ons. Bij de bakstenen sluizen zaten hengelaars geduldig te vissen.

Ten slotte voeren we de laatste plantage aan de westelijke oever van de brede Suriname-rivier voorbij, koffieplantage Buku.

James maakte de boot vast aan de steiger en we beklommen de houten trap. Het was eb en de krabben kropen over de modderige oever voorbij de waterlijn.

'Nu wordt het vies werk,' zei James lachend terwijl hij zijn schoenen uitdeed en zijn broekspijpen oprolde. Hij bond een houten plank aan zijn rechterbeen vast. 'Jij kunt beter op de steiger blijven. Je zou anders zo tot je middel wegzakken in de modder.'

Hij liep de steiger af en ging aan land, stapte door het hoge gras aan de oever en bereikte de modderbodem, die bij eb zichtbaar werd. Honderden krabben renden zijwaarts over de vlakte. De kleintjes kropen in holen, maar James was op zoek naar grote exemplaren. Op de modderige bodem konden zonder hulpmiddel alleen reigers en ibissen lopen, zwaardere wezens zouden meteen wegzakken. Vanaf de steiger keek ik toe hoe James bij de oever neerknielde met zijn plankje plat op de modder, zich met de vrije voet afzette en wegschoot op zijn houten plank. De krabben stoven weg, maar de grotere exemplaren kwamen niet gauw weg. James haalde er een in, gaf die met een schep een klap en deed het beest vervolgens in de korf op zijn rug. Zo glijdend over het slik wist hij de krabben te vangen. Snel en behendig zwierde hij over de moddervlakte, al te waterige plekken vermijdend.

Het speet me dat ik niet gekleed was voor de krabbenjacht. Het leek me geweldig om zo rond te 'sleeën'. Maar dat zou ik dan in mijn ondergoed moeten doen, hoe kreeg ik anders mijn blote been aan de plank vastgegespt?

De gedachte liet me niet meer los. Ik keek om me heen of er mensen in de buurt waren. Maar we waren ver voorbij de achterkant van de plantage aangemeerd en iedereen was op de velden aan het werk. De steiger en het riet waren verlaten, op de reigers en de muggen na. Vlug begon ik mijn jurk los te maken. Toen ik was uitgekleed op mijn pantalette en korset na, legde ik mijn hoed en parasol boven op de hoop kleren en verliet blootsvoets de steiger.

Het viel niet mee, in het riet vielen de muggen meteen aan. Venijnig staken de beesten in de blote huid van mijn rug, armen, benen en gezicht. De beten brandden hevig en lieten rode bulten achter. Er moest toch iets zijn om me mee te bedekken? Het schoot me te binnen dat ik weleens gehoord had dat modder tegen de muggen beschermde. Zonder aarzelen bukte ik me en schepte uit een modderplas handenvol natte slik en smeerde mijn armen, benen, rug en wangen in. De koele modder voelde zacht en prettig aan op mijn brandende huid, de muggen leken zich een beetje terug te trekken, al bleven ze me wel om de oren zoemen.

'James!' riep ik en wenkte. 'Laat mij ook eens!'

James was intussen ook flink bespat met modder en had nu genoeg krabben gevangen. Hij keerde terug en inspecteerde verbaasd mijn modderige gestalte. 'Dat is de eerste keer dat ik een dame in zo'n uitmonstering zie!' sprak hij en stond zijn plaats af.

Heimelijk verkneukelde ik me. Ik wist zeker dat hij mij nooit op zijn plankje had toegestaan als ik niet al onder het slijk had gezeten. Bekleed met *tokotoko* verloren blote benen en ondergoed alle charme en werden gedachten van een eventuele pikante zijsprong beroofd.

Lachend knielde ik neer en zette me af. Het kostte enige moeite te balanceren, wiegend met de schouders wist ik mijn evenwicht te bewaren. Ik had geen zin om te vallen en een volledig modderbad te krijgen. Slippend gleed ik over de vlakte, gillend als ik krabben tegenkwam die met hun scharen dreigden. De flamingo's vlogen op met roze vleugelgeklapper. Wijd strekte het blauwe hemelruim zich boven ons uit. Dit was vrijheid! Ik schaterde het uit.

De zon stond hoog en we hadden ons teruggetrokken in de schaduw. Het zou nog uren duren voor het vloed was en we terug konden varen. James had een vuurtje gemaakt en kookte ons potje. De schoongemaakte krabben stoofden met kruiden gaar. Het aroma van gember en madam jeanette steeg op en verdreef tijdelijk de reuk van de nabije drassige bodem. Waar we zaten was het droog genoeg en dankzij de aangekoekte modder op onze lichamen lieten de muskieten ons met rust. Toen het eten gereed was waren we een poosje zoet met het breken van de krabbenschalen en nuttigen van de vlezige inhoud. De maaltijd werd besloten met de sinaasappelen, die nu goed van pas kwamen.

Nadat we onze handen met de sinaasappelschillen hadden schoongeboend hing James zijn hangmat op. 'Ga je gang,' gebaarde hij uitnodigend en maakte aanstalten om een eindje verder op de stam van een omgevallen boom plaats te nemen. Maar dat kon ik niet zomaar aannemen. Ik was al ongevraagd meegekomen en nu beroofde ik James van zijn siësta.

'Kom erbij,' zei ik uitnodigend en schoof met bengelende voeten een stukje op in de hangmat.

James aarzelde even en keerde terug naar de hangmat. Met tegenzin, leek het, liet hij zich naast mij neerzakken.

Een poosje bleven we zwijgend in de schommelende hangmat liggen. Onze benen hingen buitenboord en boven ons wierp de zon lichte vlekken in het groene gebladerte. James lag stil naast me met gesloten ogen. De lome middagstilte werd alleen doorbroken door vogels die in het struikgewas naar elkaar riepen. De branderige lucht van het rokende, nasmeulende vuurtje hield de gonzende insecten enigszins op afstand, maar maakte de atmosfeer van broeierige hitte nog zwaarder.

Het idee kwam op en zonder er verder over na te denken vroeg ik: 'James?'

'Mmm?' mompelde hij zonder zijn ogen te openen.

'Zullen we gaan zwemmen?' Hij draaide zich naar me toe en keek verbaasd. Maar ik was al uit de hangmat geklommen en wandelde naar het water dat al langzaam hoger werd.

'Reggie, wacht!'

Ik keek om.

'Dat kun je zo niet doen. Met dat korset word je veel te zwaar. Daar ga je toch niet mee het water in?'

'O ja...' Ik pakte mijn hemd van de bundel kleren en trok het over mijn hoofd. Daaronder ontdeed ik me met enige moeite van mijn korset.

James had zich afgewend en zei niet op zijn gemak: 'Regina, is dat nou wel verstandig? Als het water opkomt kun je niet zien wat er allemaal over de modder kruipt. Het kan gevaarlijk zijn!'

'O, eventjes maar. Kom nou!' Ik rende naar het water.

James volgde schoorvoetend. Nu was hij wel verplicht mij te volgen.

Het water klotste koel, daaronder loerde de zuigende modder waar ik tot mijn middel in zou kunnen wegzakken en waar ongedierte zich verschool.

Zo gauw het diep genoeg werd liet ik me in het water zakken en zwom een paar slagen. Dat viel tegen. Het slik kolkte op en maakte het water troebel en bruin.

James stond in het water. 'Kom je nou terug?' riep hij.

Ja, dat was waarschijnlijk toch beter. Druipend en modderig kwam ik uit het water. 'Oegh!' spoog ik.

'Told you so,' schudde James.

Met enige moeite trok ik mijn voeten uit het vasthoudende slik.

James bleef mij in de gaten houden tot we beiden weer op het droge waren.

'Geen gevaar meer,' zei ik lachend.

James glimlachte meewarig, dan gleed zijn blik naar het natte hemd dat aan mijn lichaam plakte.

Ik bloosde en James keek net iets te lang voordat hij mij weer aankeek en dan abrupt zijn gezicht wegdraaide. Maar ik had de uitdrukking in zijn ogen al gezien. En hij wist dat. Het had geen zin de dekmantel op te houden die zijn gevoelens zo zorgvuldig afdekte.

Maar James gaf niet toe. Zonder me aan te kijken trok hij zijn schoenen aan, maakte de hangmat los, alles met vlugge, driftige gebaren als om te bezweren wat zich in hem was begonnen te roeren. Zijn gelaat strak en bleek weggetrokken, voelde ik een plotselinge afstand tussen ons. Hij leek mijlenver met zijn gedachten.

Zwijgend kleedde ik me aan en pakte de spullen bij elkaar, af en toe een ongeruste blik op hem werpend. Ik had de emoties op zijn gezicht gelezen – niet meer de broederlijke beschermer was daar maar een onbekende, kwetsbare James, in wie de angst zich een weg naar buiten baande. Angst om te geven en te verliezen.

Juist toen ik dacht dat we op punt van vertrek waren, draaide hij zich onverwachts om, greep zijn jachtgeweer en liep met grote passen het struikgewas in. Ik dacht aan wat Reiner had verteld over James' vreemde gedrag bij de marrons en de riskante situatie die was ontstaan. Hij had zijn eigen demonen te bevechten, maar dan toch niet alleen. Ik ging hem achterna.

Vlug liep hij door het zwampbos, zijn haastige stappen klonken zompig op de drassige grond.

Ik liep achter hem aan, probeerde hem bij te houden, maar de boomwortels en de zuigende modder bemoeilijkten mijn bewegingen en hielden me tegen. 'James, wacht!'

Hij hield halt en keerde zich om, zodat ik de kans kreeg me naar hem toe te worstelen door de overvloedige plantengroei die me de weg versperde.

Takken bleven in mijn kleren haken en een terugzwiepende twijg striemde mijn gezicht.

James kwam naar me toegelopen om me te bevrijden. Zijn gezicht stond grimmig.

Ik voelde me nerveus worden. Kon ik de geesten aan die ik had opgeroepen?

Van de spanning begon ik onzin uit te kramen. Misschien hoopte ik hem af te leiden van de spoken uit het verleden. 'Het spijt me, James, het was een vergissing geweest om zo aan te dringen,' bazelde ik. 'Ik weet dat mannen en vrouwen nooit samen zwemmen. Scheveningen, kuuroorden, natuurlijk worden beide seksen gescheiden gehouden. Als de dames in badkoetsen te water gaan mag er zelfs geen bootje in de buurt komen. James?'

Het leek vreemd genoeg te helpen. Hij schudde zijn hoofd als om een waanbeeld te verjagen. 'Waar heb je het over?'

Opgelucht dat er met hem te praten viel vroeg ik: 'Zie je me als een zuster, James?'

'Als een zuster?' herhaalde hij met een verdwaasde uitdrukking op zijn gezicht.

Ik sloeg mijn ogen neer, raapte al mijn moed bij elkaar en keek hem weer aan. Mijn mond vormde de woorden: 'Ik zie jou niet als een broer.' Vreemd genoeg was het voor mij net zo moeilijk geworden om het toe te geven.

Maar hij maakte het er niet makkelijker op. James keek kwaad. De sfeer raakte weer gespannen. 'Wat wíl je dan?' vroeg hij nijdig.

Ik was sprakeloos. Wat ik wilde? Ik wilde dat hij zich uitsprak. Te vaak had hij gezwegen, geaarzeld, zich teruggetrokken. Wanneer kon ik te weten komen wat er in hem omging, wat mijn persoon hem deed? Liet ik hem onverschillig? Ik deed een paar stappen achteruit.

Hij keerde me zijn rug toe en liep van me weg. 'Reggie, sommige dingen kunnen nu eenmaal niet,' zei hij. Het klonk gesmoord en minder vastbesloten dan hij had bedoeld.

Ik kreeg weer hoop. 'Waarom niet?' hield ik aan. 'Wat is er dan?'

'Ik heb je niets te bieden. Wat voor leven kun je bij mij leiden?' Hij bleef staan en wendde zijn gezicht naar me zonder zich om te draaien. 'Maar er zijn genoeg andere mannen die jou meer kunnen geven. Ik kan een vrouw gewoonweg niets anders in het vooruitzicht stellen dan armoe en hard werken.' Hij sprak ruw en bleef met zijn rug naar me toegekeerd, zijn schouders onwillig gebogen, zijn profiel scherp afgetekend. 'Is dat wat je wilt?' Het was niet enkel afwijzing, er klonk vertwijfeling door in zijn toon. Dat sterkte mijn vermoedens.

Ik spreidde mijn armen om mijn woorden kracht bij te zetten, al sprak ik tegen zijn rug. 'Wat denk je dan van mij? Ik ben niet als fijne dame geboren. Ik ken de armoede en ik ben er niet bang voor nu we nog jong en gezond zijn. En ik ben geen fortuinjaagster,' voegde ik eraan toe.

James keerde zich weer naar me toe, hij leek kalmer maar voor ik de uitdrukking op zijn gezicht kon duiden, veranderde deze in afgrijzen—

Verbijsterd opende ik mijn mond. Ik zag hem zijn geweer op me richten. Geschrokken deinsde ik achteruit.

Hij gooide zijn geweer opzij. Met een sprong kwam hij naar voren en bukte om een steen. 'Weg daar!' De steen plonsde achter me in het riet en ik hoorde een vreselijk, schuivend, spetterend geluid, het geplons van een zwaar lichaam dat zich verplaatst in het water.

Ik slaakte een gil en probeerde weg te rennen, maar de heftige schrik verlamde me.

Achter me klonk het slaan van de geschubde staart.

In blinde paniek stortte ik me naar voren, zag James aanleggen.

De knal daverde door het bos. Vogels vlogen krijsend op. Op een of andere manier was ik ontsnapt en werd door James weggesleurd.

Zijn gezicht was doodsbleek. Ik zakte door mijn knieën en hij sloeg een arm om me, als om zich ervan te vergewissen dat ik nog heel was. Dan trok hij me weer overeind. 'We moeten hier weg. Dat was een heel grote kaaiman. We zijn te ver afgedwaald. Het is hier niet veilig.'

Zo snel als we konden renden we terug naar de kookplaats, het water was inmiddels nog verder gestegen. Vlug laadden we onze spullen in de boot en voeren weg. Nu ik wist dat er kaaimannen in de buurt waren voelde ik me minder veilig dan op de heenweg. Langs de waterkant was hier en daar een kartelstaart te onderscheiden, met sinister geklots zwiepend tussen de mangrovewortels.

We vermeden het te dicht langs de kant te roeien. Met de stroom mee ging de terugreis gelukkig vlot, we zouden tegen het donker thuis zijn, net voordat de avond viel. James roeide zwijgend, opgesloten in zijn eigen gedachten. Was hij nog steeds boos omdat ik zijn zorgvuldige zelfbescherming doorbroken had met mijn vraag om meer intimiteit? Zou ik me er dan maar in moeten schikken een goede vriend te hebben en niet meer te verlangen? Misschien waren de boze geesten uit zijn verleden sterker dan zijn gevoelens voor mij. Hij liet mij in onzekerheid en grotere eenzaamheid dan ik had kunnen denken. Ons tochtje, dat zo opgewekt begonnen was, eindigde in gereserveerd zwijgen.

Mistroostig begon ik de modderlaag op mijn arm af te pellen, maar toen zei James kortaf: 'Laat die modder maar zitten. Dat helpt tegen de muskieten.' En inderdaad, het begon al donker te worden toen we de stad naderden en hordes muskieten wierpen zich op ons. Ik sjorde mijn mouwen omlaag tot aan mijn polsen en trok mijn hoed diep over mijn ogen. James roeide zo snel hij kon naar de Drambrandersgracht.

Het was een geluk dat de duisternis al viel en iedereen zich tegen de muggen in huis verschanste. Zo trokken we minder de aandacht. En raar moesten we er wel uitzien. Twee blanken, bemodderd en besmeurd, vermoeid en terneergeslagen.

Terug bij James' erf klommen we op de wal en nadat hij de boot had vastgemaakt zei hij dat hij een bad zou klaarmaken. Daar had ik wel oren naar. Bovendien sprak hij tenminste weer tegen me. Ik hielp met water putten terwijl hij hout van de voorraadstapel haalde. Miss Marietje scheen niet thuis te zijn, of misschien lag ze al te slapen. Handig maakte James vuur in de kuil. Hij veegde met een lap het bad schoon en begon vervolgens de kuip te vullen met de emmers putwater.

In de beschutting van de donkere veranda trok ik opgelucht mijn bemodderde jurk uit. Korsten vuil vielen van mijn armen. Toen het ergste vuil van me af was gevallen, werd ik me opeens bewust van mijn nauwelijks bedekte naaktheid. James leek zich nergens van bewust, sjouwde emmers water van de put naar de kuip, pookte het vuur in de kuil op. Stilletjes wachtte ik in het duister in mijn ondergoed, treuzelend tot het bad gereed zou zijn.

Het schijnsel van het vuur verlichtte het erf plaatselijk. Het moest ook licht blijven, zodat we eventueel ongedierte als een slang of rat tijdig zouden opmerken. James was in het huis verdwenen.

De nachtlucht was koel en het knapperende vuur lokte. Vlug ontkleedde ik me geheel en liep naar de dampende kuip, stapte erin. Het water was warm maar ik dompelde mezelf vlug onder, in de hoop mijn lichaam aan het zicht te onttrekken. Net op tijd, want James keerde terug met een paar handdoeken en een kommetje zeep.

Maar nu begon hij zich in het flakkerende schijnsel van zijn groezelige kleren te ontdoen. Ik keek naar de gevulde emmer op de grond en vroeg me af of hij van plan was zich in mijn bijzijn te wassen. Wel, dat was best. Ik had wel vaker soldaten toilet zien maken met ontbloot bovenlijf. In Den Bosch zag ik er een onder een boom bij de kazerne zich scheren en bij Fort Zeelandia verfristen de soldaten zich soms buiten bij de regenton.

Maar James hield het niet bij zijn hemd en kleedde zich verder uit, voor ik het wist stond hij poedelnaakt op het erf. Ondanks mijn bravoure eerder op de dag sloeg ik mijn ogen neer maar bemerkte dan tot mijn schrik dat hij naar de kuip toe kwam gelopen. Even later stapte hij bij me in het bad, terwijl ik vlug opzij schoof om plaats voor hem te maken en lijfelijk contact te vermijden. Het water klotste over de rand en het smeulende vuur flikkerde en siste.

Hij begon zich snel schoon te wassen en dompelde zelfs zijn hoofd even onder, kwam proestend weer boven. Toen leunde hij ontspannen achterover in bad. Ik zat met mijn benen opgetrokken en de knieën dicht tegen elkaar, dubbelgevouwen om samen in de kuip te passen. Kuis en ongemakkelijk. Tegenover mij lag James er comfortabeler bij.

Voor het eerst sinds hij met de voorbereidingen voor het bad was begonnen, keek hij me aan.

Ik durfde eindelijk op te kijken.

James ving mijn blik. Hij lachte om mijn beteuterde gezicht en zei toen: 'Beantwoord dit je vraag voldoende, Regina?'

Ik bloosde en zweeg. James stak zijn hand uit en veegde zacht over mijn wang. 'Modder,' zei hij.

Gegeneerd begon ik mijn gezicht te boenen, wreef onder water mijn lichaam schoon.

James zei niets meer en ik keek hem niet aan.

Toen ik dacht schoon genoeg te zijn en me begon af te vragen of ik bloot uit de kuip moest stappen of hem zou vragen voor te gaan, reikte hij ineens naar me.

'Reggie,' fluisterde James. Onze benen lagen tegen elkaar geklemd in het bad zodat hij niet goed bij me kon komen. Hij kwam half overeind in het klotsende water en duwde voorzichtig mijn knieën uiteen om mij te bereiken. Geknield tussen mijn benen boog hij zich over me en sloeg zijn armen om me heen. Ik hoorde zijn ademhaling en voelde zijn lippen zoekend tegen mijn mond. Toen gaf ik me over en omhelsde hem met armen en dijen, die toch evengoed al tegen zijn zijden geperst lagen in het krappe bad.

Drieëndertig

HALF OKTOBER 1848

Het stuk was aangekondigd als *De komst van de fluitspeler.* Iedereen verheugde zich op het nieuwe toneelstuk van La Troupe Rouge, er hing een sfeer van verwachting in de zaal. Het geroezemoes, gekuch en gelach, het schuiven van stoelen over de houten vloer, klonken als het begin van een feest, wanneer de gasten binnentreden en iedereen uitgelaten elkaar begroet. De walm van olielampen hing in de lucht, op het podium brandden al kaarslampen in hun glazen lantaarns. De zware roodfluwelen gordijnen waren nog gesloten en af en toe bewoog even een plooi, als achter de coulissen een nieuwsgierige speler het publiek probeerde te inspecteren.

'Ik mag hopen dat die fluitspeler zijn mannetje weet te staan!' baste een dikbuikig heerschap.

'Als de vrouwtjes maar weg weten met de fluit!' antwoordde een ander olijk.

Een bulderend gelach steeg op.

Ik zat met Walther en James in de loge. Vanuit de verte had ik Reiner zien binnenkomen, met een bleke dame aan de arm. Het duurde een moment voor ik haar met een schok herkende: Augusta van Roepel. Dat Reiner zo ver zou gaan een verstandshuwelijk te sluiten verbaasde me zeer. De twee hadden nauwelijks iets met elkaar gemeen, slechts hun streven naar fortuin en behoud van zuiver bloed. Maar misschien was dat voor beiden genoeg, bedacht ik licht ontgoocheld. Gelukkig had ik inmiddels omgang met James, anders zou de aanblik van dit onwaarschijnlijke paar te veel voor me zijn geweest. Dankbaar keek ik naar James en hij glimlachte en drukte bemoedigend mijn hand.

Wij zagen elkaar nu vrijwel dagelijks, hoewel ik gewoon bij Walther woonde en mijn lessen gaf. Soms moest James weg om de kost te verdienen, vissen aan de kust of jagen in het binnenland, dan zag ik hem een poos niet. Hij was een echte vrijbuiter en ik begreep wel waarom hij een toekomst met een keurige gouvernante onmogelijk had geacht. Maar sinds we minnaars waren geworden was onze band gegroeid. Er was simpelweg niemand in wiens gezelschap ik liever was.

Langzamerhand werden de lampen gedoofd, verdwenen de koopvrouwen met hun bladen met lekkernijen en werd het rustiger in de zaal. Enkele laatkomers zochten nog gauw een plekje, maar van achter de coulissen klonk al het roffelen van de drum.

Statig schoven de gordijnen open en onthulden het podium. Een groot laken was over de breedte van het plankier gespannen en een lamp daarachter geplaatst. Gezang klonk, de voorzangeres begon een weemoedig lied, het koor volgde. Op het doek verschenen silhouetten, een stoet zingende slaven op weg naar huis, afgetekend tegen de ondergaande zon. Sommigen droegen bundels suikerriet op het hoofd of torsten zware, gevulde baskieten. De stoet van schaduwen leek veel langer dan de zeven man die La Troupe feitelijk telde. Waarschijnlijk sloten de eersten zich weer achter aan, al variërend met kruiken en manden als draaglast. Toen het droevige gezang was afgelopen en de stoet was verdwenen, doofde het licht.

Het witte laken werd vlug weggetrokken en het decor van een plantagekeuken werd zichtbaar.

Akouba, eenvoudig gekleed, roerde in een ketel. Quaku, geschminkt als oude man en gekleed in een versleten jas, strekte zijn stramme leden uit op een bank. Mirre, als klein jongetje verkleed, speelde in een hoek op de grond met een hond, voerde hem restjes. Giulietta, haar rode krullen verstopt onder een hoofddoek, kwam het toneel op lopen met een dienblad vol mooi serviesgoed – de tafel van de meester was juist afgeruimd. Een werkdag was voorbij, de slaven genoten van hun welverdiende rust. Pijnlijke spieren werden gemasseerd, brandende ogen een moment gesloten, de teisterende zon was eindelijk verdwenen.

Maar hoor! Wat klinkt daar nu? De hond spitst de oren en blaft kort. Vanuit de coulissen klinkt gefluit, eerst zacht maar dan steeds harder. Een vreemde melodie, mysterieus en onverwacht op dit uur. Wie loopt daar nog buiten? De avondklok is toch al ingegaan?

De slaven reageren verschrikt maar ook nieuwsgierig, wie kan dat zijn? De muziek is nu heel dichtbij, merkt het jongetje, luisterend aan de deur. Dan wordt er geklopt. Men kijkt elkaar besluiteloos aan, maar dan stapt de kokkin naar voren en opent de deur.

En daar treedt hij binnen, de fluitspeler. Vincent, in een lange rode lendendoek, een halssnoer van pitten op de blote borst en op het loshangende haar een hoge zwarte hoed versierd met papegaaienveren. Zijn hoofd trots geheven, blijft hij spelen terwijl hij de keuken binnenwandelt. De eenvoudige, maar aanhoudende melodie lokt de bewoners en ze volgen hem in een kleine stoet. Hun bewegingen eerst onzeker en voorzichtig, maar allengs vrijmoediger als het tempo van de muziek versnelt.

Opeens gaat de fluitspeler over op bekende muziek, wijsjes die de bedienden herkennen uit de salon van hun meester. Een ballade, gevolgd door een wals. De oude man buigt voor de kokkin om haar ten dans te vragen, zij reageert gevleid, bedankt met een knikje, de rokken elegant gespreid. Het paar begint te walsen, de jonge vrouw en het kind volgen.

Vanuit de coulissen is Pierres viool goed te horen, hij speelt alle liedjes terwijl Vincent doet alsof en soms ook meespeelt op zijn fluit.

Vrolijk klinken de muziekinstrumenten. De grijsaard en de kokkin walsen door de keuken, de jonge vrouw en het knaapje huppelen. De bewoners draaien rondjes om de tafel en lachen als iemand een pas mist. De rokken zwieren over de vloer, het meisje telt hardop de maat. Hijgend probeert de oude man hen bij te houden. De muziek gaat sneller nu, het lijkt wel een mars en de dansers huppelen en springen. Ze hebben de grootste pret. De oude man struikelt over zijn benen en de kokkin moet haar buik vasthouden van het lachen.

Dan komen de rustiger balladen en de dansers gaan zitten en neuriën mee. Met het hoofd gesteund op de armen wiegen ze mee met de melodie en langzaam daalt er een weemoedige stemming over hen. Geen grapjes worden meer gemaakt, gegiechel verstomt.

De speler wisselt van fluit. Een bamboefluit, aan het uiteinde versierd met gekleurde vogelveertjes, zet hij aan zijn lippen. Heel anders is deze muziek. Langgerekte, klaaglijke tonen klinken door de stille keuken. Korte tonen volgen als snikken. Vragen vuurt de fluit af. Boos, beschuldigend, bijtend roffelen de noten. En dan zoemend, zoemend als een oud verdriet.

Plotseling staat de oude man op. Bevend steunt hij op het tafelblad. Zijn gezicht ziet bleek en vertrokken, zijn ogen staren in de verte. De fluitspeler houdt niet op, maar zet het zoemen voort, als om de woorden van de grijsaard te begeleiden. Op de achtergrond neuriën de anderen mee.

Ik droom van bergen
in een landschap
dat niet meer bestaat

Ik droom van schelpen
aan een strand
waar ik mijn naam vergat

Ik droom van stralen
de zon die nog iedere dag
op mijn moede rug brandt

De bewoners zuchten. Hun koor van zuchten bevestigt zijn woorden, al zijn ze jonger en kennen ze geen land overzee, geen werelddeel dat achter een horizon van water verdween - Afrika.

Quaku gooit zijn oude jas uit en klimt op de tafel. Opeens is hij geen oude man meer maar een jongeling, gespierd en met de hoop van de jeugd. Zijn gebaren zijn fier en lenig, maar zijn woorden worden gesproken door Akouba die onopvallend erbij zit en vol aandacht naar de man op de tafel staart terwijl ze zijn tekst uitspreekt.

Ach, ach! Hoe kan ik erover spreken? Hoe lang heb ik al gezwegen?
Hoe lang was mijn mond stom, was ik doof en blind?
Ah, lang, lang geleden was ik als een vogel, vrij om te gaan waar ik wilde. Mijn rug was recht, mijn lichaam jong en gespierd. Ik zwierf door de bergen van mijn vaderland. Over rotsen klauterend, dorst, hitte en stof trotserend, was ik op zoek naar groene gronden. Met mijn herdersstaf baande ik mij een weg, verjoeg de schorpioenen en slangen. Nog zie ik mijzelf, boven op de hoge rotsen, turend naar de horizon. Het landschap was groot en wijd, ik wist de goede grond in de verte, waar ik mijn kudde naartoe zou leiden.
O, jong was ik toen, veertien jaren, ik kende geen angst. Fier stond ik, de wind speelde met de zoom van mijn kleed. De grote koperen oorringen zwaaiden tegen mijn gelaat. En ik lachte, want de rode aarde en de groene grond: ze waren goed. De hemel was wit en de zon heet. Maar de zon was toen een bondgenoot.
Lachend holde ik de heuvel af, spoorde het vee aan, sjorde, schreeuwde. We naderden de weiden! Ik rende en zong, de schapen blaatten, hun hoeven wierpen stofwolken. De kudde had haast gekregen en draafde voort: ze rook het verse gras. De kleine lammeren droeg ik onder mijn armen, want ik was de hoeder, zij vertrouwden mij.
Wanneer was het, dat stof en stenen plaatsmaakten voor drassige grond? Toen we aan het eind van onze tocht gekomen waren, werden we stil van ontzag. Voor ons uit strekten zich de vruchtbare vlakten, prachtiger weiden kon ik me niet voorstellen. Terwijl de dieren zich tegoed deden aan het malse gras, wierp ik mij ter aarde en dankte Allah voor Zijn goedheid.

Quaku had zich voorovergeworpen op de tafel en lag geknield met zijn gezicht tegen de planken gedrukt.

Het doek viel.

De zaal had eerst ademloos geluisterd maar begon rusteloos te worden bij de durende aandacht voor de rol van Quaku, die voor het eerst niet grappig of ondergeschikt was. Bovendien wekte zijn zelfbewuste optreden iets dat de meesters, gewend als zij waren aan nederige dienaren, niet konden vatten.

Het opkomende vermoeden dat de avond niet zou verlopen zoals de verwachtingen hierover waren, kroop als een slang door de rijen toeschouwers. Niemand scheen te weten wat te doen. Theater was een van de weinige vormen van vermaak en iedereen had zich reeds lang tevoren voorbereid en opgedoft. Men was gewoon een voorstelling uit te zitten. Wat zou je thuis in je eentje moeten doen? De halve stad zat toch al in Thalia.

Intussen hadden de spelers het publiek geen kans gegeven zich te bedenken, het tweede bedrijf begon. Een zwart scherm onttrok het decor van de plantagekeuken aan het zicht en liet een kaal plankier achter.

Akouba danste het toneel op. Ze had nog steeds de versleten kleren aan van de kokkin maar had het schort afgedaan zodat een laag decolleté nu zichtbaar was. Haar gezicht was opvallend geschminkt - de linkerhelft was geheel wit geverfd terwijl de rechterhelft van het gelaat haar koffiebruine huid toonde. Akouba zong.

Mi na tongo
mi de na mindri tifi

Ik ben gelijk de tong
te midden van de tanden

Ik ben niet geliefd

ik bevind me
tussen vijanden

Achter de schermen klonk een begeleidend drumritme en het ruisend gerinkel van marakka's. Quaku en de andere spelers hadden zich teruggetrokken. Madame Akouba danste solo, zwaaiend met haar rokken en beurtelings haar witte en donkere gezichtshelft tonend. Haar expressie afwisselend uitdagend, dreigend en droevig.

Het zweet brak me uit. Was dit niet veel te gewaagd? Naast mij hoorde ik hoe Walther zachtjes tussen zijn tanden floot. James schoof ongemakkelijk op zijn stoel. In de hele zaal was lichte onrust ontstaan terwijl de leidster van La Troupe provocerend maar in bedekte termen zong over macht en onderdrukking. Haar woorden waren welgekozen, zoals ook op de *du's*, waar zangeressen beeldspraak gebruikten om zich te beklagen. Maar Dame Akouba's lied was niet enkel een klacht, het was duidelijk ook een beschuldiging.

De muziek was gestopt. Met opluchting merkte ik dat de dans ten einde was gekomen. Madame Akouba had de rug naar het publiek gekeerd en keek beurtelings over haar blote linker- of rechterschouder naar de zaal zodat haar witte of zwarte profiel zichtbaar was. Langzaam schreed ze naar de donkere, onverlichte achtergrond. Het doek viel voor de volgende akte.

De derde akte begon meteen daarop, voordat iemand tijd had om bij te komen van Akouba's maskerdans. La Rouge verscheen, zij had het hoofddoekje afgedaan zodat haar rode krullen uitbundig over schouders en boezem dansten. De zaal haalde verlicht adem bij deze bekende verschijning. Nu zou de voorstelling toch meer op vermaak gaan lijken!

Giulietta's verschijning was ondanks het ongegeneerd vertoon van naakte huid echter niet zo vrolijk als anders. Zij lachte niet haar zo bekende gulle lach, maar had een stuurse uitdrukking op het gelaat. Op haar hoofd droeg zij een baskiet met wat cassavewortels. Op de achtergrond was Vincent zichtbaar, nog met zijn hoge hoed op en onverstoorbaar de fluit bespelend. Uit de coulissen klonk Pierres vioolbegeleiding.

Giulietta zette de mand met enig vertoon neer, knielde alsof ze vermoeid was en zong:

Stondoifi
Gekooid in ijzer
Overdag
Gonini, harpij-arend
Bij nacht
Droom ik
Zweef
Boven aarde
Wed met de wind
Tem mij!

Langzaam was La Rouge uit haar geknielde houding gerezen en stond nu rechtop, armen omlaag, de schouders naar achteren, de vingers gestrekt. Uitdagend keek ze de zaal in terwijl ze verderging, de armen gracieus hief en de muziek indringender werd:

> Als nacht d' ijzerkooi omsluit
> Zwijgt de duif
> In nachtwake
> Droomt zij de zachte zee
> Mint zij verre velden
> ...
> Nachtzee

De viool was gestopt. De stem van de zangeres stierf weg.

Vincent stapte opzij en Giulietta draaide zich om, keek naar wat zich achter haar bevond. Het zwarte doek gleed opzij en onthulde een ongewoon tafereel.

De plantagekeuken was weer terug op het toneel. Dokter Christiaan en Pierre zaten met de ruggen tegen elkaar op de grond, de armen met touwen op de rug gebonden. Dame Akouba troonde boven hen op de keukentafel, de benen achteloos schommelend, het beschilderde gezicht onder de schaarse verlichting sinister en huiveringwekkend.

Onrust golfde nu door de zaal terwijl Madame Akouba kalm bleef zitten en Pierre en Christiaan zwijgend en verslagen hun lot aanvaardden. Giulietta was verdwenen.

Ik voelde hoe de haartjes op mijn armen overeind gingen staan en keek opzij naar James, maar die staarde strak naar het toneel. Ik draaide me naar Walther toe en die schudde bijna onmerkbaar zijn hoofd. Het was alsof we allemaal de adem inhielden.

> Ba suku, ba feni, ba tyari
>
> Hij die zoekt en vindt
> zal moeten dragen
> Wie kan de geesten
> die hij oproept
> bezweren?

Dame Akouba sprak op plechtige toon, onderwijl spelend met een houwer, een scherp kapmes dat ze van de ene naar de andere hand bracht en weer terug.

Ze sprong op, landde van de tafel op haar voeten en begon heen en weer te lopen, zingende:

Mi na fini keti
Ma mi e tai bigi udu

Ik ben maar een dunne ketting
toch bind ik het sterke hout
Onderschat mij niet
Wi sa kon!

Moses dede, ma Gado de

Mozes is dood maar God is er nog
Vrees niet, de redding is nabij
Wi sa kon!

Wawan dropu e furu bari

Druppel voor druppel vult het vat
Met z'n allen staan we sterk

Wi sa kon!

Haar toon was fel geworden en haar lichaam bewoog dreigend, enigszins gebukt sloop ze over het podium, loerend naar onzichtbare vijanden, of misschien wel naar ons, de verstomde menigte in de zaal. De laatste zin herhalend in een schreeuw naar het publiek, wendde Dame Akouba zich nu langzaam naar het centrum van het toneel.

Giulietta was weer verschenen, haar krullen vlammend in de belichting van het rode lampenglas. Rookpotten zorgden ervoor dat het toneel in dampen gehuld werd.

La Rouge zag er wild en strijdbaar uit, evenals Quaku, Mirre en Vincent die opdoken uit de coulissen, hun gezichten beschilderd in afschrikwekkende oorlogskleuren en gewapend met stokken, messen en zelfs een geweer.

Giulietta liep naar de geboeide mannen en bleef daar staan. Ze plantte een voet op de borst van Christiaan en hief met de rechterhand het geweer omhoog. De anderen dromden om het drietal heen, fel gebarend en een Frans strijdlied zingend. Ma Akouba voegde zich bij de groep. Quaku sloeg een roffel op de trommel en terwijl allen uit volle borst zongen, viel me opeens de gelijkenis op met het schilderij van Delacroix, dat de Julirevolutie van 1830 uitbeeldde: *De Vrijheid leidt het volk.*

Nu herkende ik ook de tonen van de *Marseillaise*, het lied van de bloedige Franse Revolutie, dat nu in deze roerige tijden opnieuw verboden was in Frankrijk. Als La Troupe Rouge besloot de regels te overtreden, dan deed ze dat grondig.

Allons enfants de la Patrie,
le jour de gloire est arrivé!
Contre nous de la tyrannie
L'étendard sanglant est levé

Opzwepend tromgeroffel, een koor van vurige stemmen, prikkelende dampen die van het podium stegen, Vincent nam het geweer over van La Rouge, die vlug op de tafel klom en zwaaide met een vlag die zowel Frans als Nederlands kon zijn.

Aux armes citoyens
Formez vos bataillons
Marchons! Marchons!
Qu'un sang impur
Abreuve nos sillons

Lawaai zwol aan uit de zaal, kreten klonken, vloeken en gejouw, schoenen stampten dreunend op de houten vloer. Heren schudden hun vuist, ergens viel een stoel om. Het publiek roerde zich.

De spelers van La Troupe trachtten het rumoer te overstemmen, Pierre en dokter Sijmen hadden zich van hun touwen ontdaan en zongen fanatiek mee. Omgegooide decorstukken gaven het toneel het aanzien van een barricade.

Luider werd het rumoer, mensen zetten de handen aan de mond, vrouwen gilden en mannen floten en bonkten met hun handen op de ruggen van de zetels.

La Troupe kon niet de zeven coupletten afmaken. De lampen op het podium doofden en het doek viel.

Vierendertig

BEGIN NOVEMBER 1848

De Grote Droge Tijd duurde nu al bijna drie maanden en de ergste hitte leek achter de rug. Toch was het raar om in november de bomen met dichtbebladerde kruinen te zien. Maar het vele groen dat Fort Zeelandia omringde, was binnen in de donkere cellen niet te zien.

De sfeer in Paramaribo was sinds de beruchte voorstelling van La Troupe akelig onder druk komen te staan. Terwijl ik een mand klaarmaakte met schone kleren en levensmiddelen, bedacht ik wat er de afgelopen maand veranderd was.

Het was al eerder regel dat alle bladen door de Procureur-Generaal gecontroleerd werden op al te veel nieuws over opstanden van slaven in de regio of van de arbeiders in Europa, op artikelen over emancipatie, socialisme en anderszins opruiende ideeën. Nu echter werd de censuur nog strenger, over Europa werd liefst alleen nog bericht als het om bedwongen of neergeslagen oproer ging. Zelfs bijbels getinte teksten die al te vrijmoedig de aardse verlossing predikten, werden geweerd als zijnde gevaarlijk, vanwege de latente dreiging van de ons omringende slavenmacht. De kranten vertoonden met de dag meer blanco kolommen.

Over de gebeurtenissen in theater Thalia hadden de kranten daags na de voorstelling bericht dat het om een oproerig stuk ging en dat het geheel zeer rumoerig was verlopen. Daarna werd er niet meer over gerept, de toneelspelers werden doodgezwegen. De Censuur regeerde.

In het bijzijn van slaven sprak men niet of op gedempte toon over oproer of verzet. Het werd gebruik om in code te praten als men het over riskante zaken had, zeker op de plantages. Hadden immers niet de planters op Jamaica luidruchtig over emancipatie gedebatteerd en zo de fatale onrust onder de slaven veroorzaakt? Men had als het ware zelf de opstand opgeroepen.

Veiligheidsmaatregelen werden strikter op de plantages. Bij elk teken van ontevredenheid werden de betrokken slaven bloedig afgeranseld en afgezonderd van de rest van de slavenbevolking. Fort Zeelandia, dat officieel de strafplaats was voor slaven die zich hadden misdragen, kreeg te kampen met een cellentekort, zodat menige slaaf na de toegediende afstraffing, in kar of kruiwagen weggevoerd moest worden en het zonder verdere zorg moest stellen. Overigens reikte de zorg van de wetsdienaren niet verder dan het behandelen van de open wonden met rode peper of bijtend zure lemmetjessap, een nieuwe kwelling voor de arme gefolterde, die ontstekingen moest voorkomen.

Uitingen van abolitionisme waren in Suriname nog nooit zo openlijk en provocerend geweest als La Troupe had gepresteerd. De schaarse brochures en publicaties die de kolonie via Holland, Engeland of Amerika wisten te bereiken, werden al snel gedoodverfd als de zwaar overdreven visie van buitenstaanders die geen kennis hadden van de zaken zoals die ter plaatse lagen.

De opvoering van *De fluitspeler* had in Paramaribo voor veel beroering gezorgd. De revolutionaire voorstelling had tot gevolg gehad dat blanken hevig verontrust waren geraakt, kleurlingen zich beledigd voelden vanwege aantijgingen van vermeende ontrouw jegens het gezag, en zwarten geïnteresseerd waren geraakt in het stuk dat de elite zo geschokt had.

Maar er kwam geen tweede voorstelling. Nadat de première al voortijdig was afgebroken door het woedende publiek, was La Troupe afgedropen naar hun onderkomen op Le Grand. Walther, James en ik waren er nog langs geweest maar alle luiken waren gesloten en niemand deed open.

De volgende dag was La Troupe Rouge gearresteerd en gevangengezet in Fort Zeelandia. De politie had een inval gedaan en iedereen die ze kon vinden meegenomen. Bovendien was het huis van onder tot boven doorzocht op wapens, pamfletten en andere verdachte zaken.

Vincent en Mirre hadden echter tijdig weten te ontkomen. Vincent was even gemakkelijk verdwenen als hij eerder was verschenen en Mirre had met haar sluipende gang en zwijgzame aard toch al talent voor onderduiken. Niemand wist wat er van de twee geworden was, maar het moest beslist beter zijn dan het lot van de rest van La Troupe.

Madame Akouba, Giulietta, Pierre, Christiaan en Quaku zaten nu al een maand gevangen in de sombere cellen van het fort. De eerste week mochten ze nog geen bezoek krijgen en het gerucht ging dat ze tijdens hun verhoor werden gemarteld. Dit gerucht varieerde van 'een verdiende kastijding' tot gruwelijke folterverhalen, zodat ik zeer opgelucht was toen ik mijn vrienden eindelijk te zien kreeg en zij nog heel bleken te zijn. Weliswaar bont en blauw, vuil en gehavend, maar levend.

Enkele malen per week mochten de toneelspelers bezoek ontvangen, James en ik gingen langs om degenen die volgens de bewaarders aan de beurt waren, moed in te spreken en van schone kleding en extra voedsel te voorzien.

Het was een deceptie om de eens zo trotse en vrolijke toneelspelers in deze treurige omstandigheden te zien. In de vuile, stinkende gevangeniscellen, niet meer dan donkere hokken, was ieder apart van elkaar opgesloten. Pierre en Quaku ondergingen hun opsluiting gelaten, en leken er daardoor minder onder te lijden.

Dokter Christiaan was hoogst verontwaardigd over de onheuse behandeling door het gezag. 'Het werd tijd voor een verandering! Bemerkt men dan niet de tekenen des tijds, de gebeurtenissen overal in de wereld? Ziet men niet dat overal het gezag wankelt en het volk zijn rechten eist? In Frans Guyana, Brits Guyana, de Franse Antillen, overal zijn de slaven bevrijd! In Europa hebben de arbeiders hun kracht getoond en het gezag doen beven! Wacht maar als hier het sluimerend monster ontwaakt! Dan zou ik nog niet in de schoenen willen staan van wie hier de baas speelt!'

'Ssst, dokter! Wees alstublieft voorzichtig!' probeerden James en ik de opgewonden dokter te kalmeren.

Maar dokter Christiaan, altijd al spraakzaam, scheen in gevangenschap niet minder fanatiek. Als hij de kans kreeg hield hij vurige toespraken, hoewel we probeerden hem in te tomen. De goede dokter scheen niet te beseffen dat de omstandigheden minder op zijn hand waren dan hij had verwacht.

Dat gold feitelijk voor alle leden van La Troupe, wat verklaarde dat zij het schrikbarende risico hadden genomen van een dergelijk oproerig toneelstuk. Inderdaad hadden zij de autoriteiten wakker geschud, maar dat leek in niemands voordeel te zijn en had voor henzelf wel het meest miserabele effect.

Madame Akouba en Giulietta waren er het slechtst aan toe. De twee schitterende bloemen als zij elk op hun eigen wijze waren, verwelkten in de duistere cellen, verloren hun glans en verdorden. Hun natuur vroeg om licht, van de zon of van het toneel, schaduw schermde hen af en verhinderde hun bloei.

Madame Akouba leek geknakt en sprak weinig, de smerigheid van de cel was als een persoonlijke belediging voor deze trotse *uma*. Giulietta's reactie was meer expressief, zij was vaak in tranen en maakte zich grote zorgen over de verkeerde inschatting van de politieke situatie door La Troupe. De ontgoocheling was voor allen groot.

De gevolgen van het stuk waren vooral zichtbaar als de avond viel. Samenscholingen waren van hogerhand verboden en de straten waren dan ook uitgestorven. Er zaten geen mensen meer gezellig op de stoepen te kletsen en te kaarten bij kaarslicht, geen venters bij wie men in de avond nog een versnapering verkrijgen kon. Wie dan nog buiten moest zijn haastte zich door donkere, verlaten straten waar de enigen die men tegenkwam de patrouilles van de wacht waren. De avondklok gold nu niet alleen voor slaven maar voor iedereen die geen dringende reden had op straat te zijn.

In deze verduisterde stad hadden *bakru's* en *yorka's* vrij spel en zelfs de gewapende wacht voelde zich niet op zijn gemak met de blikken van boze geesten op zich gericht. In de eenzame nacht werd het roepen van de *leba* overstemd door het blaffen en huilen van de honden, hun doordringende gejank tot ver in de omtrek hoorbaar.

Ik had mijn eigen boze geest, Frederik liet mij niet met rust. Van Augusta had ik alleen de roddels te vrezen, maar haar broer had zijn zinnen gezet op een lijfelijke confrontatie. En ik had niet in de gaten hoezeer ik zijn wraakzucht moest vrezen.

Het moest hem ter ore zijn gekomen dat ik vaker op Frimangron werd gesignaleerd, want toen ik op een middag onderweg was naar James, werd mijn aandacht getrokken door een wild geritsel in het struikgewas. Langs dit gedeelte van de weg waren de percelen onbewoond, dichtbegroeid met manshoog gras en onkruid.

Het geluid van brekende stengels, schuivend riet en knappende takken werd luider en ik werd bang. Het had iets sinisters om langs de verlaten zandweg onzichtbare figuren zich een weg naast je te horen banen. Niet kalm en regelmatig als boeren die zich een pad trappen voor hun koe of geit, maar haastig en omzichtig, alsof het geheimzinnige wezen het daglicht niet velen kon.

'Wie is daar?' riep ik, maar er kwam geen antwoord. Zou het een *pakira* kunnen zijn, een bosvarken, dat door zijn onaards klinkende, griezelige kreten, soms voor een bosgeest werd gehouden? De hoge grasstengels hielden op met bewegen.

Maar het volgende moment sprongen drie smoezelige blanke mannen tevoorschijn uit de schaduwen van de bosschage. Twee van hen waren blootsvoets en hadden het ongure uiterlijk van het gespuis uit het havenkwartier. De derde herkende ik in eerste instantie niet.

Terwijl ik me in mijn verwarring omsingeld zag, trad Lemuels vroegere directeur naar voren. 'Wel, wel, Regina. Het wordt hoog tijd dat je me gaat vergoeden wat me toekomt, vind je ook niet?' Voordat ik kon antwoorden grepen zijn trawanten me vast, ik hoorde het gerammel van zwaar ijzer, een ruk aan mijn armen en opeens waren mijn polsen in boeien geklonken. Ongelovig gingen mijn blikken van mijn handen naar Frederik. Diens gezicht zag rood, zijn haar was in de war en zijn kleren zagen er verfomfaaid uit. Hij zag me kijken en zei: 'Ja, sinds die mooie Lord me voor mijn diensten bedankte, heeft het me niet meegezeten. Maar dat gaat veranderen!' Hij lachte onaangenaam, gaf een ruk aan de ketting zodat ik vooruit schoot en bijna tegen hem aanviel. 'Hoeveel denk je dat je huid me zou opbrengen? Misschien wel zeshonderd guldens?' Hij liet zijn vinger strelend over mijn wang gaan en ik draaide snel mijn gezicht weg om aan zijn aanraking te ontkomen.

Maar een ruwe hand greep me bij mijn haar en trok mijn hoofd naar achteren - mijn verstand stond bijna stil van afschuw bij het besef - een ijzeren boei werd rond mijn hals geslagen. De fysieke schok toen de pin met een metalige klank dichtschoof, was niets vergeleken met de geestelijke ontreddering die me overviel. In paniek probeerde ik me te ontworstelen aan mijn kwelgeesten, maar ik was kansloos. Aan de boei rond mijn hals was een ketting gesmeed waarvan het uiteinde door een van de mannen rond zijn vuist was gewikkeld. Ik poogde een stap te verzetten en de man zette zich schrap zodat ik struikelde en de ijzeren kraag pijnlijk tegen mijn hals schuurde. Een rauwe kreet klonk waarin ik vaag mijn eigen stem herkende.

Grijnzende gezichten naderden me.

Ik weerde af. 'Help!' begon ik te schreeuwen 'Help me!' Uit het riet vlogen enkele vogels fladderend omhoog. Van de verlaten landweg kwam geen geluid.

Frederik gaf me een harde klap in mijn gezicht, zodat ik wankelde en op mijn knieën viel. 'Hou je stil!' beet hij me toe. 'Weet wat je te wachten staat! Zal ik je verkopen in het binnenland, van de plantage kom je nooit meer weg, weet je dat! Je zou verdwalen in het bos en omkomen, dus wees gedienstig en gehoorzaam de blankofficier, koop zijn gunsten met je lichaam want anders overleef je het niet!'

Zijn dreigende woorden drongen traag tot me door, bevangen als ik was door een redeloze angst. Hij bukte zich naar me en ik zag hem in de ogen. En voor het eerst merkte ik de diepte van zijn haat op, misleid en verraden te zijn door een minderwaardige zwarte, zoals ik nu voor hem was, een schandvlek op zijn blanke blazoen.

'Wat vind je daarvan? Je piept wel anders als de zweep je tere vlees openrijt!' Ik begon te wringen aan de boeien, de ketenen maakten een rammelend geraas, maar mijn moeite was vruchteloos. De mannen om me heen keken het aan en grijnsden spottend. De rechterkant van mijn gezicht voelde verdoofd door de klap van Frederik, ik proefde bloed en voelde hoe mijn lip opzwol.

Terwijl ik nog steeds op de grond zat en probeerde de boeien los te krijgen sprak Frederik opeens ongewoon vriendelijk: 'Of je zou erin kunnen toestemmen mijn dienstmeid te worden. Als je gewillig bent kun je het goed bij me hebben. We zouden zelfs weer eens naar Holland kunnen gaan! Lijkt dat je niet wat, hmm?' Overredend praatte hij door, alsof hij het tegen een schuw huisdier had en vertelde hij me opgewekt over zijn duistere fantasieën.

Met in afgrijzen opengesperde ogen keek ik de man aan. Het leek wel of hij zelf geloofde in de dingen die hij me voorspiegelde: zijn huishoudster zijn in Paramaribo of op een plantage waar hij werk zou vinden, samen op de boot naar Holland, wandelingen door Amsterdam – waarbij ik als dienstje voorgesteld zou worden – 'want ja, ons koloniale systeem van "meesterschap" wordt daar toch niet begrepen.'

Dat was genoeg. Ik krabbelde overeind met rinkelende boeien en schreeuwde hem toe: 'Nooit! Nooit van mijn leven!'

Verbluft staarde Van Roepel me aan. In zijn zelfbegoocheling scheen de gedachte niet eerder te zijn opgekomen dat zijn 'aanbod' zou worden afgeslagen.

Ik stak mijn polsen vooruit en eiste: 'Maak los! Meteen!'

Hij deinsde achteruit en zijn helpers keken onzeker. Maar toen ontstak de vroegere directeur in woede. Hij haalde uit en hoewel ik nog uitweek wist hij me te raken en ik viel opnieuw op de grond. Mijn neus bloedde en de tranen sprongen me in de ogen. Van Roepel boog zich over me heen al rukkend aan de ketting, zodat ik mijn armen niet kon gebruiken om mijn gezicht te beschermen. Hij spuugde naar me en schreeuwde: 'Dan is je lot beslist! Ik verkoop je in Brazilië! Geen kans dat ze daar de slavernij ooit afschaffen!'

Met een woeste haal aan de ketting sleurde hij me over de grond zodat me de adem werd benomen.

Hij is gek geworden! schoot het door me heen. Verzet haalde niets uit. Al tegenstribbelend werd ik in een zijpad van de bosschage gesleept en daar liet de bruut eindelijk de ketting vieren, zodat ik weer op adem kon komen. Mijn gezicht was bedekt met stof en ik kon niets meer zien. De scherpe zandkorrels beten in mijn ogen en deden een warme tranenstroom vloeien. Wel bemerkte ik dat de mannen bedrijvig met iets in de weer waren, ik hoorde een metalige klank en kon ruiken dat er een houtvuur gemaakt werd. Wat was er aan de hand? Ik wreef verwoed in mijn ogen om weer iets te kunnen zien.

Toen mijn gezichtsvermogen zover hersteld was dat ik door mijn wimpers heen iets kon zien, onderscheidde ik een vreemd tafereel. De beide handlangers hadden inderdaad een vuur gemaakt, wat me verbaasde. Namen ze de tijd om een potje te koken? Frederik zou hier toch geen kamp gaan opslaan? Als ze dachten dat ik deel bleef uitmaken van hun gezelschap dan hadden ze het goed mis.

Iedereen was zo druk bezig dat er geen aandacht voor mij was en ik kwam voorzichtig overeind. Ze merkten niets. Vlug draaide ik me om en ging ervandoor.

Eerder was het me niet gelukt me van de boeien te ontdoen dus moest ik de kettingen met me meedragen. Het was loodzwaar. Het gerinkel van de dansende schakels alarmeerde de mannen. Ik hoorde hun geschreeuw achter me en versnelde hijgend mijn pas.

De ijzeren boeien maakten me hulpeloos. Ik kwam zo langzaam vooruit dat de mannen nauwelijks moeite hoefden te doen om me in te halen. Enige meters verder werd ik al gegrepen en teruggeduwd naar de vuurplaats.

Toen ik zag wat daar plaatsvond werd de verschrikking pas gruwelijk concreet. Frederik zat geknield voor het vuur en hield een brandijzer in de vlammen. Ik begon te gillen en wilde me losrukken. De twee mannen drukten me op de knieën en Frederik legde het ijzer neer en liep naar me toe. Een grote gehandschoende hand greep de kraag van mijn jurk en scheurde die bij de hals open. Hij trok de stof omlaag zodat mijn schouder en rug bloot kwamen.

'Je bent gek!' schreeuwde ik. 'Denk je dat je dit ongestraft kunt doen?'

Van Roepel grijnsde. 'O wel, voor iemand iets merkt zijn wij al de stad uit, op weg naar onbekende bestemming.' Hij genoot onbetwistbaar van de situatie die hij kennelijk reeds lang gepland had. De handlangers hielden me in bedwang terwijl Van Roepel weer terugliep naar het vuur om het brandmerk te halen.

Blauwe damp steeg op van het gloeiende ijzer. In doodsnood gilde ik.

Frederik bleef plotseling staan, het brandmerk nog vast in zijn leren handschoen. Hijgend probeerde ik overeind te komen en bemerkte dan dat de greep om mijn schouders verslapte. De twee handlangers leken zich plotseling afzijdig te houden.

Door mijn tranen heen trachtte ik te onderscheiden wat er was veranderd. Toen zag ik hen: twee zwarte mannen waren in de bosschage verschenen en keken naar ons. Frederiks helpers leken ineens beschaamd, ze hadden er vast geen bezwaar tegen om slavinnen te mishandelen, maar een 'blanke' vrouw in het bijzijn van zwarten molesteren, dat was een andere zaak.

Hun aarzeling beviel Frederik helemaal niet. Tegen de negers riep hij op bevelende toon: 'Heidaar! Mars! Maak dat je wegkomt! *Un gwe yere!*'

Zijn dreigende houding zou slaven onmiddellijk intimideren, want ingrijpen tussen blanken, al of niet terecht, zou hen immers op wrede straffen komen te staan. En waarom zouden ze dat riskeren?

Maar de twee mannen bewogen zich niet, ze schenen verbijsterd bij de aanblik van een geketende blanke vrouw, met zand en bloed besmeurd en op het punt gebrandmerkt te worden.

De handlangers probeerden me nu overeind te hijsen en ik maakte van de gelegenheid gebruik door om hulp te roepen, maar er kwam slechts schor gejammer uit mijn gekneusde keel.

Dat bracht de negers in beweging. Maar niet in de richting die Frederik had gewenst. Vastberaden kwamen de mannen op ons groepje af, ze hadden het forse postuur van de Guides, waarvan er velen op Frimangron woonden. Hun gespierde gestalten en zelfbewuste optreden joeg de handlangers schrik aan. Met deze vrije ordehandhavers kregen ze het liever niet aan de stok.

Frederik was razend. 'Lafaards! Geef die zwartjes een pak slaag!' spoorde hij aan. 'Dat zal ze leren!'

Onhandig grepen zijn trawanten naar hun wapens, een dolk en een ijzeren ketting werden de negers dreigend voorgehouden. Langzaam cirkelden de vier mannen om elkaar, de negers proberend buiten het bereik van de zwiepende ketting te blijven.

Maar de Guides lieten zich niet weerhouden. Slechts gewapend met een stok en met de blote handen, wisten ze de ellendelingen schijnbaar zonder moeite tegen de grond te werken en het beloofde pak slaag kwam van de kant van de zwarte tegenstanders. Eenmaal ontwapend waren de vadsige schurken geen partij voor de sterke Guides, ze kregen er behoorlijk van langs en even later was het pleit beslecht.

Frederik zag dat hij geen hulp meer had en zwaaide woedend met de gloeiende stang. De neger met de stok ontweek de slagen van het moordlustig rondslingerend ijzer. In zijn woede haalde Van Roepel ongecontroleerd uit en met een welgemikte slag wist de neger de wildeman de staaf uit de handen te meppen. Een vuistslag van de grootste neger velde vervolgens Van Roepel en hij bleef versuft bij de anderen in het stof liggen.

Trillend van de doorstane emoties trachtte ik overeind te komen maar zakte weer in elkaar. De Guides ontfermden zich over mij en maakten de boeien rond mijn hals en polsen los. Nu pas zag ik dat een van hen Simpi was, James' Surinaamse broer.

'Misi Reggie?' sprak hij verbaasd.

Knipperend met mijn opgezwollen oogleden probeerde ik hem aan te kijken. De wijduitstaande kroeskop die kenmerkend voor Simpi was, had hij in kleine vlechtjes gedraaid, daarom had ik hem niet herkend. Dat probeerde ik hem onsamenhangend brabbelend uit te leggen. Maar Simpi schonk er geen aandacht aan, tilde mij op en droeg me weg. Zijn kameraad ketende mijn belagers aan elkaar en riep dat hij de politie erbij zou halen.

'Ik breng u naar James,' zei Simpi.

Met een diepe zucht liet ik mijn pijnlijke hoofd tegen de schouder van de Guide rusten. Ik was veilig.

James was diep geschokt en woedend over Frederiks actie. Nadat hij mij eerst verzorgd had kreeg hij allengs meer duidelijkheid over de toedracht. Liggend op bed, met natte doeken als kompres tegen de beurse plekken, zag ik hem driftig door de kamer lopen. Zijn doodsbleke gezicht vertelde me dat hij de nachtmerrie uit zijn jeugd weer beleefde, waar zijn familie als slaaf werd weggevoerd. En dat was nu weer Frederiks plan geweest...

'James,' fluisterde ik, mijn stem nog schor.

'Zeg niets!' viel hij uit. 'Ik vermoord hem! *I'll kill the bastard!*' Hij beende de kamer uit. Ik wist dat hij zijn geweer ging halen.

Met moeite probeerde ik overeind te komen.

Simpi gebaarde geruststellend naar mij en liep dan James achterna. Ik hoorde hoe Simpi in het Sranan vertelde dat de politie de boeven reeds opgesloten zou hebben en dat ze hun straf niet zouden ontlopen.

Het duurde een poos voor James overtuigd was, zelfs de stille Miss Marietje bemoeide zich ermee en trachtte hem te kalmeren. Uiteindelijk zette hij het geweer dat hij gehaald had terug en liet zich in de stoel bij mijn bed neerzakken met een fles wijn in de hand. Hij schonk Simpi en mij ieder een glas in en zette daarna de fles aan zijn mond en nam zelf een paar flinke teugen.

'Niet zo veel drinken...' zei ik zacht.

Hij staarde in de verte en streelde afwezig mijn arm.

Frederik en zijn trawanten werden inderdaad na mijn verklaring door de politie voor enige tijd opgesloten. Daar Van Roepel via de *mofokoranti* ter ore was gekomen dat James en zijn broers hem zouden vermoorden, dook hij meteen na zijn vrijlating, enkele weken later, onder. Het duurde maanden voor hij zich weer in de stad durfde te vertonen, maar hij kwam niet meer in mijn buurt.

De gebeurtenis was een grote schok geweest voor mij, maar ook voor mijn vrienden. Een poos liet Walther mij door Coen vergezellen als ik ergens heen moest en James kwam mij in de Waatermolenstraat ophalen om samen naar Frimangron te wandelen. Maar dat was allemaal niet erg handig en toen de kneuzingen en schaafwonden genezen waren vond ik dat het genoeg was geweest.

Uiteindelijk was er nog iets goeds uit voortgekomen. In de Surinaamse gemeenschap werd Frederiks snode daad met afschuw besproken. Zelfs al was ik een kleurlinge, dan nog vond men het een schande wat mij was overkomen en nog meer zou zijn aangedaan als Van Roepel zijn plan had kunnen uitvoeren. Lichte kleurlingen waren immers als blanken en konden dus beslist niet als slaaf behandeld worden.

Of zwarte slaven wel een dergelijke behandeling verdienden, kwam niet ter discussie. Maar met zijn verwerpelijke daad had Van Roepel het tegengestelde bereikt van wat hij wilde, men scheen mijn afkomst te hebben geaccepteerd.

Eind oktober was in Wenen de revolutie voorbij, de laatste opstand was neergeslagen. In Pruisen was het echter nog zeer onrustig, de revolutionairen riepen op te weigeren de belastingen te betalen en de Nationale Vergadering werd er met geweld ontbonden.

Het enige goede nieuws kwam uit Nederland. Zoals Mr. Vlier mij per brief liet weten:

> Geachte juffrouw Winter,
>
> Op 3 november 1848 is in Nederland de nieuwe grondwet van de commissie Thorbecke afgekondigd. Speciaal voor u is artikel 1 van belang:
>
> 'Allen die zich in Nederland bevinden, worden in gelijke gevallen gelijk behandeld. Discriminatie wegens godsdienst, levensovertuiging, politieke gezindheid, ras, geslacht of op welke grond dan ook, is niet toegestaan.'
>
> Hoewel het nog altijd niet zeker is in hoeverre dit geldt voor een onrechtmatig meegenomen slavenkind (in geval u dat zou zijn),

maakt deze wet het voor mevrouw de gravin De Pagès toch heel wat moeilijker u in Nederland als slavin op te eisen.
Vanwege uw voorkomen en opleiding zou dat in combinatie met deze wet bovendien een groot schandaal ontketenen, me dunkt dat voornoemde dame er daardoor bij voorbaat van af zou zien.
Mijns inziens kunt u dus gerust naar Holland terugkeren, mocht u daar plannen voor hebben.

Hopende u hiermee van dienst te zijn geweest,

Hoogachtend Mr. N.G. Vlier

En zo losten de liberalen in Nederland mijn zaak op, zonder dat het ooit in hen opkwam de koloniale situatie van wat bedrieglijk genoemd werd 'het meesterschap', op te heffen.

Deel vier

Vijfendertig

HALF NOVEMBER 1848

De rechtszaak van La Troupe Rouge begon half november, een ongunstig tijdstip – net nadat in Europa de opstand in Wenen was neergeslagen, de revolutie was bezworen en de oude garde erin was geslaagd haar gezag te herstellen. Duizenden mensen waren daarbij omgekomen. In Boekarest en Berlijn hadden de radicalen tevergeefs gevochten en zware verliezen geleden. De Franse socialisten waren in juni al door generaal Cavaignac bloedig verslagen.

De aanvankelijke wilde vreugde op de barricaden, toen soms regeringstroepen vertwijfeld weigerden tegen de opstandelingen te vechten, bevelhebbers maar niet konden besluiten in te grijpen tegen de burgers of soldaten simpelweg te vermoeid waren om de confrontatie aan te gaan, had na de uiteindelijke nederlaag plaatsgemaakt voor wanhoop en verslagenheid. De regeerders echter konden in triomf terugkeren. Weinig was gewonnen, velen waren verloren. Wie de strijd had overleefd, wachtte alsnog opsluiting, dwangarbeid of executie.

Het zag er voor de spelers van La Troupe niet goed uit. Net voor hun eigen rechtszaak begon, werd bekend dat de Duitse liberaal Robert Blum, die ook lid van een vrijzinnige theatergroep in Keulen was geweest en later voorman bij de revolutionairen in Wenen, daar standrechtelijk was geëxecuteerd.

De geest van onrust en oproer die sinds januari door Europa waarde, leek uitgewoed. Slechts hier en daar flakkerde nog een brandje als laatste opleving, maar de *spirit* was geblust, plebs en intellectuelen verslagen, de geest terug in de fles.

De morgen van 18 november begon met een helder stralende zon. De leden van het Hof liepen in hun strenge zwarte toga's naar het Paleis van Justitie aan het Plein. Het rode bakstenen gebouw met de hoge vensters en de sierlijk gekrulde gietijzeren balustrade had het aanzien van formaliteit en degelijkheid ineen, recht doend aan de plechtige status van Justitie.

Een grote menigte nieuwsgierigen had zich verzameld – slaven, vrijen en kolonisten. Politiedienaren hielden de belangstellenden op afstand, maar konden niet voorkomen dat er in het Surinaams hardop commentaar werd geleverd. De zwarte bevolking was hevig geïnteresseerd geraakt door de commotie die La Troupe onder de elite en de autoriteiten had veroorzaakt. Natuurlijk deden er allerlei geruchten de ronde, maar die waren nauwelijks wilder dan de voorstelling zelf was geweest.

Terwijl de leden van het Gerechtshof de stenen traptreden van het Paleis van Justitie bestegen, kwamen van onder de hoge stoep uit een deurtje de beklaagden tevoorschijn. Vroeg in de ochtend waren zij nog onder de dekking van de duisternis, vanuit de gevangenis van Fort Zeelandia naar de cellen onder in het Hof van Justitie gevoerd. Men vreesde dat het openlijk op klaarlichte dag vervoeren van de gevangenen voor te veel opschudding zou zorgen. De leden van La Troupe waren immers bekende figuren in het Surinaamse uitgaansleven, maar ook onder het gewone volk. Want het vreemde huishouden op Le Grand, waar geen meester of dienaar bestond maar ieder als gelijke arbeidde, viel natuurlijk op. Via de *mofokoranti* was vervolgens hun aanzien bij de gewone man nog versterkt.

Eenmaal door de dubbele deuren kwam ik in de rechtszaal. Deze was redelijk groot, sober betimmerd en helderwit gekalkt. Links en rechts waren rijen banken met een gangpad ertussen, aan het eind van de zaal bevonden zich de balie voor de rechters, de getuigenbank en het gestoelte voor de procureur. De beklaagdenbank was aan de rechterzijde van de balie, zodat ik zicht had op mijn vrienden. De zaal raakte gauw gevuld.

Het Gerechtshof van Suriname bestond uit voorzitter Mr. Palthe Wesenhagen, en de leden Mr. Focke, Mr. Marchant en Mr. Van der Gon Netscher, met de griffier Mr. De Souza. Procureur-Generaal Mr. De Kanter zou het proces openen. Zoals wel meer voorkwam had La Troupe geen advocaat ter verdediging.

De rechtszaal was vol, alleen vrijen hadden toegang en de elite van Paramaribo leek zich hier te hebben verzameld. De stemming was rumoerig en bepaald niet op de hand van de toneelspelers. De gezagsdragers en kolonisten schenen de voorstelling als een persoonlijke belediging te hebben opgevat. Wel beschouwd was dat natuurlijk ook zo. Het zag er dus voor de beklaagden niet zo mooi uit.

De twee vrouwen en drie mannen in de beklaagdenbank zaten er bedrukt en verfomfaaid bij, een groot contrast met hun vroegere zelfverzekerde en flamboyante verschijning. Vincent en Mirre waren nog steeds zoek. Walther, James en ik hadden nog de vorige avond gespeculeerd over hun mogelijke verblijfplaatsen. Ik meende dat Vincent teruggekeerd was naar zijn verwanten in het onbekende deel van Paramaribo, aan de rand van de stad achter Poelepantje, waar veel boslandbewoners een onderkomen hadden en ook verplicht waren te logeren als zij eens de stad bezochten. De autoriteiten waren ondanks de vredesovereenkomsten met de marrons, nog altijd beducht voor de invloed van hun niet in toom te houden *free spirit* en hielden hen daarom apart van de slavenbevolking, buiten de stad en in de buurt van de politiepost, zodat geen rebelse vonk kon overslaan.

Maar James zei dat die wijk natuurlijk ook doorzocht was. In de afgelopen maand had de Procureur-Generaal de stad laten uitkammen. Politieagenten hadden woningen doorzocht en mensen opgepakt voor verhoor. Iedereen die iets te maken had gehad met La Troupe was onder verdenking komen te staan. Misschien door mijn eerdere 'hoge' contacten met mijnheer Brammerloo was ik de dans ontsprongen, men wilde geen connectie van zo'n hoge ambtenaar met de rebellen. In ieder geval was de voorstelling ook voor mij een volslagen verrassing geweest, ik zou de autoriteiten niets hebben kunnen vertellen. Het was ook mogelijk dat de autoriteiten de kleurlingenelite niet te veel tegen de haren wilde instrijken, door Walthers huis binnen te vallen. De kleurlingen waren toch al ontstemd over alle aandacht voor die smet uit hun midden. Het was beter geen slapende honden wakker te maken, was dat destijds in Haïti niet flink misgelopen? Toussaint l'Ouverture had de schrik er goed in gejaagd bij de planters en bewindslieden. Beter de elite ontzien en op jacht gaan in de wijken van het lagere volk.

James' woning was doorzocht, wat hij stoïcijns onderging. Terwijl hij buiten op het erf cynisch toekeek, gingen de dienaren der wet in zijn woning tekeer. Maar James Miller had te weinig bezittingen om veel drukte over te kunnen maken. Uiteindelijk vertrokken de agenten met een oud exemplaar van Marquis de Condorcets overpeinzingen over de slavernij. Het pamflet, dat nog uit de tijd van de Franse Revolutie stamde, had hem gelukkig niet in moeilijkheden gebracht.

Walther zei dat het niet uitmaakte of men in Poelepantje was gaan zoeken. 'Die herkennen Vincent toch niet. Voor hen lijken alle indianen op elkaar. En hij zal zich wel een beetje vermomd hebben. Tenslotte beschikken de agenten niet over een kalotypie van de man,' voegde hij er tevreden aan toe. En ik moest terugdenken aan die zonnige dag, nog niet eens zo lang geleden, toen alles zo rustig leek en Walther op Le Grand was verschenen met zijn koffertje. Een voor een hadden de toneelspelers voor hem geposeerd. Het was een schitterende serie portretten geworden, Walther was inmiddels een meester geworden in zijn vak. De sepiakleurige portretten van Giulietta, poserend met een waaier en uitdagend haar kousen tonend, de peinzende dokter Christiaan erudiet met een boek en zijn pijp, en Vincent, mysterieus glimlachend met de ara op zijn schouder – die wonderlijk genoeg stil was blijven zitten – behoorden tot het beste werk van Walther Blackwell.

Toch had hij niet geaarzeld toen hij hoorde dat La Troupe was opgepakt en Vincent en Mirre waren ontsnapt. Zonder dralen had hij meteen de portretten die hij van beiden had, achter het huis bij de kookplaats verbrand. Zonder spijt keek hij toe hoe de kunstwerkjes omkrulden, zwart blakerden en verteerd werden door het vuur, een licht chemische reuk afgevend. Een voorzorg die gebaseerd moest zijn op sterke vermoedens van de lugubere verhoor- en opsporingsmethoden van de politie. Maar Procureur-Generaal De Kanter, die ook het hoofd van politie was, had vijftien jaar eerder het proces van de slaven Codjo, Mentor en Present in handen gehad, en de openbare verbranding van de opstandelingen lag nog vers in het gemeenschappelijk geheugen, zelfs al was Walther destijds nog niet eens in Paramaribo geweest. Maar compassie met de ongelukkige gevangenen was algemeen onder de gekleurde bevolking.

Wat de onderduikers betrof, het was zeer waarschijnlijk dat Vincent al gauw ontsnapt was over de rivier, die immers lang en breed was, terwijl indianen uitstekend konden roeien in het donker en zo gemakkelijk de wachtpost konden vermijden.

En Mirre, over haar merkte James op: 'Mirre? Die is al vermomd als ze gekleed gaat.' Tja, Eva's kostuum was haar handelsmerk geweest, dus dat kon kloppen. Nu, in de rechtszaal, letten we er goed op geen woord over de vluchtelingen te laten vallen, want in deze woelige tijd moest men voorzichtig zijn, verklikkers en spionnen waren ongemerkt deel geworden van de samenleving, en konden wel in het publiek verscholen zitten.

De president van de rechtbank, Mr. Palthe Wesenhagen, sloeg met zijn hamer op de balie om stilte. Van achter zijn ronde brillenglazen monsterde hij het publiek. Zijn lichte ogen waren opvallend. De voorzitter met zijn lichtbruine huid en onberispelijk kortgeknipte kroeshaar was in zijn onkreukbaarheid het toonbeeld van wat gouverneur Van Raders voor ogen stond als hij het had over de kleurlingenelite die in de toekomst de kolonie zou besturen.

Het rumoer stierf geleidelijk weg. De leden van het Hof, bestaande uit blanken, blanke kleurlingen en de joodse griffier, keken met onbewogen gezichten vanaf hun hoge zetels de zaal in. Allen al wat oudere, gevestigde mannen, het strenge uiterlijk bij deze of gene versterkt door volle bakkebaarden of een stijf sikje, behalve bij de jonge griffier De Souza, die bedrijvig stapeltjes papieren aan de rechters uitdeelde. Meester Van der Gon Netscher, die ook planter was, had een tanig, gebruind gezicht en zag eruit of hij liever te paard zat dan achter de balie. Van de drie rechters had ik nog het meeste sympathie voor Mr. Focke, maar dat kwam misschien doordat ik al eens op een feestavond met hem had gebabbeld.

Procureur Mr. De Kanter kuchte om duidelijk te maken dat hij gereed was. Van achter het katheder domineerde zijn statige figuur met het scherpe profiel de zaal reeds voor hij gesproken had.

Toen het stil was geworden stond de Procureur-Generaal op. Hij was lang en mager en zijn sombere trekken gaven hem een grimmig voorkomen. Het was duidelijk dat het zwaard van Vrouwe Justitia hem vertrouwd was. Met gedragen stem begon hij de namen van de beklaagden op te lezen. Nadat de leden van La Troupe Rouge waren genoemd volgde de tenlastelegging:

- opzettelijke opruiing tot gewelddadig optreden tegen het openbaar gezag
- samenzwering tegen het gezag
- hoon en belediging van het gezag
- ongeoorloofd wapenbezit van inheemsen
- overtreding van het verbod onderdak te verlenen aan boslandbewoners
- bezit van opruiende lectuur met de bedoeling deze te verspreiden

Bij het horen van de lange lijst van overtredingen viel mijn mond open. Hoe kon La Troupe zich hieruit redden? Er scheen ten laatste een eind te zijn gekomen aan hun goede gesternte, de lievelingen van het publiek werden verguisd en er hingen hen zware straffen boven het hoofd. Zelfs met de nieuwe Nederlandse grondwet, die juist 3 november was afgekondigd, en waarin sprake was van nieuw verworven vrijheden. Deze nieuwe rechten golden slechts in het moederland, waar geen slaven bestonden. In de West was de wetgeving en dientengevolge de rechtspraak, ver achtergebleven. Nog enige jaren terug waren daar in Holland in de Tweede Kamer vragen over gesteld. Voor de kolonie was sindsdien echter niets veranderd. De leden van de Koloniale Raad vatten hun taak van wetgeving uiterst luchtig op en beperkten zich tot het opstellen van reeksen verordeningen. En zo gold voor Nederlands Guyana nog steeds dat recht een willekeurige zaak was.

'Als eerste getuige roept het Publiek Ministerie op: Friedrich Konrad, eigenaar van een boekhandel in de Maagdenstraat.'

Herr Konrad liep strompelend naar de getuigenbank, zijn blik op de grond gericht. De vroegere anarchist was al jaren geleden veranderd in een mensenschuwe zonderling die zich zelden buiten zijn vertrouwde boekwinkeltje waagde. De zaal, met publiek volgepropt, moest een kwelling voor hem zijn.

Nadat de kleine boekhandelaar de eed was afgenomen begon Mr. De Kanter het verhoor. De magistraat hield een krant omhoog en vroeg aan Herr Konrad of hij deze onlangs nog had verkocht. Herr Konrad sloeg zijn ogen net lang genoeg op om het blad te registreren en antwoordde bevestigend. De Procureur toonde het blad aan de rechters en de zaal, een exemplaar van de Europese *Neue Rheinische Zeitung*, het orgaan van de Duitse communisten. Er ging een gemompel door de zaal, slechts enkelen wisten wat de betekenis van het gehekelde blad was, maar de rest werd door deze geletterden snel op de hoogte gebracht.

Herr Konrad begon in zijn sterke Duitse accent te stamelen dat de krant niet tot zijn gewone assortiment behoorde maar speciaal was besteld.

'Voor wie moest u deze levering doen?' wilde Mr. De Kanter weten. De boekhandelaar keek even schichtig in het rond, knipperde met zijn ogen en bleef zwijgen.

Mr. De Kanter herhaalde zijn vraag en voegde eraan toe: 'Mag ik u eraan herinneren dat u een strafbaar feit pleegde, tegen de censuur van het gouvernement in te gaan, door met deze bestelling akkoord te gaan?'

De kleine Duitser sloeg zijn ogen neer en mompelde: 'Het was voor dokter Christiaan Sijmen.'

'Verder vond de politie op Le Grand deze verboden lectuur.' De Procureur hield met een benige witte hand een exemplaar omhoog van het *Communistisch Manifest* van Marx en Engels.

Herr Konrad riep haastig: 'Niet van mij!'

Maar de Procureur negeerde hem en wuifde met een bundel kranten: *The Liberator*, een Amerikaans abolitionistisch blad. Herr Konrad liet zijn hoofd weer zakken en zweeg.

De Procureur vroeg de griffier of hij alles had genoteerd en zei tegen Herr Konrad dat hij de getuigenbank mocht verlaten.

De boekhandelaar verdween met gezwinde spoed.

Nu werd de commissaris van politie geroepen naar de getuigenbank. Commissaris Koops verklaarde dat hij een stapel pamfletten met opruiende tekst had gevonden in het huis op Le Grand. De tekst bevatte ideeën van anarchistische aard, de titel was veelzeggend: *Fais-moi Rouge, Redi Mi*, vrij vertaald 'Maak mij Rood'. Men kon zelf wel bedenken welke linkse en wellicht bloeddorstige ideeën dit pamflet bevatte en had moeten verspreiden.

Maar het meest compromitterend was wel het briefje, dat op de stapel aangetroffen was. Deze brief bevatte namelijk aanwijzingen in het handschrift van dokter Sijmen. Mr. De Kanter las het lijstje voor:

Voor het geval iemand gevonden zou worden met dit pamflet:

1. Zorgvuldig buiten het huis bewaren.
2. Alleen aan betrouwbare vrienden uitdelen.
3. Bij anderen slechts heimelijk neerleggen.
4. Wordt het blad toch gevonden bij iemand die het gelezen heeft, dan moet hij voorwenden dat hij het net naar de politie had willen brengen.
5. Wie het blad niet gelezen heeft wanneer men het bij hem vindt, treft natuurlijk geen schuld.

Bij deze belastende woorden toonde het gezicht van dokter Christiaan een grimmige uitdrukking, terwijl de overige leden van La Troupe geschokt dan wel beschaamd keken. Hier was niet makkelijk onderuit te komen. De realiteit was een stuk harder dan de theorie altijd had geleken, en vanaf het toneel was het publiek beter in te palmen dan vanaf de beklaagdenbank.

Ik had medelijden met de arme spelers, de idealisten hadden niet alleen hun publiek overschat, maar ook de autoriteiten zeer onderschat. Walther schudde meewarig het hoofd. James staarde naar de bank van La Troupe. Ik onderschepte zijn blikken en bemerkte dat hij zijn ogen strak op Giulietta gevestigd hield. Traag maar zeker welde onrust in mij op, vertakte zich van geest naar aderen, verspreidde zich door mijn bloed. Rusteloos schuifelde ik met mijn voeten, wenste dat mijn zitplaats niet zo krap was. De rechtszaal was helemaal vol. Blanken en kleurlingen, weinig zwarten onder het publiek.

'Bij verhoor van La Troupe en drukker A.T. Bordas is gebleken dat het aantal pamfletten van de stapel gelijk is gebleven, dat wil zeggen dat deze nog niet verspreid waren en de boze opzet en het gevaar dus op tijd bezworen zijn.'

Pierre liet het hoofd hangen en de andere leden van La Troupe zagen er verslagen uit. Alleen dokter Christiaan toonde verbeten trekken alsof hij nauwelijks een tirade kon bedwingen. Madame Akouba zweeg, maar haar ogen brandden vurig.

Drukker Bordas liet verder via de politiecommissaris weten dat hij niet wist om wat voor tekst het ging. Zijn knechts hadden de opdracht uitgevoerd en hadden de anarchistische formuleringen in het pamflet niet begrepen.

Het was duidelijk dat de gemeenschap de eens zo populaire La Troupe Rouge liet vallen nu ze in de problemen zat.

Planter Louis Mollinger werd opgeroepen. Een deftig uitziende heer van middelbare leeftijd kwam naar voren, steunend op een kostbaar uitziende wandelstok. Nadat hij de eed had afgelegd bij de deurwaarder ging hij zitten met de benen over elkaar, de stok nonchalant tussen zijn vingers. Zijn opgekrulde snor stak trots omhoog toen hij bevestigde dat hij plantage-eigenaar en lid van de Koloniale Raad was. Ook was hij aanwezig geweest op de bewuste avond in Thalia. Vervolgens begon de heer Mollinger verslag te doen van de voorstelling in Thalia, *De komst van de fluitspeler.* Er vielen woorden en opmerkingen als: 'stokers...verraders... adder gekoesterd aan de borst... oproerkraaiers... gevaar voor de kolonie... betreurenswaardige zaak...'

Terwijl mijnheer Mollinger geëmotioneerd zijn relaas deed van de aanstootgevende scènes en teksten, keek ik naar de toneelspelers, die opzij van de balie zaten in de beklaagdenbank. De leden van La Troupe Rouge waren weliswaar bleek, maar zagen er niet meer zo verslagen uit als aan het begin van de ochtend. Mollingers verslag van de fatale avond maakte blijkbaar de strijdlust in hen wakker.

Dokter Christiaan leunde alert naar voren en staarde strak als een havik door zijn brillenglazen naar de spreker. Pierre keek als immer nors, evenals Quaku altijd onaangedaan leek, maar beiden hadden nu het hoofd opgeheven. Madame Akouba had haar koninklijke pose hervonden en zat met de armen over elkaar gevouwen en het hoofd iets schuin, te luisteren. Haar houding drukte duidelijk uit dat ze de spreker niet helemaal *au sérieux* nam.

Giulietta was de enige die nog steeds niet zichzelf leek. Nerveus plukte ze aan haar jurk, aan haar in vlechten gebonden lange haar. Toen eerder de namen van de toneelspelers waren opgenoemd was me al haar achternaam, Latour, opgevallen. Dat moest een valse naam zijn, want als weggelopen slavin had zij geen officiële achternaam. Giulietta was de enige van La Troupe die geen achternaam bezat. Zelfs Mirre, Quaku en Vincent hadden als vrijen en gedoopten een achternaam. Door haar lichte huidskleur en het feit dat de andere kleurlingen in de groep wel vrijen waren, was het zeker niet bij de autoriteiten opgekomen dat La Rouge geen achternaam zou hebben. Desondanks moest haar geheim haar als een zwaard van Damocles boven het hoofd hangen. Wat als men haar ware identiteit ontdekte? Straffen voor slaven waren wreed en vele malen zwaarder dan die voor vrijen. Bovendien zou bij ontdekking van haar status als weggelopen slavin, mogelijk het verband met Signor Durante's dood gelegd worden. En dan was haar lot bezegeld.

Eindelijk was de heer Mollinger klaar met zijn verhaal. Na hem werden nog enige getuigen opgeroepen die eveneens de voorstelling in Thalia bijgewoond hadden. Allen waren leden van de elite en konden dus niet genoeg benadrukken hoe schadelijk het toneelstuk was voor het aanzien van de blanken en voor de rust in de kolonie.

Dokter Christiaan zag er onderhand uit alsof hij ternauwernood zijn mond kon houden, popelend om de beschuldigingen met een scherpe redevoering te pareren.

De ochtend was al half voorbij en er werd een kleine pauze ingelast. We wandelden buiten voor het gebouw van Justitie en kochten wat bananen en een stuk watermeloen bij straatverkoopsters. In de schaduw van de hoge bomen rond het Plein aten we het fruit op. Ik hoopte maar dat de leden van La Troupe ook wat te drinken gegund was, want ondanks de warmte in de rechtszaal was het niet toegestaan hen daar iets te sturen, eetbaar of niet.

Walther moest weg, naar de haven. Het werk op kantoor lag alleen op zijn schouders sinds Van Roepel was ontslagen en Samuel onverwachts ziek was geworden.

Om elf uur werd de zitting hervat. Het publiek stroomde binnen. De gerechtsdeurwaarder riep iedereen op te gaan staan voor het Hof en de rechters namen plaats achter de balie. Procureur-Generaal De Kanter schraapte zijn keel en kondigde aan wie hij nu wilde verhoren. Zijn stem galmde door de zaal: 'James Miller, woonachtig op Frimangron.'

Verbaasd keken we elkaar aan.

Toen stond James op en liep naar voren.

Nadat hij de eed had afgelegd begon Mr. De Kanter: 'James Miller, u bent bevriend met de bewoners van Le Grand?'

James antwoordde dat dit klopte.

'En u onderhoudt intieme relaties met een van de speelsters?'

Ondanks mijzelf voelde ik een kleine schok. Mijn blikken vestigden zich op het gelaat van James, probeerden de uitdrukking van zijn ogen te lezen.

James aarzelde een ogenblik. Toen antwoordde hij kort: 'Ja.'

Ik voelde hoe mijn hart me in de schoenen zonk. Maar mijn verstand, zo degelijk getraind, liet mij niet in de steek. Ik volgde nauwlettend het verhoor.

'Vertelt u mij dan, mijnheer Miller,' vervolgde de Procureur, 'heeft beklaagde Giulietta Latour niet dikwijls uiting gegeven aan haar ongenoegen jegens het gezag?'

Zonder een spier te vertrekken antwoordde James: 'Niet meer dan men gewoonlijk op kolonistenavond in de Sociëteit kan horen.'

Mr. De Kanter keek James scherp aan. In de zaal was onrust te bespeuren. Vlug ging de magistraat verder: 'Uit de mond van zo een publieke figuur als uwe vriendin, kan zulke taal niet anders dan als provocerend worden opgevat. Is het niet zo dat zij u heeft willen betrekken bij gewapend verzet tegen het gezag?'

James trok de wenkbrauwen op en antwoordde: 'Voor La Rouge zijn woorden haar wapens. Zij is toneelspeler. Ik niet.'

'Echter—' begon de Procureur.

Maar James viel hem meteen in de rede: 'Waar geen wapens zijn moet men met woorden schermen. Wat zou zij in haar positie anders moeten doen?'

Mr. De Kanter keek ontstemd. 'Madame Latour is een vrije. Het lag niet aan haar of aan La Troupe Rouge om zich te mengen met de zaken van grondbezitters en politici. Zulke zaken moet men aan het gezag overlaten om geen gevaarlijke situatie te creëren.'

'Dat ligt er maar aan wat u vrij noemt,' vond James. 'Hoe vrij zijn personen van kleur hier, vergeleken met die in de andere Guyana's?'

Het gonsde door de zaal en de procureur waarschuwde: 'Mijnheer Miller! U stelt hier geen vragen, u beantwoordt slechts!'

James haalde zijn schouders op.

De president van de rechtbank, Palthe Wesenhagen, gaf hem een vermaning voor belediging van het Hof. De Procureur scheen er intussen genoeg van te hebben en liet James gaan.

De volgende die werd opgeroepen was Jan Couderc, de jonge luitenant met wie Giulietta een poos een verhouding scheen te hebben gehad. Aan hem had Mr. De Kanter geen moeilijke. De plichtsgetrouwe officier praatte de magistraat precies naar de mond en Giulietta en de rest van La Troupe waren de klos met zijn getuigenis.

Terwijl Couderc doorging met zijn bezwarende verklaring, dacht ik aan James' bekentenis dat hij en Giulietta minnaars waren. Natuurlijk was het voor mij niet prettig zo openlijk aan de kant gezet te worden, al geloofde ik er niets van dat hij nog recent iets met haar had gehad. Hij moest dat gezegd hebben om haar te beschermen. Daar stak meer achter, maar ik kon er op deze plek niet naar vragen. Later, als wij alleen waren, zou ik het ter sprake brengen.

Op dat moment hoorde ik de officier lachend over Giulietta opmerken: 'Kleurlingen, ah...! Zij hebben 't beste van twee werelden in zich verenigd. Het hemelse... en het duivelse!'

Het publiek in de zaal toonde bijval, maar de president hamerde meteen om stilte. Mr. De Kanter hield zijn gezicht in de plooi. Immers, hij mocht dan wel blank zijn, maar de leden van het Gerechtshof Mr. Palthe Wesenhagen en Mr. Focke waren kleurlingen. Zou dat enige hoop bieden voor La Troupe? Onder het publiek bevonden zich ook veel lichte kleurlingen. Toch leek het of zij óf doof waren voor Coudercs opmerking óf het eveneens een goede grap vonden. Meelachen hoorde er blijkbaar bij, wilde je bij de blanke elite horen.

Ten slotte was het tijd voor het middagmaal en de siësta. Het Gerechtshof werkte des namiddags niet, de zitting werd verdaagd naar de volgende dag en iedereen ging naar huis.

'James?' Ik viel met de deur in huis zodra we in de beslotenheid waren van James' woning. 'Wat was dat in de rechtszaal?'

Hij begreep meteen waar ik op doelde, dat zag ik aan zijn gezicht. Toch antwoordde James niet meteen. Hij ging zitten in een van de stoelen in de voorkamer, maar kwam dan overeind en liep naar de bottelarie. Daar stonden de pannen al klaar. Miss Marietje had gekookt en was na haar maal naar haar eigen kamer gegaan voor de middagrust. James pakte twee borden en begon bruine bonen, *napi* en *klaroen* op te scheppen. Hij reikte me een bord aan.

'James?'

Nog steeds gaf hij geen antwoord op mijn vraag. In plaats daarvan zei hij dat we maar moesten gaan eten nu het voedsel nog warm was.

We zetten ons zwijgend neder in de voorkamer, bord op schoot en begonnen te eten. Maar na een paar happen legde ik mijn lepel in mijn bord en vroeg: 'James, er is iets. Vertel me wat er aan de hand is.'

Met een zucht zette hij zijn bord op het kleine tafeltje dat meer dienst deed als salon-ornament dan als eettafel in het spaarzaam gemeubileerde huis. 'Reggie,' begon hij voorzichtig, 'er is een probleem... hoe moet ik het zeggen...'

Toen er verder niets kwam vroeg ik: 'Heb je nog iets met Giulietta?'

Hij schudde meteen zijn hoofd en antwoordde: 'Nee, maar ik moest dat wel voor de rechtbank zeggen. Het spijt me dat ik je dit moet aandoen maar er is een groot probleem. Ik hoop dat je het zult begrijpen.'

Vragend schudde ik mijn hoofd.

Hij vervolgde, nu sneller sprekend: 'Giulietta is geen vrije, zoals je weet. De autoriteiten zijn er nog niet achter en ik hoop dat ze het niet ontdekken. Maar het is zaak hen voor te zijn en haar de status van rechtssubject te geven. Ik heb met Mr. Vlier gesproken.'

Hier bleef hij weer zwijgen als om moed te vatten. Ik dacht na over wat hij gezegd had. Als slavin zou Giulietta voor de wet een eigendom, een ding zijn en geen persoon met rechten. Haar situatie was uiterst hachelijk. Hoe dachten James en Mr. Vlier haar te helpen?

James was opgestaan en knielde voor me neer, pakte mijn hand in de zijne. Ik keek in zijn ogen en zag de smeekbede om vergeving, een onaangenaam voorgevoel maakte zich van me meester, mijn hart begon te bonzen. Ik wist dat ik niet meer wilde luisteren naar wat hij ging zeggen maar hij sprak en ik moest het wel horen.

'Om Giulietta tot rechtssubject te maken moet ik met haar trouwen. Weliswaar is het huwelijk feitelijk ongeldig omdat ze op valse naam en onware status geschiedt, maar dat weten de autoriteiten niet en een dergelijk toneelstuk zal hen in de waan laten dat Giulietta inderdaad een vrije is, waardoor ze niet in haar verleden zullen gaan graven. Tenminste, dat hopen we.'

Het leek alsof mijn lichaam bevroren was. Even kon ik me niet bewegen. Toen rukte ik mijn hand los uit de zijne, stond op en keek verwilderd rond alsof er een uitweg was. James probeerde me tegen te houden, maar ik worstelde me los, sloeg half met opzet mijn bord kletterend tegen de grond. Terwijl de knollen over de vloer rolden en scherven verspreid lagen, wist ik de deur te bereiken en vluchtte weg, blindelings het erf over. James riep mijn naam nog, maar ik wilde niets meer horen.

Het had me moeite gekost om de volgende dag weer naar de rechtszaal te komen. Sedert de vorige middag bij James had ik niemand meer gesproken, mijn huisgenoten vermijdend en zo veel mogelijk op mijn kamer verblijvend. Dat ging gemakkelijk omdat Walther weer weg was voor zijn werk nu Sammi ziek was, en pas tegen het donker, toen de avondklok inging, terugkeerde van de haven. Inmiddels zat ik al veilig op mijn kamer, waar ik James' voorstel overdacht. Voor zover het een voorstel te noemen was. Het leek me dat zijn besluit al vaststond. Het deed me pijn dat ik niet eens gekend was in de kwestie die hem zo had beziggehouden. Ik was zonder meer aan de kant geschoven. Dit was een pijn die dieper ging dan de breuk met Reiner, een verraad dat scherper stak door de hopeloosheid van de zaak. In mijn verdriet en boosheid wenste ik haast dat Giulietta een fatale straf zou krijgen, zodat redding niet meer mogelijk was. Waar had ik dit aan verdiend? Het leek wel alsof ik het ongeluk aantrok.

Na een grotendeels slapeloze nacht besloot ik de gebeurtenissen op de rechtbank toch maar te gaan volgen. Het ging nu niet alleen om vriendschap, een en ander was immers ook mijn persoonlijk belang geworden. Al had ik er geen idee van hoe dit op te lossen.

De dag begon met het verhoor van enige buren van La Troupe, die hadden gezien dat er op Le Grand aan bosnegers onderdak was verleend. Vervolgens werd een magere marktjongen opgeroepen, die doodsbenauwd in de getuigenzetel plaatsnam, zijn blik gejaagd alsof hij het liefst was weggerend. Zijn eenvoudige plunje contrasteerde met het imponerende zwarte gewaad van de Procureur.

Zonder moeite kreeg de Procureur de bekentenis los dat de jongen Madame Akouba had gezien met enige bosnegers, op een weggetje in de buurt van de markt. Op dat middaguur was er weinig verkeer geweest en het gedrag van Madame en de bosnegers had een stiekeme indruk gewekt. De jongen, nieuwsgierig geworden, had het viertal gevolgd en had zodoende gezien dat er geweren uit een kist, verborgen in een bosschage, waren uitgedeeld.

Hier aangekomen kon de leidster van La Troupe zich niet meer inhouden en duidelijk klonk een *tyuri* door de zaal. Het smalende geluid was het Hof niet ontgaan en Mr. Palthe Wesenhagen liet een waarschuwing horen.

De angstige houding van de marktjongen was echter velen niet ontgaan en toen dokter Christiaan luidop opperde 'dat er leugens onder dwang werden opgedist', kreeg hij bijval uit de zaal. Vandaag waren er meer gekleurden onder het publiek. Blijkbaar was het hen gelukt om de zaal binnen te komen. Misschien was door het rustige verloop van de vorige dag de bewaking verslapt of had de blanke elite verstek laten gaan in de waan dat de uitkomst van het proces al in kannen en kruiken was. Feit was dat het publiek nu meer op de hand van de toneelspelers leek dan de dag ervoor.

Mr. De Kanter stuurde de kleine marktjongen gauw weg en de President van de rechtbank hamerde om orde. Het kwam het Hof niet goed uit dat de zaal vanmorgen zo wispelturig leek, want juist vandaag zouden de spelers gehoord worden. Daar zij geen advocaat hadden, mochten zij zichzelf verdedigen en het leek wel of ze zich daarvoor hadden opgewarmd. De leden van La Troupe Rouge zagen er een stuk beter uit, gewassen en in nette kleren. Giulietta had haar lange haren bijeen gebonden en droeg een keurige, lichtgele jurk. Madame Akouba was in helderwitte rokken en droeg een doek om het hoofd geknoopt. Dokter Christiaan had zijn groen fluwelen pak aan en Pierre en Quaku droegen beiden een blouse, keurig dichtgeknoopt. Voor beiden iets bijzonders, daar Pierre anders altijd nonchalant met los openhangend hemd arbeidde, terwijl Quaku doorgaans voorkeur had voor een ontbloot bovenlijf en vaak zelfs enkel in lendendoek rondliep.

Madame Akouba werd het eerst verhoord, vanwege de kwestie met de marrons. Ze stak meteen van wal met de verdediging dat zij de bosnegers had aangesproken om enige werkzaamheden op Le Grand te verrichten - een betere afwatering graven en wat timmerwerk. Al luisterend bekroop me het gevoel dat dit niet kon kloppen. Pierre, Quaku en Vincent deden immers het zware werk op Le Grand. Maar door deze redenen op te geven kon Dame Akouba wel binnen de wet blijven. Het wás immers toegestaan bosnegers onderdak te verlenen als zij kwamen om te werken. Hoewel het twijfelachtig was of La Troupe daarvoor toestemming had gekregen van de Commissaris der Inlandse Bevolking. Dame Akouba zei dat de dispensatie was toegezegd tijdens een feest op Le Grand waar de betreffende Commissaris een der gasten was geweest.

De Commissaris - niet aanwezig in de rechtszaal - had eerder bij de politie verklaard van niets te weten.

'U heeft dus aan bosnegers ongeoorloofd onderdak verleend,' concludeerde Mr. De Kanter.

'De avondklok was al ingegaan,' repliceerde de leidster van La Troupe. 'We konden hen dan toch niet de straat opsturen? Ze zouden opgepakt worden!'

'Madame,' sprak de Procureur zelfgenoegzaam, 'de avondklok gold toen enkel voor slaven. Marrons zijn geen slaven.'

'Denkt u dan dat zij niet opgepakt zouden zijn, als ze 's avonds na de avondklok nog op straat liepen?' bracht Akouba ertegen in. 'Marrons zijn vrije mensen, maar omdat ze niet wit zijn, zijn ze vogelvrij.'

Mr. De Kanter trok zijn wenkbrauwen op alsof hij het een argument van twijfelachtig allooi vond, maar in de zaal klonk instemmend gemompel. Te veel vrije zwarten hadden zich al na de gewone avondklok moeten verantwoorden, voordat het uitgaansverbod door de afgekondigde noodtoestand algemeen werd en iedereen gold.

Mr. De Kanter schakelde vlug over op het volgende punt van beschuldiging. Maar beschuldigingen over wapenuitdeling of wapenbezit wees Dame Akouba krachtig van de hand. Als dat waar zou zijn, waar waren dan deze wapens? Vreemd genoeg had het Publieke Ministerie daar ondanks meerdere huiszoekingen in Paramaribo en op Poelepantje ook geen verdere bewijzen van, zodat ten slotte alleen de beschuldiging van ongeoorloofd wapenbezit door de Arowak Vincent bleef staan - maar dat betrof een toneelgeweer, ongeladen, een rekwisiet, betoogde Madame Akouba.

En wat betreft de beschuldiging van 'hoon en belediging van het gezag', wilde Madame weten, dat waren haar eigen ervaringen die op het toneel werden verbeeld, mocht dat dan niet? Was het niet de Kunst eigen een grote mate van persoonlijke vrijheid te claimen, zoals kunstenaars door de eeuwen heen al hadden bewezen? Was dit recht bovendien niet onlangs erkend in het moederland, waar de Nieuwe Grondwet van kracht was geworden en er ruimte was gemaakt voor kritiek op het gezag? Terecht, niet waar?

Bijna had ze aan de laatste zin *'mon chère'* toegevoegd, zag ik aan de sarcastische glimlach op haar gezicht. Mr. De Kanter zag er werkelijk even beteuterd uit, maar hij herstelde zich snel door te stellen dat het 'koloniaal recht' iets anders was dan de wetten waar de staatsman Thorbecke zich nu over boog.

'Maar de Cabale dan,' weerstreefde Dame Akouba, 'door de eeuwen heen is deze verenigde vorm van kritiek op het gezag toch geaccepteerd door zowel het koloniaal gezag als de Nederlandse overheid, *n'est-ce pas?* De Cabale en de spotschriften en -dichten in de couranten zijn haast een traditie van hoon aan het adres van gouverneurs, en in staat gebleken veranderingen tegen te houden, ook als dit tot ongenoegen van het koloniaal bestuur leidde!'

Deze opmerking viel echter niet in goede aarde bij het publiek. De Cabale was een vereniging van rijke planters geweest die veranderingen in de kolonie had tegengehouden. En tegenstand in de vorm van hekeldichten en protestbrieven naar Holland was een beproefde methode om het de gouverneurs moeilijk te maken, met name als het erom ging geld te steken in verbeteringen voor de kolonie en voor de behandeling van slaven. Het doel van La Troupe Rouge en het verbond van de planters was dus niet hetzelfde. Desondanks over één kam geschoren te worden met de dissidenten stond de elite niet aan.

De spottende toon van Madame Akouba was de mensen van aanzien zeker niet ontgaan. Misschien was het niet zo verstandig van Akouba om hen tegen de haren in te strijken, maar ze had het natuurlijk niet kunnen weerstaan om haar plaats in het voetlicht uit te buiten voor de goede zaak. Het ideaal stond bij haar nog altijd voorop, dat was zonneklaar.

De president van de rechtbank besloot een pauze te houden.

De beschuldigingen van opruiing en samenzwering zouden straks ter sprake komen, de ernstigste van alle beschuldigingen. Als straffen voor ongeoorloofd onderdak of wapenbezit golden hoge boetes, maar het smeden van een complot kwam op lange gevangenisstraffen en dwangarbeid te staan.

Met de stroom van de menigte ging ik naar buiten, erop lettend dat James mij niet kon benaderen. Walther was vandaag weer naar zijn kantoor in de haven, dus hoefde ik geen vragen over mijn ontwijkende gedrag te beantwoorden. Ik glipte een zijstraat in en wachtte daar tot de pauze voorbij was en ik net op tijd zou zijn om bij de laatsten te zijn die naar binnen zouden gaan.

Maar het liep een beetje anders. Want toen ik terugkeerde dromde een grote groep mensen voor de dichte deuren van de rechtszaal. Politieagenten in donkere uniformen stonden wijdbeens paraat om de menigte tegen te houden en de commissaris, staande op de stenen trap, maande iedereen om naar huis te gaan. De mensen, zo te zien meest vrije zwarten, mopperden en bromden, sommigen argumenteerden dat ze diezelfde morgen nog zonder problemen binnen waren gelaten, wat was nu de reden van dit onaangekondigde verbod? Maar de commissaris liet zich niet vermurwen, bevel van hogerhand gold en daar kon niemand iets tegen inbrengen. Na langer dan een uur wachten ging de massa eindelijk langzamerhand uiteen en verspreidde zich.

Nu waagde ik me dichterbij en vroeg beleefd aan een van de agenten of ik nog binnen mocht. Ik haalde mijn biljet van permissie tevoorschijn, waarmee ik toegang had tot de gevangenen in Fort Zeelandia. De agent wierp een blik op het papier en op mij en toonde het aan de commissaris, die instemmend knikte. De deur werd op een kier geopend en ik glipte naar binnen.

De zitting was intussen al lang heropend en dokter Sijmen moest zijn kans reeds hebben gehad om een toespraak te houden ter verdediging van La Troupe. De redevoering, die ongetwijfeld doorspekt moest zijn geweest met aanvallen op het gezag, had ik gemist. Aan het woord was nu Mr. De Kanter. De Procureur-Generaal was begonnen met zijn requisitoir. Zijn stem galmde door de nu aanmerkelijk legere ruimte.

'Als de leden van La Troupe Rouge aanvoeren dat zij met hun aanstootgevende en gevaarlijke voorstelling slechts de aandacht op misstanden ter plekke wilden vestigen, dan kan het Publieke Ministerie niet anders zeggen dan dat wij hier niet in Parijs zijn. De plantage-economie vraagt nu eenmaal om een andere aanpak en de leus *"Liberté, égalité, fraternité"* moge dan mooi in de oren klinken, hier in de West slaat ze als een tang op een varken. Slaven kan men zonder zweep niet regeren. Een neger die voor geen rede, noch eergevoel vatbaar is, kan men niet als een weldenkend persoon beschouwen. Slavernij met godsdienst en menselijkheid te verenigen, dat zijn van die sentimentele theorieën die opstand in de hand werken, want niet besteed aan ongevoelige en hardhorende negers.

De goede meester voorziet in alle behoeften van zijn negerslaven: voeding, kleding, onderdak, verzorging bij ziekte en ouderdom. De slaven zijn gelukkige mensen, zij worden verzorgd en leiden een onbekommerd leven. Vergelijk nu eens: in Europa leeft een dagloner in ellende, zwoegt, lijdt honger en kou.

Maar als slavernij als structuur zo verwerpelijk is – aldus dokter Sijmens verklaring – dan vraag ik u, waar leven wij van? Waar leven wij allen van, slaaf en koopman? Waar zouden wij zijn zonder dit systeem dat het land in cultuur brengt en de natuurlijke rijkdom tot bloeiende winst omzet? Dit stelsel, dat een ieder tot voordeel is, van de kolonisten-planters ter plekke tot de aandeelhouders in het moederland, van de vaderlandse arbeiders die koloniale producten in de fabrieken verwerken en zo een eerlijk inkomen verwerven, tot de koffiesalons, brave kruideniers en de moeders in de keukens toe! Iedereen profiteert van 's kolonies rijke opbrengst, wat zouden wij zijn zonder de export en handel van suiker, cacao, koffie, hout en katoen, welk nut zou een wingewest hebben indien zij niets opbrengt?

Ieder mens is slaaf van zijn eigen behoeften, van zijn neiging die behoeften te vergroten. In het zorgeloze slavenleven zijn ze van díe slavernij gevrijwaard want er wordt in hun behoeften voorzien!

Zolang men met zijn staat tevreden is, gaat alles de gewone vreedzame gang. Maar nauwelijks voelt men zich onderdrukt, of men verbeeldt zich onder een onrechtvaardige en ondraaglijke last gebukt te gaan, welks zwaarte men tevoren niet eens gevoelde.'

Eindelijk zweeg de Procureur. De zaal was opmerkelijk stil gebleven tijdens zijn betoog. De weinige aanwezigen waren blanke kolonisten, joden en lichte kleurlingen uit de elite. James was nergens te zien.

De leden van de rechtbank schenen met elkaar te overleggen, Mr. Palthe Wesenhagen en Mr. Focke keken ernstig. De griffier Mr. de Souza verzamelde alle papieren. Achter zijn tafel maakte de Procureur-Generaal zich op voor zijn eis.

In de beklaagdenbank schoven de leden van La Troupe Rouge onrustig, hun gezichten heel wat minder strijdlustig nu men hun een attent publiek ontnomen had. Dokter Christiaan en Pierre zagen er bleek uit, Giulietta hield het hoofd gebogen, de lange lokken hingen langs haar wangen – ik kon haar gezicht niet zien. De ogen van Quaku waren roodomrand, hij zag er vermoeid uit. Madame Akouba's gezicht leek als uit steen gehouwen, alle emotie leek eruit verdwenen.

Het Hof scheen gereed te zijn en elk nam zijn plaats in. De griffier pakte zijn pen. Mr. De Kanter posteerde zich achter zijn katheder. Hij schraapte zijn keel, keek op van zijn papier en sprak: 'Het Publiek Ministerie eist voor de leden van La Troupe Rouge, voor het misdrijf van opruiing en samenzwering, de doodstraf.'

Er ging een schok door de zaal. Aangedaan wendde ik mijn blik naar La Troupe. De groep in de beklaagdenbank vormde het middelpunt van emoties, sommigen verstijfd, anderen gebroken ineengedoken. Alleen Madame Akouba leek nog altijd onbewogen, stil en strak als graniet.

Die avond mocht ik mijn biljet van permissie ook gebruiken na de avondklok. In Fort Zeelandia bezocht ik de onfortuinlijke toneelspelers. Deze keer mocht ik hen allemaal beurtelings zien. Ik trof mijn vrienden aan in gedesillusioneerde stemming.

'De kleurlingen hebben niet onze kant gekozen,' sprak dokter Christiaan somber.

'Het is alleen de eis, nog niet het vonnis,' probeerde ik hem moed in te spreken.

Pierre en Quaku aten zwijgend van het door mij meegebrachte voedsel. Madame Akouba sprak enkele woorden, in het spaarzame licht van de enige kaars in de donkere cel kon ik niet goed zien hoe zij eraan toe was. Langs de wand leidde de slinkse gang van een vette rat mijn aandacht af.

Toen kwam de bewaker mij alweer halen voor het bezoek aan de volgende cel. Giulietta was ziek en weigerde te eten. Heimelijk wierp ik een onderzoekende blik op haar, zij die ooit de ster van La Troupe was. Ik kon er niet onderuit dat zij mijn concurrente was, of het nu om het hart ging of om de hand, ik vreesde haar macht over James Miller. Deze had ik duidelijk onderschat, overtuigd als ik was geweest van mijn overwinning op La Rouge, met wie ik zelfs bevriend was geraakt.

Toch, overwinning was niet het juiste woord voor de band die ik met James had of gedacht had te hebben. Ik had inderdaad gestreden om zijn genegenheid. Strijd geleverd met de spoken van zijn jeugd, met mijn eigen verstandige ideeën over plicht en trouw jegens Reiner, en met degenen die door middel van mijn geweten nog altijd waakten over mijn deugdzaamheid: soeur Agnes, tante Cornelie en al die anderen uit mijn Hollandse opvoeding, wat zouden zij hebben gezegd van mijn intieme relatie met een man, als ongehuwde vrouw. Zo veel had ik al afgelegd van wat ik meende dat bij mijzelf hoorde. Moest ik nu ook nog de hoop opgeven ooit James' wettige vrouw te worden?

Het antwoord lag daar in wat ik als onze diepste band beschouwde. Hoe ver zou zijn genegenheid voor mij reiken, wat kon ik van James verwachten, welke toekomst wachtte mij?

Hier aangekomen in mijn redenering schrok ik terug, schaamde mij. Dacht ik aan mijn toekomst, terwijl mijn vrienden de doodstraf boven het hoofd hing, hoe zelfzuchtig kon ik zijn, het was meer dan ik, dan een mens kon bevatten.

Juist had ik dit naargeestige verblijf verlaten en liep door de donkere straat van het Fort langs de rivier terug naar huis, toen ik werd opgeschrikt door geluid uit de duisternis. 'Psst!' hoorde ik naar mij sissen. Ik stond stil en trachtte iets te onderscheiden in de donkere bosschages. Een gestalte dook plots uit het duister onder het brede bladerdak van de amandelbomen.

'Misi!' fluisterde een stem. En 'Ssst!' voegde deze eraan toe toen ik een onderdrukte kreet slaakte. Ik drukte mijn hand tegen mijn mond en probeerde in het donker iets te zien. Klotsend klonk de golfslag aan de nabije Marinetrap, een bootslantaarn aan de steiger wierp flauw licht en zo kon ik de kleine, slanke figuur onderscheiden.

'Mirre!' zuchtte ik.

'Ssst!' klonk ze weer en ik voelde dat ze naar de mand aan mijn arm greep.

'Heb je honger?' fluisterde ik en zocht in de mand naar het overgebleven voedsel.

Mirre pakte gretig het brood en de bananen aan, propte smakkend het voedsel naar binnen. Ik was wat meer in het duister aan haar kant gaan lopen, dankzij de avondklok was het overal stil en donker, maar we moesten uitkijken voor de wacht. En voor spionnen.

'Mirre,' sprak ik zachtjes, 'hoe gaat het met je? Heb je een veilige plaats?'

'*Iya*, misi,' antwoordde ze smakkend. 'Gaat goed. Alleen soms beetje honger.'

'Je had gelijk om onder te duiken,' fluisterde ik terug. 'Het is gevaarlijk geworden voor La Troupe. Is Vincent bij jou?'

'No, misi, Vincent *ben gwe langalanga. Baka na tapsei.*' Vincent was allang vertrokken naar het binnenland, zoals we al gedacht hadden. Maar hoe moest dat nu met Mirre? Ik peinsde erover haar mee te nemen naar de Waatermolenstraat, maar alsof ze mijn gedachten had gelezen zei Mirre: *'Mi no wani, mi de moro betre na mi srefi.'*

Ook al dacht het meisje beter af te zijn als ze op zichzelf was, toch kon ik haar niet laten gaan. 'Waar kunnen we je vinden?' vroeg ik onverstandig.

Het antwoord kwam van de cicaden in het gras. Mirre was weer verdwenen. In de verte kwam de patrouille van de wacht aan, de nachtlamp zwaaiend aan een stok.

Zesendertig

NOVEMBER 1848

Het was de derde dag van het proces, de dag ook waarop het vonnis zou worden uitgesproken. De morgen begon met oponthoud vanwege een *wisi*-mandje op de trappen van het gerechtsgebouw. De bode durfde niet erlangs om de deuren te openen en de baskiet met de rode lap, een fles en andere toebehoren, bleef dreigend de weg versperd houden.

De rechters, die het beneden hun waardigheid achtten het obstakel te verwijderen, wachtten geërgerd in hun zwarte toga's terwijl de politieagenten onderling ruzieden wie van hen het voorwerp moest verwijderen. Uiteindelijk stapte de commissaris zelf naar voren en verwijderde de mand door een stok door het hengsel te steken en het geval daaraan weg te dragen. Intussen had zich al een kleine menigte verzameld die op afstand toekeek.

Toen de weg was vrijgemaakt, bestegen de leden van het Hof de trappen en gingen het gebouw in. Daarna kwamen de gevangenen en ten slotte was het publiek aan de beurt. Opnieuw mocht men slechts mondjesmaat naar binnen. De politiedienaren hielden toezicht en bepaalden wie er naar binnen kon. Blijkbaar mochten nu alleen mensen met speciale toestemming aanwezig zijn. Het kon geen toeval zijn dat alleen de licht gekleurden van de elite door mochten. De rest moest onverrichterzake terug naar huis.

Vlak voor de zitting werd geopend trad er echter nog een gast binnen. De Gouverneur-generaal baron Van Raders voegde zich bij het publiek, maar nam plaats op een vrij onopvallende plek aan de zijkant van de zaal.

De president van de rechtbank, Mr. Palthe Wesenhagen, opende thans de zitting en verklaarde dat het Hof beraadslaagd had en tot een vonnis was gekomen. De griffier reikte de documenten aan waaruit zou worden voorgelezen en er volgde een lang betoog waarin de verhoren en conclusies van de afgelopen dagen waren opgenomen. Zoveel werd duidelijk dat *'ongeoorloofd wapenbezit door inheemsen'* niet was bewezen, maar *'bezit van opruiende lectuur'* wel. *'Ongeoorloofd onderdak verlening aan bosnegers'* was eveneens niet bewezen.

'Door de vondst van de stapel pamfletten en met name het briefje met aanwijzingen, kan echter worden geconcludeerd dat er sprake was van een voornemen van "samenzwering tegen het gezag, met de bedoeling anderen daarin te betrekken en op te stoken",' sprak Mr. Palthe Wesenhagen streng. 'In combinatie met de aanklacht van "hoon en belediging van het gezag", door middel van de opvoering van *De fluitspeler*, kan het Hof van Justitie niet anders concluderen dan dat La Troupe Rouge met opzet heeft aangestuurd op het creëren van een escalatie, en daarmee de rust in de kolonie op het spel heeft gezet. Hiermee is de bevolking van Paramaribo in gevaar gebracht, en gezien de verdenking van contacten met de marrons en het plan met de pamfletten, moet het hele idee geweest zijn een opstand in Paramaribo te ontketenen, die zich vervolgens verder over het land had moeten verspreiden.'

Op dit punt gekomen werd door de openstaande ramen aan de straatkant gezang hoorbaar, dat snel luider werd, alsof een koor van vrouwen het gebouw van Justitie naderde. Aan de rand van het Plein, juist tegenover de hoge stoep van Justitie, bleef de groep stilstaan. De voorzangeres was duidelijk hoorbaar, de andere vrouwen volgden in het Sranan. Het was een vreemde gewaarwording de stemmen van een onzichtbaar koor te horen, beschuldigend, venijnig klinkend, maar in een slepend tempo, als bij een treurmars. Het leek alsof de vrouwen rouwden, een wake hielden bij een begrafenis.

De president van de rechtbank staakte zijn betoog en keek verstoord op.

Ik ben in een huis geweest
Ik hoorde een historie
Er bloeien tuinen
links en rechts
Maar ik heb alleen
droge aarde

Geschrokken hoorde ik het lied aan, ik verstond inmiddels voldoende *taki-taki* om de betekenis te vatten. Links en rechts waren Brits Guyana en Frans Guyana, waar de slavernij was afgeschaft. De bedoeling was duidelijk.

Ik keek om me heen. Er was onrust ontstaan onder het publiek. De rechters achter de balie keken ontstemd, maar de leden van La Troupe waren rechtop gaan zitten, hun gezichten opgeklaard, bij sommigen een verstolen glimlach. Madame Akouba had haar lippen zelfs openlijk in een spottende uitdrukking gekruld.

Er begonnen mensen uit de banken op te staan en naar de ramen te lopen om te kunnen zien wie de zangeressen waren. De president riep luid om de deurwaarder en de commissaris van politie.

Buiten ging het gezang gewoon door en er begon zich aldaar een menigte te vormen doordat voorbijgangers bleven staan.

Mr. Palthe Wesenhagen hamerde om orde in de zaal maar de meeste mensen stonden nu bij de vensters en keken naar buiten, maakten opgewonden opmerkingen. Ook ik was naar een venster geglipt en had zicht gekregen op de vrouwen op het Plein.

Het waren marktvrouwen, vrije vrouwen die echter nog familie moesten hebben die in slavernij leefde. Misschien waren er zelfs slavinnen bij de groep, maar die namen dan een groot risico, want voor slaven was de wet onbarmhartig. De vrouwen waren gekleed in *koto's* en *angisa's*, eenvoudig maar keurig, in hun gesteven rokken, kleurige jakjes en kunstig gevouwen hoofddoeken. Met ernstige gezichten stonden zij te zingen, hun stemmen waaiden over het plein, waar in de verte op de achtergrond de palmen zachtjes wuifden. Steeds meer vormden zij het centrum van aandacht, maar moedig bleven zij zingen, hun klaagzang gericht tot de verscholen magistraten.

Hoe zou de rechtbank dit zachte maar duidelijke protest opvatten? Ik wendde me van het raam af en keek om naar de balie. De voorzitter van het Hof, de Gouverneur, de Procureur en de commissaris van politie waren druk in overleg. Gouverneur Van Raders schudde het hoofd en ik hoorde hem zeggen: 'Nee, dat zou de zaak verergeren. We moeten vermijden dat dit verzet zich uitbreidt.'

Mr. De Kanter haalde zijn schouders op en antwoordde: 'Goed. Dan doen we het anders.' Hij richtte zich nu tot de commissaris en scheen hem een vraag te stellen. Commissaris Koops deed een voorstel dat ik niet kon verstaan, maar naar het leek kon dat de goedkeuring der magistraten en van de bewindsman dragen. Even later verliet de commissaris de zaal.

De op het Plein aanwezige agenten hadden zich tot dan toe afzijdig gehouden, bewaakten slechts het gerechtsgebouw. Maar nu verscheen commissaris Koops buiten, in gezelschap van een paar ordebewaarders. De politiemannen die op wacht hadden gestaan, onzeker over wat hun te doen stond, lieten hun afwachtende pose varen, die hen haast deel van het luisterend publiek had gemaakt.

De dienaren der wet namen een strakke houding aan, wijdbeens als onverzettelijke barrière en hielden hun knuppels gereed.

De politie begon de zingende groep te naderen, met één man vooruit lopend. Een hoofdagent met een donkere huidskleur was klaarblijkelijk eropaf gestuurd om het karwei te klaren. De man was een jaar of veertig en had in tegenstelling tot de meeste van zijn collega's niet de forse snor en bakkebaarden die agenten als essentieel schenen te beschouwen voor een ontzag afdwingend uiterlijk. Daardoor zag hij er minder streng, zelfs vriendelijk uit. In ieder geval was zijn benadering duidelijk bedoeld om de marktvrouwen gunstig te stemmen en niet meer ophef te veroorzaken. Terwijl de andere agenten zich op afstand hielden, begon de hoofdagent een praatje met de hoofdzangeres, waarbij zijn houding allerminst autoritair overkwam.

Het leek te werken, de vrouwen stopten hun gezang en begonnen tot de man te praten. Zoals marktvrouwen eigen is, droeg hun stemgeluid bepaald ver en zij waren dan ook goed te verstaan in de rechtszaal. In het Sranan gaven zij de hoofdagent te verstaan dat als zij niet in de rechtszaal werden toegelaten, ze dan tenminste wilden weten waar het allemaal over ging. En, *baya*, of de gouverneur dan zo deftig was dat er zelfs geen volksvrouw in de buurt mocht komen? Deze opmerking ontlokte gegrinnik aan sommigen in het publiek en Mr. Palthe Wesenhagen gaf bevel aan de bode om de vensters aan pleinzijde te sluiten. Dit gebeurde en iedereen ging weer terug naar zijn zitplaats.

Buiten verstomde het gekrakeel, het was de hoofdagent kennelijk gelukt de vrouwen tevreden te stellen zodat zij zich van het Plein verwijderden. In de zaal was er nog geroezemoes, de spelers van La Troupe zagen er duidelijk teleurgesteld uit. Mr. Palthe Wesenhagen hamerde een aantal malen om stilte. De zitting werd hervat.

'Gezien de precaire politieke situatie in de regio en elders in de wereld, en de duidelijk kwalijke opzet van La Troupe Rouge, alle getuigenissen en bewijzen in overweging nemende, heeft het Hof besloten voornoemde beschuldigden te veroordelen tot de doodstraf.'

Een golf van geroezemoes ontstond. Het was in de laatste eeuw nauwelijks voorgekomen dat blanken de doodstraf kregen. Geschokt wendde ik mijn blik naar de beklaagdenbank. Daar stonden de veroordeelden er verslagen bij. Madame Akouba, Pierre, Quaku en dokter Sijmen hielden zich zo goed mogelijk, rechtop staand, met strakke gezichten. Alleen Pierre staarde naar de grond, maar dat deed hij altijd. Dokter Christiaan was rood geworden. Hij ondersteunde Giulietta, die moeite leek te hebben op de been te blijven.

Opeens leek het leven in haar terug te keren. *'Ce n'est pas juste!'* schreeuwde ze. Haar losgeraakte rode haren leken te vlammen om haar hoofd terwijl ze met vertrokken gezicht wild naar de rechters gebaarde. 'Wat hebben we dan gezegd dat niet waar was?'

Ze keerde zich naar het publiek. '*Dites-le moi!* Jullie weten toch waar dit over gaat? *Comme Judas!* Dat zijn jullie! Als Judas!' Haar vinger wees beschuldigend van het publiek naar de rechters en in de zaal ontstond nog meer commotie. Er waren mannen die La Rouge uitjouwden, waar zij nog niet zo lang geleden aan de voeten van de actrice hadden gelegen.

De president van de rechtbank sloeg met zijn hamer om orde in de zaal, commissaris Koops leek fronsend de situatie te peilen, bracht zijn hand al naar de knuppel aan zijn zij. Madame Akouba en Quaku probeerden Giulietta te bedaren. Zij kalmeerde inderdaad maar de vroegere ster van La Troupe scheen haar temperament weer terug te hebben. Haar ogen spogen vuur, zodat sommige gelovige vrouwen de hand tegen de mond drukten, overmand door het gevoel van onheil dat over de zaal neerdaalde.

Was de hele rechtszaak tot nu toe voor de begunstigde stand een verzetje geweest, iets als een kermisattractie maar dan van meer serieuze aard, de opstand van La Rouge breidde de vertoning uit naar een breder plan waar niet langer met spottende toon afstand van genomen kon worden. Met haar talent de zaal te boeien wist ze weerloosheid, wanhoop en woede om te buigen naar vastberaden beschuldiging, waarmee ze de kolonisten beschaamd deed kijken. *Fenella* had uiteindelijk een stem gekregen.

Zelfs de rechters schenen aangeslagen en niemand keek ervan op toen ook dokter Sijmen en Pierre hun beheersing verloren.

'*Merde!*' vloekte Pierre terwijl hij zijn vuist schudde. '*C'est scandaleux! Idiots!*'

En dokter Christiaan schreeuwde: 'Ellendelingen! Stelletje uitbuiters! Het zal jullie kapitalisten nog bezuren, let maar op!'

Arme Christiaan geloofde nog altijd dat de opstand tegen de onderdrukking niet ver meer kon zijn.

De president sprak: 'Belediging van het Hof is niet toegestaan, verwijder die man!'

Dokter Sijmen werd bij de armen gegrepen door twee agenten, die de tegenstribbelende man trachtten weg te voeren.

'Ha!' riep de dokter. 'Laat me niet lachen! Belediging? Wat kan je me nog meer doen met mijn hoofd al in de strop?'

Madame Akouba begon nu ook in het Frans te spreken en haar geoefende toneelstem klonk met gemak door de zaal zonder dat zij hoefde te schreeuwen. 'De dagen van koloniale dictatuur zijn geteld! Ah! Hoed u, want de wraak zal vreselijk zijn!' Haar lugubere woorden maakten indruk, maar de menigte besloot ze te bezweren.

Kolonisten begonnen terug te schelden en in het spektakel was niemand meer verstaanbaar. Het was alsof iedereen zijn best deed om met hoon en geschreeuw de loodzware sfeer van doem en schuld te verjagen.

'Sluit de veroordeelden op!' wist de president nog te bevelen. 'En ontruim de zaal!'

Kordaat traden de politiemannen op en commandeerden het publiek de zaal uit. De leden van La Troupe werden langs de andere kant weggevoerd.

Te midden van het tumult zat zwijgend de gouverneur. Het gezicht van baron Van Raders stond ernstig.

Die dag werd ik niet meer toegelaten tot de gevangenen. Het Plein werd zelfs afgesloten en niemand mocht nog in de buurt van het Gerechtsgebouw, het Paleis en het Fort komen. De stadswacht begon al voor het donker werd te patrouilleren.

Er gingen geruchten dat de galg voor La Troupe bij de Heiligenweg zou worden opgezet, waar ook vijftien jaren tevoren de drie opstandige slaven levend waren verbrand. Er zou dan een speciaal podium met afdakje gemaakt worden voor hoogwaardigheidsbekleders die de executie wensten bij te wonen.

Maar er was ook sprake van dat dit een veel te centrale plek was om zulke omstreden figuren openlijk terecht te stellen, het zou wel eens averechts kunnen werken om hen publiekelijk te vernederen en te vonnissen. Daarom was het minder dicht bevolkte Pad van Wanica misschien beter geschikt.

Het was vreemd om deze veronderstellingen aan te horen en te bedenken dat het om mijn vrienden ging. Ik kon de gebeurtenissen nog steeds niet verwerken en wenste dat ik met James erover kon praten. Sinds ik de laatste keer na zijn onmogelijke voorstel zijn huis had verlaten, had ik hem niet meer gezien. Hoe zou James op de uitspraak van het Hof reageren? Hoewel hij niet op de rechtbank was geweest moest het nieuws hem vast al bereikt hebben. Dat hij niet in staat was Giulietta te redden zou zijn sterke gevoel voor verantwoordelijkheid ongetwijfeld beproeven. Welk effect zou dat op onze relatie hebben? Zou hij ooit zichzelf kunnen vergeven, of mij misschien, ook al was de kans dat zijn actie Giulietta had kunnen redden van de galg nihil?

Als de avondklok niet zo vroeg was ingegaan zou ik hem thuis hebben opgezocht. Hij had mij trouwens ook kunnen opzoeken; zou de onverwachts vervroegde avondklok hem daarvan hebben weerhouden of was er een andere reden? Het leek of ik voortdurend moest jagen achter mijn geliefde, mijn vingers hakend in de wind als hij weer was ontglipt.

's Avonds zat ik met Walther aan tafel. Hij zag er vermoeid uit, zonder Frederik en Sammi deed hij het werk van drie man. Misschien moest hij erover denken nog iemand in dienst te nemen.

'Morgen moet ik weer naar Lemuel,' vertelde hij. 'Zou je intussen een boodschap voor mij willen doen?'

'Natuurlijk!' antwoordde ik, allang blij dat ik weer van nut kon zijn, nu ik hem door de drukte al een poos geen les meer kon geven.

Walther overhandigde mij een stapeltje papieren. 'Deze moeten morgen naar commissaris Koops,' zei hij. 'Er moeten bepaalde stempels op, wil jij daarvoor zorgen? Hier is een begeleidende brief, die kun je aldaar afgeven.' Hij schoof me een dichtgeplakte enveloppe toe.

Ik was gaarne bereid te helpen met de plantagezaken. Als Walther me als gouvernante niet meer nodig had, zou ik misschien wel naar de functie van klerk op zijn kantoor kunnen solliciteren. Dat wil zeggen, als Samuel promotie zou maken en de openstaande functie van directeur zou kunnen overnemen. Want ik wilde Sammi niet het brood uit de mond stoten. Ik zou nog even moeten afwachten hoe de zaken zouden verlopen en ondertussen moest ik mijn zieke vriend ook eens gaan opzoeken.

Het politiekantoor was een kleine post, gevestigd aan de Waterkant in de buurt van de Platte Brug. Het was druk op straat, want door de avondklok wilde ieder zijn of haar zaken gedaan hebben zolang het nog licht was. Vooral de slavinnen die door hun meesteressen uit venten werden gestuurd raakten wanhopig, want hun inkomsten van de avondverkoop waren ze kwijt en toch moesten zij met hetzelfde bedrag thuiskomen of er wachtte straf. Ik werd dan ook om de tien stappen aangeklampt door verkoopsters van snuisterijen, fruit en gebak, die me smeekten iets te kopen. Toen ik langs de Krabbesteeg kwam, zag ik zelfs dat sommige verkoopsters in hun ellende zover waren gegaan dat ze hun diensten aan passerende mannen aanboden.

Op het politiekantoor kon ik na enige tijd wachten, toegelaten worden tot commissaris Koops. Hij was een man van middelbare leeftijd met een rood verbrand, vettig gezicht en een dunne blonde snor die het gemis van haar op zijn hoofd moest goedmaken. Ik overhandigde hem Walthers papieren en de brief en wachtte op de stempels. Het betrof, dacht ik, bepaalde accijnzen of vergunningen voor de plantage.

Maar tot mijn grote verbazing zei de commissaris terwijl hij me de bescheiden terug toeschoof: 'Paspoorten? Dan moet u bij de Gouvernements Secretarij zijn. Het spijt me dat ik u niet kan helpen.'

Een moment wist ik niets te zeggen, maar toen trok ik snel mijn gezicht in de plooi en bedankte hem beleefd voor de moeite. Even later stond ik weer buiten in de drukte en liet zijn woorden bezinken. Paspoorten? Wat was Walther van plan? Ja, ik wist dat hij weg wilde, maar ik had niet gedacht dat hij al zover was met zijn plannen. En waarom had hij mij niets verteld? Ik had wel in moeilijkheden kunnen komen.

Langs de Waterkant waren er te veel mensen. In gedachten liep ik naar de Palmentuin achter het Paleis van de Gouverneur. Ik hoopte daar een stil plekje te vinden. In de tuin bleken enkele wandelaars te verpozen, en in hun kielzog naderden alweer verkoopsters met manden koopwaar op het hoofd.

Maar mijn zoektocht loonde want ik vond een verlaten plek bij een stenen bank. Het was er zo stil dat ik de palmbladeren hoog boven mijn hoofd kon horen ruisen in de wind. Eenmaal gezeten bladerde ik door Walthers papieren. Nu hij mij met een niet ongevaarlijke opdracht had opgescheept, vond ik dat ik het recht had om eens te kijken waar ik me mee inliet.

In de brief stond Walthers verzoek om een paspoort. Een reden of reis was niet opgegeven. Ook was geen melding gemaakt van zijn huidskleur. De bijgevoegde papieren lieten echter zien dat het om een handelaar ging die geregeld voor zaken op reis moest. Als bewijs waren enige brieven en bestelbonnen van buitenlandse handelaren bijgevoegd, allen gevestigd in Europa.

Ik wist dat Walther niet van plan was naar Europa te reizen. Dit moest dus een drogreden zijn, bedoeld om de autoriteiten te misleiden. Zorgvuldig vouwde ik alle papieren op en borg ze in mijn tas. Daarna dacht ik met gesloten ogen lang en diep na. Sinds mijn komst naar de Waatermolenstraat, nu langer dan een jaar geleden, was ik meerdere keren 'in de val gelopen'. De ene onthulling volgde op de andere, welke verrassing zat er nu weer aan te komen? Maar ik was niet meer de onnozele Miss Winter, door schade en schande wijzer geworden zou ik me niet meer voor de gek laten houden.

Feit was, dat Walther zijn vlucht naar Amerika al lange tijd aan het plannen was. Hij beschikte al over een boot en zeelui, geregeld tijdens zijn bezoeken aan De Punt in Nickerie, waar hij zogenaamd voor zijn gezondheid ging kuren.

Wat zijn reisgezelschap betreft, had hij Bonham en een aantal slaven van Lemuel. In de brief vroeg hij om slechts één paspoort. Meer kon ook niet want dat zou bij het gezag in de gaten lopen. Hoe zou de rest van de reizigers dan aan papieren komen? Hij kon de documenten toch moeilijk zelf overschrijven? Ik opende mijn ogen. Natuurlijk. Monsieur Carret.

De morgen in de Palmentuin was nuttig geweest. Ik wist nu dat Walther mij weer eens had gebruikt, hij had gehoopt dat de politie geen vervelende vragen zou stellen als een blanke vrouw een paspoort zou aanvragen. De blanken reisden immers vaak naar Europa voor familiebezoek.

Waarom had hij mij niets over dit plan verteld? Het was niet mogelijk hem nu daarnaar te vragen want hij was vertrokken naar Lemuel, ik kon slechts gissen. Misschien dacht hij dat ik bezwaar zou maken. Misschien meende hij dat alles van een leien dakje zou gaan als de commissaris dacht een blanke vrouw te woord te staan. En als ik had geweten over de ware aard van zijn opdracht, zou ik het hebben gedaan? Zou ik met een stalen gezicht hebben meegewerkt aan het bedrog? Was het gezag voor mij nog altijd de hoogste autoriteit? Dat was de vraag die ik mezelf moest stellen.

De Gouvernements Secretarij hoorde bij de gebouwen van het koloniale bestuur rond het Plein. Vlakbij stonden ook de Administratie van Financiën en het Hof van Justitie. De Secretarij bevond zich in een groot witgeschilderd houten gebouw dat wel een beetje op het gouverneurspaleis leek, waarschijnlijk door de lange booggalerij. Ramen en deuren stonden wijd open in de hoop op enige verkoeling, de zon scheen fel en heet. Men snakte naar het eind van de Droge Tijd en het begin van de Kleine Regentijd. Te lang al waren de straten te stoffig, de keel te droog en het hoofd te heet.

In het kantoor zaten enige klerken in hun hemdsmouwen ijverig te pennen. Een jonge slaaf stond in een hoek een touw heen en weer te bewegen om een grote waaier aan het plafond te bedienen. Ik vervoegde me bij de balie en zei aan de toegeschoten jongeman dat ik zijn superieur wenste te spreken.

'U wenst?' vroeg hij me nogmaals, enigszins verbaasd.

Met vaste stem antwoordde ik: 'Mijnheer Brammerloo.'

Na een lichte aarzeling en een blik op mijn hooghartige gezicht (ik had niet voor niets gediend bij de Hollandse elite), koos de bediende eieren voor zijn geld en ging me voor naar Brammerloo's kamer. Een korte klop op de deur was voldoende, de bediende deed open en ik maakte mijn entree.

Terwijl de deur achter mij gesloten werd schreed ik over het weelderige tapijt naar het bureau in de imposante werkkamer van de secretaris der gouverneur. Grote boekenkasten met in leer gebonden boeken flankeerden de wanden, talloze schrijf- en kasboeken lagen opgestapeld op de rekken. Ik liet mij niet door de omgeving intimideren en liep door tot ik voor het grote mahoniehouten bureau halthield.

Met zijn mollige postuur en gallonbestikt jasje zat secretaris Brammerloo erbij als Hollands welvaren, vertegenwoordiger van het Nederlands gezag, toonbeeld van fatsoen. De man schrok een beetje toen hij naar mij opkeek. Bij mijn binnenkomst had de secretaris mij niet meteen herkend. Het was langer dan drie maanden geleden dat ik bij de Brammerloo's over de vloer was gekomen en waarschijnlijk had mijnheer zijn best gedaan de onverkwikkelijke episode van mijn dienstverband zo ver mogelijk uit zijn geheugen te bannen. Niet té ver, hoopte ik.

'Goedendag, mijnheer,' begon ik op koele toon, 'ik hoop dat ik u niet stoor, maar het staat mij bij dat ik nog recht heb op enige verklaring.' Ongevraagd was ik gaan zitten in de mooie fauteuil die rechts voor het bureau stond.

'Juffrouw Winter... eh...' De secretaris wist duidelijk niet hoe hij het had met het onverwachte bezoek.

'Was u niet tevreden over mijn werk met de jonge Margaretha?' vroeg ik, mijn vroegere dienstbare houding nu ver te zoeken.

'Juffrouw Winter, u overvalt mij enigszins...'

'Kunnen wij het jaar dat zij langer bij haar ouders heeft kunnen doorbrengen, beschouwen als verloren?'

Mijnheer Brammerloo, die heel goed wist dat hij zijn dochter zonder de mogelijkheid van mijn educatie had moeten wegzenden naar Europa, kon dit moeilijk ontkennen.

'Was het allemaal onzin wat zij heeft geleerd over geschiedenis en geografie? Is haar vaardigheid in rekenen achteruitgegaan sinds mijn lessen?'

'Eh, nee... nee, dat niet...' Stamelend trachtte mijnheer Brammerloo de rechtstreekse aanval te pareren.

'Wel, wat is het dan dat u deed besluiten mij te ontslaan?'

'Nou, juffrouw... Winter,' stotterde Brammerloo, 'het is... er is... er werd gepraat... En zoals u weet... u weet dat... een gouvernante moet nu eenmaal... onbesproken blijven....'

'O ja, mijnheer? Kunt u mij vertellen wat er zoal besproken werd? Heb ik niet het recht mij te verdedigen?'

Het was ongehoord wat ik deed, als gouvernante een dergelijke toon aanslaan tegenover een meerdere. Maar ik had niets te verliezen.

'Wel, uh, ik... Wij moesten aan de reputatie van onze jonge dochter denken, mijn vrouw en ik. Het zou geen pas geven als er over haar opvoeding geroddeld werd.'

'Waarop doelt u toch, mijnheer? U gaf net zelf toe dat het mijn lessen niet aan kennis of kundigheid ontbroken heeft.'

'Juffrouw...' De heer Brammerloo zweette nu hevig, zijn pafferige gezicht was rood aangelopen.

Ik bleef hem onschuldig aankijken.

'Er is een kwestie van achtergrond, van vorming... een verschil in cultuur...' Zijn stem stierf weg onder mijn ijzige blik.

'U heeft niet eerder gezegd dat u mijn Brabantse wortels een probleem vond,' merkte ik op.

En omdat ik hem aan bleef staren ondernam de secretaris weer een poging: 'Ach nee, Brabants, zeker niet, nee. Eh, maar er is altijd een kans dat wij elkaar niet goed begrepen hebben... eh, niet goed begrijpen... een zekere koloniale invloed kan zich doen gelden...'

'U bedoelt?' Ik had hem vast en liet niet meer los.

'Ja, eh, men doet wat men kan, maar voorouderlijk bloed, afstamming laat zich nu eenmaal niet verloochenen. Een tekort aan eh... beschaving...'

'Wat is precies uw klacht?'

Mijnheer Brammerloo stond nu echt met zijn mond vol tanden.

Van die gelegenheid maakte ik gebruik. Snel haalde ik Walthers papieren uit mijn tas en legde deze op het bureau. 'Daar u mij liever ziet gaan dan komen, lijkt het me niet te veel gevraagd als u mij van de benodigde papieren voorziet,' stelde ik en schoof hem de formulieren toe. 'Een paspoort,' verduidelijkte ik nog.

'O, eh, ja...' Blij met de verandering van onderwerp greep de secretaris de papieren en zonder deze werkelijk te lezen voorzag hij het geheel van stempels en handtekening en overhandigde me dan de reisbescheiden.

Ik stond al op terwijl ik de papieren wegstopte, om hem geen kans te geven zich te bedenken. Met een kort bedankje en een stuurse hoofdknik nam ik afscheid, treuzelde een moment om niet al te haastig te lijken, maar de opluchting was van mijnheer Brammerloo's gezicht te lezen, dus stevende ik ongehinderd naar de deur en vertrok. Eenmaal buiten maakte ik me vlug uit de voeten. Eerlijk gezegd stond ik versteld van mezelf. Had ik het een en ander van Walther geleerd, of waren het de ervaringen van het afgelopen jaar, die mij zo hadden veranderd? Of was het zoals mijnheer Brammerloo uitdrukte, een kwestie van voorouderlijk bloed?

Zevenendertig

EIND NOVEMBER 1848

In de vroege ochtend werden we gewekt door zware vuistslagen op de voordeur. Het duurde even voor lamp en lucifers gevonden waren. Walther daalde de donkere trap af zo vlug hij kon. Gekleed in kamerjas opende hij juist de voordeur toen ik slaperig tevoorschijn kwam. Ik hoorde Walther praten met iemand en toen riep hij luid om mij. 'Miss Winter! Regina! Kom vlug!'

'Wat?' Ongerust kwam ik naar beneden, mijn omslagdoek om me heen vouwend. 'Wat is er?'

Verward keek ik van Walther, die zijn best deed zijn kalmte te hervinden, naar de man aan de deur. Ik herkende een van de bewakers van Fort Zeelandia. Een sterk gevoel van onheil overviel me en mijn stem liet me in de steek. Terwijl ik probeerde een vraag te formuleren zei Walther ernstig: 'Het is Madame Akouba. Ik denk dat je je het best even kunt aankleden, dan gaan we er samen naartoe.'

Buiten was de hemel nog donker en de onverlichte straten maakten een desolate indruk. De nachtkoelte deed me huiveren. Een zwarte schim wiekte fladderend langs. Sinister klonk de schrille kreet van een nachtvogel over de huizen.

De tocht door de donkere straten begeleid door de wachter die vooraan liep met zijn lantaarn, leek veel langer, al gaf dat Walther de gelegenheid mij voor te bereiden op de schok. 'Is ze ziek geworden?'

'Ja. Nee.' Walther aarzelde en zei dan: 'Vannacht werd de wacht geroepen door Giulietta, die in de cel naast haar vreemde geluiden hoorde en zich ongerust maakte. De bewakers gingen kijken en zagen dat Madame Akouba... inderdaad heel ziek was... maar het vermoeden bestaat dat ze... het zelf heeft gedaan. Want het ging heel snel.'

'Wat, hoe bedoel je, is er al een dokter gehaald?' vroeg ik terwijl ik zijn woorden probeerde te bevatten.

Walther stond stil.

De waker liep nog een eindje door tot hij onze stemmen te ver achter zich verwijderd hoorde, om dan terug te keren.

Walther legde zijn hand op mijn arm. Ik staarde hem aan alsof ik de situatie daarmee kon keren. Maar Walther vervolgde met enige moeite: 'Het is al te laat, Regina. Madame Akouba heeft zich het leven benomen. Waarschijnlijk met vergif. Al weet niemand hoe ze daaraan kwam. Misschien had ze het al die tijd al bij zich. In een rokzoom of zo.'

Mijn voeten leken opeens niet meer bij mijn lichaam te horen. Ik bleef doorlopen maar voelde me als verdoofd. Ik kon het niet geloven. Nog de avond tevoren had ik de leidster van La Troupe eten en schone kleren gebracht en ze leek heel kalm en zoals gewoonlijk weinig spraakzaam. Natuurlijk eiste het oordeel van de rechtbank zijn tol op haar gemoedstoestand, maar ik had niets gemerkt van haar stellige voornemen.

Van de rivier steeg een lichte nevel op, de fijne druppels waren zichtbaar als dunne naalden in het licht van de lantaarn en prikten zacht op onze gezichten. In de verte zagen we de omtrekken van Fort Zeelandia opdoemen. Na Walthers verklaring waren we allen in zwijgen verzonken, verdiept in onze eigen gedachten.

Aan de poort gekomen bonsde onze begeleider op de zware houten deuren. We werden het fort binnengelaten en gingen door de schemerige gangen naar Akouba's cel. We passeerden de cellen van de andere Troupe-leden, die vanuit de duisternis ongeruste vragen naar ons fluisterden, hun gezichten onzichtbaar. Maar we konden nog niets zeggen.

De cel van Madame Akouba was verlicht door kaarsen. Een gedaante in een besmeurde blauwe jurk lag bewegingloos op een brits. Bij het betreden van de cel sloeg ons de geur van verderf tegemoet, de doodstrijd had haar sporen achtergelaten.

'Ze heeft geleden,' wist Walther uit te brengen. De stank van braaksel en uitwerpselen was onontkoombaar.

'Is het wel zeker dat het geen ziekte was?' vroeg ik aan de bewaker.

De man haalde zijn schouders op en antwoordde: 'Vóór de dokter er was, was ze al dood.'

Het gezicht van Madame Akouba was vertrokken als was ze in een heftige kramp gestorven. Haar gelaatskleur was grauw en haar lichaam en kleding waren bevuild. Het was een grote schok Dame Akouba zo te zien en een poos stonden we radeloos op haar lijk neer te kijken.

Toen wist ik me te hervinden en bedacht dat de leidster van La Troupe voor zichzelf een waardiger aanblik zou hebben gewenst. 'Ze moet... gewassen worden...' stamelde ik en toen ik mijn stem onder controle had voegde ik eraan toe: 'Haar vrienden zullen haar wel willen zien.'

De wachter krabde zich onder de arm en zei dan dat hij Giulietta zou sturen om mij te helpen. 'De begrafenis zal in de morgen plaatsvinden,' voegde hij eraan toe.

Walther ging weg om de dokter te spreken en de formaliteiten te vervullen. Giulietta werd uit haar cel gehaald. Zodra zij de cel betrad barstte ze in tranen uit. Ik sloeg mijn armen om haar heen en probeerde haar te troosten.

Giulietta snikte: '*Oui*, zij heeft het zelf gedaan, ze had mij verteld dat niemand haar het leven zou kunnen benemen dan zijzelf. Niemand.'

Trotse Madame Akouba, een tragische heldin tot het eind. Dappere *uma*, die haar vijanden te snel af was geweest.

Voor het wassen werd Akouba's lichaam naar een ander vertrek gebracht. Er stonden een tafel en enige emmers water klaar in de stenen ruimte. Even later verschenen een paar beroepsafleggers met doeken, zeep en potjes met kruiden die een sterke geur verspreidden. Een oudere zwarte vrouw vertelde ons wat we moesten doen.

Onder het zingen van rouwliederen en kerkelijke gezangen werd Madame Akouba ontkleed en gewassen. Het gezang van de *dinari's* die bij het licht van de *kokolampu's* werkten, verleende aan het gebeuren een treurige plechtigheid. De echo van hun gedragen stemmen kaatste tegen de stenen muren en moest in het fort goed hoorbaar zijn, misschien tot in de donkere cellen van La Troupe.

Giulietta bleef de hele tijd huilen en ook ik kon mijn tranen niet bedwingen. De oude vrouw maande ons echter geen tranen op het lijk te laten vallen, daar dat de geest van de overledene onrustig zou maken.

Toen Madame Akouba's lichaam gereed was, gereinigd en gekleed in haar mooie witte japon met kanten stroken, werd zij op een baar gelegd. Haar hoofd bedekt door een witte hoofddoek met fijne franje, hoewel de gouden oorringen ontbraken – die had zij in de gevangenis niet mogen dragen en behalve van hun kleding, die wij geregeld voor hen verschoonden, was ons niet bekend wat er met de spullen van La Troupe was gebeurd.

De lijkenwassers pakten hun spullen in en vertrokken, op de oude vrouw na. De bewaker zei dat we afscheid konden nemen. Ik ging bij de baar staan en keek neer op de stille gestalte. De gelaatstrekken van de dode waren strak en de grauwe huid zag grijs. In haar dood zag Madame Akouba er allerminst rustig uit, alsof ze nog altijd haar strijd streed, het gezag tartte dat haar niet op het schavot had kunnen doen knielen.

Door een klein raam werd een glimp roze van de naderende dageraad zichtbaar. Op de binnenplaats was te horen hoe het dagelijks leven weer begon, het gerucht aangevuld met het drukke getjilp en gekwetter van de ontwaakte vogels. Vuren werden aangestoken en de damp van houtskool steeg op, het deksel van een theeketel kletterde. Stemmen van soldaten klonken brommend op het binnenplein.

Op de baar lag het dode lichaam. Ik wenste dat ik wat bloemen in Akouba's koude handen kon schikken, maar er was geen tijd om naar de tuin in de Waatermolenstraat te gaan.

De leden van La Troupe mochten om beurten binnenkomen om hun leidster de laatste eer te bewijzen. Dokter Christiaan biggelden de tranen over de wangen. Hij was voor een keer sprakeloos. Pierre was totaal gebroken en viel voor de baar op zijn knieën, het hoofd in de handen. Giulietta hielp hem weer overeind en beiden troostten elkaar. Samen werden ze door de bewakers weggeleid.

Quaku's gezicht stond strak. Hij boog het hoofd om zijn respect te betuigen. Juist toen hij in gedachten leek verzonken werden we allen opgeschrikt door een daverend kanonschot vanaf de vestingwallen. Het sein van vijf uur, teken dat de nieuwe dag was begonnen.

Als laatsten kwamen Walther en James afscheid nemen. James zag eruit alsof hij in een nachtmerrie leefde. Goed beschouwd was dat ook zo. Akouba was als eerste gegaan, maar het doodvonnis was over onze vrienden uitgesproken en wat mij tot nu toe vaag en onwerkelijk had geleken, was door Akouba's daad definitief duidelijk geworden.

De oude vrouw, die de leiding had van de afleggers, spreidde een wit laken over het lijk heen. Alles ging snel. Soldaten traden binnen en tilden de baar op.

Walther hield een der sjouwers tegen. 'Wacht! Waar gaat ze naartoe?'

Onverschillig antwoordde de man: 'Naar Bongo Pita.'

Verslagen lieten we het hoofd zakken. Als Madame Akouba in de Oranjetuin zou worden begraven, dan zou haar laatste rustplaats dicht bij het theater liggen en ook niet ver van Le Grand zijn. Maar in plaats van naar het kerkhof, zou haar lichaam naar Bongo Pita vervoerd worden, waar gestraften een naamloos graf kregen.

Dit was de laatste keer dat we haar zagen. Dame Akouba was vertrokken.

Naderhand liepen we gedrieën naar de Waatermolenstraat. Waarom heeft ze haar groep in de steek gelaten? vroeg ik me af. Ik kon er niet over uit. Dat ze haar beulen voor wilde zijn kon ik nog begrijpen, maar dat Madame Akouba haar trouwe Troupe Rouge ontredderd achterliet kon ik niet bevatten. Walther en James zwegen. James zag bleek en leek in gedachten verzonken. Ik pakte zijn hand en drukte die bemoedigend. Een flauwe glimlach die zijn ogen niet bereikte was mijn deel.

Om ons heen werd het steeds drukker op straat. Dicht bij huis werden we aangeklampt door mensen die wilden weten wat er waar was van de geruchten dat iemand van La Troupe gestorven was. We bevestigden dat Madame Akouba zich het leven had benomen en liepen dan snel verder, verlangend thuis te zijn. Achter onze ruggen hoorden we hoe het verhaal zich snel verder verspreidde, het geluid van rennende voeten, stemmen die misbaar maakten, kreten van ongeloof en afschuw. Vrouwen die het nieuws luidkeels door de straat verkondigden, de armen geheven in verontwaardiging. Het zou niet lang duren voor heel Paramaribo het wist.

Bij Walther thuis lieten we ons uitgeput neervallen op de stoelen in de salon. Elena kwam met thee en dekte de tafel voor het ontbijt, maar we hadden weinig trek. James stond weer op en zei dat hij maar op huis aan ging. Hij vroeg niet of ik nog langskwam. Vroeger of later zouden we toch moeten praten, maar vandaag was daarvoor niet de beste dag. Walther ging naar zijn kantoor aan de haven en ik zou de rouwende leden van La Troupe gaan bezoeken, zo gauw de wasvrouw het schone goed had geleverd.

Later op de dag ging ik op weg naar Fort Zeelandia met de mand kleren en voedsel. Ter hoogte van het Plein stuitte ik echter op een oploop. Het was me al opgevallen dat er ongewoon veel mensen in deze richting liepen en op het laatst rende men mij zelfs voorbij in de haast om erbij te zijn.

Het Plein was rumoerig, slaven en vrijen, zwarten en blanken liepen daar te hoop. De meesten leken nieuwsgierigen te zijn, op zoek naar sensatie of vertier, maar er was een kleinere groep die de kern van alle consternatie vormde. Een groepje marktvrouwen stond luid te tieren voor het Gouverneurspaleis. In het Sranan lieten ze weten niet tevreden te zijn over het gezag. Naar het scheen had La Troupe, en met name *'Dam' Akouba'*, de volksvrouwen met raad en daad bijgestaan als zij eens in de penarie zaten. En dat waren de dankbare armen niet vergeten.

Het paleis blonk wit in de zon, er vertoonde zich niemand. De menigte groeide aan, straatjongens begonnen zich ermee te bemoeien, schreeuwden scheldwoorden en maakten kabaal, de toeschouwers begonnen te morren. Opeens verschenen er politiemannen voor het paleis. En soldaten. De kleine politiemacht van Paramaribo had versterking gekregen van het leger.

Voor het paleis begonnen politie en soldaten een cordon te vormen om de menigte op afstand te houden. Het zag er niet naar uit dat ik bij Fort Zeelandia zou kunnen komen. Ik luisterde scherper naar de klachten van de marktvrouwen. Zij uitten hun ongenoegen over de gouverneur en de Raad, maar zeiden niet precies wat hen dwarszat. Waarschijnlijk wilden zij gewoon gehoord worden, dacht ik, tot ik het woord *dede* opving. '*A dede*, zij is dood. Akouba, zij is dood...' Het werd een refrein, gescandeerd door brutale straatjongens, overgenomen door stoutmoedigen onder het publiek. Eerst nog wat haperend, maar al spoedig steeds meer zelfverzekerd, klonk het beschuldigende koor.

Akouba
A dede
Akouba is dood!

Akouba
A dede
Akouba is dood!

De menigte groeide nog verder aan en een nieuw refrein ontstond. Het leek een verbastering van dokter Christiaans pamflettitel. Waren Christiaan Sijmens pamfletten dan toch niet allemaal vernietigd?

Rouge Moi!
Redi Mi
Rouge Moi!

Redi Mi
Rouge Moi!
Redi Mi!

Het cordon begon er dreigend uit te zien toen de manschappen stokken en sabels tevoorschijn haalden. Het leek de massa niet af te schrikken, het geschreeuw werd integendeel steeds bozer en luider. De eerste droefheid sloeg om en de mensen raakten verhit. De leus sloeg aan en er werd woest met de vuist geschud.

Redi Mi!
Redi Mi!
Redi Mi!

Toen gooide iemand, misschien een straatjongen, een aardkluit naar de manschappen. Het projectiel spatte uit elkaar op de helm van een agent. Meteen begon het kluiten en stenen te regenen, mensen gilden, gingen op de loop. In de paniek die ontstond werden mensen omver geduwd, dames struikelden over hun lange rokken. Ik had me vlug achter een amandelboom weten te verschansen en kon de gebeurtenissen onopgemerkt volgen. Zoals het nu was, was de chaos op het Plein compleet. De marktvrouwen waren verspreid, opgegaan in de menigte. Straatjongens begonnen een ongelijk gevecht tegen de politiemannen en soldaten. Aarde en stenen tegen knuppels en schilden. Er werd gescholden en geschreeuwd. Anders zo zachtmoedige mensen tierden nu met vertrokken gezichten, verweerden zich met hun weinige middelen tegen het staal en de knuppels van de politie. De *winti* was losgebroken. Krijsend vloog een vrouw een politieman aan. Volkomen overrompeld sloeg de man achterover maar werd opgevangen door zijn kompanen, die op hun beurt de vrouw te lijf gingen.

De politie deed een uitval naar de oproerkraaiers en deze stoven uit elkaar, rennend voor hun leven. Kreten van pijn en gejammer klonken.

Een vrouw probeerde een jongen uit handen van de politie te houden, de agent en de vrouw trokken elk aan een arm van de onfortuinlijke jongen tot een andere vrouw de agent met een takkenbezem in zijn gezicht sloeg. Hij liet los en de drie gingen er onmiddellijk vandoor.

Het leek heel lang te duren, maar in werkelijkheid was het Plein al snel na de charge van de troepen schoongeveegd. In de omringende straten renden nog steeds mensen weg en sommigen verschansten zich in winkels of renden de erven van nabije huizen op.

De politie begon onder de achterblijvers arrestaties te verrichten. Ik bemerkte dat de manschappen met de sabels voor het paleis waren blijven staan. Dat was maar goed ook, anders zouden er doden zijn gevallen.

Degenen die achter waren gebleven waren door knuppelslagen geveld of waren onder de voet gelopen of anderszins gewond geraakt. Sommigen werden door de politie naar huis gestuurd, burgers die niets met de rellen te maken hadden. Enkelen moesten verbonden worden. Een handjevol pechvogels werd meegevoerd naar de cellen van Zeelandia. Daarna werd het Plein afgesloten en daarmee de weg naar het Fort. Ik moest onverrichterzake huiswaarts keren.

De avondklok ging weer vervroegd in en Walther kwam eerder thuis. Ook aan de haven was het woelig geweest. De koopwaar voor de markt werd via de haven vanaf de plantages aangevoerd en de markt bleek nu een haard van onrust.

Ik peinsde over de dag dat ik Madame Akouba met de bosnegers had zien praten in de buurt van de markt op Combé. Welke connecties had zij met de marktlui gehad? Er moest een inniger band zijn geweest dan iemand vermoed had. Had het zin de in rouw gedompelde leden van La Troupe ernaar te vragen? Maar ook voor hen was de dood niet ver meer. Dame Akouba was hen slechts voorgegaan, gestorven door haar eigen hand. Was zij misschien de dood van haar minnaar Jean Moroy nooit te boven gekomen en had ze haar Troupe naar de ondergang geleid? Of deed ik haar met die gedachte onrecht, was haar motief meer onzelfzuchtig dan ik zelf ooit mocht hopen te zijn?

De woede en onmacht van de markt- en straatverkopers pleitte voor het laatste.

Het opstellen van het schavot aan de Heiligenweg was uitgesteld. De timmerlui waren naar huis gestuurd omdat de autoriteiten ongeregeldheden vreesden. De stad was onrustig, maar er kwamen geen nieuwe opstootjes. Wie bij de rellen op het Plein was opgepakt, kon verzekerd zijn van een flinke afranseling in het Fort. De dag erna stonden moeders handenwringend voor de poort te wachten en te smeken of ze hun zonen mochten zien. De meeste belhamels bleven voorlopig opgesloten en volgens de verhalen had de zweep hen niet gespaard.

Openlijke provocaties vonden niet meer plaats. Ongetwijfeld werd er binnenshuis gemord en gescholden, maar slechts een enkele boze moeder of marktvrouw durfde het nog aan op straat op de autoriteiten af te geven en haar ongenoegen luidkeels te verkondigen. Voorbijgangers liepen dan haastig voorbij en probeerden de recalcitrante negerin te negeren. Meestal verscheen er een familielid of vriendin die de boze vrouw trachtte te kalmeren, ondertussen naar de omgeving duidelijk makend dat het een geval van gekte betrof waarvoor de stadswacht niet gealarmeerd behoefde te worden.

Het werk van de slaven werd in de loop der dagen opvallend traag en liep veel oponthoud op door onverklaarbare beschadigingen en mankementen aan karren, boten en werktuigen. Opzichters en eigenaars klaagden weer steen en been over de incompetentie en luiheid van de negers. En menige slaaf moest het bekopen met een pak slaag.

De geest van Codjo, Mentor en Present leek weer opgestaan en nadat er in de Quataroliestraat een kleine brand uitbrak, bleven de leden van de vrijwillige brandweer enige nachten paraat.

Achtendertig

BEGIN DECEMBER 1848
KLEINE REGENTIJD

De spelers van La Troupe mochten geen bezoek ontvangen, dus was ik tijdelijk van mijn plichten bij Zeelandia ontheven. James was langs de Waatermolenstraat geweest om me te vertellen dat hij enige dagen wegging om te jagen. Hij moest er tenslotte van leven.

Walther was aan het werk en ik besloot zijn klerk en mijn vriend te gaan bezoeken. Sedert Walther zonder assistenten zat en al het opzichters- en kantoorwerk zelf moest doen, was mijn taak van gouvernante veranderd in die van bezoekster van zieken en gevangenen.

Samuel was ernstig ziek. Judith liep af en aan met kommen en natte doeken om zijn lijden te verlichten. De kinderen slopen door het huis om de zieke niet te storen. Ik was de laatste tijd vaker langsgekomen om hem van de gebeurtenissen op de hoogte te houden, dat bracht hem wat afleiding. De arme Sammi had het aan zijn nieren en verslechterde met de dag.

Het afgelopen jaar was de verhouding met zijn kinderen en met Judith echter sterk verbeterd. Hij had hen schoolvaardigheden bijgebracht en ook de boekenkennis die hij bezat. Juist nu het hem zowel thuis als op het werk voor de wind ging, liet zijn gezondheid hem in de steek.

Sammi zat dan ook erg in de put. Natuurlijk had het nieuws van Madame Akouba's onverwachte dood ook hem bereikt. 'Ik begrijp haar wel,' sprak Sammi. 'Het is het gevoel zo mislukt te zijn dat een vlucht in de dood de enige oplossing lijkt.' Hij keek somber op zijn handen neer.

Zijn woorden gaven me een schok. 'Nee, Sammi, zo moet je niet praten! Zolang er leven is, is er hoop.'

Samuel was sterk vermagerd. Het ziekbed van de afgelopen weken had zijn tol geëist. Met moeite richtte hij zich een beetje op, steunend op zijn ellebogen, zijn gezicht van pijn vertrokken. 'Ik zal niet lang meer in leven zijn, Regina,' zei hij. Zijn toon was vlak, zonder strijdlust, maar ook zonder berusting. Samuels brandende ogen keken me doordringend aan. 'Wat heb ik in mijn leven bereikt? Niets. Ik heb degenen voor wie ik moest zorgen aan hun lot overgelaten. Wat zal er van hen worden?' Zijn stem brak. Tranen stroomden over zijn ingevallen wangen.

'O Samuel...' Ik sloeg mijn armen om hem heen, trachtte hem te troosten. Maar ik kon geen woorden vinden. Het was waar, wat zou er met Judith en de vier kinderen gebeuren? Ze zouden teruggaan naar de eigenares, mevrouw De Miranda, en misschien opnieuw verhuurd worden. Zijn kinderen zouden oud genoeg bevonden worden om te werken en aan de arbeid gezet te worden. Het was maar de vraag of een nieuwe huurder hen goed zou behandelen. In ieder geval zouden ze nooit de rechten krijgen die vrijen genoten. Het moest de stervende vader ongekend leed berokkenen, nog verzwaard door spijt en schuldgevoel - het gevoel volkomen gefaald te hebben.

Sammi's schouders schokten van ingehouden verdriet, maar het gesprek had hem uitgeput. Hij zonk terug in de kussens.

'Probeer te rusten,' sprak ik hem bemoedigend toe, 'niet piekeren, je moet beter worden. We vinden wel een oplossing.'

Ik stond op om te vertrekken. Bij de deur van de slaapkamer keek ik nog even om. Hij lag met gesloten ogen, de lijnen in zijn gezicht scherp afgetekend.

'Wat zou je bewaard willen zien, als jij zelf niet meer bestond? Als je dood zou gaan?' Walther keek me afwachtend aan.

Met het bezoek aan Sammi in gedachten, kon mijn antwoord niet anders zijn dan: kinderen, kleinkinderen. Kon je iets intiemers achterlaten? Dat was in ieder geval Sammi's nalatenschap.

Maar voor mezelf had ik er niet meteen een antwoord op. De laatste tijd was ik niet meer toegekomen aan mezelf, laat staan dat ik over mijn toekomst had kunnen nadenken. Het lot van La Troupe en van Samuel en zijn kinderen had me genoeg beziggehouden om niet aan James te hoeven denken. Was onze relatie al gestrand voor ze goed en wel begonnen was? Toch voelde ik dat het beter was om James nu met rust te laten, zijn verantwoordelijkheidsgevoel ten opzichte van zijn vroegere geliefde was zo groot, dat in zijn poging te accepteren dat hij haar niet had kunnen redden, ik alleen maar in de weg zou staan. Later zou hij weer behoefte hebben aan gezelschap. Op dit moment was werk de remedie voor zijn rusteloosheid.

Walther zette zijn theekopje neer en herhaalde zijn vraag: 'Wat zou je aan latere generaties over jezelf willen laten weten? Wat zou je denken van je tekeningen, Regina?'

Elena ruimde de tafel af, het avondmaal was net beëindigd.

Ik glimlachte. Gebruikelijk was een haarlok te bewaren, of een persoonlijk sieraad. Brieven, natuurlijk, en ja, een tekening. Maar ik dacht niet dat mijn tekeningen zo veel indruk achter konden laten.

'Een herinnering dat je er was,' ging Walther verder, 'dat je liefhad, en voor degenen die je liefhad.' Zijn ogen glinsterden. 'Een fotogravure! Is dat niet een ultieme nalatenschap?'

Ja, dat was zo. Ik knikte bevestigend. Dat mensen jou konden zien terwijl je er al lang niet meer was. Een geschilderd portret was niet voor iedereen betaalbaar, maar fotografie, dat was een mogelijkheid.

'Mij lijkt het wel wat,' sprak Walther toen Elena naar de keuken was verdwenen. 'Het zal me wel lukken om met fotografie de kost te verdienen.'

Ik had verstrooid zitten luisteren naar Walthers gebabbel, maar nu werd ik alert. Hij had het over zijn vertrek.

Walther zag mijn blik. 'Ja, ik weet het, Regina, ik laat je in de steek. Je contract was voor twee jaar. Maar waarom ga je niet met me mee?' Hij dacht dus ook dat het over was tussen James en mij. Mijn gezicht betrok.

Walther trachtte me te overreden: 'Je kunt ook in Amerika werken, misschien kun je wel leven van je tekeningen! Het land van de onbegrensde mogelijkheden, immers?' Ik bleef zwijgen. 'Passage voor de boot hoef je niet te betalen! Dat scheelt alvast. En ik betaal je je volle twee jaar loon. Dus heb je een startkapitaal.' Toen ik nog steeds geen antwoord gaf vroeg Walther: 'Of wil je liever terug naar Holland?'

Dat bracht me weer met beide benen terug op aarde. Ik schudde mijn hoofd beslist. Nee, naar Nederland zou ik niet teruggaan. Het was James of Walther, daar kwam het op neer. Suriname of Amerika. Het stond me opeens duidelijk voor ogen. Ik moest kiezen, ik moest me voorbereiden. Want Walther zou nu snel vertrekken.

Op zachtere toon vertelde hij me zijn plannen.

Alles was natuurlijk hoogst geheim. Opgewonden ijsbeerde Walther door de salon. 'We vertrekken volgende maand. Zo'n twintig jongeren van Lemuel gaan mee, en Bonham natuurlijk. De meesten willen in Brits Guyana worden afgezet, dus we stoppen in Port New Amsterdam voor we verdergaan. Als ontsnapte slaven zullen ze daar asiel krijgen, voor hen hebben we dus geen paspoorten nodig. Alleen de wachtpost van Braamspunt vormt een probleem.'

Ik herinnerde me opeens mijnheer Brammerloo's vertrouwelijke mededeling, enige maanden eerder. 'En de Adder en de Schorpioen!' zei ik.

'Wat?' Walther keek niet-begrijpend. 'Over wie heb je het? Frederik is een adder maar hij weet hier niets van, maak je maar niet ongerust.'

Ik schudde mijn hoofd. 'Nee, nee, ik heb het over twee patrouilleschepen, door Holland in het geheim gestuurd ter bescherming van de kolonie.'

Even stond Walther perplex. Toen liet hij zich op de dichtstbijzijnde stoel neerzakken en steunde zijn hoofd in zijn handen.

'O Walther!' riep ik uit. 'Het spijt me! Je geeft het toch niet op?'

Hij richtte het hoofd op. 'O nee! Ik denk na.' Blackwell staarde in de verte alsof hij de reis voor zich zag. 'Het is een geluk, Regina, dat je me dat vertelt. Nu kan ik me daarop voorbereiden.'

Ja, het was een geluk, maar geen toeval dat ik bij de heer Brammerloo was gaan werken. Walther had aan alles gedacht. En hij zou zich niet door dit onverwachte obstakel laten weerhouden.

Nu was ik Walthers medeplichtige geworden. Nog steeds had ik niet besloten wat te doen, eerst moest ik immers James spreken. Maar vandaag was ik voor Walther onderweg naar de pastorie in de Gravestraat. Ik zou er monseigneur Grooff ontmoeten, de bisschop. Walther had me maar weinig instructies gegeven, erop vertrouwend dat mijn uiterlijk voldoende vertrouwenwekkend zou zijn. 'In ieder geval meer dan het mijne,' had hij gekscherend gezegd. 'En jij bent ook nog eens katholiek. Dat schept al meteen een band. Het is écht beter dat juist jij gaat.' Meer dan het noodzakelijke wilde de Zwarte Lord niet vertellen. 'Dan kun je tenminste werkelijk zeggen dat je van niets wist, als er verdenkingen komen. Wees maar tactvol en beminnelijk, zoals altijd.' Walther lachte plagend, maar knikte tegelijk overtuigend. 'Dan komt het allemaal terecht.'

Zijn zelfvertrouwen was bewonderenswaardig en ik werd er waarachtig door aangestoken. Misschien ook, had ik dit nodig: hoop. De hoop dat er nog iets ten goede gekeerd kon worden in deze barre tijden. En dat ik daaraan iets kon bijdragen.

Ik begreep heel goed hoe machteloos James zich moest voelen over het doodvonnis van Giulietta. Maar toch scheen de kwestie onbespreekbaar voor ons. Ik kon hem niet helpen tot hij met zichzelf in het reine gekomen was en wist of hij met mij verder wilde.

Het uitstel van het doodvonnis was nog steeds van kracht. Eerder op de dag was ik langs de Heiligenweg gegaan en had tot mijn opluchting gezien dat er niet verder was gebouwd aan het schavot. De autoriteiten wachtten waarschijnlijk tot de gemoederen bedaard waren. Of, bedacht ik opeens met schrik, men kon de veroordeelden ongezien op het Fort executeren. Als het volk er dan achter kwam was het te laat. Deze verontrustende gedachte liet me niet meer los, temeer daar bezoek niet meer werd toegelaten, Zeelandia bleef verboden terrein. Er was niets wat ik nu voor La Troupe kon doen.

Maar wel voor Walther, en daar zou ik mijn best voor doen. Het feit dat ik het paspoort bij secretaris Brammerloo voor elkaar had weten te krijgen, sterkte me.

Intussen was ik bij de kerk aangekomen. Vroeger was het gebouw een joods theater geweest, wat misschien de voor een kerk wat ongewone voorgevel verklaarde; een rechthoekige plaat zonder heiligenbeelden of rozenvenster.

Kapelaan Petrus Donders deed de deur van de pastorie open, een hoed van gevlochten stro op zijn ronde hoofd, een mand met hengsel aan zijn arm. Zo te zien stond hij op het punt op huisbezoek te gaan, al stond de zon nu op zijn heetst aan de hemel. Aan middagrust deden de paters blijkbaar niet. De kleine man in het zwarte gewaad glimlachte me vriendelijk toe en liet me binnen.

De muren van de pastorie zagen eruit alsof ze bij stortbuien veel van lekkage te verduren hadden. De vloeren kraakten alarmerend en de inrichting was uiterst spaarzaam. Maar de uit Den Bosch bekende geur van wierook hing in de lucht als onzichtbare invitatie en verdreef de wasem van schimmel bijna.

De spreekkamer van de bisschop was eveneens sober. Er stonden een bureau en een paar stoelen, en aan de wand hingen een kruisbeeld en enige prenten van heiligen. Ik kende monseigneur Grooff wel van de mis op zondag, maar had hem nog nooit persoonlijk gesproken. De monseigneur zat achter zijn bureau. Hij was een magere man en in zijn zwarte habijt met de rozenkrans maakte hij een indruk van waardigheid en onverzettelijkheid. En doorzettingsvermogen moest men wel hebben, wilde men als geestelijke goede werken verrichten, ver van het moederland, onder barre omstandigheden bij de door ziekte en armoe geteisterden.

Ik had een mand met het een en ander van ons erf meegenomen, vruchten, groenten en eieren als geschenk voor de Kerk en nadat de bisschop mij bedankt had, vroeg hij: 'Wat kan ik voor u doen?'

Ik haalde Walthers brief tevoorschijn. 'Mijn werkgever vraagt uw hulp.'

Mgr. Grooff opende de envelop en las de brief. Het was een verzoek aan de bisschop om bij de autoriteiten een vergunning voor afvaart van een vlot aan te vragen. Regelmatig werden de gesignaleerde gevallen van melaatsheid per vlot gestuurd naar Batavia, de leprozenkolonie aan de Coppename-rivier. De paters waren degenen die zich over de melaatsen op Batavia ontfermd hadden. Zij waren de enigen die de ongelukkigen bezochten en hun lijden probeerden te verlichten. Het was dus Walthers bedoeling via de Kerk een vergunning te krijgen en een excuus om tijdens de avondklok op pad te zijn. Zoveel wist ik wel en het leek me een goed plan.

Maar toen legde de monseigneur de brief op het tafelblad en riep verbaasd uit: 'Dértig gevallen van besmetting? Alleen al op Lemuel? Maar dat is een epidemie! Dit moet aan het bestuurlijk gezag gemeld worden!'

Ik verschoot van kleur. Walther had juist de autoriteiten willen omzeilen door bisschop Grooff om hulp te vragen. Wat nu? Aarzelend begon ik te pleiten: 'O nee, monseigneur, doet u dat niet. Dan maakt men zich maar nodeloos ongerust. Als straks de zieken afgevoerd zijn, is immers alles weer in orde.'

Maar de bisschop keek nadenkend voor zich uit. 'Lemuel, hè. Is dat niet die plantage waar onze missie niet mag preken? De meesteres is daar nogal stellig in, vasthoudend aan de oude rituelen, heb ik begrepen.'

Inwendig zuchtte ik. Dat Amajé's koppigheid nu Walthers plannen zou dwarsbomen was wel erg zuur.

Terwijl ik bedacht wat te zeggen ging de bisschop verder: 'Als ter plekke nog veel met heidense gebruiken wordt gewerkt, kan het wel een ongezonde en zelfs gevaarlijke situatie zijn. De gezondheid van de volksplanting komt in het geding.'

Te bedenken dat we meenden bij de Kerk makkelijker af te zijn dan bij het gezag! Hoe moest ik ons hieruit redden?

'Zo erg is het echt niet, monseigneur, u kunt me geloven, ik ben er zelf geweest.' Meteen hield ik mijn mond. Zou ik nu zelf ook voor besmet worden aangezien?

Bisschop Grooff schudde bezorgd het hoofd. 'Niet zo erg? Wat bedoelt u? We kunnen de kolonie niet moedwillig aan haar lot overlaten. Er is helaas geen medicijn voor deze vreselijke ziekte. Tijdige signalering en isolatie, zo goed mogelijke verzorging, dat is het beste wat we kunnen doen. Waarom zouden we dat achterwege laten?'

Ik zat met mijn mond vol tanden. Daarbij vreesde ik dat het schuldgevoel van mijn gezicht af te lezen zou zijn. Het viel me niet makkelijk om tegen een geestelijke te liegen. Walther had ongelijk gehad, de katholieke band was hier beslist een nadeel.

De bisschop moest iets gemerkt hebben want hij keek me doordringend aan en ik moest de ogen neerslaan. Minuten leken voorbij te gaan terwijl de klok in de hal tikte en de stilte in de kamer groter werd. Een zoemende vlieg bij het raam gaf me respijt en ik staarde strak naar de zwarte vlek tegen het glas terwijl ik koortsachtig nadacht. Er wilde me geen goed argument te binnen schieten.

Toen richtte de monseigneur zijn blik weer op de brief. 'Als het niet zo erg is, waarom dan vergunning voor een afvaart van dertig man? Hmm.' Hij verzonk een moment in gedachten en zei dan: 'En u wilt niet dat de autoriteiten worden ingelicht. Hmm.' De bisschop plaatste zijn vingertoppen tegen elkaar en bleef zwijgen.

Ook ik hield mijn mond daar ik nog steeds niet op een idee was gekomen.

Ik moest iets zeggen maar mijn tong leek opeens als verlamd. De spanning groeide en ik schuifelde zenuwachtig op mijn stoel.

'Wel,' sprak de bisschop, 'als het met de zieken niet zo erg gesteld is, waar gaat de boot dan naartoe, als ik vragen mag?'

Ik werd vuurrood. 'Vraagt u dat niet, alstublieft,' smeekte ik hem. 'Er zouden mensen door in gevaar komen. En het gaat niet om de volksgezondheid,' voegde ik nog eraan toe om hem voor te zijn.

Monseigneur Grooff scheen te weifelen. 'Hoe zit het met de vrede en rust in de kolonie?' wilde hij weten.

'O,' antwoordde ik opgelucht, 'dat heeft er niets mee te maken, echt niet.' In een tijd van opstand en revolutie was dit natuurlijk een eerste conclusie die men trekken kon, angst voor een complot. Maar zo zat het niet in elkaar, verzekerde ik de bisschop. Ik kon hem echter niet vertellen wat er te gebeuren stond. Hoe kon ik hem ervan overtuigen dat er geen gevaar dreigde, althans niet voor de kolonie, zonder Walther te verraden? Het was beter dat de bisschop van niets wist.

Ik zocht nog naar woorden, iets wat ik kon zeggen zonder het geheim prijs te geven, maar de uitdrukking op mijn gezicht moest Mgr. Grooff voor ons geheim gewonnen hebben. Hij stak zijn hand op om mij het zwijgen op te leggen. 'Goed,' zei hij, 'laten we het daar maar op houden. Een boot zal zonder zieken en zonder gevaar voor de kolonie wegvaren. Ik denk dat dat geen kwaad kan.'

Sprakeloos staarde ik hem aan, dankbaarheid welde in me op, maar ik moest het zeker weten.

Nog vóór ik echter de vraag kon stellen, gaf hij het antwoord: 'Autoriteiten hebben voor mij nooit zo veel betekend. Voor mij is de enige autoriteit in Rome. Men heeft mij al eerder *"onkoloniale handelswijze"* verweten, maar als koloniale regels betekenen dat er in onrechtvaardigheid volhard moet worden, dan kan ik mij daarin onmogelijk vinden. Vrees dus niet, ik zal u helpen. Omgekeerd vertrouw ik erop dat u mij niet misleidt wat betreft de veiligheid van de bevolking.'

Ik haastte mij de monseigneur te verzekeren van mijn betrouwbaarheid en bedankte hem uitvoerig.

Hij wuifde mijn dankbetuiging weg en vroeg toen half schertsend, half serieus, of ik een goed woordje kon doen voor de Kerk. Of zijn paters een keer mochten komen prediken op Lemuel.

'Ik zal het proberen,' beloofde ik. Ik dacht wel dat Lemuel de bisschop iets verschuldigd was.

'Het is dus gelukt!' Walther straalde.

'Ja, ik weet het niet, misschien dat mijn gezicht de monseigneur heeft overtuigd,' zei ik in een poging een verklaring te vinden.

'Of zou hij dat al vaker hebben meegemaakt?' peinsde Walther. 'Dat hij bij de biecht een bekentenis heeft gehoord over hulp bij ontvluchting?'

Dat was een nieuwe gedachte, en niet onmogelijk. 'Tja, wie weet?'

Mijn gedachten dwaalden af naar Walther zelf. Het was nu bijna zover. Over niet al te lange tijd, als Mgr. Grooff de vergunning zou hebben, zouden Walther en zijn mensen vertrekken.

'Wat stel je je ervan voor?' vroeg ik hem. 'Van Amerika? Je weet dat daar ook slavernij heerst. Je zou beter voor Frans of Brits Guyana kunnen kiezen?'

'Ja, ik weet het. Maar Guyana lijkt misschien te veel op Suriname. Ik kan niet verklaren waarom ik zo ver weg wil. Misschien is het zelfs alleen maar dat. Ver weg te gaan. Nieuwe plaatsen te zien, ze vastleggen op de fotografische plaat. Dat is mijn wens.'

Ik glimlachte weemoedig. 'Ik zal je missen, Walther. Het zal anders zijn zonder jou.'

Hartelijk antwoordde hij: 'Ah, Regina, ik zal jou ook missen. Ik wist dat ik altijd op je kon vertrouwen. Waarom ga je niet mee? Op een nieuw avontuur?'

'O, Walther...' Ik maakte de zin niet af. Aan mijn trieste gezicht kon hij vast wel zien wat eraan mankeerde.

'Regina, je moet met hem praten. Ik vertrouw James, het kan geen kwaad als je het hem vertelt.'

'Je hebt gelijk, Walther. Ik zal met James praten zo gauw hij terug is uit het binnenland.'

Onderweg naar Lobato's huis was me de opwinding op straat al opgevallen. Er was een week verstreken sinds de dood van Madame Akouba. Een *ded'oso* houden om de overledene te herdenken en eren was niet mogelijk gebleken, al had Walther wel een poging daartoe gedaan. Maar zodra de autoriteiten er lucht van hadden gekregen dat er een dodenwake gehouden zou worden, kregen we een politieman aan de deur die duidelijk maakte dat hiervan geen sprake kon zijn.

Vandaag echter leek het op straat rumoeriger dan anders. Sinds de rellen was het straatpubliek wat schichtiger geworden. De vervroegde avondklok maakte dat iedereen snel zijn zaken wilde doen zolang het nog kon, en voor moeilijkheden had niemand tijd. Bovendien was het nog altijd riskant om zomaar je hart te luchten over het gezag, wie weet waar de verklikkers zaten.

Maar deze dag had een vrolijke stemming op straat de boventoon gevoerd, zwarten lachten en riepen naar elkaar. De enkele blanke brompot die in het openbaar commentaar durfde geven, werd gewoon overstemd. Want krantenjongens riepen het luidkeels.

'Je raadt nooit wat er gebeurd is!' Ik ging naast Sammi's bed zitten en vouwde de meegebrachte krant open. 'Gouverneur Van Raders heeft besloten La Troupe Rouge gratie te verlenen!' zei ik blij.

'Echt?' steunde Sammi. Ja, het was waar, maar het betekende niet meteen dat de situatie er voor La Troupe rooskleurig uitzag. Deportatie en dwangarbeid lagen in het verschiet, maar Holland had geen strafkolonies zoals Frankrijk, dus zou men het op lijfstraffen en gevangenisstraf houden.

Maar dat betekende dat dokter Christiaan, Pierre, Quaku en Giulietta in leven zouden blijven. Ik veegde een paar vreugdetranen weg. Ook Sammi was ontroerd. 'Ik hoop dat ik hen gauw weer mag zien,' zei ik. Voorlopig was het echter nog afwachten wat de definitieve straf voor de veroordeelden zou worden.

Sammi was verheugd door dit nieuws, maar hij zag er slecht uit. Zijn lichaam ging hard achteruit. O, hoe wenste ik dat ik zijn verlangen zou kunnen vervullen, maar als ik al mijn opgespaarde loon van twee jaar bij elkaar zou leggen had ik maar genoeg om één kind vrij te kopen, met alle bijkomende kosten erbij van belasting vanwege kapitaalverlies voor de koloniale schatkist. En moeders en kinderen werden niet gescheiden. Het was gewoon niet te doen. Het enige waar Sammi op kon hopen was dat de emancipatie niet al te lang op zich zou laten wachten, zelfs al zou hij er dan niet meer zijn. Hij hoopte dat Hollands Guyana niet zou achterblijven bij Brits en Frans Guyana, en de slaven hun vrijheid zou schenken.

Vooralsnog leek dat niet het geval, maar het was zijn laatste strohalm.

Het duurde niet lang voor de nieuwe straf van La Troupe werd bekendgemaakt. De Gouverneur en het Hof van Justitie achtten het waarschijnlijk verstandig geen gelegenheid te scheppen tot speculaties en daaruit voortkomende instabiliteit van de situatie. Nog dezelfde dag werd bekendgemaakt dat de mannen, dokter Christiaan, Pierre en Quaku veroordeeld waren tot tachtig zweepslagen elk en Giulietta, als vrouw, tot zestig slagen. Het vonnis zou uitgevoerd worden op het fort. Zonder publiek, dus.

Christiaan Sijmen kreeg als schrijver van het toneelstuk en een van de hoofdaanstichters van het complot, zes jaar gevangenisstraf plus verbanning. Pierre en Quaku kregen voor hun kleinere rol elk drie jaar met dwangarbeid. Giulietta kreeg als een van de hoofdrolspeelsters vier jaar cel. Waarschijnlijk omdat het gezag zich snel van de toneelspelers wilde ontdoen om herhaling van de onlusten te voorkomen, zou Christiaan Sijmen naar Holland worden gedeporteerd. Quaku en Pierre gingen naar Fort Nieuw Amsterdam aan de overkant van de rivier, waar ze, ver weg van het Paramaribose marktvolk, dwangarbeid zouden verrichten.

Met Giulietta zaten de autoriteiten echter in hun maag. Voor langere gevangenisstraffen waren er voor vrouwen geen speciale regelingen. Dwangarbeid zou te zwaar zijn, maar enkel opsluiting was dat eveneens. Ten slotte werd besloten haar terug naar Frans Guyana te zenden, zodat de Fransen zelf konden bepalen in welke vrouwengevangenis zij terecht zou komen, desnoods in La Conciergerie in Parijs.

De toneelspelers zouden dus blijven leven, maar de straf bleef wreed. De zweep zou hun huid openrijten en onder het grote aantal slagen zou de rug een bloederige massa worden. Hopelijk kregen zij niet de Spaanse Bok toegediend, een straf waarbij het slachtoffer dubbelgevouwen aan een staak gebonden werd en dan al liggend eerst aan de ene zijde met tamarinderoeden gegeseld werd, en als die zijde helemaal open lag, werd de ongelukkige gekeerd en kwam de andere zijde aan de beurt. Zelfs al kreeg Giulietta als vrouw iets minder slagen, zij zou voorgoed de littekens ervan dragen.

De straffen werden voltrokken. 's Avonds mochten James en ik de ongelukkigen bezoeken. Zij lagen in hun cel op de brits, op de buik want hun ruggen lagen open. James ontsmette de wonden met zout en lemmetjessap, wat de gefolterden nieuwe kreten van pijn ontlokte. Ook brandde hij wierook om de vliegen enigszins op afstand te houden van de geteisterde lichamen. Allen waren er slecht aan toe, maar Quaku en Pierre leken taaier dan de twee anderen.

Quaku onderging zijn toestand met een zekere onverschilligheid, alsof zijn beulen geen vat op hem konden krijgen. Met een sneer naar zijn kwelgeesten wist hij zelfs iets van de bittere humor van La Troupe Rouge op te roepen. '*Tangi fu spans boko mi e syi ini foto*,' mompelde hij, 'dankzij de Spaanse Bok heb ik het Fort ook eens vanbinnen kunnen bezichtigen.'

Pierre deed verwoede pogingen om duidelijk te maken dat hij zijn tijd niet in Frans Guyana maar in Suriname wilde uitzitten. Blijkbaar was hem niet verteld dat hij niet gedeporteerd zou worden. We konden hem daarover geruststellen, wat de verzwakte gevangene zichtbaar goed deed.

Dokter Christiaan was er geestelijk erger aan toe dan lichamelijk. De goede man was gebroken door de vernedering met ontbloot bovenlijf afgeranseld te worden door 'schoften, sukkels, ellendelingen'. Zijn haar hing in slierten over zijn bezwete voorhoofd en hij lag hijgend op zijn brits terwijl de tranen over zijn gezicht stroomden. Het deed me pijn de trotse dokter Christiaan in deze erbarmelijke omstandigheden te zien.

We deden wat we konden om het leed van de gevangenen te verzachten en troost te bieden, maar het zou nog een poos duren voor de lichamelijke marteling voorbij was, al was de bestraffing gelukkig achter de rug.

Het ergst was Giulietta eraan toe. Haar wonden moesten ontstoken zijn geraakt want haar huid gloeide koortsig en ze leek niet geheel bij kennis. James was zeer bezorgd over haar toestand en probeerde de gevangenis-directeur te spreken te krijgen. Vergeefs echter, want de man was al lang naar huis en wij moesten ook weer vertrekken. Door de avondklok konden we de directeur niet gaan opzoeken, we moesten dus tot de volgende dag wachten en hopen dat La Rouge niet gedurende de nacht aan haar verwondingen zou bezwijken.

James en ik zaten buiten op de veranda. De honden speelden op het erf, blij dat ze van de ketting af waren. Het groen in de moestuin groeide weelderig, bloemen glinsterden nog nat na van de regen en de fruitbomen vertoonden veelbelovende bloesemknoppen. Van achter op het erf klonk het getok van de kippen. James' plek hier op Frimangron was me al zo dierbaar geworden dat het bijna mijn tweede thuis was in Suriname. Bijna. Ik vermeed het te kijken naar de vuurplaats waar de badkuip stond. Te veel herinneringen.

Alles wat mooi was, was zojuist met de woorden die van James' lippen kwamen weggedaan. Als een boek dat teruggezet werd in de kast, als een tekening geconserveerd achter glas, als een van Walthers vastgelegde landschappen.

In de morgen had James de directeur te spreken gekregen. De autoriteiten zaten niet te wachten op de dood van nog een vrouwelijk lid van La Troupe, Giulietta was nog meer bij het publiek geliefd geweest dan Madame Akouba. Nadat er overleg was geweest met het kantoor van Mr. Palthe Wesenhagen, kwam per koerier de boodschap dat James toestemming kreeg madame Latour thuis te verzorgen. Er werd een ezelskar met een dekzeil voorgereden. Giulietta werd daaronder op de kar gelegd om ongezien en zonder ophef naar Frimangron vervoerd te worden. Zij stond onder huisarrest en er werd een soldaat voor de poort gezet. Geen bezoekers toegestaan, behalve de dokter en de verzorgers, waartoe ik ook behoorde. Maar daar kwam nu een eind aan. Mijn nieuws over Walthers geheime vertrek viel in het niet bij wat James mij te vertellen had.

Zodra hij haar van het Fort had opgehaald en de dokter haar wonden had behandeld, had James een ambtenaar van de Burgerlijke Stand erbij gehaald. De wacht, onder de indruk van de hoge ambtenaar, liet de man door. Tegen een fraaie vergoeding was de ambtenaar bereid James en Giulietta meteen ter plekke te trouwen. Zo hoopte James de autoriteiten voor te zijn en La Rouge met haar nieuwe dekmantel enige bescherming te bieden tegen de ontdekking van haar slavenverleden.

Zwijgend zaten we beiden op de veranda. Binnen, in de schaduw van het huis, scharrelde Miss Marietje rond, rammelend met potten en pannen. En achter de gesloten slaapkamerdeur wist ik Giulietta, die geholpen door medicamenten lag te slapen. Giulietta, die nu Mrs. Miller was. De naam die mij toekwam. Hiermee had hij een toekomst met mij uitgesloten. De keuze was gemaakt. Ik zou vertrekken.

Eindelijk begon James te spreken. 'Regina, je hoeft niet te vertrekken. Ik héb niets meer met Giulietta, het huwelijk is maar een formaliteit. Als ze naar Frans Guyana wordt gedeporteerd zal haar getrouwde status haar beschermen tegen al te veel wroeten in haar verleden. Dat was het enige dat ik voor haar kon doen en ik móest het wel doen, begrijp je? Voor ons hoeft dat echter geen obstakel te zijn, blijf hier, dan kun je bij mij wonen. Samen redden we het wel.'

Boosheid deed mijn stem beven. 'Wat heb ik van doen met een land van zwijgende slaven, brallende blanken en gemene profiteurs? Waarom zou ik blijven in een plaats waar de tijd stil lijkt te staan en slavernij blijft voortbestaan, al is die in de rest van de beschaafde wereld reeds historie? Zou ik me nog langer laten plagen door de muskieten, de kakkerlakken en de hitte? En die verschrikkelijke, vreselijke cicaden die je elke avond om zes uur onderdompelen in diepe melancholie, met hun verwenste rouwzang?'

'Ga je dan terug naar Europa? Of met Walther mee?'

'Je kunt met míj meegaan!' Mijn geest, half verdoofd door de schok van het plotselinge huwelijk, weigerde te geloven dat een toekomst met James Miller uitgesloten was. Kon hij niet van de toneelspeelster scheiden? In Europa zou men vast een huwelijk met een creoolse uit verre contreien minder belangrijk vinden en zou de verbintenis snel nietig verklaard kunnen worden. Voor Giulietta zou dat geen gevolgen hoeven hebben: daar de Franse en Hollandse autoriteiten niet de meest intieme betrekkingen met elkaar onderhielden, zou men in de veronderstelling verkeren dat zij nog altijd getrouwd was.

Maar James antwoordde: 'Wat heb ik in Europa te zoeken? Hier ben ik een arme sloeber, maar ik voel me rijk. Alles wat ik nodig heb, kan ik in mijn tuin vinden of in het bos, of ik kan ermee ruilhandelen. Als het moest zou ik in de open lucht kunnen slapen. Probeer dat maar eens in koud Engeland! En Amerika... Misschien zou ik dat doen, als ik hier geen familie had. Maar ik ben nu thuis. Een thuis dat ik veel te lang heb moeten missen.'

Mijn ogen brandden, maar bleven droog. 'Familie. Hoe zit het met je eigen bloed, wil je geen gezin stichten? Hoe kan dat als wij niet wettelijk getrouwd zijn?'

James keek me gepijnigd aan. Ik had de banden met zijn Surinaamse familie tot nu toe duidelijk onderschat. 'Mijn familie is hier. Maar jóuw familie is ook hier.'

'Wat bedoel je?'

'Wil je niet op zoek gaan naar de familie van je moeder? Heb je er ooit aan gedacht of je hier nog verwanten hebt?'

Nee, die gedachte was niet werkelijk in mij opgekomen. Mijn moeder was immers een weesmeisje zonder familie geweest. Maar dat kon natuurlijk een dekmantel zijn. Hoe dan ook, mijn hoofd stond nu echt niet naar nog méér familieverbintenissen. Niet met daar in de achterkamer Giulietta. Naar mijn idee was het heel wel mogelijk dat La Rouge niet meer terug hoefde naar het Fort of naar Frans Guyana. Ze zou gewoon op Frimangron blijven wonen bij James. Nee, er was hier geen ruimte meer voor mij. Ik moest gaan.

Ik stond op. Een hard schild bewaakte mijn hart, voorkwam dat ik zou zwichten voor zijn armzalige aanbod. 'Vaarwel, James. Het spijt me dat het zo moet aflopen.'

'Reggie!' Zijn stem klonk smekend, wanhopig.

Maar ik liet me niet overreden. Ik had hier geen toekomst meer.

Negenendertig

DECEMBER 1848

Op 10 december won Louis Napoleon Bonaparte overtuigend de verkiezingen en werd de eerste president van Frankrijk. Het betekende het einde van een periode met veel machtswisselingen en onrust. De hoop van de socialisten op een volksrevolutie was met geweld weggevaagd. Eindelijk leek Europa bedaard.

Het zou niet lang meer duren voor ook in Paramaribo de avondklok zou worden opgeheven. Bovendien was de Regentijd aangebroken, die voor meer dekking door bewolking zorgde en voor buien die hopelijk de wachtpost binnen zou houden. We moesten nú gaan, de tijd was rijp.

Walther had in het geheim zijn koffers gepakt en meldde me hetzelfde te doen. Het was me vreemd te moede dat ik al mijn spullen weer in moest pakken. De laatste keer dat ik dat deed was ik in Holland. Kleren opvouwen, de breekbare vaas en het wandbord tussen het goed gevlijd. Slechts enkele boeken konden mee, en maar een deel van mijn garderobe. Niet alleen zou er anders te veel bagage zijn om op de vlucht mee te nemen, maar ook mocht Elena's achterdocht niet gewekt worden, als ze zou merken dat mijn kast en kamer steeds leger werden.

Walther zelf was zo slim geweest om een groot deel van zijn bagage al eerder, stukje bij beetje mee te nemen op zijn reizen naar De Punt. Daar werd deze in bewaring gegeven bij de kapitein van het schip dat hij had ingehuurd voor de vlucht. Mijn koffer zou later in de middag door Coen naar Walthers havenkantoor worden gebracht met de smoes dat ik een poos met Walther op Lemuel zou doorbrengen en heel vroeg zou moeten vertrekken.

In een lade op mijn kamer legde ik wat cadeautjes klaar voor Elena en de kinderen. Vóór mijn stille vertrek zou ik de mooie zakdoeken en de twee kleine poppetjes op de commode achterlaten, zodat Elena ze daar zou vinden. Ik zou er geen briefje bij leggen. Het moest lijken alsof ik over enkele weken gewoon weer terug zou zijn.

Onopvallend nam ik afscheid van de plekken waar ik het afgelopen jaar zo veel had meegemaakt. In mijn dierbaar geworden thuis aan de Waatermolenstraat streek ik over de gladde balustrade van de wenteltrap, liet mijn blikken ronddwalen in de kamers die ik had helpen verfraaien, keek nog een laatste keer naar de gesloten deur van Walthers donkere kamer.

Aan de drukke Waterkant sloeg ik al kuierend de venters gade, de bootjes op de rivier, het zonlicht dat op de golven glinsterde. De straten hadden nu een betekenis voor mij, getekend als ze waren door de vele herinneringen.

Het grote Plein met het groene grasveld waar alle belangrijke gebouwen lagen: het Gouverneurspaleis waar ik mijn entree had gemaakt, het Hof van Justitie met de roerige herinneringen.

En achter aan de wateroever, het donkere Fort. Hier zou ik mijn vrienden achterlaten. Ik kon alleen maar bidden en hopen dat ze hun straf goed zouden doorstaan en hopelijk eerder konden vrijkomen, misschien als alle beroering in de loop der jaren vergeten zou worden en de koning op zijn verjaardag misschien gratie zou schenken aan veroordeelden.

Het verlaten huis op Le Grand lag er stil bij, de luiken dicht, het kippenhok dat Vincent had getimmerd leeg, de resten van een Thalia aanplakbiljet nog opzij van het huis zichtbaar als aandenken aan de laatste bewoners.

Ik liep naar de Stoelmanstraat. Van Samuel moest ik ook afscheid nemen. Bij zijn bed gezeten vertelde ik fluisterend dat ik wegging met Walther en een groep slaven. 'David zou met ons mee kunnen gaan, wat denk je ervan? In Brits Guyana zou hij vrij zijn.'

David was Judiths oudste zoon, geen kind van Samuel, maar opgegroeid in Lobato's huishouden. Hij was inmiddels zestien jaar, oud genoeg om op eigen benen te staan, en hij werkte reeds als knecht bij mevrouw De Miranda, al woonde hij nog bij zijn moeder.

Samuels ogen begonnen te glinsteren. Hij was te zwak om zich op te richten maar hij wenkte me dichterbij zodat hij me kon toefluisteren: 'Kunnen ze niet allemaal mee? Judith en de kinderen? Ik heb niet veel geld, maar ik zal hen alles meegeven wat ik heb. Dan kunnen ze als vrije mensen een nieuwe start maken.'

Dat was een goed idee, een uitweg. Maar zou Judith de hulpeloze Samuel alleen willen laten? Ik betwijfelde het. En behalve David waren alle kinderen te jong om zich zonder moeder in een vreemd land te redden. Bovendien was vluchten niet zonder risico. Slaven helpen ontvluchten gold als complot en zou ons bij ontdekking in eenzelfde situatie brengen als de beklagenswaardige toneelgroep. Onder degenen die in het complot zaten, riskeerden de slaven tien jaar dwangarbeid en de vrijen tien jaar opsluiting. Bovendien zou manumissie voor de eersten nooit meer als mogelijkheid gelden.

Sammi zag mijn bedenkelijke gezicht. 'Ik maak het niet lang meer, Regina.

Beloof me dat je hen meeneemt!' drong hij aan. 'Wil je dat doen?' De hoop bracht zijn grauwe gezicht weer kleur en scheen hem nieuwe kracht te geven.

'We moeten het met Judith en David bespreken,' zei ik met een zucht. 'Maar zorg er vooral voor dat ze het geheim houden.'

De tuin was verlaten. Waar was de wacht? De honden blaften vanuit hun hokken achter op het erf. Ik liep om het huis heen en klopte tegen de achterdeur, maar niemand deed open. Met mijn oor tegen het gesloten raamluik luisterde ik ingespannen of ik Miss Marietje in huis kon horen. Het bleef stil.

Besluiteloos stond ik op de veranda en keek om me heen. Ik was gekomen om afscheid te nemen, maar vond niemand. Ik had James nog eenmaal willen spreken. De laatste keer dat ik hem had gezien, hadden we ruzie gemaakt.

Opnieuw klonk er hondengeblaf. Ik schrok op. Voetstappen knersten op het schelpenpad opzij van het huis, er kwam iemand aan. Een lichte tred, geen zware mannenstap. Miss Marietje? Misschien kon zij me vertellen waar ik James kon vinden. Hoopvol liep ik de veranda af, de bezoeker tegemoet.

Maar het was Quassi, de zoon van James' negerbroer Willem. Hij hield een kookpot met een deksel erop tegen zijn borst geklemd en sjouwde ermee naar de achtertuin.

'Quassi!' riep ik

Verrast hield hij halt. De jongen bleek gekomen om de honden te voeren en voor de avond los te laten op het erf.

'Waar is iedereen?' vroeg ik.

Het bleek dat het verblijf van Giulietta toch voor onrust had gezorgd op Frimangron. In een wijk met zo veel vrije zwarten werkte de aanwezigheid van zowel de blanke soldaat als de dissidente mulattin natuurlijk als een lont in het kruitvat. De autoriteiten hadden ervoor gezorgd dat de gevangene en haar verzorgers tijdelijk ergens anders waren ondergebracht, op een geheime plaats.

Ik verborg mijn teleurstelling. Dat James niet de moeite had genomen afscheid van mij te nemen, brak mijn hart. Het maakte wel pijnlijk duidelijk hoe weinig vertrouwen hij had in een toekomst van ons tweeën.

Dan was er hier verder niets meer wat me bond. Al mijn schepen waren achter me verbrand en tot as vergaan. Het vleugje hoop dat zich toch in mijn onderbewuste staande had gehouden ondanks alle voorbereidingen voor mijn vertrek, verdween als een laatste ademtocht. Met een dof gevoel in mijn borst keerde ik op mijn schreden terug naar de Waatermolenstraat. De zon ging onder.

'Nee, nee,' huilde Samuels huishoudster, 'ik ga niet, ik kan hem toch niet alleen laten, hij is zo ziek!' Ze snikte hartbrekend aan Sammi's bed.

Een uur eerder had ik, om Sammi niet aan al te veel vermoeienis bloot te stellen, het een en ander voorbereid. Samuel lag op dat moment in de achterkamer te slapen. David en Judith had ik in de zitkamer met de vlinders als stille getuigen, fluisterend de plannen onthuld.

David was meteen enthousiast. 'Geweldig! Dat is een kans die maar één keer komt! Dat móeten we doen, Ma!'

Tijdens de lessen die Sammi het afgelopen jaar aan zijn kroost had gegeven, had David zich een ijverige en snelle leerling getoond. Het was me duidelijk geworden waarom slavenkinderen gewoonlijk geen onderwijs kregen. Bij de slimsten onder hen werd dan het onstilbare verlangen gewekt naar een betere toekomst, iets waarop de slaveneigenaren niet zaten te wachten. David hunkerde ernaar zijn lot in eigen hand te nemen.

Maar Judith bleef stilletjes neerkijken op haar handen, gevouwen in haar schoot, terwijl de tranen over haar gezicht stroomden en haar schouders schokten. Ze leek uitgeput. De zorg voor de zieke vergde veel van haar, maar meer nog vergde diens naderende dood.

Samuel probeerde haar te overtuigen. 'Maar Judith, doe het dan voor onze kinderen!'

Zijn woorden schenen een schok voor haar te zijn. Ze hield plotseling op met snikken en staarde hem door betraande wimpers aan. 'Je hebt ze nog nooit ónze kinderen genoemd,' fluisterde ze.

Sammi sloeg zijn ogen neer. 'Het spijt me, het is mijn fout. Ik had álles veel eerder moeten doen.'

Hij richtte zich weer tot haar terwijl ik me zwijgend op de achtergrond hield. 'Nu hebben we de kans hen te redden, Judith. Jullie kunnen in Brits Guyana een nieuw bestaan opbouwen. Ik heb erover nagedacht. Ik heb maar weinig geld, maar het is toch iets om in het begin van te kunnen leven. Met jouw kookkunst moet het lukken iets op te zetten, misschien een kleine eetkraam. En David kan je daarbij helpen. De kinderen zouden naar school kunnen gaan! Wat denk je daarvan?'

Judith liet de kin op de borst zinken en scheen in tweestrijd. Toen rechtte ze haar rug. 'Je zou hier helemaal alleen doodgaan. Ik zou geen rust hebben als ik je zo achterliet. Nee, ik ga niet. We redden het wel, hier.' Judith, altijd zo gedwee, klonk nu onverzettelijk.

David kwam de kamer binnen. Hij moest achter de deur hebben meegeluisterd. Zijn gezicht stond strak, zijn ogen smeekten. 'Ma!' zei hij dringend. Hij keek mij aan en daarna Samuel. Een jongeman met hoop, een beetje hoop slechts, maar kostbaar en gekoesterd.

Ik schraapte mijn keel, maar Samuel was me voor. Hij stak zijn hand uit naar David. 'Zoon,' zei hij, 'jij moet gaan.'

Judith barstte weer in tranen uit. David greep Samuels magere hand en omhelsde zijn stiefvader. Blijdschap straalde van hem af als zonlicht. Daarna nam de jongen zijn moeder in zijn armen. Ze greep hem stevig vast en huilde, maar sprak Samuel niet tegen.

Ik begon me terug te trekken maar toen klonk andermaal Samuels stem, onvast van emotie: 'Vrouw...'

Judith liet haar zoon los en wendde zich weer tot de zieke.

'Vrouw, ik...' Zijn stem begaf het. Hij zonk terug in de kussens.

Judith zette zich op het bed neer en omhelsde haar man. Zachtjes wiegde ze zijn uitgeteerde gestalte. De tranen liepen over Sammi's ingevallen wangen en vertelden wat hij niet meer kon zeggen. Spijt, schuld, verdriet en dankbaarheid. Erkenning voor Judiths offer.

In de nacht van 13 op 14 december zouden we dan eindelijk vertrekken. Vóór de avondklok had David zich in de Waatermolenstraat vervoegd met zijn weinige bagage. Walther had Elena vroeg vrij gegeven, zodat we alleen met z'n drieën in het grote huis zaten. De luiken waren dicht, niet ongewoon bij regenbuien en om alles normaal te laten lijken doofden we de lampen pas, toen de avond gevorderd was en het zou lijken alsof het huis in diepe rust was.

Rond negen uur hadden we onze laatste bagage naar beneden gebracht, de lampen op de bovenverdieping gedoofd en zaten we in de salon bij de overgebleven lamp te wachten tot het tijd was. Onze kleding was eenvoudig en onopvallend gehouden.

Zelfs zonder mooie kleren zag de Zwarte Lord er nog uit als een heer. Het moest aan zijn houding van kalmte en ingehouden daadkracht liggen. Hij was voorbereid op de dingen die komen gingen.

We spraken weinig, ieder was met zijn eigen gedachten bezig. Walther zat wat aantekeningen te maken in een boekje, David lag stil met zijn armen onder zijn hoofd, alsof hij in slaap was gevallen, maar zijn ogen waren wijdopen. Ik probeerde niet te denken aan James, maar me te concentreren op de toekomst. Dat ging moeilijk. Ook omdat we nog niet veilig waren. Op dit moment zaten we allen in een complot en de kans op ontdekking maakte de onderneming tot een gevaarlijk avontuur.

De salonklok tikte de uren weg, de tijd verstreek langzaam. Buiten sloeg de regen tegen de luiken. Walther verbrak de stilte door te zeggen dat het goed was dat het zo regende. Dat bood meer bescherming en minder kans op ontdekking. Maar, waarschuwde hij, het zou voor ons ook meer ontbering betekenen. Toen wist ik nog niet precies wat me te wachten stond. Walther had maar weinig losgelaten over zijn plannen, om uitlekken te voorkomen.

Tegen elf uur 's avonds was het volgens de getijdenkaart bezig eb te worden, de stroming stond nu gunstig om de rivier op te gaan en naar zee te varen. Walther stond op en beduidde ons dat het moment van vertrek was aangebroken. Hij reikte ons elk een deken aan, die we om ons heen moesten slaan. Mochten we iemand tegenkomen, dan moest de deken zo veel mogelijk van ons uiterlijk bedekken. De staartklok sloeg elf doffe slagen. We pakten onze reistassen en de zak van David, doofden de lamp en ontgrendelden de voordeur zo geruisloos mogelijk.

De regen sloeg ons tegemoet. Walther sloot de deur weer af en we gingen op pad. De nacht was donker en bewolkt, de maan hield zich verborgen. Door verlaten straten slopen we langs de huizen, proberend plassen te vermijden, wat in het donker niet gemakkelijk ging. Het gehoor was nu meer van nut dan het zicht. Druppels plonsden in grote poelen, tikten op de stenen stoepen, klaterden uit de dakgoten als een stortvloed omlaag. Op de weg knerste het schelpenzand vochtig onder onze zolen, trok de modder zuigend aan onze schoenen.

We liepen vlug naar de Waterkant, het was niet ver, we hoefden slechts de straat uit te lopen en over te steken naar de Platte Brug, waar de korjalen altijd aanmeerden. Maar door de regen en het heimelijke karakter van onze tocht leek het een hele afstand. Toch moest de reis nog beginnen.

De hoge masten van de schepen op de Reede verderop, staken boven de huizen uit, verlicht door een enkele lantaarn. We naderden de Waterkant. Bij de Platte Brug was een afdakje van palen en palmbladeren, waaronder men wat beschutting kon vinden tegen zon en regen. Er brandde een *kokolampu* en in het schaarse licht onderscheidde ik een groep van ongeveer dertig personen, bij elkaar gedromd onder het afdakje en gehuld in dekens als de onze. Sommigen hadden de handen of voeten verbonden met lappen.

Walther wisselde enige woorden met hen om te bevestigen dat iedereen er was. Ik herkende Bonhams stem. De mannen en enkele vrouwen bleken in de vroege avond vanuit Lemuel te zijn gearriveerd. Bij de Platte Brug hadden ze gewacht tot het weer vloed zou worden. Gelukkig waren er door de avondklok geen andere mensen op straat zodat het groepje 'leprozen' geen bekijks trok.

We liepen allen naar het houten vlot dat aangemeerd lag bij de Platte Brug, het vlot dat gebruikt werd om melaatsen te vervoeren naar Batavia, het ballingsoord voor lijders aan deze vreselijke ziekte. Van tijd tot tijd werd een verzamelde groep van deze ongelukkigen bij nacht en ontij de rivier opgestuurd. Vanwege de volksgezondheid, ter voorkoming van besmetting, mochten zij pas 's nachts komen bij de aanlegplaats, die overdag altijd heel druk was. Er was geen hulp of medische voorziening en als het regende zaten de zieken zonder beschutting. Bij zwaar weer kon onderweg het vlot omslaan of kon iemand door de woeste golfslag overboord vallen en verdrinken. De enige garantie was dat er bij het vertrek een soldaat kwam controleren of alle in de papieren genoemde leprozen aanwezig waren. Zo niet, dan moest de onderduiker met geweld uit zijn huis of schuilplaats gehaald worden, een karwei waar geen enkele soldaat happig op was. Wie durfde een melaatse aan te raken?

Zonder dralen namen de slaven van Lemuel plaats op het vlot. Ik verbaasde me erover dat niemand bang was voor besmetting, zo'n vlot waarop eerder de zieken met hun gehavende en door wonden geteisterde lichamen hadden gelegen. Aarzelend stapte ik op het vlot. Walther haalde een flesje tevoorschijn. Hij sprenkelde de inhoud over het vlot uit onder het mompelen van bezwerende woorden – het deed me aan Amajé denken. Ik begreep dat het ons moest beschermen tegen soldaten, ontdekking en tegen de elementen.

'En tegen melaatsheid?' vroeg ik aan Walther.

'Maak je geen zorgen,' antwoordde hij, 'dit vlot is op Lemuel gebouwd. Er zijn geen zieken mee vervoerd.' Dat was een hele opluchting.

Plotseling schoot vanuit de duisternis iets op ons af. Voor iemand erop beducht was, rende een kleine gestalte de brug op en sprong bij ons op het vlot om daar meteen in elkaar te duiken. Op de knieën schuifelend kroop de figuur tussen ons in en trok mijn deken over zich.

Nog juist op tijd wist ik een gil in te houden. Want de nachtwacht was verschenen. De soldaat kwam eraan, zwaaiend met zijn lantaarn en pogend deze te beschutten tegen de regen. De negers van Lemuel gingen met gebogen ruggen zitten, bedekten hun hoofd maar zorgden ervoor dat de verbonden handen en voeten goed zichtbaar waren. Sommigen jammerden alsof ze treurden om hun verbanning naar het leprozenoord.

Ik deed pogingen om mijn hoofd en gezicht bedekt te krijgen, want mijn blanke huid en lichte haar zouden zeker de aandacht trekken. Maar de onbekende die zich onder mijn deken verschanst had, liet mij niet veel van de stof over. Onder de doek voelde ik hoe de persoon trilde van angst en ik begreep dat ik niets moest laten merken. Toch zou mijn uiterlijk ons nog verraden, ik wist niet wat ik moest doen en liet mijn kin op de borst zakken, mijn hoofd wegdraaiend van de naderende soldaat op de kade.

Toen drukte een van de mannen achter mij opeens een strohoed op mijn hoofd. Dankbaar liet ik die over mijn ogen zakken en boog me voorover zodat mijn gezicht in de schaduw bleef. Ik merkte dat de anderen om me heen dichterbij schoven om de kleine verstekeling onzichtbaar te maken voor de wacht.

'Ala sani bun?' riep de druipnatte man.

'A de,' antwoordde Walther.

De soldaat hief zijn lantaarn en liet het licht op het vlot schijnen. Het schijnsel gleed over de klagende groep. Vuile verbanden werden zichtbaar en jammerlijk gekreun klonk op. Er kwam een trek van afkeer op het gezicht van de soldaat. Vluchtig telde hij het aantal personen. Als hem al opviel dat er geen dertig waren, zoals op de papieren van Mgr. Grooff vermeld stond, dan deed hij net alsof hij het niet merkte. De nachtwacht voelde er kennelijk niets voor om midden in de nacht in een stortbui te gaan zoeken naar een paar verdwaalde leprozen. Dan gingen die maar een volgende keer mee.

'In orde!' riep hij. De soldaat bukte zich om de lantaarn neer te zetten en gooide dan het touw los. Walther duwde af met een lange stok, de bodem van het vlot schuurde over de stenen van de afmeerplaats. De soldaat duwde eveneens met zijn stok. Het water klotste en spatte, het vlot kwam op drift.

'Behouden vaart!' wenste de wacht ons nog.

Geen overbodige wens. Heftig deinend ging het vlot met de stroom mee, vlug aan vaart winnend. Golven rezen en daalden en tilden het vlot dansend mee. De kreten aan boord waren nu niet meer gespeeld. Iedereen greep zich vast aan wat maar kon, de touwen van de balken boden het meest houvast.

Snel begon de oever langs ons voorbij te trekken. Door duisternis en regen was er nauwelijks iets te onderscheiden, alleen een zwarte massa land langs de kant, met de hoekige borstwering van Fort Zeelandia als contrast afgetekend.

De rivier speelde met ons, wind striemde de regen in ons gezicht, golven gooiden ons nat. Het leek erop dat Blackwells complot die nacht niet het enige was, de elementen zelf schenen tegen ons samen te spannen. We waren een troepje bange, natte voortvluchtigen en voor het eerst vroeg ik me af of we het er levend af zouden brengen. Als de rivier nu al zo onstuimig was, hoe zou het dan zijn als we de monding zouden bereiken? Zo dicht bij de zee zou ons vlot overgeleverd zijn aan de woestheid van de golven en het kostte nu al de grootste moeite er niet van af te glijden.

De verstekeling was ondertussen van onder de deken vandaan gekropen. 'Misi... Winter...' kon ik in die heksenketel verstaan.

'Mirre!' Ongelovig tuurde ik in het donker naar de kleine figuur. Ja, zij was het, mager, maar werkelijk Mirre. Het enige lid van La Troupe dat we uiteindelijk konden redden. Als dat tenminste zou lukken.

Misschien was het beter geweest om dicht langs de kant te blijven varen, dat zou veiliger geweest zijn mocht het vlot omslaan. Want tegen de stroming was niet op te zwemmen. Wie in het water viel zou onherroepelijk worden meegesleurd naar zee. Maar om zo snel mogelijk weg te varen was het weer beter om in de stroming van het getij te komen, in het midden van de rivier. De brede, donkere Suriname-rivier zou onze redding zijn, of ons graf.

In de chaos van water, wind, regen en duisternis verloor ik het besef van tijd. We voeren langs plantages, te ver van de kant om een waakhond te horen of te alarmeren. Misschien dat dezelfde tocht bij daglicht anders zou zijn geweest, meer avontuurlijk en minder angstwekkend, maar nu de duisternis ons tot nietige wezens reduceerde, was overleven het enige dat telde. Het klotsen van de golven, het deinen van het vlot, het leek een nachtmerrie zonder eind.

Iedereen hield zich stevig vast en probeerde met het ritme van de deining mee te gaan, het lichaam als tegenwicht gebruikend om het vlot in balans te houden. Er waren nu haast geen kreten meer te horen, energie en concentratie waren nodig om met zijn allen het evenwicht te bewaren. We waren als één lichaam geworden, elke beweging doorgevend aan de ander, wiegend, buigend, rekkend, leken we elkander aan te voelen, werkten we mee met de elementen. Af en toe riep iemand een aanwijzing of waarschuwing, en dan veranderden we weer van houding.

Midden in die storm voelde ik dat we een eenheid vormden, mijn lichaam een instrument, mijn hoofd murw en leeg, maar met een zekere rust, als een onafwendbaar lot. Alsof alle geluiden waren weggevaagd, ademhaling en hartslag een enkel doel hadden: het lichaam te loodsen naar de veiligheid, naar rust.

Toen sloeg de vermoeidheid toe. Spieren krampten pijnlijk, kleding was doornat, water sijpelde over de huid. De nachtwind blies koud en deed de gewrichten verstijven. Gekreun ontsnapte de lippen. Ik vroeg me af hoelang ik het nog vol kon houden. Waar zou het eindigen?

Een hevige schok deed me bijna mijn houvast verliezen. Iedereen schoot naar één kant, ons lijfelijk verbond verbroken, kantelde bijna het vlot.

'*Es'esi!* Gauw!' schreeuwde Walther. 'Naar links, vlug, roeien naar links!'

De mannen van Lemuel wrikten een aantal roeispanen uit de touwen en begonnen te roeien. Een geur van verrotte bladeren en slijk kwam voorbij, een brede stam passeerde en schampte tegen ons vlot, duwde ons nog eens extra naar links, natte takken in het gezicht zwiepend. De zware massa van de door de stroom meegevoerde boomstam verplaatste nog meer water en de golven wierpen ons verder naar de linkerkant. De mannen roeiden als bezetenen. De straffe noordoostenwind hielp nog een handje.

'Ja, het lukt!' riep Walther. 'Naar de kant, verder naar de kant! *Trasei!*'

Plotseling nam de snelheid van het vlot af, we waren uit de hoofdstroom in het midden van de rivier geraakt en voeren nu dichter langs het land.

'Buku!' zei Walther.

Plantage Buku, dat betekende dat aan de overzijde van de rivier het Fort Nieuw Amsterdam lag en we voorzichtig moesten zijn met licht, om de wacht aldaar niet te alarmeren.

We roeiden naar het oeverriet toe, het water was hier aanmerkelijk kalmer. Een dunne maan kwam van achter de wolken tevoorschijn. De regen hield op en de muskieten sloegen toe. Bibberend sloegen we de natte dekens om ons heen ter bescherming. Walther en de mannen bleven roeien langs de oever tot voorbij de plantage. Toen de keurige rijen cacaobomen plaatsmaakten voor ongebreidelde plantengroei, wisten we dat we de plantage achter ons lieten. Eén keer stuitten we per ongeluk op een paar vogelnesten en krijsend en fladderend vlogen de watervogels op. Van schrik ontsnapten onze groep eveneens kreten en sommigen doken instinctief plat op de buik. 'Ssst!' maande Walther ons tot voorzichtigheid. In de verte blafte een hond.

Zo goed en zo kwaad als het ging roeiden we verder, tot het water weer woeliger werd en het riet verdween. De naakte wortels van de mangrove bogen in grillige patronen naar het slik. Hier moesten we oppassen niet te stranden op de kilometerslange mangrovebossen die, grotendeels onzichtbaar, onder water hun wortels uitstrekten. De wind blies ons naar de wilde kust, die bezaaid lag met wrakhout, maar het getij trok ons terug naar de zee.

Hoewel ik mijn spieren wat rust had kunnen geven tijdens de route langs de oever, voelde ik nu hoe moe ik al werd. Voor de vluchtelingen van Lemuel moest dat nog erger zijn. Zij waren al langer dan twaalf uur op reis.

Ik zag dat David en Mirre naar elkaar toegeschoven waren. David sloeg zijn arm om Mirres ineengedoken, tengere figuur. De twee, die buiten de groep van Lemuel vielen, zochten beschutting bij elkaar.

Het voortdurende geschommel van het vlot werd nu begeleid door de wind, die harder was gaan waaien. Langzamerhand verlieten we de beschutting der beide rivieroevers en kwamen we dichter bij de monding, waar de wind vrij spel had. Het was koud en het enige pluspunt was dat de bries ook de muskieten wegblies, zodat we tenminste van die plaag verlost waren. Toch verlangde ik nu naar het eind van de tocht. We zouden toch zeker niet per vlot over zee gaan?

Opeens beduidde Walther ons stil te zijn. Hij scheen ingespannen te luisteren en vanzelf spitste ook ik de oren. Eerst was er slechts het herhaalde geluid van het klotsen der golven. Het blazen van de wind in mijn oren werd eenmaal onderbroken door de verre kreet van een vogel. Maar ineens hoorde ik iets anders, dat minder gelijkmatig klonk dan het rijzen en dalen van het wateroppervlak. Een onregelmatig, klakkend geluid in de lucht. En daaronder een dof, bonzend geklots. Alsof er iets massiefs nabij was.

Toen herkende ik de klanken: geklapper van zeilen! Eindelijk, de boot! Onder mijn medereizigers werd de opluchting voelbaar. De Zwarte Lord zette zijn handen aan zijn mond en bootste de roep van een vogel na. Driemaal een langgerekt gefluit.

Ergens vóór ons klonk een stem ten antwoord. Opgewonden begonnen de roeiers in de aangeduide richting te peddelen. Met nieuw gevonden energie kliefden zij slagen in het water, tot een klein lichtje, laag over het wateroppervlak spiegelend, zichtbaar werd. Het was een kleine schoener, een tweemaster met de zeilen gereed voor vertrek.

Veertig

14 DECEMBER 1848
NACHT

Als vissersboot zonder vlag was de schoener laat in de middag voor de kust voor anker gegaan. Kapitein en matrozen waren allen vrije negers van Brits Guyana. Vanuit de verte was niet zo snel te zien of het om een Surinaams schip ging of niet, dus waren ze met rust gelaten. Maar midden in de nacht de monding uitzeilen zonder op Braamspunt de scheepspapieren te laten inzien, dat zou zeker verdenking wekken en de wacht alarmeren. Hoe konden we ongezien voorbij de post op Braamspunt komen?

De vluchtelingen van Lemuel waren uitgeput na bijna een etmaal in touw te zijn geweest en hadden zich benedendeks teruggetrokken. David en Mirre volgden hen. Judiths zoon had zorgzaam een droge deken om de bevende Mirre heen gewikkeld. Walther, Bonham en ik bleven aan dek.

De kapitein van de schoener begon onvervaard koers te zetten naar Braamspunt. Mijn aanvankelijke opluchting om van ons wiebelige vlot over te kunnen stappen op de schoener, maakte plaats voor nieuwe zorgen. Walther echter leek niet gebukt te gaan onder de wetenschap dat we het gevaar moedwillig tegemoet gingen. Ondanks de ontberingen van de afgelopen uren stond de Zwarte Lord nog fier rechtop, bij de reling turend naar de lichten van post Braamspunt. Bonhams silhouet, kleiner en wat breder, was afgetekend tegen de grauwe nachtlucht, trouw als altijd aan zijn zijde.

Hoe dichter we de uitstekende landtong naderden, des te zenuwachtiger werd ik. Was het niet beter om minstens Bonham naar beneden te sturen, voor zijn veiligheid? Om niet nog verdachter over te komen dan nu al het geval zou zijn? In stilte biddend bleef ik naar de steeds dichterbij komende lichten staren, van spanning niet in staat de blik af te wenden.

Er laaide een vuur op vlak bij de post op het strand. Walther stak zijn armen omhoog en begon te zwaaien, een verlichte lantaarn in zijn hand. Ik wilde hem beduiden zich wat minder opvallend te gedragen en het aan de kapitein over te laten om de formaliteiten af te handelen. Toen zag ik wie er op het strand stonden.

Het vuurschijnsel verlichtte de gestalten van James en Giulietta.

Mijn vingers omklemden de reling, ik stond als aan het dek genageld.

'Het is gelukt!' Walthers stem klonk ademloos.

'Maar het vuur!' wist ik uit te brengen. 'De Adder! De Schorpioen! Ze zullen eropaf komen! Dit is roekeloos!'

'Nee, nee,' antwoordde Walther, 'Onze vrienden zouden ons nooit zo in gevaar brengen! Dat vuur betekent dat wat ik al vermoedde, bevestigd wordt. De Adder en de Schorpioen patrouilleren voor de kust bij de monding van de oostelijke en de westelijke grensrivieren. Het gezag is ervan uitgegaan dat de kans op ontsnapping of opstand het grootst is bij de grenzen van onze buurlanden. Ze zijn niet op het idee gekomen dat er een ontsnapping over zee gepland zou kunnen zijn. Die schepen zijn mijlen van ons vandaan. We zijn veilig!'

'O!' Een zucht ontsnapte me. Nu mijn angst wegebde keerde mijn aandacht terug naar het tweetal op de kust van Braamspunt. 'Maar hoe... wanneer...' De vragen verdrongen elkaar in mijn hoofd en maakten me sprakeloos.

Onze schoener ging voor de landtong voor anker, niet te dicht bij de kust om niet vast te lopen op de zandbank. Vanaf het strand werd een roeiboot uitgezet om de nieuwe passagier te brengen. Op het deinende dek van de schoener vertelde Walther me in het kort wat er gebeurd was. Veel details kwam ik later pas te weten.

James en Giulietta zijn door de autoriteiten naar een dichtgetimmerd pand aan de Steenbakkersgracht verhuisd. Dagelijks hoort Giulietta de kerkklokken luiden. Hun gebeier dringt door de planken voor de ramen, waardoor het daglicht spaarzaam naar binnen valt. Zo dicht bij de sussende invloed van de Hernhutter en Lutherse Kerken verwacht het gezag waarschijnlijk minder gauw opstootjes.

Giulietta brandt van verlangen naar buiten te gaan. Na maanden te hebben doorgebracht in de donkere cel van Zeelandia is het een kwelling de bedrijvigheid op straat te horen en er geen deel van te kunnen uitmaken.

Er is meer dat haar kwelt. Liggend op de brits die de soldaten voor haar in het huis hebben achtergelaten, heeft ze de tijd om haar wonden te laten genezen, tijd om na te denken. Soms komt de dokter langs om haar aan flarden gegeselde rug te behandelen, soms is het de stille Miss Marietje die haar wat te drinken brengt, haar geduldig lepels soep voert en met een waaier de vliegen verjaagt die zich aan haar bloederige rug tegoed willen doen.

Soms is het James die verschijnt en haar ondersteunt, haar helpt zich te verschonen. Hij doet het zonder klagen, deze trouwe vriend, maar ze ziet hoe de vreugde uit zijn ogen verdwenen is.

Door haar te trouwen – en hij stónd erop dat te doen – heeft hij haar het kostbare geschenk gegeven van een eigen bestaan. Een bestaan zonder deel uit te maken van 's meesters inboedel, een persoon te zijn, rechtssubject. Maar het is een groot offer. De toekomst met zijn geliefde Regina is daarmee tenietgedaan, zij zal het hem niet vergeven. Hij lijdt, maar ondergaat het gelaten. Misschien denkt hij niet voor het geluk geboren te zijn.

Giulietta voelt zijn pijn des te beter, nu haar wonden helen en haar toestand verbetert. Schuld drukt zwaar op haar. Ze weet dat ze moet verdwijnen, niet alleen om zichzelf te redden, maar ook om haar vrienden een kans te geven elkaar te weervinden. Maar hoe moet ze dat klaarspelen? Waar kan ze heen?

Onverwachts komt er een kans. Walther en James hebben elkaar in het geheim gesproken en maken plannen. Giulietta staat onder huisarrest, maar James niet. En het huis op Frimangron wordt niet meer bewaakt, dus James kan vrij de voorbereidingen treffen. Zo gauw Giulietta op haar benen kan staan wordt ook zij bij de plannen betrokken.

Het verblijf van langer dan een week bij James heeft Giulietta de kans gegeven weer aan te sterken, hoewel ze nog bleek is en weinig kan. 's Avonds, bij kaarslicht, worden er fluisterend plannen gemaakt. Ze horen hoe buiten de wacht rond het huisje loopt, kucht, gaat zitten om zijn pijpje te roken. Het is belangrijk dat hij niet weet hoever Giulietta al is opgeknapt. Als ze door het huisje dwaalt probeert ze haar tred zo zacht te houden als maar mogelijk is op de krakende plankenvloer.

Wanneer de dokter komt ligt de toneelspeelster weer op bed en kermt. De wonden helen langzaam maar Giulietta heeft haast. Haar nagels klauwen in het kussen van onmacht. Zo'n kans op vrijheid krijgt ze niet nog eens.

Eindelijk breekt de dag aan waarop het moet gebeuren. Op dezelfde dag dat Walther en zijn groep vertrekken, moet James Giulietta naar Braamspunt zien te brengen. Dat is riskant aangezien haar ontsnapping moet gebeuren met afnemend water en het tijdstip voor de eb valt rond elf uur 's morgens, op klaarlichte dag. Tevoren vaart James zijn boot van de Drambrandersgracht naar de Steenbakkersgracht, hij meert niet te dicht bij het pand om geen achterdocht te wekken.

En Giulietta kent het recept van Madame Akouba's wonderkoek. James wordt eropuit gestuurd om in de overwoekerde tuin van Le Grand de vereiste kruiden te plukken. Met de hulp van Miss Marietje wordt een smakelijke koek gebakken van een iets sterkere samenstelling dan normaal. De gedwongen verhuizing van de Drambrandersgracht schijnt bij Miss Marietje iets wakker te hebben gemaakt, in ieder geval ziet ze er niet tegenop om de bewaker dagelijks tegemoet te treden met een bord eten. Dit komt goed uit, want nu neemt de man nietsvermoedend een kop thee en een schotel wonderkoek aan.

Bij het flakkerende licht van de *kokolampu*, want in het verduisterde huis is het altijd donker, maakt Miss Marietje een kruidenbad klaar waarin James en Giulietta zich beurtelings moeten baden. Terwijl ze door de oudere vrouw met een kalebas vol zoetgeurend water worden overgoten mompelt zij zangerige smeekbeden om hulp, roept de *winti's* aan hen goedgunstig te zijn. Als een gordijn van water stort de *wasi* uit over hun hoofden, kleurige bloemblaadjes kleven op hun natte huid. De glinsterende druppels die van hun lichaam glijden, kleden hen in een onzichtbaar waas van 's goden bescherming.

Het duurt lang voor de wachter aan zijn thee met koek begint, kennelijk heeft hij nog geen honger. Ongeduldig wachten de samenzweerders in het huis tot hij zal toetasten. Door een kier houdt een van hen hem in de gaten. Stel je voor dat hij de koek niet lust? Of wacht met eten tot het te laat is omdat het tij keert? Wat als hij het gebak misschien meeneemt naar huis voor zijn kinderen? Op het achtererf staat de ton die door de wachter als tafel wordt gebruikt. Op de plank blijven kop en schotel onaangeroerd, de thee wordt koud.

De bewoners van het huis raken ten einde raad. Juist bedenkt James dat Miss Marietje vriendelijk moet vragen of de man nog meer thee wil - een riskant verzoek omdat dat later als aanwijzing beschouwd kan worden dat er met het eten geknoeid is - als de soldaat eindelijk bij de ton gaat zitten en een slok neemt. En een hap. En nog één, het hele stuk gaat op. Er gaat een golf van opluchting door het huis, als de verspieder het goede nieuws aan de anderen meldt.

Snel raakt de wachter onder zeil. Nu ontstaat er grote bedrijvigheid in het afgesloten huisje. Er worden spullen ingepakt en de rest van de wonderkoek gaat bij de bagage. Gelukkig heeft de wacht de schaduw van de bomen aan de achterkant van het huis als zijn slaapplek verkozen en niet de straatzijde, hetgeen voorkomt dat een toevallig passerende politieman argwaan zou krijgen. De bedoeling is dat hij lang genoeg zal slapen om de vluchtelingen de kans te geven ervandoor te gaan, maar niet zo lang dat het verdacht wordt. In de middag zal de man weer ontwaken en Miss Marietje moet dan binnen in huis voor genoeg gestommel zorgen om de soldaat gerust te stellen.

James heeft zijn boot met behulp van een dekzeil veranderd in een tentboot, zodat La Rouge onzichtbaar voor de omgeving mee kan. Het vergt nog enig met moeite betracht geduld, voor het langs de drukke Steenbakkersgracht wat rustiger wordt en Giulietta, het rode haar bedekt door een *angisa*, een baskiet bananen op haar hoofd ter camouflage, vlug de achterdeur uit en naar de aangemeerde boot kan lopen en instappen zonder dat het iemand speciaal opvalt.

Met hulp van James' broers Simpi en Willem roeien zij naar Braamspunt, de reis is bij daglicht heel wat overzichtelijker dan 's nachts (wanneer zich dan ook geen zinnig mens op woelig water waagt). Tijdens de hele tocht moet Giulietta onder het dekzeil verstopt blijven, want de Suriname-rivier wordt druk bevaren.

Als ze plantage Jagtlust en daarna Fort Nieuw Amsterdam passeren, houden ze de hoge masten van de seinpalen aan de waterkant nauwlettend in het oog. Bewegen de hendels en staven, wordt er een boodschap overgeseind? Maar slechts de Hollandse driekleur wappert in de wind, het sein is voorlopig op veilig voor de vluchtelinge.

De wisseling van de wacht aan de Steenbakkersgracht vormt een volgend risico: in de avond zal een nieuwe wacht komen en ontdekking ligt dan op de loer. Hier is weer een taak voor de bange Miss Marietje. Opnieuw moet zij haar vrees overwinnen en door de dichtgetimmerde luiken roepen dat alles in orde is en dat iedereen in huis ligt te slapen. Het is te hopen dat beide wakers genoegen nemen met de gang van zaken. Arme, dappere Miss Marietje. Doodsbenauwd wacht ze de uren af, door een spleet in de planken glurend naar de snurkende soldaat.

Op Braamspunt aangekomen moeten ze wachten tot de avond valt en het veilig is voor Giulietta om tevoorschijn te komen. Een eind achter de post wordt aangelegd, Giulietta blijft in de boot achter, samen met Simpi, die door zijn opvallende lengte later te gemakkelijk te identificeren zou zijn en van medeplichtigheid beschuldigd, mocht het onverhoopt zover komen.

Zolang het daglicht schijnt, is er de mogelijkheid dat de vlucht van de toneelspeelster wordt ontdekt en het bericht van haar verdwijning per telegraaf wordt doorgeseind van Fort Zeelandia naar post Jagtlust, vandaar naar Fort Nieuw Amsterdam en ten slotte naar Braamspunt. Als dat gebeurt komt ook Walthers onderneming in gevaar, want dat betekent dat elk vreemd voorbijvarend schip verdacht is.

Het vermetele plan is dus de telescopen onklaar te maken waarmee de seinen te zien zijn. Willem is de oudste van Koba's kinderen, een al wat oudere man met een kalme, vastberaden houding. Hij neemt een groot risico door zijn eigen veiligheid en dat van zijn gezin op het spel te zetten door James te helpen. Ook al hebben ze afgesproken dat als alles mislukt en zij gevangen worden genomen, er door James volgehouden zal worden dat 'de zwarten' van niets wisten en enkel door hem waren ingehuurd. James en Willem kappen met hun houwers een *boropasi* en lopen binnendoor naar de seinpost. Vanuit het struikgewas observeren ze een poos het strand en de gang van zaken. De zon gloeit op hun hoofd en het hete zand brandt aan hun blote voeten. De optische telegraaf staat op het strand maar de telegrafist gaat er nooit ver vandaan. De uitkijkpost is te goed bemand.

James en zijn broer overleggen of ze de telegrafist met een list zullen weglokken om zo de seinpost onklaar te kunnen maken. Maar ze beseffen dat de wacht van post Braamspunt goed zicht heeft op de telegraafpaal en hen waarschijnlijk tijdens de sabotagepoging uit de mast zal schieten.

Het tweede plan moet dan maar eerder in werking worden gebracht. Het tweetal komt tevoorschijn en meldt zich bij de wachtpost. James doet zich voor als een Engelsman op reis door de Guyana's die Braamspunt toevallig bezoekt. Er komen vaak reizigers uit Europa naar de kolonie, vanwege handelsbelangen, uit wetenschappelijke belangstelling of gewoon om de Nieuwe Wereld eens met eigen ogen te zien. James' dekmantel zal dus geen bevreemding wekken.

De soldaten op de wachtpost krijgen niet vaak bezoek en maken graag een kletspraatje. Zo komen James en Willem te weten dat er geen bericht is vanuit Paramaribo. Dat is goed nieuws.

Maar het duurt nog een paar uur voordat de duisternis valt en het seinen onmogelijk wordt. In spanning wachten ze af, pratend met de manschappen en ondertussen hopend dat er geen bericht zal komen uit Paramaribo. Af en toe vaart er een schip of een bootje voorbij en soms worden er met de kusttelegraaf seinen gegeven. Betreft het een de monding binnenvarende boot, dan kunnen James en Willem ontspannen. Een uitvarend schip echter, zou nieuws uit Paramaribo kunnen overbrengen. Op die momenten neemt de druk op de samenzweerders toe. De zweetdruppels parelen hen langs het voorhoofd terwijl ze met luchtig gebabbel de schijn ophouden.

Als de telegrafist zelf naar hen toekomt om de onverwachte bezoekers te begroeten, houden ze hem zo lang mogelijk aan de praat. Hun bedwongen agitatie lijkt weerspiegeld in het weer: de wolken worden donker en pakken samen. Het wordt benauwd, maar de regen valt niet. Traag kruipt de tijd voort.

Tegen de avond is er tot hun grote opluchting nog steeds geen bericht gekomen uit Paramaribo, het is eindelijk veilig voor Giulietta om tevoorschijn te komen. Het rode haar goeddeels verborgen onder een grote hoed en gekleed in een keurige japon, doen zij en James zich voor als Engels echtpaar. In gezelschap van James en met Willem als veronderstelde gids, kruipt Giulietta in de huid van Mrs. Byron. Een naam die de autoriteiten later toch te denken moet geven, zelfs al is de houding van de beschaafde Mrs. Byron moeilijk in verband te brengen met de wulpse en uitdagende Giulietta Latour. Ze overwint zelfs met succes haar Franse accent. Giulietta speelt haar rol alsof haar leven ervan afhangt, wat in zekere zin ook zo is. Ingetogen maar charmant weet ze de mannen van de post om haar vinger te winden. Zij prijst, flirt, vraagt de mannen van de militaire post van alles over hun werk. De soldaten van de afgelegen post hebben in geen tijden zulke plezierige gasten gehad, ze krijgen vrijwel nooit vrouwelijke bezoekers en hangen aan de lippen van de zo familiair optredende fijne dame. 'Misschien mijn meest succesvolle rol,' zoals La Rouge later zelf zal zeggen.

Mrs. Byron zet al haar charme in en komt aldus te weten waar De Adder en De Schorpioen patrouilleren. Hier kwam een grote dosis geluk bij kijken, want als deze schepen Walthers boot zouden onderscheppen of uit de territoriale wateren willen escorteren, zou de toneelspelster zich niet meer bij het vluchtschip kunnen voegen. Zelfs als Walthers schoener wél kans zou zien door de mazen van het net te glippen. Het is een groot risico, voor allen in het complot. Met behulp van wijn, wonderkoek en een grote dosis charisma worden de wachtposten aan het eind van de avond uitgeschakeld.

Toen het sein met het vuur gegeven was roeide James naar de schoener om Giulietta te brengen. Als Vincent meegeteld werd waren er dus drie leden van La Troupe gered.

Het bootje kwam langszij en Giulietta klom aan boord, James volgde. Simpi en Willem bleven in de boot wachten.

Ik had me enigszins op afstand gehouden maar James kwam naar me toe. 'Regina,' sprak hij, 'blijf toch, we zullen weer met ons tweeën zijn.' Hij pakte mijn armen vast maar mijn lichaam bleef stram, mijn gezicht afgewend. 'Je hoeft niet aan mij te twijfelen, ook al deed ik wat ik moest doen. Ik kon niet *anders.* Maar weet dat ik jou bemin, *please give me just this last chance.*'

Waarom had ik het gevoel dat juist ik steeds degene moest zijn die alles moest opgeven? Wat voor toekomst had ik nog met hem en waarom zou ik mijn nieuwe plannen weer veranderen, nu de weg eindelijk vrij was? Niets zou ons nu nog weerhouden door te gaan naar Amerika, verder de Nieuwe Wereld te verkennen.

Ik schudde mijn hoofd, stom in mijn weerzin jegens de grillen van het Lot, en de willekeur van een man, zelfs al was het James.

Hij stond erbij alsof een wreed vonnis over hem was uitgesproken. Maar was hij niet eveneens wreed geweest, zelfs al was dat dan om iemand te redden? Mijn hart was kil van boosheid om het onvergeeflijke onrecht dat mij was aangedaan.

'Goed dan,' zuchtte hij. 'Het spijt mij, meer dan je kunt denken.' Mijn minnaar, mijn getrouwde geliefde drukte een kus op mijn onwillige wang. 'Het ga je goed, Reggie.' Hij draaide zich om en liep terug naar de reling, om af te dalen naar de wachtende sloep.

Het was tijd. De kapitein wilde gebruikmaken van de laatste uren van afnemend water om in de Guyanastroom terecht te komen, zodat het schip vaart zou krijgen om naar het noordwesten te gaan. Het sloepje vertrok. De kapitein gaf het sein en de zeilen klapperden toen de koers werd gezet.

Nu moest ik vooruitkijken, naar de onbekende horizon en Suriname achter me laten. En James de rug toekeren. Maar mijn wil weigerde. Ik bleef kijken naar het bootje dat langzaam van ons vandaan roeide.

Tranen welden op en verblindden me, ik wilde niet, nee, ik wilde niet naar Amerika. Dat was niet mijn droom. Mijn dromen stierven met het vertrek van James. En er was geen weg meer terug. Tranen stroomden over mijn wangen. Ik liep naar de reling. Er was nog maar één kans. Nu. Ik sprong overboord.

> Water vlood in mijn rokken, die zwaar werden van spijt. Ploegend en
> zwoegend sloeg ik me door de golven, maar streed pas op de plaats.
> Stemmen droegen over het zwarte water, zongen een doodslied. Mijn
> mouwen trokken omlaag, benen gevangen in een nat kluwen van
> fluwelen netten zonken naar de koude diepte.
> Mond proefde het brakke water, mangrove en modder als laatste
> maal, afscheid van lucht, de aarde kwijt, zal ik als eerder mijn
> moeders lichaam, reizen door oceanenstromen.
> James roept, Walther vervaagt, en al mijn dromen. Water zwalkt door
> mijn oren, het korset plakt onherroepelijk aan de ruggengraat. Vragen
> en plannen, paniek heeft geen tijd meer, oneindigheid rijst.
> Rijst en daalt en ademt en leeft. Een hard schild waarop de zeis stuit.
> Geschept op haar pantser draagt zij mij, zeemoeder. Tussen acht
> brede ribbels van leven, trekt ze mij van de richel van de dood. Chaos
> zinkt weg in duistere golven, de krachtige slag stuurt het lichaam
> omhoog waar lantaarns wenken.

Plotseling word ik van haar veilige rug gesleurd en ik vecht om de bescherming van mijn moeders lijf, om lucht in mijn brandende longen, uit iel en krachteloos een schreeuw.

James sjort aan mijn armen, kantelt me in de boot, waar ik zwaar op de bodem het leven weervind. Ma Aitkanti zwemt haar snelle slagen naar zee. Reuzenschildpad, oermoeder, waar mijn moeders lichaam ooit in zee verdween, zwerft nu haar geest vrij rond in de oceaan. Vond de geest van mijn moeder op aarde nooit rust, nu is haar *spirit* vrij, haar *yeye fri*.

Epiloog

DECEMBER 1848 – DECEMBER 1858

Ik vond het leven terug. Nat en mijn kleren zwaar van water probeerde ik me op te richten. James sloeg zijn armen om me heen en drukte me stevig tegen zijn borst. Water droop uit mijn haren. Hij streek de slierten uit mijn gezicht. Er gleden tranen over zijn wangen. Zijn bevende handen omvatten mijn gezicht. 'Reggie, Reggie...!'

Dit moment van intense dankbaarheid, nauw beteugelde vreugde en de ontlading van onze opgekropte emoties staat in mijn geheugen gegrift. Het was het begin van ons leven samen.

Beide boten voeren weer naar elkaar toe. Het was lastig manoeuvreren tegen de stroom in, maar de schoener keerde terug. Walther was erg ontdaan maar ook zeer opgelucht. Het was een wonder dat ik gered was, want in het donker was het bijna onmogelijk iemand in de woelige golven terug te vinden.

Mijn bagage werd overgeheveld en vanuit de roeiboot nam ik afscheid, James' armen nog steeds om mij heen alsof hij bang was dat ik weer zou gaan. Me koesterend in zijn warmte wist ik dat ik de juiste keus had gemaakt.

De hemel klaarde op en onder de sterren zeiden Walther en ik elkaar vaarwel, elk in ons eigen vaartuig, klaar om onze eigen weg te gaan. Onze stemmen klonken helder over het water in de diepe nacht. De Zwarte Lord betuigde zijn spijt dat ik niet meeging en wenste ons beiden geluk. 'Moest je me nu zo laten schrikken, Regina?'

Toen zette de schoener koers naar het westen. Het was de laatste keer dat ik Walther Blackwell zag.

De ontsnapping van Giulietta zou natuurlijk niet lang onopgemerkt blijven. James, Willem en Simpi roeiden zo snel als ze konden terug. Het werd al ochtend toen we Paramaribo weer naderden. We hadden de stroom mee en dat hielp. Om zes uur 's morgens was de stad al volop in bedrijvigheid. Plantageboten voeren de haven binnen, marktlui waren al op pad. Van Fort Zeelandia wapperde de vlag. Ik verstopte me in de tentboot.

We gingen niet terug naar de Steenbakkersgracht, waar de wacht om acht uur 's morgens gewisseld zou worden. In plaats daarvan roeiden we de Drambrandersgracht op om naar Frimangron te gaan. Bij James' huis aangekomen werd vlug aangelegd, de tentboot werd terug getransformeerd tot James' gewone roeiboot en Willem en Simpi spoedden zich naar hun eigen huis. Ik was al eerder in de woning verdwenen waar ik mij vlug van mijn natte kleren ontdeed en me omkleedde. Vervolgens legde ik ontbijtgerei en dergelijke klaar op tafel in geval de politie langs zou komen om James te controleren.

Toen tegen halfnegen inderdaad de politie, vergezeld van de wachtpost en Miss Marietje verscheen, ruimde ik net de tafel af, alsof we zoals iedereen vroeg waren opgestaan, enige taken in huis en op het erf hadden verricht en daarna waren gaan ontbijten. James kwam van het achtererf om de politiemensen te ontvangen.

Nee, hij wist van niets. Hij had de nacht in zijn huis doorgebracht, zoals zijn huisgenote miss Winter kon bevestigen.

Als er mensen waren op Frimangron die ons in de boot hadden zien aankomen, dan zouden ze de politie niets vertellen, we waren veilig.

Terwijl we verbazing en geschoktheid voorwendden over Giulietta's verdwijning, suggereerden we voorzichtig dat zij richting Frans Guyana zou kunnen zijn gegaan, waar ze immers ook vandaan kwam. Op die manier hoopten we een vals spoor aan te geven.

Miss Marietje intussen, bleef haar alibi herhalen: *'Mi no sabi. Mi ben sribi.'* Zij had erg vast geslapen, de nachtwacht had niets gemerkt. De dagwacht, die wel degelijk in slaap gevallen was, zei echter met een stalen gezicht dat ook hij de hele dag niks bijzonders had gezien.

'Die rooie heks heeft jullie zeker betoverd!' brieste de politiecommandant.

Aan een vlucht over zee scheen niemand te denken, zoiets was immers nog nooit hier voorgekomen. De dronken gevoerde wachters van Braamspunt hadden natuurlijk ook niet de minste lust hun misstap bekend te maken en hielden zich van den domme, of zij hebben simpelweg nooit de connectie gelegd met de gedistingeerde Europese reizigers en de ontvluchte gedetineerde van Fort Zeelandia. Dat de Britten 's morgens bij het ontwaken van de wachters van Braamspunt verdwenen waren, hoefde geen argwaan te wekken – omdat er met het tij gereisd werd, moest men vaak bij nacht en ontij vertrekken.

De vlucht van La Rouge werd niet gekoppeld aan Walthers verdwijning. Iedereen dacht immers dat Walther en zijn slaven zich op Lemuel bevonden. Pas na een maand begon het op te vallen dat de zwarte dandy nergens meer verscheen.

Mis' Amajé was al eerder naar de stad gekomen voor een bezoek aan het kantoor van Mr. Vlier. Daar had Walther een document in bewaring gegeven waarin stond dat hij de plantage Lemuel op naam van zijn moeder had overgeschreven. Na haar dood zouden de slaven van Lemuel elk een stuk grond erven, de plantage zou onder hen allen worden verdeeld. Dat er bijna dertig slaven ontbraken is niemand echt opgevallen, daarvoor lagen de plantages te ver uit elkaar, zodat er weinig bezoek kwam. En de eigenaar van Lemuel heeft zelf natuurlijk nooit een klacht over wegloperij ingediend.

Elena en Coen mochten met hun kinderen op het erf in de Waatermolenstraat blijven wonen, maar Coen vond ander werk, waarna zij zijn verhuisd.

Na enkele jaren liet Walther het herenhuis via Mr. Vlier verkopen, om aan kapitaal voor zijn reizen te komen. Op de plaats waar Walthers huis in de Waatermolenstraat was, staat nu een apotheek.

Over Walthers verdwijning zijn nog wel verschillende geruchten geweest, maar aangezien zijn naam niet aan enig schandaal of misdrijf gekoppeld kon worden, verloor men na verloop van tijd de belangstelling.

Samuel Lobato stierf een maand na het vertrek van David. Zijn vrouw en slavenkinderen werden teruggevorderd door de eigenares mevrouw De Miranda. Zijn kinderen werkten eerst als straatventers en later als meid en handwerksman. De lessen die zij hadden gekregen bleven beperkt tot dat ene jaar voor zijn dood. Sammi liet niet veel geld na, nadat de doktersrekeningen en de begrafenis betaald waren, was er nauwelijks iets over.

Judith wordt door haar eigenares verhuurd als kokkin. De zachte Judith heeft Sammi tot zijn dood verzorgd. Ondanks zijn verder verslechterende toestand moeten zij elkaar in die laatste weken zeer nabij zijn gekomen.

Voor Judith heb ik groot respect gekregen, zij houdt het gezin zo goed als ze kan bij elkaar. Haar stille hoop is op een dag haar oudste zoon terug te zien.

Monseigneur Grooff stierf enige jaren na die gedenkwaardige tocht naar Braamspunt. Hij was mogelijk de enige buitenstaander die vermoedde hoe Giulietta ontsnapt was, al was het dan niet per vlot.

Zo veel mensen wisten op het laatst van Walthers plannen, ik vroeg hem hoe het kwam dat het plan niet was uitgelekt. Walther vertelde me daarover:

'Ik wist welke mensen ik uitkoos om het te vertellen. En aan de meesten van hen heb ik uit voorzorg niet álle plannen verteld.'

De vlucht van Giulietta had nog wel politieke gevolgen. Aangezien de toneelspeelster onder de ogen van de politie was ontsnapt, gingen er geruchten dat er opzet in het spel was. Commissaris Koops heette daarom nog een tijdlang in de volksmond: Te Koops.

Ook Mr. Palthe Wesenhagen, de president van het Koloniaal Gerechtshof, kreeg te maken met wantrouwen. Tenslotte had hij toestemming gegeven Giulietta uit het gevang te laten vertrekken voor verpleging in een burgerwoning, waardoor zij de kans kreeg te ontsnappen.

Het is Palthe Wesenhagen niet gelukt om Procureur-Generaal te worden, hoewel hij graag Mr. De Kanter had opgevolgd. Gouverneur Schimpf, de huidige gouverneur-generaal, had bedenkingen. De inhoud van een brief van de gouverneur aan de minister van Koloniën, lekte uit en de strekking daarvan was dat Schimpf zijn twijfels had of Palthe Wesenhagen wel respect en ontzag zou kunnen afdwingen bij slaven en blanken. Niet alleen had de president van de rechtbank nog familie onder kleurlingen *'in den minderen stand'*, maar hij scheen zelfs sympathie voor de negers te koesteren.

Anno 1858 is de slavernij nog steeds niet afgeschaft. Het is wel wat gemakkelijker geworden om slaven te manumitteren. De bijkomende belastingen en kosten zijn sterk verlaagd of zelfs afgeschaft, maar de grootste bedragen, de borg voor de schatkist en de koopsom, zijn gebleven.

Er zijn al verschillende malen plannen geweest die de emancipatie moesten voorbereiden. Zo bedacht de Nederlandse overheid dat de slaven voor hun eigen vrijheid zouden kunnen betalen door hen gedwongen te laten werken in door de staat beheerde fabrieken. Dit stuitte op fel verzet van de planters, die dan plots zonder inkomsten en arbeidskrachten zouden zitten.

Het voorstel om slavenkinderen meteen bij de geboorte vrij te verklaren, waardoor de slavernij vanzelf zou uitsterven, wekte ook al tegenstand omdat er geen financiële vergoeding voor de slaveneigenaren tegenover stond.

Ondanks de variatie aan plannen en voorstellen is het van emancipatie nog niet gekomen. Men maakt geen haast met de 'opheffing van het meesterschap'. Evenmin denkt men eraan de plantages uit te rusten met nieuwe vindingen in de mechanische landbouw, die de slavenarbeid zouden kunnen vervangen. Reiner is een van de weinigen die een plantage heeft met een stoomgedreven pelmolen. Zijn belangstelling voor Augusta duurde maar kort. Hij trouwde met een Groningse boerendochter, kersvers uit Holland zoals hij gewenst had.

Augusta is getrouwd met een kruidenier wiens winkel ik nooit bezoek. Na Frederiks mislukte poging mij tot slavin te maken, zijn wij nooit meer vriendinnen geworden. Frederik van Roepel is administrateur op een afgelegen plantage. Hij komt slechts zelden naar de stad, maar ziet er iedere keer meer afgeleefd en verbitterd uit.

Een jaar na mijn bezoek aan Saramacca begonnen de Groningse boeren de door pech achtervolgde nederzetting te verlaten. Ze vestigden zich nabij Paramaribo vanwaar zij gemakkelijker hun producten aan de man konden brengen.

Slaven worden nu beter behandeld, maar plantage-eigenaren hebben de lust verloren nog iets met Suriname te beginnen. Er wordt niets meer geïnvesteerd. Veel eigenaars verkopen en verlaten hun grond. Stroomopwaarts is steeds minder bebouwd land te zien en zijn er almaar meer dichtgegroeide plantages.

Zendelingen en paters waren al wel begonnen de slaven in godsdienst te onderwijzen. Sommige slaveneigenaren zagen in er baat bij te hebben dat de negers leerden over de Bijbel, die immers predikt over vergeving en lijdzaamheid, wat goed past in een nederig en arbeidzaam bestaan. Maar geestelijken krijgen nu eindelijk meer ruimte op de plantages les te geven, kerkdienst te houden en de slavenkinderen te leren schrijven.

In het besef dat de emancipatie nog slechts enige jaren tegengehouden kan worden, begint men maatregelen te nemen. De ervaring leerde al dat vrijgelaten slaven niet langer op de plantage willen werken. Men haalt dus nieuwe arbeidskrachten uit Azië. Het straatbeeld is nog kleuriger geworden door deze nieuwe immigranten, met hun gelige oosterse uiterlijk, hun wijde kaftans met de lange vlecht op de rug, de brede koeliehoeden en hun onbekende, rap klinkende taal.

Veel blanken en blanke namen verdwijnen. Maar omdat er ook meer manumissies plaatsvinden, komen er ook steeds meer zwarten met blanke namen. Suriname is aan het veranderen.

Het gezag is veel strenger met kritiek en satire, het theater is conservatief en weinig boeiend. Pierre en Quaku zaten hun straf uit. Pierre werkt in een bar aan de Saramaccastraat, waar hij bedient en voor vertier zorgt met zijn viool. Hij leidt een vrij armoedig bestaan, maar zegt blij te zijn dat hij niet naar het Bagno is teruggestuurd.

Quaku heeft vrouw en kinderen en werkt bij een timmerman. Door een slecht behandelde verwonding tijdens zijn gevangenschap loopt hij mank. Hij is echter een heel goede schrijnwerker geworden.

Ook Vincent heeft zijn kortstondige toneelcarrière niet voortgezet. Toen de kwestie geluwd was, heb ik hem nog weleens in de stad gezien. De meeste tijd woont hij in het binnenland en treedt op als tolk voor de uitgezonden paters.

Dokter Christiaan werd naar Holland verbannen. Samen met Madame Akouba werd hij gezien als de bedenker van het samenzweringsplan. In Nederland werd hij na vier jaar vervroegd vrijgelaten wegens goed gedrag en na zijn vrijlating is hij scheepgegaan naar Jamaica. Sindsdien is niets meer van hem vernomen. Ik hoop niet dat de gedesillusioneerde dokter aan de drank is geraakt. Maar wellicht heeft hij zijn oude professie van arts weer opgepakt.

Ikzelf maak het goed. Natuurlijk zullen altijd de sporen van Frederiks campagne tegen mij blijven. Mijn verhaal is welbekend in Paramaribo, maar men heeft mij geaccepteerd. De samenleving is zo gemêleerd, dat een vreemde familiegeschiedenis meer of minder niet uitmaakt.

Bij de gouverneur ben ik niet meer uitgenodigd, maar de kleurlingen hebben mij in hun kringen opgenomen. Zelfs heb ik er al vele jaren werk. Familie in Suriname heb ik tot nog toe niet gevonden. Misschien was mijn moeder werkelijk een weesmeisje, zoals mijn vader had gezegd.

Alles is anders gegaan dan ik had gedacht. Ik ben niet getrouwd.

Misi Reggie, zo sta ik nu bekend. Na Walthers vertrek werd ik lerares in dienst van de Hervormde Kerk op een school voor zwarte en kleurlingenkinderen. Ik doe het werk met veel plezier. Zelf heb ik geen kinderen, maar we hebben een paar kweekjes, kinderen in moeilijke omstandigheden, die enige jaren bij ons doorbrengen om te profiteren van onderwijs, goede voeding, aandacht en een thuis, tot ze weer naar huis kunnen of op eigen benen kunnen staan.

Miss Marietje was na haar aandeel in Giulietta's ontsnapping zo overdonderd door haar eigen stoutmoedigheid, dat ze uit haar schulp kroop. Zij lijkt niet meer op de schim van weleer, ze bemoedert, berispt en verwent onze kweekjes. Helaas begint haar gezondheid de laatste tijd weer achteruit te gaan.

James, mijn lieve man, heeft eindelijk zijn demonen bezworen. Hij heeft zijn sombere periodes verloren, waarin hij soms vergetelheid zocht in drank. Er is rust in hem gekomen. Tussen James en mij is een diepe verstandhouding, gebaseerd op onze ervaringen, ons respect voor elkaar en op de liefde, die hij zelden uitspreekt maar altijd laat blijken. We zijn gelukkig met ons werk, onze pleegkinderen en elkaar.

Naar Holland ben ik tot nog toe nooit meer teruggegaan. Mijn leven hier in Suriname is vol en rijk, ik mis mijn vroegere bestaan niet. Van de lieve soeur Agnes hoor ik hoe het daar gaat, in Nederland. Naast het vaderland heb ik nu ook mijn moederland, Mama Sranan.

Van Walther en de vluchtelingen van Lemuel kwam bijna zes maanden na die gedenkwaardige nacht bericht. Bij de brief waren enige kalotypies toegevoegd. De triomfantelijke ontscheping in Port New Amsterdam was door Walther met zijn camera vastgelegd. Lachend lopen jongemannen in keurige kleren de loopplank af, zwaaiend met hun hoge hoeden. Ook is er een prachtig groepsportret van de mannen en vrouwen van Lemuel, gekleed als heren en dames, hun gezichten ernstig, maar stralend van verwachting over de toekomst.

In Brits Guyana bleef het hele gezelschap nog enige weken bij elkaar. Pas toen Walther wist dat zijn mensen goed terecht waren gekomen, nam hij afscheid. Ook David en Mirre bleven hier achter. Alleen Walther en Bonham en Giulietta voeren verder naar New York.

Walthers volgende brieven gaven aan wat een geluk het was dat zijn gezelschap in Guyana was achtergebleven. Want 'het land van de onbegrensde mogelijkheden' bleek dat allerminst te zijn voor zwarten. Walther liet zich daardoor niet uit het veld slaan, hoewel de situatie toch hachelijk genoemd kon worden. Vrije zwarten werden in de Verenigde Staten met wantrouwen en minachting bekeken en er werd alle mogelijke moeite gedaan hen in een ondergeschikte positie te houden.

New York, 10 mei 1849

Beste Regina,

Je zult niet geloven wat ik hier allemaal meemaak! Het is een geluk dat monsieur C. zulke goede paspoorten heeft vervaardigd voor Bonham en Giulietta (die zich nu Gabriella Miller noemt en heel goed met een Amerikaans accent kan spreken).
Want een zwarte zonder papieren loopt hier de kans te worden opgepakt en als slaaf te worden verkocht in het Zuiden. Anders dan in de Engelse en Franse koloniën, bestaat de slavernij hier nog steeds in veel staten en drukt een duidelijk stempel op het bestaan. Ondanks dat New York State al twintig jaar geleden de slavernij afschafte.
Door alle commotie rond de abolitionisten en hun publicaties, had

ik de indruk dat het in Noord-Amerika een stuk gemakkelijker zou zijn voor de zwarten om als vrije te leven. Het tegendeel is waar. Men heeft allerlei regels en wetten bedacht die de toestroom van zwarten naar het 'vrije' Noorden moeten beperken. Je moet steeds een pas bij je hebben tijdens het reizen en je mag nergens lang blijven, anders krijg je het aan de stok met de anti-immigratie wetten. Er zijn zelfs staten waar je niet binnen mag, en waar overtreding van dat verbod als gevolg kan hebben dat je als slaaf wordt verkocht.
New York is groot, druk en vuil, maar er zijn ook theaters, echter verboden voor zwarten! Gelukkig hebben we Weeksville ontdekt, een wijk aan de rand van Brooklyn, waar vrije zwarten land hebben gekocht en een gemeenschap hebben gesticht. Hier hoeven we niet bang te zijn voor al die vileine geboden en verboden, voor uitstoting of misbruik. Voorlopig hebben we er enkele kamers gehuurd. Het doet hier wel een beetje denken aan Frimangron. En aan Paramaribo, met dat verschil dat zwarten hier de huiseigenaren zijn!
Gabriella (Giull, dus) heeft zich aangesloten bij een klein toneelgezelschap van kleurlingen. Volgens mij heeft ze haar oog laten vallen op de leider, Winston Jones, een charmante figuur. Die twee zijn in ieder geval onafscheidelijk. Het doet me deugd dat het haar goed gaat. Ze zal zich wel redden, zelfs al wordt het misschien niets met Winston.
Zelf wil ik nog steeds verder, mijn voeten hebben *wakabakru*, ik móet verder. Er is zo veel dat ik wil zien, en Bonham gaat met me mee. Het zal moeilijk worden, want zwarten ziet men niet graag komen, maar ik wil naar het Westen. Californië, San Francisco. Ik heb zelfs gehoord dat er cowboystadjes zijn waar alleen maar zwarte mannen wonen. Daar ben ik heel benieuwd naar en ik zou er graag fotograferen. Lijkt me allemaal heel interessant.
Ik ben blij dat jij en James weer bij elkaar zijn. Doe hem de groeten van mij. Wil je mijn moeder ook de groeten doen als je haar ziet, ik kan haar niet schrijven want niemand op Lemuel kan lezen. Maar geef haar alstublieft het bijgesloten portret van mezelf.
Het kan even duren voor jullie weer van me horen, Bonham en ik vertrekken binnenkort. Het wordt een lange reis door Amerika naar the Wild West.
Best wishes van mij, het ga jullie goed, wish me good luck!

Je toegenegen
Walther Blackwell

Het lukte Walther. Samen met Bonham trok hij rond als reizend fotograaf. Hij maakte portretten die hij verkocht om te kunnen leven. De Zwarte Lord moest het nu met heel wat minder inkomsten stellen en een dandy was hij niet meer, maar een heer bleef hij.

Af en toe, zo eens per jaar, ontving ik een brief met een paar prachtige fotografieën ingesloten. Portretten van negercowboys, zwarte families, stadjes en woestijnlandschappen. Alles legde hij met de camera vast.

Niet altijd ging het goed. Hij is weleens beroofd door bandieten, verjaagd uit *towns* die niets met zwarten te maken wilden hebben, zijn camera is ook al een keer vernield en hij en Bonham hebben meermaals het vege lijf moeten redden. Bonham, zijn assistent, vriend en beschermer, was inmiddels een vaardig schutter geworden en als gezelschap op barre tochten onbetaalbaar.

Walthers daguerreotypies zijn ooit van de wagen afgevallen toen een wiel van zijn huifkar losraakte. Een groot deel van zijn werk op glasplaat was kapot. Gelukkig had hij ook veel zoutdrukken, die onbeschadigd waren omdat ze op papier waren afgedrukt.

In San Francisco heeft zijn werk in een toonzaal van een bemiddelde kleurling en kunstliefhebber gehangen.

Daarna wilde de avontuurlijke jongeman naar een indianenreservaat om te fotograferen. Indianen en zwarte Amerikanen hadden in hun geschiedenis veel gemeen en behandelden elkaar gewoonlijk met sympathie.

Sindsdien heb ik niets meer van hem gehoord. Hij had zich gevestigd in Californië, een nieuwe staat zonder slavernij. Ik weet niet hoe het hem is vergaan. Misschien kom ik er op een dag nog achter, krijg ik weer nieuws van hem. In gedachten zie ik ze reizen, Walther, met zijn assistent Bonham, zijn trouwe vriend. Ja, ik weet het nu, van Walther en Bonham. James heeft het me verteld. Het duurde een poos voor ik het kon bevatten, maar daarna viel alles op zijn plaats.

Enkele historische notities

gerubriceerd naar thema en onderwerp

1. Den Bosch

Cholera - De eerste cholera-epidemie in Den Bosch vond plaats in 1832. Niet zoals in het verhaal in 1824.

Choorstraat - In 1820 werd de Congregatie van de Dochters van Maria en Joseph, ook bekend als 'de zusters van de Choorstraat', opgericht. Omdat het protestantisme sinds de Hervorming staatsgodsdienst was, waren de zusters voor de buitenwereld niet als religieuzen herkenbaar. Pas vanaf 1842 droegen zij nonnenkap en habijt. Na 1848 stond de grondwet vrijheid van vereniging toe en was het kloosterleven niet langer verboden.

Moederhuis - In 1841 werd in Den Bosch het 'Moederhuis' geopend. Arme weesmeisjes kregen er opvoeding en onderwijs tot hun zestiende jaar, waarna er voor hen een baan als dienstbode werd gezocht.

2. Suriname geografisch, historisch-politiek en staatkundig

Omvang - Suriname is in werkelijkheid vier keer zo groot als Nederland. Maar anno 1830 dacht de Belgische reiziger Pierre Benoit dat de zuidelijke grens van Suriname gevormd werd door de Blauwe Bergen - thans het Wilhelmina-gebergte. De zuidelijker gelegen grensgebergten Akaray en Tumuk Humak, waren hem onbekend.

Engels tussenbestuur - Suriname werd in de loop van de geschiedenis verschillende malen door Engeland veroverd. De laatste keer was dat in 1804 en werd later genoemd het Engels Tussenbestuur (1804-1816). In deze periode stimuleerde de Engelse regering haar Engelse en Schotse onderdanen te emigreren, onder andere naar Suriname.

Bagnards - Frans Guyana werd vanaf juli 1795 een politiek ballingsoord tijdens de Franse Revolutie. Na de staatsgreep van Napoleon in 1799 vielen de deportaties stil en keerden de meeste overlevenden naar Frankrijk terug. In 1851 werd Frans Guyana opnieuw aangewezen als strafkolonie door Napoleon III. In het verhaal komen een aantal ontsnapte 'bagnards' voor, echter alleen monsieur Carret heeft de leeftijd om bagnard te kunnen zijn geweest. Voor de anderen is in het verhaal het Bagno als het ware wat langer als strafkolonie open geweest.

Militairen - De aanwezige militairen waren schuim van allerhande naties, geminacht en gewantrouwd door de bevolking, die bang was voor muiterij en opstand - de kolonisten waren niet erg dol op de militairen, een bij elkaar gesprokkeld legertje dat op zich een risicofactor voor de kolonie vormde.

Export - Omstreeks 1830 exporteert Suriname jaarlijks:

5 tot 6 miljoen pond koffie
2 tot 2,5 miljoen pond katoen
21 tot 22 miljoen pond suiker
70 à 71 000 pond cacao

Jaarlijks gaan honderd tot honderdtwintig schepen beladen met genoemde producten naar Nederland. De waarde wordt geschat op 10 miljoen Nederlandse guldens.
Bron: P.J. Benoit, *Reis door Suriname* (een bewerking van *Voyage à Surinam*, 1839), Zutphen, De Walburg Pers, 1980.

Leden van het Gerechtshof - Het Gerechtshof van Suriname bestond in 1848 vermoedelijk uit de president Mr. Palthe Wesenhagen, drie leden: Mr. Focke, Mr. Marchant en een lid wiens naam ik niet kon vinden en daarom heb vervangen door Mr. van der Gon Netscher. De laatste is een tijdgenoot die wel een plantage had in Suriname, maar in Brits Guyana lid van het Hof van Justitie was. Of hij een juridische graad had is niet bekend, maar dat is wel waarschijnlijk. Griffier Mr. de Souza is verzonnen, wel opereerden er iets later in de negentiende eeuw veel joodse juristen in Paramaribo. Procureur-generaal in 1848 was waarschijnlijk Mr. Ph. De Kanter, dezelfde die in 1833 de zaak van Codjo, Mentor en Present behandelde.

Mr. J.C. Palthe Wesenhagen - Mr. J.C. Palthe Wesenhagen, voorzitter van het Koloniaal Gerechtshof, wilde procureur-generaal worden, maar gouverneur Schimpf (van 1855-1859 gouverneur) vroeg zich in een brief aan de minister van Koloniën af, of hij wel respect en ontzag zou kunnen afdwingen bij slaven en blanken. Hij had tenslotte nog familie onder kleurlingen 'in den minderen stand'. En hij had zich enkele jaren eerder in een pamflet nogal positief over de inborst van negers uitgelaten. Er werd een ander benoemd.

Strafverlaging - Het lijkt nogal een omslag, van doodstraf naar relatief lage gevangenisstraffen, zoals beschreven in hoofdstuk 38. De geschiedenis laat echter meer van dergelijke voorbeelden zien. In het algemeen genoten politieke gevangenen in Nederland in de negentiende eeuw meer privileges en kregen ze vaak lichtere straffen, zoals geldboetes of een halfjaar zitten voor opruiing, smaad en het maken van pamfletten, terwijl de gewone man voor diefstal één tot zeven jaar gevangenisstraf kon krijgen. In 1911 werden alle zeven verdachten van het Killinger-complot (plan voor militaire coup) in Paramaribo veroordeeld tot de doodstraf. Vervolgens kregen zij gratie, met gevangenisstraffen van twee tot vijf jaar; de hoofddader werd naar Nederland verbannen en kwam na vier jaar vervroegd vrij wegens goed gedrag.

Koloniale Raad - De Koloniale Raad (1832-1865) moest een wetgevende vergadering zijn, tevens uitvoerder, en de gouverneur-generaal was verplicht advies van de Raad in te winnen als er nieuwe wetten of bepalingen ingevoerd moesten worden. In de Raad zaten: de gouverneur-generaal als voorzitter, een procureur-generaal, een administrateur van financiën, de gouvernementssecretaris en zes van de voornaamste ingezetenen: deels grondeigenaren in de kolonie woonachtig, deels vertegenwoordigers van afwezige grondbezitters - in de praktijk waren deze leden echter alleen vertegenwoordigers van eigenaars die zelf niet in de kolonie woonden; deze betaalde agenten wisselden vaak, omdat men kwam om snel fortuin te maken en dan weer vertrok. De taak van wetgeving voor de kolonie vatten de raadsleden nogal licht op en bestond voor hen grotendeels uit het opstellen van verordeningen. Deze 'plantocratie' lette alleen op eigen belang en werkte plannen die de kolonie ten goede zouden komen maar geld en veranderingen kostten, tegen: gouverneurs die veranderingen wilden doorvoeren, werden in alles door deze planters tegengewerkt. Ook het Opperbestuur in het moederland werkte niet altijd mee.

Mr. Vlier en Mgr. Grooff - Naast de gouverneurs van Suriname zijn er nog een aantal andere historische figuren die een rol spelen in het verhaal, onder wie Mr. Vlier en Mgr. Grooff de belangrijkste zijn. In 1827 was Mr. Nicolaas Gerrit Vlier (een kleurling) medeoprichter van de Surinaamsche Maatschappij van Weldadigheid. Ook joden sloten zich hierbij aan. Mr. Vlier stond bekend als sociaal bewogen en begaan met het lot van de slaven. Hij sprak zich uit tegen de slavernij.

Mgr. Grooff leidde de missie van 1826 tot 1843. Hij stond bekend om zijn zielenijver en liefde voor melaatsen. Een poos werkte hij in Oost-Indië, waar hij het met de autoriteiten aan de stok kreeg omdat hij alleen het gezag van Rome erkende. In 1847 keerde hij terug naar Suriname. Hij was inmiddels bisschop geworden, maar verbleef de meeste tijd op het melaatsenetablissement Batavia aan de Coppename. Grooff stierf in 1852 te Paramaribo.

De Blauwe Berg - Terwille van het verhaal is de Brownsberg, die volgt op de route van Berg en Dal, hier veranderd in de Voltzberg en de omgeving van de Raleighvallen. In werkelijkheid bevinden deze zich verder ten westen van Suriname, aan de Coppename-rivier, terwijl de route Berg en Dal via de Surinamerivier loopt.

Fort Groningen - Anders dan in het verhaal was Fort Groningen in 1845 al verlaten en waren de schelpstenen wallen grotendeels gesloopt.

3. Curiosa en citaten

De optische telegraaf - In 1794 vond de Fransman Chappe de optische telegraaf uit. Een keten van seintorens stond op onderlinge afstanden van 10 à 20 km. Op elke toren bevond zich een seinpaal met armen die in verschillende standen konden worden gezet en aldus in code een bericht konden doorgeven. De bedienende telegrafist had met twee sterke telescopen zicht op de vorige en de volgende toren. Met dit systeem konden berichten in minuten in plaats van uren (zoals voorheen per koerier) worden doorgegeven. In de Napoleontische tijd was er zelfs een verbinding van Amsterdam via Parijs tot aan Venetië. Op Braamspunt stond een optische telegraaf, waarschijnlijk een kusttelegraaf, waarmee geseind werd naar Fort Nieuw Amsterdam, vandaar naar post Jagtlust (ten zuiden van Meerzorg) en ten slotte naar Fort Zeelandia, Paramaribo, of: in omgekeerde route.

Allah - In het toneelstuk *De komst van de fluitspeler* roept de oude man Allah aan. Er waren slaven ingevoerd afkomstig van de Sokko-stam uit Senegal. Zij waren moslims.

Metamorphosis Insectorum Surinamensum - Maria Sibylla Merian (1647-1717) was een Duitse kunstenares en entomologe, werkzaam in Suriname van 1699 tot 1702. Zij had zich toegelegd op onderzoek van insecten. Deze beeldde zij af, tezamen met de plant of vrucht waarvan ze leefden. In 1705 verscheen van haar een groot foliowerk over de gedaanteverwisseling van Surinaamse insecten: *Metamorphosis Insectorum Surinamensum.*

De Bruid van de Wind - De tekst van het door Regina geschreven stuk verscheen eerder in iets andere vorm in de verhalenbundel *Minnewake* (Ralicon, Paramaribo 2008).

Currer Bell - De Britse schrijfster Charlotte Brontë gebruikte een mannelijk pseudoniem, Currer Bell, toen haar roman over de gouvernante *Jane Eyre* voor het eerst werd gepubliceerd (1847). Zoals met zo veel beroepen was ook schrijven iets waarvan men dacht dat vrouwen dat niet zouden kunnen.

Don Experientia - Het gedicht dat dokter Christiaan voordraagt in hoofdstuk 24 is afkomstig van een anonieme dichter uit de achttiende eeuw, die zich verschool achter de naam Don Experientia. Don Experientia schreef gedichten en toneelstukken waarin hij de geldzucht der planters hekelde. Hij schreef met zo veel oprechte verontwaardiging dat men hem er van verdenkt zelf de dupe te zijn geweest van de Surinaamse misstanden.

Ik hoorde een historie - Het lied in hoofdstuk 36 is geïnspireerd op een tekst van Marten Douwes Teenstra, getiteld 'De negerslaven in de kolonie Suriname'. De originele tekst luidt: 'Ik ben in een' tuin geweest / Ik hoorde eene Historie. / Hebt gij ooren, hoor deze Historie: / Ik ben gelijk de Courant, / Ik zal het ruchtbaar maken, / Hoort wat ik u vertel: [...]'

Modderskiën - *'Ik zag hier eenen neger, die op dezen modderigen oever met het vangen van krabben bezig was. Eene ongeveer 2 voet lange plank, die hij aan zijn been vastgebonden had en waarop hij knielde, belette het inzinken, en, terwijl hij zich met den vrijen voet voortstootte, ging hij zeer snel vooruit.'* Uit: August Kappler, *Zes Jaren in Suriname 1836-1842; Schetsen en Taferelen uit het Maatschappelijke en militaire leven in deze Kolonie*, Utrecht 1854.

Verklarende woordenlijst

Aangehouden werd zo veel mogelijk de spelling van J.C.M. Blanker en J. Dubbeldam, *Prisma Woordenboek Sranantongo*, Het Spectrum b.v., Houten 2005/2008.
Ook werd geraadpleegd J. van Donselaar, *Woordenboek van het Surinaams-Nederlands* (Coutinho, Muidenberg 1989), met name voor de omschrijvingen van enkele lemma's.
In het algemeen geldt dat Blanker en Dubbeldam de *j* als *y* spellen en de *oe* als *u*, zoals gebruikelijk in Engelse transliteratie; wel is bijvoorbeeld in veel gevallen de Nederlandse *k* blijven staan.
Bij in onbruik geraakte termen als *soesti nengre* is hier de oude spelling aangehouden.

abrasei - overkant
A de - Het gaat wel
A dede - Zij is dood
Aisa - (winti) hoofdgodin
aitkanti - lederschildpad
Ala sani bun? - Alles goed?
A moi - Het is mooi
anansitori - fabel over de spin Anansi; sprookje
angalampu - hibiscus; Chinese roos
angisa - traditionele hoofddoek gedragen door creools-Surinaamse vrouwen
antruwa - vrucht van een nauwe verwant van aubergine, gegeten als groente
apinti - vrij grote drum, gebruikt bij religieuze dansen
babun - rode brulaap
bagnard - [Frans] galeiboef; gevangene
bakra - blanke; Nederlander
bakru - kleine, boosaardige bosgeest
bangi - bank
Baya - Het is me wat
basya - opzichter op een plantage; (bij de marrons) hulp van een hoofdman
Ba suku, ba feni, ba tyari - (gezegde) 'Hij die zoekt en vindt, zal moeten dragen'; Wie zichzelf in de problemen brengt, moet de gevolgen ervan dragen

[...] ben gwe langalanga, baka na tapsei – [...] is al lang vertrokken, terug naar het binnenland
bita – kruidendrank (zie: kwasibita)
boyo – ovengerecht van geraspte kokosnoot en cassave, zoete aardappel of maismeel
boropasi – sluipweg
brada – broer
cabale – [Frans] complot
danki – bedankt
dawra – muziekinstrument; twee messen die raspend langs elkaar worden getikt
dede – dood
dedekondre – het binnenland [lett. 'het dode land']
ded'oso – dodenwake
den sma – de mensen
Disi na misi Winter – Dit is miss Winter
dinari – lijkbewasser
du – dansfeest
dresimama – genezeres, kruidenvrouw
dron – drum
dyarususturu – brede stoel
es'esi – vlug
fayalobi – [lett. 'vurige liefde'] sierheester met gele of rode bloemen (Ixora macrothyrsa)
Fa yu de – Hoe gaat het?
fiadu – cakeachtige koek, met krenten, rozijnen, sukade en amandelen
foduwinti – stamgoden en familiegoden
fri – vrij, vrijheid
futuboi – knecht
gowtu – goud
granman – stamhoofd bij bosnegers
granmasra – planter
grasbarki – libel; waterjuffer
inginoto – paranoten
ingipatu – indiaanse aardewerken pot waarin eten wordt geconserveerd
I sabi – Je weet wel
iya – ja
Iya baya – Ja, zo is het
jamun-wijn – wijn bereid uit de zoetzure, blauwpaarse bessen van de djamoenboom
kapuweri – struikgewas
karet – dikkopschildpad
kawana – [Caraïb.] syn. *kawaan* soort schildpad met een dik rugschild
kawai – zaad van een soort liaan uit de bonenfamilie, gebruikt in sieraden en bij kinderspelletjes; enkelbanden bestaande uit deze zaden, gedragen bij het dansen
keksi – fijne taart van eieren, kaneel en rozijnen
klaroen – wilde soort bladgroente (amarantensoort)
kokolampu – pitlamp; blikken tuitlampje voor kokosolie met katoenen pit
koto – wijde rok of jurk van kleurrijke stof (creoolse dracht)
kotomisi – creoolse vrouwendracht; sierplant met rode, roze en witte bloemen
krerekrere – pauwenbloem; sierheester met trossen gele of rode bloemen
krioromama – kinderverzorgster
krape – soepschildpad; zeeschildpad

kumbat'tei - navelstreng
kula - vaarboom
kwakwabangi - slaginstrument; houten bankje dat met twee stokken wordt bespeeld
kwasibita - bitterhout; kwassiehout, plant met koortswerende werking, genoemd naar de ontdekker van deze genezende eigenschap, de neger Quassi
kwikwi - kleine donkergrijze gepantserde meervallen
langadron - liggende lange trom die met blote handen wordt bespeeld
leba - straatgeest die toegangswegen bewaakt en zuivert van negatieve invloeden; er zijn ook slechte leba, die mensen aanzetten tot verkeerde dingen
lemkitiki - takje van de lemmetjesboom waarop gekauwd wordt om de tanden te reinigen
malinker - (oud Nederlands, afgeleid van het Franse malingre: simulant), slaaf of slavin die door gebreken of ouderdom niet of slechts gedeeltelijk arbeidsgeschikt was
Mama Gron - Moeder Aarde
manya - mango
maraka - muziekinstrument; holle kalebas gevuld met steentjes of pitten
markusa - passievrucht
masra - meester
mi gudu - mijn schat
Mi na fini keti, ma mi e tai bigi udu - (gezegde) 'De fijne ketting bindt het sterke hout'; Onderschat me niet
Mi no sabi, mi ben sribi - Ik weet het niet, ik sliep
Mi na tongo, mi de na mindri tifi - (gezegde) Ik ben [weerloos als] de tong tussen de tanden
Mi no wani, mi de moro betre na mi srefi - Ik wil niet, ik ben beter af op mezelf
misi - mevrouw
Misi kba? - Is mevrouw klaar?
mofokoranti - geruchtenmachine
morpho-vlinder - Morpho menelaus; dagvlinder uit de onderfamilie Morphinae
Moses dede, ma Gado de - (gezegde) 'Mozes is dood maar God is er nog'; Geef de moed niet op, er is nog hoop
Na suma sa waran mi skin so mindrineti - Wie zal mij dan 's nachts warmen?
napi - eetbare knol van een gekweekte plant uit de yamswortelfamilie
nene - kinderverzorgster
no - nee; niet; niet dan?
No du! A ogri! - Niet doen! Het is het Kwade!
Odi m'ma - Gegroet, mama
Opo a doro, opo es´esi! - Open de deur, doe snel open!
pakira - halsbandpekari; bosvarken
palulu - grote planten met onder de bloeiwijzen grote, rode schutbladen van het geslacht Heliconia
pangi - omslagdoek; lendendoek
papasneki - boa constrictor
parakoranti - knapperige cassavekoek
Pe den pkin de dan? Tyar den dyaso! - Waar zijn die kinderen toch? Haal hen hierheen!

pembadoti - witte leemaarde, gebruikt bij religieuze rituelen
peprepatu - peperpot, indiaanse conserveringsmethode
pikin - kind
pkinboi - jochie
podya - staande drum
popokaitongo - 'papegaaientong'; soort bloem
prapi - aardewerken vat of kom
Puspusi lon a gwe kba - De poes is er al vandoor
Redi mi - Maak mij rood
Sang! - Wel, wel!
sibibusi - stortregen
siksiyuru - [lett. 'zes uur'] zangcicade, soort die om zes uur 's avonds begint te sjirpen
sosofutu - blootsvoets
sula - stroomversnelling; waterval
soesti nengre - (verouderd) slaven van het gouvernement
tabiki - eiland in een rivier
takitaki - (minachtend, verouderd) Sranantongo
Tangi fu spans boko mi e syi ini foto - (oud gezegde; wrange spot van slaven die voor een afstraffing (Spaanse bok) naar Fort Zeelandia werden gestuurd) 'Dankzij de Spaanse bok heb ik het fort vanbinnen gezien'
Tangi fu tonton, tangi fu brafu - Dank je voor de tomtom (balletjes van gestampte banaan), dank je voor de soep
tyuri - zuigend of smakkend geluid dat afkeuring of verachting uitdrukt
tokotoko - modder
Tori switi, ma bari musu tapu - (gezegde) 'Het verhaal was mooi, maar nu moeten wij zwijgen'; Aan alles komt een eind
trasei - andere kant
twatwa - zwarte, vinkachtige vogel; zwarte bisschop
tyap - [oorspr. tyapu] schoffel
uma - vrouw
Un gwe yere - Jullie verdwijnen, begrepen?
Vette Wariër - (oud Nederlands) zaak waar men behalve kruidenierswaren ook allerlei andere zaken kon kopen zoals boeken, kleding, meubelstukken
waka - lopen, stappen, wandelen
wakabakru - reislust [woord mogelijk bedacht door schrijfster Els Moor, variatie op wrokobakru, 'werklust']
warana - klein soort zeeschildpad
wasi - rituele reiniging met een kruidenbad
Wanwan dropu e furu bari - (gezegde) 'Elke druppel vult het vat'; Alle beetjes helpen
winti - Afro-Surinaamse godsdienst; bovennatuurlijk wezen, geest, tussengod; bezetenheid door winti
wintiprei - dansritueel voor goden en geesten, waarbij sommigen bezeten raken
Wi sa kon - Wij zullen komen
wisi - zwarte magie, kwaadaardige betovering
yeye - geest
yorka - geest, in het algemeen van een voorouder die christelijk gedoopt is

yorkatori – spookverhaal
Yu na siksi, yu ben na siksiwan – Jij bent de zesde, jij bent de zesde geweest

Dank aan

Mijn ouders, voor hun liefde en steun van ver en toch altijd dichtbij.

Theo Andriessen, voor zijn geloof in mij en de kans om te schrijven.

Adriaan Krabbendam, voor zijn inzet mijn boeken te laten verschijnen.

Patricia Gomes, historicus, voor haar enthousiasme bij het nalezen en adviseren.

Kathrien Andriessen, voor haar geduldige vertalingen in het Frans.

Sirano Zalman, directeur van toerismebedrijf Access Tours, voor het beantwoorden van mijn vele vragen over getijden en het reizen op de rivier.

Ron Smit en Lianne Damen van KIT Publishers, voor de kans!

Alle familieleden, vrienden en sympathisanten voor hun steun en belangstelling.